Биографии,
автобиографии,
мемуары

Дмитрий ЛИХАЧЕВ

Мысли о жизни

Письма о добром

МОСКВА

УДК 821.161.1
ББК 84(2Рос-Рус)6-44
Д65

Художественное оформление серии
Андрея Рыбакова

Оформление обложки
Ильи Кучмы

Издание подготовлено при участии издательства «Азбука».

Издательская Группа «Азбука-Аттикус» выражает благодарность Фонду имени Д. С. Лихачева за предоставленные материалы.

ISBN 978-5-389-06680-9

Содержание

Мысли о жизни: Воспоминания

Письма о добром

Мысли о жизни: Воспоминания

«И сотвори им, Господи, вечную память...»

Предисловие

С рождением человека родится и его время. В детстве оно молодое и течет по-молодому — кажется быстрым на коротких расстояниях и длинным на больших. В старости время точно останавливается. Оно вялое. Прошлое в старости совсем близко, особенно детство. Вообще же из всех трех периодов человеческой жизни (детство и молодость, зрелые годы, старость) старость — самый длинный период и самый нудный.

Воспоминания открывают нам окно в прошлое. Они не только сообщают нам сведения о прошлом, но дают нам и точки зрения современников событий, живое ощущение современников. Конечно, бывает и так, что мемуаристам изменяет память (мемуары без отдельных ошибок — крайняя редкость) или освещается прошлое чересчур субъективно. Но зато в очень большом числе случаев мемуаристы рассказывают то, что не получило и не могло получить отражения ни в каком другом виде исторических источников.

* * *

Главный недостаток многих мемуаров — самодовольство мемуариста. И избежать этого самодовольства очень трудно: оно читается между строк. Если же мемуарист очень стремится к «объективности» и начинает преувеличивать свои недостатки, то и это неприятно. Вспомним «Исповедь» Жан-Жака Руссо. Тяжелое это чтение.

Поэтому — стоит ли писать воспоминания? Стоит, — чтобы не забылись события, атмосфера прежних лет, а главное, чтобы остался след от людей, которых, может быть, никто больше никогда не вспомнит, о которых врут документы.

Я не считаю таким уж важным мое собственное развитие — развитие моих взглядов и мироощущения. Важен здесь не я своей собственной персоной, а как бы некоторое характерное явление.

Отношение к миру формируется мелочами и крупными явлениями. Их воздействие на человека известно, не вызывает сомнений, и самое важное — «мелочи», из которых складывается работник, его мировосприятие, мироотношение. Об этих мелочах и случайностях жизни и пойдет речь в дальнейшем. Все мелочи должны учитываться, когда мы задумываемся над судьбой наших собственных детей и нашей молодежи в целом. Естественно, что в моей своего рода «автобиографии», представляемой сейчас вниманию читателя, доминируют положительные воздействия, ибо отрицательные чаще забываются. Человек крепче хранит память благодарную, чем память злую.

Интересы человека формируются главным образом в его детстве. Л. Н. Толстой пишет в «Моей жизни»: «Когда же я начался? Когда начал жить? <...> Разве я не жил тогда, эти первые года, когда учился смотреть, слушать, понимать, говорить... Разве не тогда я приобретал все то, чем я теперь живу, и приобретал так много, так быстро, что во всю остальную жизнь я не приобрел и 1/100 того?»

Поэтому в этих своих воспоминаниях я уделю главное внимание детским и юношеским годам. Наблюдения над своими детскими и юношескими годами имеют некоторое общее значение. Хотя и последующие годы, связанные в основном с работой в Пушкинском Доме Академии наук СССР, также важны.

Род Лихачевых

Согласно архивным данным (РГИА. Фонд 1343. Оп. 39. Дело 2777) основатель петербуржского рода Лихачевых — Лихачев Павел Петрович — из «детей купеческих Солигаличских» был принят в 1794 г. во вторую гильдию купцов Санкт-Петербурга. Приехал он в Петербург, конечно, раньше и был достаточно богат, ибо вскоре приобрел большой участок на Невском проспекте, где открыл мастерскую золотошвейного дела на два станка и магазин — прямо против Большого гостиного двора. В Коммерческом указателе города Санкт-Петербурга на 1831 г. указан номер дома 52, очевидно ошибочно. Дом № 52 был за Садовой улицей, а прямо против Гостиного Двора находился дом № 42. Правильно указан номер дома в «Списке фабрикантам и заводчикам Российской империи» (1832. Ч. II. СПб., 1833. С. 666–667). Там же приводится и список изделий: всех сортов форменные офицерские вещи серебряные и апплике, позументы, бахромы, парчи, канитель, газ, кисти и пр. Указано три прядильных станка. На известной панораме Невского проспекта В. С. Садовникова изображен магазин с вывеской «Лихачевъ» (такие вывески с указанием одной только фамилии были приняты для самых известных магазинов). В шести окнах по фасаду выставлены скрещенные сабли и различного рода золотошвейные и позументные изделия. По другим документам известно, что золотошвейные мастерские Лихачева находились тут же во дворе.

Сейчас номер дома 42 соответствует старому, принадлежавшему Лихачеву, но на этом месте выстроен новый дом архитектором Л. Бенуа.

Как явствует из «Петербургского некрополя» В. И. Саитова (СПб., 1912–1913. Т. II. С. 676–677), приехавший из Солигалича Павел Петрович Лихачев родился 15 января 1764 г., похоронен на Волковом православном кладбище в 1841 г.

Семидесяти лет Павел Петрович и его семья получили звание потомственных почетных граждан Санкт-Петербурга. Звание потомственных почетных граждан было установлено манифестом 1832 г. императором Николаем I с целью укрепить сословие купцов и ремесленников. Хотя звание это и было «потомственным», право на него мои предки подтверждали в каждое новое царствование получением ордена Станислава и соответствующей грамотой. «Станислав» был единственным орденом, который могли получить недворяне. Такие грамоты на «Станислава» были выданы моим предкам Александром II и Александром III. В последней грамоте, выданной моему деду Михаилу Михайловичу, указаны все его дети, и в числе их мой отец Сергей. Но отцу уже не пришлось подтверждать своего права на почетное гражданство у Николая II, так как благодаря своему высшему образованию, чину и орденам (среди которых были «Владимир» и «Анна» — не помню, каких степеней) он вышел из купеческого сословия и принадлежал к «личному дворянству», т. е. отец стал дворянином, впрочем без права передавать свое дворянство детям.

Потомственное почетное гражданство мой прапрадед Павел Петрович получил не только тем, что был на виду в петербургском купечестве, но и постоянной благотворительной деятельностью. В частности, в 1829 г. Павел Петрович пожертвовал три тысячи пехотных офицерских сабель Второй армии, сражавшейся в Болгарии. Об этом пожертвовании я слышал еще в детстве, но в семье считалось, что сабли были пожертвованы в 1812 г. во время войны с Наполеоном.

Все Лихачевы были многодетны. Мой дед по отцу Михаил Михайлович имел собственный дом на Разъезжей улице (№ 24), рядом с подворьем Александро-Свирского монастыря, чем объясняется, что один из Лихачевых пожертвовал крупную сумму на построение часовни Александра Свирского в Петербурге.

Михаил Михайлович Лихачев, потомственный почетный гражданин Петербурга и член Ремесленной управы, был старостой Владимирского собора и в моем детстве уже жил в доме на Владимирской площади с окнами на собор. На тот же собор смотрел из углового кабинета своей последней квартиры Достоевский. Но в год кончины Достоевского Михаил Михайлович не был еще церковным старостой. Старостой был будущий тесть его — Иван Степанович Семенов. Дело в том, что первая жена моего деда и мать моего отца Прасковья Алексеевна умерла, когда отцу было лет пять, и похоронена на дорогом Новодевичьем кладбище, где не удалось похоронить Достоевского. Отец родился в 1876 г. Михаил Михайлович (или, как его звали у нас в семье, Михал Михалыч) вторично женился на дочери церковного старосты Ивана Степановича Семенова — Александре Ивановне. Иван Степанович принимал участие в похоронах Достоевского. Отпевали его священники из Владимирского собора, и делалось все необходимое для домашнего отпевания. Сохранился один документ, любопытный для нас — потомков Михаила Михайловича Лихачева. Документ этот приводит Игорь Волгин в рукописи книги «Последний год Достоевского».

И. Волгин пишет:

Анна Григорьевна желала похоронить мужа по первому разряду. И все же похороны обошлись ей сравнительно недорого: большинство церковных треб совершалось безвозмездно. Более того: часть истраченной суммы была возвращена Анне Григорьевне, в чем удостоверяет весьма выразительный документ:

«Честь имею препроводить к Вам деньги 25 рубл. серебром, сегодня предоставленных мне за покров и подсвечники каким-то неизвестным мне гробовщиком, и при этом объяснить следующее: 29 числа утром лучший покров и подсвечники отправлены были из церкви в квартиру покойного Ф. М. Достоевского по распоряжению моему безвозмездно. Между тем неизвестный гробовщик, не живущий даже в пределах Владимирского прихода, взял с Вас деньги за церковные принадлежности самовольно, не имея на то ни права, ни резона, да и сколько он взял их, неизвестно. А потому как деньги взяты самовольно, я препровождаю Вам обратно и прошу принять уверения в глубоком уважении к памяти покойного.

Церковный староста Владимирской церкви Иван Степанов Семенов»[1].

Дед мой по отцу, Михаил Михайлович Лихачев, не был в точном смысле купцом (звание «потомственного и почетного» давалось обычно купцам), а состоял в Петербургской ремесленной управе. Был он главой артели. Но в моем детстве артель деда была уже не златошвейной.

И действительно, дела золотошвейных мастерских Лихачевых пошли плохо уже при Александре III, упростившем и удешевившем форму русской армии. В архиве Зимнего дворца сохранилось прошение моего прадеда о пособии с положительными отзывами. Прошение это само по себе любопытно:

«Прошение потомственного почетного гражданина СПб. I гильдии купца Михаила Лихачева о выдаче ссуды 30 000 рублей для поддержания торговли парчами, галунами и золотошвейными товарами». Отзыв министра Императорского двора — «ввиду почти столетнего существования фирмы и той пользы, которую деятель-

[1] См. в бумагах А. Г. Достоевской папку, озаглавленную «Материалы, относящиеся к погребению» (ГБЛ. Ф. 33. Ш. 5.12. Л. 22).

> ность деда, отца и сына принесла золотошвейному парчовому делу в России, — Воронцов-Дашков находит справедливым оказать поддержку. Из представленных Лихачевым документов усматривается, что торговля парчами, галунами и золотошвейными изделиями производилась торговым домом Лихачева с 1794 г., представители дома неоднократно удостаивались высочайших наград и похвальных отзывов со стороны выставочных комиссий и заказчиков за доброкачественность и изящество представленных изделий. Отцу просителя, почетному гражданину Ивану Лихачеву, в 1859 г. разрешено именоваться с сыновьями фабрикантами золотошвейных и золототканых изделий Императорского двора и иметь над местом торговли и на изделиях государственный герб. Таким образом, заслуги фирмы довольно значительны, и продолжение деятельности ее было бы весьма желательно» (ЦГИА. Ф. 40. Оп. 1. Д. 35. 1882 г. Л. 462).

Однако на документе стоит надпись: «Деньги даны не были».

Вот почему дед перешел на полотерное дело. В справочниках «Весь Петербург» за два последних перед революцией десятилетия дед значился уже с указанием специальности «полотерное дело». В детстве я помню, что к квартире деда примыкало общежитие полотеров с окнами на двор. Дед строго следил за поведением своих рабочих, тем более что артель отвечала за каждую пропавшую, разбитую или просто испорченную вещь, где натирались полы. Помню, что артель натирала полы в Адмиралтействе и других дворцовых помещениях. Набирались мастеровые из хороших, крепких крестьянских семей. Дед следил: умел ли рабочий есть за столом с крестьянской опрятностью и умел ли по-крестьянски резать хлеб. По этим признакам дед, говорят, безошибочно определял моральные качества своих людей.

Дед, как я уже сказал, был старостой Владимирского собора и летом отдыхал на даче в Графской (теперь Песочной) рядом с церковью, где часто выступал с проповедями знаменитый тогдашний проповедник священник Философ Орнатский.

Первая жена Михаила Михайловича Лихачева Прасковья Алексеевна умерла от чахотки, оставив ему четверых детей: Анатолия, Гавриила, Екатерину, Сергея. От Прасковьи Алексеевны остались фотография в группе ее родных и большой портрет в черной овальной раме, сделанный итальянским карандашом по фотографии. На портрете отец мой ребенком лет трех сидит в юбочке (как тогда полагалось одеваться маленьким мальчикам) на руках у матери. Долго сохранялся у нас кусочек ее шотландского платка. Шерсть в нем была так тепла, что кусок этот употреблялся в нашей семье только в лечебных целях. Пропал этот кусок после смерти моей матери, у которой он хранился. Сохранилась еще маленькая записочка с перечислением имен ее детей; может быть, для поминания в церкви? Это было все, что осталось от Прасковьи Алексеевны. Большинство людей умирает, оставив по себе не больше, но дети — главное!

Вторым браком Михаил Михайлович был женат на Александре Ивановне — дочери старосты Владимирского собора Семенова, обязанности которого дед после смерти Семенова принял на себя. О Семенове я уже писал выше.

В 1904 г. Михаил Михайлович Лихачев переехал из собственного дома на Разъезжей в большую квартиру в новом доме напротив Владимирской церкви, в которой состоял старостой. В этом доме мы всей семьей посещали его в Михайлов день, когда он приглашал к себе духовенство Владимирской церкви, служил молебен и угощал обедом, а также на Рождество и на Пасху.

Характер у деда был тяжелый. Не любил, чтобы женщины в семье сидели без дела. Сам он выходил только к обеду из своего огромного кабинета, где в последние годы лежал на диване, приставленном к письменному столу. В моей памяти запечатлелась картина: Михаил Михайлович лежит на диване одетый. Ночные туфли стоят рядом. Борода расчесана на две половины, как у Александра II (важным лицам в XIX в. полагалось носить бороду и усы как у государя). Со своего дивана он достает из ящика письменного стола золотые десятирублевики и дарит их нам, когда мы перед уходом заходим к нему в кабинет попрощаться. Над ним на потолке длинная трещина, и я всегда, заходя к нему, боялся, что потолок когда-нибудь свалится на него.

В последний раз (это было во время войны в 1916 или 1917 г.) он не подарил мне золотой, а я, привыкший к его подаркам, не уходил из его кабинета: думал, что вспомнит. В конце концов дедушка сказал мне: «Ну, что же стоишь...» — и назвал меня как-то ласково «внучек». Я говорю ему: «А монетка?» Дедушка застеснялся, заулыбался и протянул мне золотой пятирублевик вместо обычного десятирублевика: видно, дела дедушки еще более пошатнулись.

Я так много говорю о семье моего отца, что она до сих пор в какой-то мере остается для меня загадкой. Мой прапрадед Павел Петрович Лихачев «из детей купеческих Солигалича» был человеком грамотным, но не более. Почерк его на оставшихся документах очень похож на допетровскую скоропись. Профессионально он был, вероятно, очень практически осведомлен. Не случайно, думается, в Петербурге он оказывается одним из самых богатых ремесленников.

Его потомок Михаил Михайлович Лихачев многое от него усвоил, но и продвинулся далее в своем общественном положении. Его грудь покрывали ордена, медали и значки различных благотворительных обществ. О тяжелом характере деда часто говорили в нашей семье, и я до самого последнего времени представлял себе семью деда неблагополучной, задавленной дедовским деспотизмом. По поводу всякого проявления семейного деспотизма моим отцом мать моя часто с осуждением называла его «Михал Михалыч». А между тем мы были окружены подарками деда: половая лампа с ониксовым, очень дорогим, столиком, зеленый ковер с подсолнухами для большой гостиной, каминный экран с подсолнухами, прекрасный бронзовый письменный прибор у отца, четверо золотых карманных часов для отца и его трех сыновей. И мало ли еще что. Не забывал дед и о такой мелочи, как предпочтение, отдававшееся моей матерью зеленому цвету, — все в его подарках, что могло иметь цвет, было зеленым. Все это было знаками внимания моего деда, внешне очень сурового, к нашей семье.

Дети М. М. Лихачева

Женат Михал Михалыч, как я уже сказал, был дважды. Первая жена Прасковья Алексеевна, моя бабушка, умерла от чахотки (тогда не говорили «туберкулез»), косившей в Петербурге тысячи людей, главным образом в молодом возрасте. Чахоточные умирали весной. Она умерла первого или второго марта. Отец всегда боялся этих чисел марта и действительно умер во время блокады первого марта (мы зарегистрировали его тогда как умершего второго марта). Мы с отцом всегда ездили потом на могилу бабушки на Новодевичьем кладбище — самом дорогом в тогдашнем Петербурге. Отец мальчиком посадил на ее могиле березку, и ко времени, когда я с ним стал посещать могилу, береза стала старой и разрушала корнями раковину могилы.

Как реликвию хранили в семье написанную рукой Прасковьи Алексеевны уже упомянутую записочку с именами ее детей. Старший сын Прасковьи Алексеевны Анатолий умер рано. Дочь Екатерина вышла замуж за известного подрядчика Кудрявцева, строившего великокняжескую усыпальницу в Петропавловской крепости. У Екатерины Михайловны с мужем был особняк на Выборгской стороне, два сына — Михаил и Александр, которых мы с братом почему-то называли «дядя» Миша и «дядя» Шура, хотя они были нашими двоюродными братьями. Оба воспитывались с гувернантками, хорошо знали французский и немецкий и стали инженерами-электриками по совету нашего отца. Дом тети Кати был поставлен на барскую ногу. Когда муж тети Кати умер, она вышла замуж за помощника покойного мужа — Сегодника. Сегодник был значительно младше тети Кати и, как говорили, «женился на ее бриллиантах». Во всяком случае, он был жаден, неприятен и вскоре завел себе любовницу, которой в конечном счете и достались все бриллианты тети Кати. Но это случилось уже во время блокады Ленинграда. А тетя Катя, чтобы привлечь мужа, усердно следила за своими нарядами, делала подтяжки лица (во время одной из этих операций она упала в обморок и ее не скоро привели в чувство). Судьба ее сыновей была несчастливой. «Дядя» Шура был помощником проф. Гаккеля — «русского немца», специалиста по электроаккумуляторам, что было важно для подводных лодок. Во время блокады Шура что-то неосторожное сказал в столовой Дома ученых про своего учителя, в результате чего Шуру стали таскать на допросы. После одного из допросов он пришел домой, ушел на чердак и там повесился. После следователи приходили домой к его вдове и уговаривали ее не поднимать шум: военное ведомство было очень заинтересовано в работах «дяди» Шуры. А с «дядей» Мишей все было иначе. Став инженером-электриком, он переехал в Павловск, где ему очень нравилось, женился на дочери командующего Черноморским флотом Пандзержанского, расстрелянного перед войной. В Павловске его и жену захватили немцы, и он остался жив только благодаря тому, что говорил как немец на хорошем литературном немецком языке. Когда уже вдовой жена «дяди» Миши обратилась к главе Ленинградского исполкома Смирнову с просьбой предоставить ей квартиру, Смирнов, не шелохнувшись всей своей громадной тушей, отчеканил: «Обращайтесь с этой просьбой по месту расстрела вашего отца». И она осталась жить в Барановичах, куда их отправили еще немцы.

Перехожу еще к одному сыну Михал Михалыча и Прасковьи Алексеевны: к дяде Гаврюше. Его я никогда не видел. Сохранилось только длинное наставительное письмо моего отца, обращенное к Гаврюше, где отец мой пишет ему, что он готов устроить его на работу, но требует обещания аккуратно выполнять свои обязанности и не бросать работы, как он бросал ее перед тем. А дело в том, что Гаврюша имел мятущуюся душу. Уходил несколько раз в монастырь. Присоединившись к паломникам, уезжал даже на Афон в поисках правды. Сидеть за письменным столом и выполнять обязанности канцеляриста он органически не мог. Он все время был в духовных поисках. Пропадал на годы. Перед Второй мировой войной мы получили известие, что он женился, живет в Ростове-на-Дону, жена продает в киоске газеты. Что делает он сам — неизвестно. На этом сведения о нем обрываются. Значит, и из него не получился ни коммерсант, ни ремесленник.

Второй женой Михал Михалыча, как я уже написал, была дочь старосты Владимирского собора Александра Ивановна Семенова.

Мой отец с глубоким уважением относился к своей мачехе, но отроком ушел из дома, стал жить на собственные средства уроками и закончил реальное училище, чтобы стать инженером. Михал же Михалыч хотел, чтобы он унаследовал его дело и закончил коммерческое училище, не дававшее права поступить в институт.

Александра Ивановна боялась Михал Михалыча, как, впрочем, и все в доме. Михал Михалыч следил, чтобы никто в семье не сидел без дела и не «точил лясы». Приоткроет дверь в столовую, посмотрит на всех женщин тяжелым взглядом и иногда произнесет: «Ишь дармоедки». Поэтому в обычае было в доме на всякий случай держать женщинам рукоделие на коленях. Заслышат шаркание дедушкиных туфель и схватятся — кто вязать, кто штопать, кто чинить что-нибудь.

И все ж таки, несмотря на тяжелый семейный быт, Александра Ивановна была полна чувства собственного достоинства, держалась представительно, не унижалась перед мужем, хотя во всем его слушалась. Детей от первого брака любила, называла их ласкательно: Сереженька, Катюша. Ближе всего к ней была ее очень некрасивая дочь Вера. Это было удивительное существо, кротости необыкновенной, доброты чрезвычайной, веры глубочайшей. Я могу говорить о ней только в превосходной степени. Голос у нее был необыкновенно красив, и петербургское произношение, как и во всей семье дедушки, безупречное. Называла она меня Митюша, и одно это слово звучало для меня как музыка. Она целиком посвятила себя матери, ухаживала за ней самоотверженно и никогда не жаловалась на судьбу. Между тем Александра Ивановна от неподвижного образа жизни страдала ногами. Ей отняли ногу, а когда после смерти Михал Михалыча Александра Ивановна и Вера, чтобы сократить расходы, переехали из центра города на Удельную на второй этаж деревянного дома, — отняли и вторую. Вскоре Александра Ивановна умерла, и Вера стала помогать в Удельной всем, кто в этом нуждался, ничего за это не требуя. Многие жители Удельной ее знали и считали святой. Небольшие деньги давали ей дядя Вася из своей нищенской зарплаты — ее брат и мой отец — ее брат по отцу. Закончила она свою жизнь во время блокады. Еще до блокады она отдала свою большую комнату бедной многодетной еврейской семье, жившей в холодной комнатке с дверью, выходившей прямо на улицу. Разумеется, она ничего не взяла с них. Как ни топи, а ногам было в этом сарайчике холодно. Зимой она обычно сидела с ногами на высокой кровати. В начале блокады она умерла от голода одной из первых. Нам до нее было не добраться, и только весной 1942 г. мы узнали о ее смерти. Где она похоронена — бог весть.

Вторая моя тетя по отцу — Маня — была очень красива. Помню, как отец с матерью спорили: кто красивее — тетя Маня или сестра моей матери тетя Люба. Споры эти, конечно, были полусерьезные. Тетя Маня, однако, не вышла замуж: уж очень строго держал своих дочерей Михал Михалыч. За тетю Маню сватался будущий настоятель Шуваловской церкви. Тетя Маня сказала: «Ну какая я попадья» — и отказала. Чтобы получить хоть какую-то самостоятельность, она пошла учиться на зубного врача и некоторое время успешно практиковала где-то около Литейного моста в поликлинике, где у нее был зубоврачебный кабинет. А затем она уехала под Новгород на Фарфоровый завод. С заводом этим во время войны она эвакуировалась, близко подружилась со служащими и рабочими — настолько, что к ней ходили советоваться по всем, даже семейным, делам. Единственно, что ее смущало по возвращении из эвакуации, — это далекость церкви. Была она прихожанкой Николодворищенского собора в Новгороде, пока священника этой церкви, ставшего очень популярным, не перевели в другой приход, а из самой церкви одиннадцатого века не сделали планетарий. Однажды я к ней заезжал в поселок Пролетарский. Жила она бедно, совсем близко от шоссе Москва — Ленинград, в комнате, которую она старалась сделать уютной, и меня во время моего единственного посещения ее с волнением спрашивала: «Правда, я уютно устроила свою комнату?» Выписывала она «Медицинскую газету», «чтобы не отстать», и кое-какие книги. Тут ее, уже жившую на пенсии, и посещали ее многочисленные поклонники, а она наставляла всех добру и учила верить Богу. «Ну, если уж доктор наш верит, то, верно, Бог есть...» — говорили рабочие. Похоронена она в 50-х годах на кладбище в «Пролетарском». Перед смертью она приехала в Ленинград и поднималась к нам в квартиру на Басковом переулке. Я ее фотографировал, но снимок получился плохо.

Была еще тетя Настя — тоже красивая и тоже не вышедшая замуж, как и тетя Маня. Она была с высшим образованием, окончила педагогический институт (не знаю точно какой). Получала золотые медали. Всю себя посвящала педагогическому делу. У нас дома она не бывала, а когда мы всей семьей приходили к дедушке по праздникам, уводила меня к себе в комнату и мы с ней лепили или играли в настольные игры. Она рано умерла от чахотки. В развитии ее болезни, я думаю, сыграла свою роль какая-то внутренняя неудовлетворенность, гнетущая обстановка, создававшаяся в семье тяжелым «купеческим» характером дедушки Михал Михалыча.

А теперь о любимом мною дяде Васе — сыне Александры Ивановны. На старых фотографиях, еще дореволюционных, он выглядит настоящим щеголем: вздернутые усики, элегантное расклешенное по моде того времени пальто. Есть его фотографии с тросточкой. Если добавить к этому, что он с женой и дочкой любил ходить в кино, увлекался цыганским пением и особенно Варей Паниной, собирал ее пластинки, то на этом можно было бы поставить точку: портрет вполне законченный. Но на самом деле вся эта «внешность» была только оболочкой и, вероятнее всего, шла от довольно ординарной и мещанистой жены. На самом же деле дядя Вася был очень религиозен. И это было в нем основным. Его почитаемым святым был Серафим Саровский. В Саров он ездил один. Сохранились его фотографии Саровской пу́стыни. Он собирал литературу о Серафиме Саровском. Имел не пропущенный духовной цензурой полный экземпляр книги Мотовилова о Серафиме Саровском. Увлечен он был и чудесным явлением иконы Державной Божьей Матери, найденной в селе Коломенском в самый день отречения Николая II.

Я помню его высокую фигуру у нас на Офицерской. Он стоит в передней, а я еще не умею говорить и обнимаю его ноги. Он мне кажется таким высоким! Выше его никого нет.

Потом он с женой и дочкой Наташей жили на Петроградской стороне. Работал он тогда в Государственном банке и принимал участие в стачке банковских служащих, протестовавших против разгона Учредительного собрания большевиками. Стачка, как мне кажется, длилась очень долго — несколько месяцев. Теща дяди Васи за бесценок продавала все самые нужные вещи на Сытном рынке, чтобы жить. Сам он был в отчаянии, но изменить общему делу и поступить куда-нибудь на работу, как делали многие из его товарищей, он не мог. Семья буквально голодала, и как раз в тот период, когда начался общий голод после установления советской власти в 1918 г.

Со мной, студентом, он постоянно говорил на большие мировоззренческие темы. Не довольствовался простыми ответами, иногда спорил. Он думал, задумывался, мечтал. Он не был как все. Во всем он был самим собой. Как-то он сказал мне по какому-то случаю: «Люблю большие пароходы и пушечные выстрелы с Петропавловки». В те времена пушка возвещала о наводнениях — сколько футов над ординаром, столько выстрелов — и палила также в «адмиральский час» — ровно в 12 часов. В народе говорили, что под пушку адмирал в Адмиралтействе пьет рюмку водки.

Умер мой дорогой правдоискатель во время блокады ужасно. Дома его совсем не кормили. Он пришел к нам в начале блокады попросить немного хлеба и принес дорогие куклы для детей. Куклы тогда можно было купить, а хлеб нельзя было купить совершенно. Пришел он к дяде Шуре и встал в прихожей на колени, умоляя дать немного хлеба. Скупой Шура не дал ничего.

Это был не единственный случай, когда во время блокады семья отказывалась кормить своего главу, упрекая его в том, что он вовремя не запасся, не поступил на работу и лишился карточек или пропуска в столовую.

В какой общей могиле закопали дядю Васю — не знаю. С дочкой его я как-то после блокады избегал встречаться. Я не скажу, что она была плохая. Напротив, один ее поступок в 30-е гг. вселил мне уважение к ней. Она увлекалась певцом Н. К. Печковским, часто бывала в театрах, дружила с актрисой Балабиной, переписка с которой составила большую пачку, которую я просил после ее смерти передать в Театральный музей. Не знаю — передали ли ее жильцы квартиры, распоряжавшиеся ее имуществом. Ее начали вербовать в секретные сотрудники. Вызывали на «разговоры». Угрожали, улещали и обещали — все по инструкциям. Но на один из вызовов она явилась с матерью. Отказалась подписать бумагу о неразглашении своего разговора. Следователь, вызывавший ее, был в ярости. После того как она объявила ему, что одна, без матери, разговаривать с ним не будет, он наконец отстал и больше не вызывал. Это был смелый шаг, но верный.

Мой отец Сергей Михайлович, уйдя из дома, стал жить уроками, самостоятельно закончил реальное училище, поступил в только что открывшийся Электротехнический институт (он помещался тогда на Новоисаакиевской улице в центре города), стал инженером, работал в Главном управлении почт и телеграфов. Он был красив, энергичен, одевался щеголем, был прекрасным организатором и известен как удивительный танцор. На танцах в Шуваловском яхт-клубе он и познакомился с моей матерью. Оба они получили приз на каком-то балу, а затем отец стал ежедневно гулять под окнами моей матери и в конце концов сделал предложение.

Моя мать была из купеческой среды. По отцу она была Коняева (говорили, что первоначально фамилия семьи была Канаевы и неправильно записана в паспорт кому-то из предков в середине XIX в.). По матери она была из Поспеевых, имевших старообрядческую молельню на Расстанной улице у Раскольничьего моста близ Волкова кладбища: там жили старообрядцы федосеевского согласия. Поспеевские традиции и были самыми сильными в нашей семье. У нас по старообрядческой традиции никогда не было собак в квартире, но зато мы все любили птиц. По семейным преданиям, мой дед из Поспеевых ездил на парижскую выставку, где поражал великолепными русскими тройками. В конце концов и Поспеевы, и Коняевы стали единоверцами, крестились двумя перстами и ходили в единоверческую церковь — где теперь Музей Арктики и Антарктики.

Отец матери Семен Филиппович Коняев был одним из первых бильярдистов Петербурга, весельчак, добряк, певун, говорун, во всем азартный, легкий и обаятельный. Никого он не угнетал, проиграв все — мучился и стеснялся, затем неизменно отыгрывался. В квартире его постоянно бывали гости, кто-то непременно гостил. Любил Некрасова, Никитина, Кольцова, прекрасно пел русские народные песни и городские романсы. По-старообрядчески сдержанная бабушка любила его беззаветно и все проигрыши прощала.

Отец и мать мои были уже типичными петербуржцами. Сыграла тут роль и среда, в которой они вращались, знакомые по дачным местам в Финляндии, увлечение Мариинским театром, около которого мы постоянно снимали квартиры. Чтобы сэкономить деньги, каждую весну, отправляясь на дачу, мы отказывались от городской квартиры. Мебель артельщики отвозили на склад, а осенью снимали новую пятикомнатную квартиру, обязательно вблизи от Мариинского театра, где родители имели через знакомых оркестрантов и Марию Мариу́совну Петипа ложу третьего яруса на все балетные абонементы.

Детство

Мои первые детские воспоминания восходят ко времени, когда я только начинал говорить. Помню, как в кабинете отца на Офицерской сел на подоконник голубь. Я побежал сообщить об этом огромном событии родителям и никак не мог объяснить им — зачем я их зову в кабинет. Другое воспоминание. Мы стоим на огороде в Куоккале, а отец должен ехать в Петербург на службу. Но я не могу этого понять и спрашиваю его: «Ты едешь покупать?» (отец всегда что-то привозил из города), но слово «покупать» у меня никак не выговаривается и получается «покукать». Я чувствую свою ошибку; мне так хочется сказать правильно! Еще более раннее воспоминание. Мы живем еще на Английском проспекте (потом проспект Мак Лина, превратившегося теперь в обыкновенного русского Маклина). Я с братом смотрю волшебный фонарь. Зрелище, от которого замирает душа. Какие яркие цвета! И мне особенно нравится одна картина: дети делают снежного Деда Мороза. Он тоже не может говорить. Эта мысль приходит мне в голову, и я его люблю, Деда Мороза, — он мой, мой. Я только не могу его обнять, как обнимаю любимого плюшевого и тоже молчащего медвежонка — Берчика. Мы читаем «Генерала Топтыгина» Некрасова, и нянька шьет Берчику генеральскую шинель. В этом генеральском чине Берчик «воспитывал» в блокаду и моих дочерей. Уже после войны генеральскую шинель на красной подкладке мои маленькие дочери перешили в женское пальто для одной из кукол. Уже не в генеральском чине он «воспитывал» потом мою внучку, неизменно молчащий и ласковый.

Мне было два или три года. Потом я получил в подарок немецкую книжку с очень яркими картинками. Была там сказка о «Счастливом Гансе». Одна из иллюстраций — сад, яблоня с крупными красными яблоками, ярко-синее небо. Так радостно было смотреть на эту картинку зимой, мечтая о лете. И еще воспоминание. Когда ночью выпадал первый снег, комната, где я просыпался, оказывалась ярко освещенной снизу отраженным светом от снега на мостовой (мы жили на втором этаже). На светлом потолке двигались тени прохожих. По потолку я знал — наступила зима с ее радостями. Так весело от любой перемены — время идет, и хочется, чтобы шло еще быстрее. И еще радостные впечатления от запахов. Один запах я до сих пор люблю: запах разогретого солнцем лавра и самшита. Он напоминает мне о крымском лете, о поляне, которую все называли «Батарейка», так как тут во время Крымской войны располагалась русская батарея на случай, чтобы предотвратить высадку англо-французских войск в Алупке. И такой недавней и близкой казалась эта война, точно она была вчера, — всего 50 лет назад!

Одно из счастливейших воспоминаний моей жизни. Мама лежит на кушетке. Я забираюсь между ней и подушками, ложусь тоже, и мы вместе поем песни. Я еще не ходил в подготовительный класс.

Дети, в школу собирайтесь,
Петушок пропел давно.
Попроворней одевайтесь!
Смотрит солнышко в окно.

Человек, и зверь, и пташка —
Все берутся за дела,
С ношей тащится букашка;
За медком летит пчела.

Ясно поле, весел луг;
Лес проснулся и шумит;
Дятел носом: тук да тук!
Звонко иволга кричит.

Рыбаки уж тащат сети;
На лугу коса звенит...
Помолясь, за книги, дети!
Бог лениться не велит.

Из-за последней фразы, верно, вывелась эта детская песенка из русского быта. А знали ее все дети благодаря хрестоматии Ушинского «Родное слово».

А вот и другая песенка, которую мы пели:

Травка зеленеет,
Солнышко блестит,
Ласточка с весною
В сени к нам летит.
С нею солнце краше
И весна милей...
Прощебечь с дороги
Нам привет скорей!
Дам тебе я зерен;
А ты песню спой,
Что из стран далеких
Принесла с собой.

Ясно помню, что слово «прощебечь» я пел как «прощебесь» и думал, что это кто-то кому-то приказывает «прочь с дороги» — «прощебесь с дороги». Только уже на Соловках, вспоминая детство, я понял истинный смысл строки!

Жили мы так. Ежегодно осенью мы снимали квартиру где-нибудь около Мариинского театра. Там родители всегда имели два балетных абонемента. Достать абонементы было трудно, но нам помогали наши друзья — Гуляевы. Глава семьи Гуляевых играл на контрабасе в оркестре театра и поэтому мог доставать ложи на оба балетных абонемента. В балет я стал ходить с четырехлетнего возраста. Первое представление, на котором я был, — «Щелкунчик», и больше всего меня поразил снег, падавший на сцене, понравилась и елка. Потом я уже бывал вечерами и на взрослых спектаклях. Было у меня в театре и свое место: наша ложа, которую мы абонировали вместе с Гуляевыми, помещалась в третьем ярусе рядом с балконом. Тогда балкон имел места с железными, обтянутыми голубым плюшем поручнями. Между нашей ложей и первым местом балкона оставалось маленькое клиновидное местечко, где сидеть мог только ребенок, — это место и было моим. Балеты я помню прекрасно. Ряды дам с веерами, которыми обмахивались больше для того, чтобы заставлять играть бриллианты на глубоких декольте. Во время парадных балетных спектаклей свет только притушивался, и зал и сцена сливались в одно целое. Помню, как «вылетала» на сцену «коротконожка» Кшесинская в бриллиантах, сверкавших в такт танцу. Какое это было великолепное и парадное зрелище! Но больше всего мои родители любили Спесивцеву и были снисходительны к Люком.

С тех пор балетная музыка Пуни и Минкуса, Чайковского и Глазунова неизменно поднимает мое настроение. «Дон Кихот», «Спящая» и «Лебединое», «Баядерка» и «Корсар» неразрывны в моем сознании с голубым залом Мариинского, входя в который я и до сих пор ощущаю душевный подъем и бодрость.

Известный в свое время балетоман В. Крымов пишет в своей заметке «В балете»:

«Балет сохранил свои традиции до наших дней (статья относится к 1914 г. — *Д. Л.*). Традиция и на сцене, традиция и в зрительном зале. Разве не традиция П. П. Дурново, сидящий в одном и том же кресле правого ряда 37 лет! Разве не традиция „первый балетный абонемент“, где все ложи бенуара и бельэтажа известны всем поименно, где в первом и во втором рядах кресел все кивают друг другу и зовут по имени.

— „Ложа яхт-клуба“, „ложа уланов“, „ложа Половцевых“, „ложа Кшесинской“.

— „Почему нет Лихачевых?“, „Где Бакеркина? В ее ложе кто-то другой...“

— „А, вот Кшесинская у себя в ложе... полтора года ее не было видно — была в трауре...“

Ге, Винтулов, Светлов, адм. Веселаго, Чихачев, адм. Берилев, Плещеев, Померанцев, веселый купец во втором ряду налево — разве без них может идти представление? Они такая же неотъемлемая часть „Капризов бабочки“ или „Дон Кихота“, как и те, кто на сцене» (ж. «Столица и усадьба». 1914. № 3. С. 16).

Считалось модным не пропускать ни одного представления «Дон Кихота», но при этом не приходить на пролог, в котором Дон Кихот собирается в поход — на этот пролог приходили либо новички, либо на дневных спектаклях с детьми. Пропускать пролог было так же бонтонно, как гулять в антрактах в коридоре партера, не поднимаясь в большое фойе, где у царской ложи неподвижно стыли часовые — были ли в ней придворные или нет (сама царская сидела всегда справа, если смотреть от сцены, в ложе бенуара за голубыми портьерами).

Все в семье было поставлено на службу балету — главному удовольствию родителей. Но, посещая балет, надо было играть роль богатых. Он стоил немало, и экономили на всем. Сперва снимали квартиру на дешевой Петербургской стороне и при этом экономили на извозчике: когда Нева покрывалась прочным льдом, шли пешком через Неву, а там извозчик стоил на несколько копеек дешевле, чем прямо от театра. В театр надо было надевать зимой ротонду: чернобурую лисицу, крытую синим бархатом. Ротонда шилась без рукавов — рукава могли измять платье. На голову надевался легкий вязаный капор (я его до сих пор отлично помню). И вот однажды, когда родители возвращались через Неву по узкой тропке, мама, шедшая позади, упала. Упала, а подняться не может — руки стянуты ротондой. Мама кричит отцу, а тот не слышит из-за ветра. К счастью, кто-то шел сзади и маму поднял. По этому поводу дома было много разговоров, и квартиру на зимний сезон стали снимать вблизи театра. А как собиралось из разных драгоценных вещиц бриллиантовое колье для того, чтобы в балете «быть не хуже», то я это тоже помню. Заказы принимались в магазине (возможно, Фаберже) по Невской линии Большого Гостиного Двора. Приказчик вынес на прилавок большой альбом с рисунками колье, и родители долго выбирали модель, где бы в самом центре уместить царский подарок, полученный в Алупке: большой рубин из подаренного государем отцу перстня. Балет требовал забот, зато нас все видели, многие знали, не подозревая, что возвращаться родителям приходится пешком...

В моем кабинете, отделяя кабинет от холла, висит сейчас на стеклянной двери бархатный голубой занавес: он из старого Мариинского театра, куплен в комиссионном магазине еще тогда, когда мы жили в конце 40-х гг. на Басковом переулке и шел ремонт зрительного зала театра после войны (бомба попала в фойе; обивку и занавеси обновляли).

Когда я слушал разговоры о Мариу́се Мариу́совиче и Марии Мариу́совне Петипа, мне казалось, что речь идет об обыкновенных знакомых нашей семьи, которые только почему-то не приходят к нам в гости.

Раз в год поездка в Павловск «пошуршать листьями», раз в год посещение Домика Петра Великого перед началом учебного года (таков был петербургский обычай), прогулки на пароходах Финляндского пароходного общества, бульон в чашках с пирожком в ожидании поезда на элегантном Финляндском вокзале, встречи с Глазуновым в зале Дворянского собрания (теперь зал Филармонии), с Мейерхольдом в поезде Финляндской железной дороги — этого было достаточно, чтобы стереть границы между городом и искусством...

По вечерам дома мы играли в любимое цифровое лото, играли в шашки; отец обсуждал прочитанное им накануне на ночь — произведения Лескова, исторические романы Всеволода Соловьева, романы Мамина-Сибиряка. Все это в широкодоступных дешевых изданиях — приложениях к «Ниве».

Катеринушка закатилась

Мою няню звали Катеринушка.

Единственное, что сохранилось от Катеринушки, — фотография, на которой она снята с моей бабушкой Марией Николаевной Коняевой. Фотография плохая, но характерная. Обе смеются до слез. Бабушка просто смеется, а Катеринушка и глаза закрыла, и видно, что слова вымолвить не может от смеха. Я знаю, отчего обе так смеются, но не скажу... Не надо!

Кто снял их во время приступа такого неудержимого смеха — не знаю. Фотография любительская, и в нашей семье она давным-давно. Катеринушка нянчила мою мать, нянчила моих братьев. Мы хотели, чтобы помогла она нам и с нашими «рунчиками» — Верочкой и Милочкой, но что-то ей помешало. Помех у нее, притом неожиданных, было немало.

Помню, что жила она на Тарасовом в одной со мной комнате, а было мне тогда лет шесть, и я открыл впервые, к своему удивлению, что у женщин есть ноги. Юбки носили такие длинные, что видна бывала только обувь. А тут по утрам за ширмой, когда Катеринушка вставала, появлялись две ноги в толстых чулках разного цвета (чулок все равно под юбкой не видно). Я смотрел на эти разноцветные чулки до щиколоток, появлявшиеся передо мной, и удивлялся.

Катеринушка была как родная и для нашей семьи, и для семьи моей бабушки по матери. Чуть что нужно — и появлялась в семье Катеринушка: заболеет ли кто серьезно и нужно ухаживать, ожидается ли ребенок и нужно готовиться к его появлению на свет — шить свивальнички, подгузнички, волосяной (нежаркий) матрасик, чепчики и тому подобное; заневестилась ли девушка и нужно готовить ей приданое — во всех этих случаях появлялась Катеринушка с деревянным сундучком, устраивалась жить и как своя вела всю подготовку, рассказывала, говорила, шутила, в сумерки пела со всем семейством старинные песни, вспоминала про старое.

В доме с ней никогда не было скучно. И даже когда кто-нибудь умирал, она умела внести в дом тишину, благопристойность, порядок, тихую грусть. А в благополучные дни она играла и в семейные игры — с взрослыми и детьми — в лото цифровое (с бочоночками), причем, выкликая цифры, давала им шуточные названия, говорила приговорками и поговорками (а это не одно и то же — приговорок сейчас никто не знает, фольклористы их не собирали, а они часто бывали «заумными» и озорными в своей бессмысленности — хорошей, впрочем).

Кроме нашей семьи, семьи бабушки и ее детей (моих теток) были и другие семьи, для которых Катеринушка была родная и попав в которые не сидела сложа руки, вечно что-то делала, сама радовалась и радость эту и уют распространяла вокруг.

Легкий она была человек. Легкий во всех смыслах, и на подъем тоже. Соберется Катеринушка в баню и не возвращается. Сундучок ее стоит, а ее нет. И не очень о ней беспокоятся, так как знают ее обычаи — придет Катеринушка. Мать спрашивает свою матушку (а мою бабушку): «Где Катеринушка?», а бабушка отвечает: «Катеринушка закатилась». Такое было название для ее внезапных уходов. Через несколько месяцев, через год Катеринушка так же внезапно появляется, как перед тем исчезла. «Где ж ты была?» — «Да у Марьи Иванны! Встретила в бане Марью Иванну, а у той дочь заневестилась: пригласили приданое справить!» — «А где же Марья Иванна живет?» — «Да в Шлюшине!» (Так в Питере называли Шлиссельбург — от старого шведского «Слюсенбурх».) «Ну а теперь?» — «Да к вам. Свадьбу третьего дня справили».

Вспоминала она и про мою маму разные смешные истории. Пошли они вместе в цирк. Мама маленькой девочкой была с Катеринушкой в цирке в первый раз и пришла в такой восторг, что вцепилась Катеринушке в шляпу да вместе с вуалькой содрала с нее...

Катеринушка только при своих ходила в платке, а на улице, да еще в цирке, бывала в шляпке. И в Александринский театр она со всей семьей дедушки и бабушки ходила. Помню, рассказывала, как в антрактах в аванложу приносили кипящий самовар и вся бабушкина семья пила чай. Таков был обычай в «купеческом» Александринском театре, где и пьесы подбирались на вкус купеческий и мещанский (потому-то «Чайка» там и провалилась — ждали ведь фарса, тем более что и Чехов в этой среде был известен как юморист).

Так вот о шляпке. Шляпка не была случайностью. Катеринушка была вдовой мастера, погибшего во время какой-то заводской аварии. Она гордилась своим мужем, гордилась, что его ценили. У нее был и собственный дом в Усть-Ижоре. Обращен он был окнами на Неву, то есть на север, и так она любила свою Усть-Ижору и дом, что, бывало, рассказывала: «В мой дом солнышко два раза в день заглядывает — утром раненько поздоровается, а вечером к закату попрощается». Если учесть, что летом восход и закат сдвинуты к северу, то это, наверное, так и было. Но не зимой.

Никто не знал ее фамилии. Я у мамы спрашивал — не знала, но в паспорте у Катеринушки стояло отчество — Иоакимовна, и очень она не любила, если кто-нибудь называл ее Акимовной. Даже с обидой об этом рассказывала.

Как определить профессию этой милой вечной труженицы, приносившей людям столько добра (счастье входило вместе с ней в семью)? Я думаю, назвать бы ее следовало «домашней портнихой». Профессия эта совершенно сейчас исчезла, а когда-то она была распространенной. Домашняя портниха поселялась в доме и делала работу на несколько лет: перекраивала, перешивала, ставила заплатки, шила и белье, и пиджак хозяину — на все руки мастер. Появится такая домашняя портниха в доме, и начинают перебирать все тряпье и всей семьей советоваться, как и что перешить, что бросить, что татарину отдать (татары-тряпичники ходили по дворам, громко кричали «халат-халат» и в доме всякую ненадобность покупали за гроши).

Умерла она так же, как и жила: никому не доставив хлопот. Закатилась Катеринушка в 1941 г. слабой одноглазой старухой. Услыхала она, что немцы подходят к любимой ее Усть-

Ижоре, встала у моей тети Любы с места (жила тетя Люба на улице Гоголя) да так и пошла в Усть-Ижору к своему дому. Дойти она не смогла и где-то погибла, верно, по дороге, так как немцы уже подошли к Неве. Привыкла она всю жизнь помогать тем, кто нуждался в ее помощи, а тут несчастье с ее Усть-Ижорой... Закатилась Катеринушка последний раз в жизни.

О Петербурге моего детства

Петербург-Ленинград — город трагической красоты, единственный в мире. Если этого не понимать — нельзя полюбить Петербург. Петропавловская крепость — символ трагедий, Зимний дворец на другом берегу — символ плененной красоты.

Петербург и Ленинград — это совсем разные города. Не во всем, конечно. Кое в чем они «смотрятся друг в друга». В Петербурге прозревался Ленинград, а в Ленинграде мелькал Петербург его архитектуры. Но сходства только подчеркивают различия.

Первые впечатления детства: барки, барки, барки. Барки заполняют Неву, рукава Невы, каналы. Барки с дровами, с кирпичом. Ка́тали выгружают барки тачками. Быстро, быстро катят их по железным полосам, вкатывают снизу на берег. Во многих местах каналов решетки раскрыты, даже сняты. Кирпичи увозят сразу, а дрова лежат сложенными на набережных, откуда их грузят на телеги и развозят по домам. По городу расположены на каналах и на Невках дровяные биржи. Здесь в любое время года, а особенно осенью, когда это необходимо, можно купить дрова. Особенно березовые, жаркие. На Лебяжьей канавке у Летнего сада пристают большие лодки с глиняной посудой — горшками, тарелками, кружками, — а бывают и игрушки, особенно любимы глиняные свистульки. Иногда продают и деревянные ложки. Все это привозят из района Онеги. Лодки и барки чуть-чуть покачиваются. Нева течет, покачиваясь мачтами шхун, боками барж, яликами, перевозящими через Неву за копейку, и буксирами, кланяющимися мостам трубами (под мостом трубы полагалось наклонять к корме). Есть места, где качается целый строй, целый лес: это мачты шхун — у Крестовского моста на Большой Невке, у Тучкова моста на Малой Неве.

Есть что-то зыбкое в пространстве всего города. Зыбка поездка в пролетке или в извозчичьих санках. Зыбки переезды через Неву на яликах (от Университета на противоположную сторону к Адмиралтейству). На булыжной мостовой потряхивает. При въезде на торцовую мостовую (а торцы были по «царскому» пути от Зимнего к Царскосельскому вокзалу, на Невском, обеих Морских, кусками у богатых особняков) потряхивание кончается, ехать гладко, пропадает шум мостовой.

Барки, ялики, шхуны, буксиры снуют по Неве. По каналам барки проталкивают шестами. Интересно наблюдать, как два здоровых молодца в лаптях (они упористее и, конечно, дешевле сапог) идут по широким бортам барки от носа к корме, упираясь плечом в шест с короткой перекладиной для упора, и двигают целую махину груженной дровами или кирпичом барки, а потом идут от кормы к носу, волоча за собой шест по воде. И снова повторяют свою прогулку от носа до кормы.

Архитектура заслонена. Не видно реки и каналов. Не видно фасадов за вывесками. Казенные дома в основном темно-красного цвета. Стекла окон поблескивают среди красных дворцовых стен: окна мылись хорошо, и было много зеркальных окон и витрин, полопавшихся впоследствии во время осады Ленинграда. Темно-красный Зимний, темно-красный Генеральный штаб и здание Штаба гвардейских войск. Сенат и Синод красные. Сотни других домов красные — казарм, складов и различных «присутственных мест». Стены Литовского замка красные. Эта страшная пересыльная тюрьма — одного цвета с дворцом. Только Адмиралтейство не подчиняется, сохраняет самостоятельность — оно желтое с белым.

Остальные дома также выкрашены добротно, но в темные тона. Трамвайные провода боятся нарушить «право собственности»: они не крепятся к стенам домов, как сейчас, а опираются на трамвайные столбы, заслоняющие улицы. Что улицы! — Невский проспект. Его не видно из-за трамвайных столбов и вывесок. Среди вывесок можно найти и красивые, они карабкаются по этажам, достигают третьего — повсюду в центре: на Литейном, на Владимирском. Только площади не имеют вывесок, и от этого они еще огромнее и пустыннее. А в небольших улицах висят над тротуарами золотые булочные крендели, золотые головы быков, гигантские пенсне и пр. Редко, но висит сапог, ножницы. Все они огромные. Это тоже вывески. Тротуары перегорожены подъездами: козырьками, держащимися на металлических столбиках, опирающихся на противоположный от дома край тротуара. По краю тротуара нестройные ряды тумб. У очень многих старых зданий встречаются вместо тумб вкопанные старинные пушки. Тумбы и пушки оберегают прохожих от наезда телег и пролеток. Но все это мешает видеть улицу, как и керосиновые фонари единого образца с перекладиной, к которой прислоняют фонарщики свои легкие лесенки, чтобы зажечь, потушить, снова зажечь, потушить, заправить, почистить.

В частые праздники — церковные и «царские» — вывешиваются трехцветные флаги. На Большой и Малой Морских трехцветные флаги свешиваются на перетянутых через улицы от дома к противоположному канатах.

Но зато какие красивые первые этажи главных улиц. Парадные двери содержатся в чистоте. Их полируют. У них красивые начищенные медные ручки (в Ленинграде их сняли в 20-е гг. в порядке сбора меди для Волховстроя). Стекла всегда чистые. Тротуары чисто метут. Они украшены зелеными кадками или ведрами под водосточными трубами, чтобы дождевая вода меньше выплескивалась на тротуары. Дворники в белых передниках выливают из них воду на мостовую. Из парадных изредка появляются швейцары в синих с золотом ливреях — передохнуть свежим воздухом. Они не только в дворцовых подъездах — но и в подъездах многих доходных домов. Витрины магазинов сверкают чистотой и очень интересны — особенно для детей. Дети оттягивают ведущих их за руки мам и требуют посмотреть в игрушечных магазинах оловянных солдатиков, паровозики с прицепленными вагончиками, бегущие по рельсам. Особенно интересен магазин Дойникова в Гостином дворе на Невском, славящийся большим выбором солдатиков. В окнах аптек выставлены декоративные стеклянные вазы, наполненные цветными жидкостями: зелеными, синими, желтыми, красными. По вечерам за ними зажигают лампы. Аптеки видны издалека.

Особенно много дорогих магазинов по солнечной стороне Невского («солнечная сторона» — это почти официальное название четных домов Невского). Запомнились витрины магазина с поддельными бриллиантами — Тэта. Посередине витрины устройство с вечно крутящимися лампочками: «бриллианты» сверкают, переливаются.

Асфальт — это теперь, а раньше — тротуары из известняка, а мостовые булыжные. Известняковые плиты добывались с большим трудом, но зато выглядели красиво. Еще красивее огромные гранитные плиты на Невском. Они остались на Аничковом мосту. Многие гранитные плиты перенесены сейчас к Исаакию. На окраинах бывали тротуары из досок. Вне Петербурга, в провинции, под такими деревянными тротуарами скрывались канавы, и, если доски изнашивались, можно было угодить в канаву, но в Петербурге даже на окраинах тротуары с канавами не делались. Мостовые по большей части были булыжные, их надо было держать в порядке. Летом приезжали крестьяне подрабатывать починкой булыжных мостовых и сооружением новых. Надо было подготовить грунт из песка, утрамбовать его вручную, а потом вколачивать тяжелыми молотками каждый булыжник. Мостовщики работали сидя и обматывали себе ноги и левую руку тряпками, случайно можно было попасть себе молотком по пальцам или по ногам. Смотреть на этих рабочих без жалости было невозможно. А ведь как красиво подбирали они булыжник к булыжнику, плоской стороной кверху. Это была работа на совесть, работа художников в своем деле. В Петербурге булыжные мостовые были особенно красивы: из разноцветных обкатанных гранитных камней. Особенно нравились мне булыжники после дождя или поливки. О торцовых мостовых писалось много — в них также была своя красота и удобство. Но в наводнение 1924 г. они погубили многих: всплыли и потащили за собой прохожих.

Цвет конок и трамваев легко забудется. Цветной фотографии еще не было, а на картинах они не так часто изображались: поди ищи! Конки были довольно мрачные по цвету: темно-сине-серые с серыми деталями. А трамваи очень оживляли город: они были покрашены в красный и желтый цвет, и краски были всегда яркие и свежие.

Сперва трамваи ходили по одному, прицепных не было. Оба конца не различались, и на обоих было поставлено управление. Доехав до конечной станции, кондуктор сходил с передней площадки, снимал снаружи большой белый круг, означавший перед, и переносил его назад — там ставил. Во время Первой мировой войны понадобились прицепные вагоны: население увеличилось. Вагоны конки переделывались: снимались империалы и перекрашивались в желтый и красный цвет, и их прицепляли к моторным вагонам, вскоре исчезли и белые круги для обозначения передней части: перед был виден и так. Но ехать в прицепном вагоне было неприятно: в нем трясло, скорость для них была необычной, и плохо закрепленные стекла отчаянно дребезжали.

Кстати, площадки трамваев были открытыми: летом ехать — удовольствие, зимой — холодно. Но все военные и революционные годы пассажиры набивались в вагоны, висели на ступеньках, держась за поручни, висели на «колбасе» и иногда разбивались о трамвайные столбы.

Звуки Петербурга! Конечно, в первую очередь вспоминаешь цоканье копыт по булыжной мостовой. Ведь и Пушкин писал о громе Медного Всадника «по потрясенной мостовой».

Но цоканье извозчичьих лошадей было кокетливо-нежным. Этому цоканью мастерски умели подражать мальчишки, играя в лошадки и щелкая языком. Игра в лошадки была любимой игрой детей. Цоканье копыт и сейчас передают кинематографисты, но вряд ли они знают, что звуки цоканья были различными в дождь и в сухую погоду. Помню, как с дачи, из Куоккалы, мы возвращались осенью в город и площадь перед Финляндским вокзалом была наполнена этим «мокрым цоканьем» — дождевым. А потом — мягкий, еле слышный звук катящихся колес по торцам и глуховатый «вкусный» топот копыт по ним же — там, за Литейным мостом. И еще покрикиванье извозчиков на переходящих улицу: «Э-эп!» Редко кричали «берегись» (отсюда — «брысь»): только когда лихач «с форсом» обгонял извозчичью пролетку. Ломовые, размахивая концом вожжей, угрожали лошадям (погоняли их) с каким-то всасывающим звуком. Кричали газетчики, выкликали названия газет, а во время Первой мировой войны и что-нибудь из последних новостей. Приглашающие купить выкрики («пирожки», «яблоки», «папиросы») появились только в период нэпа.

На Неве гудели пароходы, но характерных для Волги криков в рупоры в Петербурге не было: очевидно, было запрещено. По Фонтанке ходили маленькие пароходики Финляндского пароходного общества с открытыми машинами. Виден был кочегар. Тут и свист, и шипение пара, и команды капитана.

Одним из самых «типичных» уличных звуков Петербурга перед Первой мировой войной было треньканье трамваев. Я различал четыре трамвайных звонка. Первый звонок — перед тем как трамваю тронуться. Кондуктор (до войны — всегда мужчина в форме) на остановках выходил с задней площадки, пропускал всех садящихся вперед, сам садился последним и, когда становился на ступеньку вагона, дергал за веревку, которая шла от входа к звонку у вагоновожатого. Получив такой сигнал, вагоновожатый трогал вагон. Эта веревка шла вдоль всего вагона по металлической палке, к которой были прикреплены кожаные петли, за них могли держаться стоящие в трамвае. В любом месте трамвая кондуктор мог позвонить вагоновожатому. И это был второй тип звонка. Вагоновожатый предупреждал неосторожных прохожих с помощью еще одного звонка, действовавшего от ножной педали. Здесь вагоновожатый звонил иногда довольно настойчиво, и звук этот часто слышался на улицах с трамвайными линиями. Потом появились и электрические звонки. Довольно долго ножные педальные звонки действовали одновременно с ручными электрическими. Грудь кондуктора была украшена многими рулонами с разноцветными билетами. Билеты разных цветов продавались по «станциям» — на участки пути, и, кроме того, были белые пересадочные билеты, с которыми можно было пересесть в определенных местах на другой маршрут. Все эти маршруты указаны в старых путеводителях по Петербургу. Время от времени, когда кончался тот или иной отрезок пути и надо было брать новый билет, кондуктор громко возглашал на весь вагон: «Желтым билетам станция!», или «Зеленым билетам станция!», или «Красным билетам станция!». Интонации этих «возглашений» запомнились мне на всю жизнь: в школу я ездил на трамваях.

Очень часто были слышны на улицах звуки военных оркестров. То полк шел по праздникам и воскресным дням в церковь, то хоронили генерала; ежедневно шли на развод караула к Зимнему преображенцы или семеновцы. На звуки оркестра сбегались все мальчишки: потребность в музыке была большая. Особенно интересно было, когда выделенные для похорон войсковые подразделения возвращались с кладбища: тогда полагалось играть веселую музыку. С веселыми маршами шли и в церкви, но, разумеется, не в Великий пост. Были и «тихие звуки»: звенели шпоры военных. За звоном своих шпор офицеры следили. Шпоры часто делались серебряными. На Невском и на прилегающих улицах (особенно у Гостиного на углу Невского и Садовой) торговцы продавали детям надутые легким газом взлетавшие шарики; красные, зеленые, синие, желтые и самые большие — белые с нарисованными на них петухами. Около этих продавцов всегда царило оживление. Продавцов было издали видно по клубившимся над их головой связкам веселых шариков.

В моем детстве на улицах уже не продавали сбитень, но отец помнил и любил рассказывать о сбитне. Он хорошо подкреплял прохожих, особенно в мороз. Сбитенщик закутывал самовар в особый ватник, чтобы не остыл, и носил его на спине, а кран открывал из-под левого локтя. Сбитень — это смесь кипятка с медом и разными специями, чаще всего с корицей. По словам отца, сбитенщики в старину кричали: «Сбитню горячего!» Я запомнил со слов отца: не «сбитня», а именно «сбитню».

А по утрам с окраин города, особенно с Выборгской стороны, доносились фабричные гудки. Каждый завод можно было узнать по гудку. Гудели три раза, созывая на работу, — не у всех дома были часы. Эти гудки были тревожными, призывными...

Зимой — самые элегантные сани с вороными конями под темной сеткой, чтобы при быстрой езде в седоков не летели комья снега из-под копыт. Простые извозчичьи сани были тоже красивыми.

Как ребенка, меня всегда тянуло заглянуть за фасады домов: что там? Но об этом я больше узнавал из рассказов взрослых. Магазины, впрочем, помню — те, в которые заходил с матерью: «колониальные товары» (кофе, чай, корица, еще что-то), «бакалея», «суровский магазин» (ткани, нитки), «булочные», «кондитерские», «писчебумажные». Слова «продукты» в нынешнем значении не было («продукты» — только продукция чего-то; «продукты сельского хозяйства» стали говорить на моей памяти). На рынок ходили за «провизией». Продавцы назывались приказчиками. Помню дисциплину этих приказчиков в магазине «Масло». Стояли они на шаг назад от прилавка, заложив руки за спину. При появлении покупателя приказчик делал шаг ему навстречу и опускал руки.

Это невольно заставляло покупателя к нему подойти. Масло и сыр давали пробовать на кончике длинного ножа.

Первые кинематографы. Совсем забыли, что на узкой Офицерской против нашего дома был кинематограф «Мираж». Он был сделан из нескольких магазинов, соединенных вместе. Но по субботам мы всей семьей ездили на Невский в кинематограф «Солейль». Он помещался в том же доме, что и «Пассаж», — около Садовой. Этот кинематограф был сделан из нескольких квартир, соединенных вместе. Кроме основной картины (помню «Сто дней Наполеона», «Гибель „Титаника“» — это документальный фильм, оператор снимал всю пароходную жизнь и продолжал снимать кораблекрушение до того момента, когда погас свет, а потом снимал даже в спасательной лодке) обязательно давалась комическая (с участием Макса Линдера, Мациста и др.) и «видовая». Последняя раскрашивалась часто от руки — каждый кадр, и непременно в яркие цвета: красный, зеленый — для зелени, синий — для неба. Однажды были на Невском в «Паризиане» или «Пикадилли» — не помню. Поразили камердинеры в ливреях и чуть ли не в париках.

Родители часто брали меня с собой в Мариинский театр. У родителей было два балетных абонемента в ложу третьего яруса. Спектакли были праздниками. На праздничность они и были рассчитаны. Снобы-офицеры в антрактах красовались у барьера оркестра, а после спектакля офицеры стояли у артистического выхода перед подъездом, рассматривая дам.

На Страстной и к пасхальной заутрене ходили на Почтамтскую улицу в домовую церковь Главного управления почт и телеграфов, где отец служил столоначальником. Пальто снимали в гардеробе, поднимались на второй этаж. Паркетные полы в церкви были хорошо натерты. Электричество спрятано за карнизы. Лампады горели электрические, и это некоторые ортодоксально настроенные прихожане осуждали. Но отец гордился этим нововведением — это была его инициатива. Когда входила семья (наша или другая), служитель сразу нес венские стулья и ставил позади, чтобы в дозволенных для того местах службы можно было присесть отдохнуть. Позже я узнал, что в ту же церковь ходила и семья Набоковых. Значит, мы встречались с Владимиром. Но он был старше меня.

Неравенство жителей Петербурга бросалось в глаза. Когда возводились дома, строители носили кирпичи на спине, быстро поднимаясь по доскам лесов с набитыми на доски планками вместо ступней. По черным лестницам доходных домов дворники носили дрова тоже на спине, ловко забирая дрова со специальных козел, стоявших во дворе. Во двор приходили старьевщики-татары кричали «халат-халат!». Заходили шарманщики, и однажды я видел «петрушку», удивляясь ненатуральному голосу самого Петрушки (петрушечник вставлял себе в рот пищик, изменявший его голос). Ширма у петрушечника поднималась от пояса и закрывала его со всех сторон: он как бы отсутствовал.

Ходили мы смотреть столетних гренадер из Золотой роты у памятника Николаю I. Это были солдаты, служившие еще Николаю I. Их, оставшихся, собирали со всей России и привозили в Петербург. Ходили мы и на разводы караула к Зимнему. Вся церемония происходила во дворе на специальной платформе, мы ее не видели. Но на развод семеновцы и преображенцы шли с музыкой, игравшей бравурные марши — оглушительно под аркой Генерального штаба, отзывавшейся эхом.

Петербург был городом не только трагической, но и скрытой (во дворцах и за вывесками) красоты. Зимний — сплошь темный ночами (государь с семьей жил в Александровском дворце в Царском Селе). Веселое рококо дворца теряло свою кокетливость, было тяжелым и мрачным. Напротив дворца утопала во тьме крепость-тюрьма. Взметнувшийся шпиль собора — и меч и флюгер одновременно — кому-то угрожал.

Вьющиеся среди регулярно распланированных улиц каналы нарушали государственный порядок города. В Александровском саду против Адмиралтейства существовали разные развлечения для детей (зимой — катания на оленях, летом —

зверинец и пруды с золотыми рыбками) среди дворцов, словно под присмотром бонн и гувернанток. Марсово поле пылило в глаза при малейшем ветре, а Михайловский замок словно прищуривался одним среди многих единственным замурованным окном комнаты, где был задушен император Павел.

О старом Петербурге вспоминает В. Вейдле в книге «Зимнее солнце». Дом, принадлежавший Вейдле, находился на Большой Морской около арки Генерального штаба. Если идти по левой стороне от арки Генерального штаба, то первый дом № 6 — гостиница «Франция» с рестораном «Малый Ярославец», а дальше французская булочная с круассанами и шоссонами — такими же, как в Париже. Французские булки из Испании — там они тоже назывались «французскими», но во Франции не пеклись. Затем ювелир Болин со швейцаром. На углу табачная лавочка. Тут же посыльные в красных фуражках. Напротив дом мебельной фабрики Тонет — фабрики венских стульев, легких и удобных.

Перейдя Невский — закусочная Смурова. В бельэтаже — Английский магазин, где продавалось английское темно-бурое глицериновое мыло. На Невском напротив — «Цветы из Ниццы», даже зимой. Наискось от сигар — «Дациаро: поставщик всего нужного для художеств». Над ним — «Генрих Циммерман» (для музыкантов). Посредине, возле окон второго этажа, над улицей на чугунном укрепе «Павел Буре» — часы, показывавшие точное время.

Далее по Большой Морской — ресторан Кюба с тяжелыми кремовыми гардинами. Это, по воспоминаниям Юлии Николаевны Данзас, единственный ресторан такого хорошего тона, что туда можно было зайти приличной даме без сопровождения кавалера. Затем магазин Мюллера — лучших сундуков и саквояжей. В 1916 г. драгоценности Эрмитажа решили эвакуировать в чемоданах этой фирмы. Хранитель — барон Фелькерзам.

На гранитной облицовке по Большой Морской было золотыми буквами начертано «Fabergé». Напротив — важный портной Калина. Далее Большая Морская встречалась с Мойкой Реформатской киркой (перестроена ныне в Дом связи).

М. Добужинский пишет в своих «Воспоминаниях», что его жена «была одета с „петербургским“ вкусом в темно-синее, носила маленькую изящную шляпку с вуалькой в черных мушках и белые перчатки». «Часто на улицах я видел, — продолжает Добужинский, — как она обращает на себя внимание, выделяясь среди старомодных немок, как „иностранка“». О петербургских элегантных дамах пишет и Вадим Андреев в своих воспоминаниях «Отец». Рассказывал мне о них с восхищением и известный библиограф А. Г. Фомин. Он особенно подчеркивал изящество походки. Когда я был в Белграде в 1964 г., профессор Радован Лалич указал мне на одну пожилую даму: «Сразу видна русская из Петербурга». Почему «сразу»? Держалась очень прямо и имела прекрасную легкую походку.

Ночная жизнь была типична для петербургской интеллигенции: петербургский «*noctambulisme*» («лунатизм»). «Монд» ложился не ранее трех часов ночи. Редко поднимались раньше 11 утра. Процветали ночные кабачки, и «Бродячая собака» в особенности. Здесь было «*le rendezvous des distingués*» («встреча избранных»).

Годы 1917–1950-е запомнились мне своими темными и скучными красками. Дома если и красились, то уже в один цвет, орнамент не выделялся цветом, да и не чинился. Не стало красивых форм у военных. Люди ходили оборванные и во всем старом, хотя бы и имели новое, но новое было носить опасно — как бы не приняли за «буржуев». По этой же причине не носили белых воротничков, а по большей части надевали в годы Первой мировой и гражданской подобие френчей, сшитых иногда из самой «невоенной» материи, а еще чаще перешитых из старых пиджаков, сюртуков, визиток и прочей «буржуйской» одежды. Во время Первой мировой войны носили бекеши. Помню Шаляпина, садившегося в трамвай на Введенской — угол Большого проспекта Петроградской стороны; и то я запомнил его не потому, что впервые увидел «знаменитость», а потому, что бекеша Шаляпина была необычного цвета — синяя.

Когда в тридцатых годах мне рассказали, что за границей легковые автомобили имеют разные цвета и можно встретить даже красные, желтые, голубые, я как-то не мог себе это представить — настолько я привык ко всему черному в автомобильном хозяйстве.

Когда перед самым арестом я заказал себе костюм за сорок рублей (а это были в 1927 г. большие деньги, заработанные мною на подборке книг для Фонетического института иностранных языков, которым ведал тогда в частном порядке Семен Карлович Боянус — мой учитель английской фонетики), то передо мной был выбор — только черный или темно-синий. И я заказал себе темно-синий, оказавшийся по получении его просто черным. Я так его ни разу и не надел. Носил его мой брат Юра. По возвращении же из лагеря родители купили мне грубошерстный черный костюм, в котором я проходил до окончания войны.

Темно-коричневая толстовка, остальное все черное, поношенное, с темными рубашками. И бритвы у меня не было, а стриг я бороду сохранившейся с дореволюционных времен машинкой под два нуля... Таковы были цвета трех десятилетий нашей советской жизни.

Погода в Петербурге менялась очень часто и всегда сопровождалась каким-то особым настроением. Зимой то тихо падает снег, то завивается или бурно мчится, то мокрыми хлопьями, то сухой крупой, то сечет лицо холодом, то нежно его остужает.

Летом духота и жара делают человека слабым и безразличным — прохожие приостанавливаются, стоят без видимой цели и заботы. Лошади падают от солнечных ударов. Собирается гроза, и гром гулко сотрясает железные крыши домов. Нева меняет окраску: из спокойно текущей ощеривается темной рябью.

Никогда не бывает город так гордо красив, как весной, особенно когда цветет наполняющая его сады и парки сирень, когда-то в Петербурге столь обильная и пышно-богатая.

Ранней осенью в безветренные солнечные дни воздух прозрачен и на Неве видна каждая деталь, а под вечер дома и дворцы на Неве кажутся аппликациями, вырезанными из бумаги и наклеенными на синий картон неба.

Погода постоянно обращена к человеку. Она о нем помнит, создает ему настроение. Петербург кажется гигантской театральной сценой, «постановочным пространством» для самых больших исторических трагедий, а иногда и комедийных импровизаций.

Все это я пишу, осмысливая свои детские впечатления, в которых перемены погоды занимают особое место, ибо родители бдительно следят за тем, как я одеваюсь, выходя на улицу. То нужен башлык, и башлык можно повязать по-разному — стоячком или просто за спину, а то и обмотать вокруг шапки и шеи. Иногда галоши надо сменить на ботинки, надеть гамашки или теплые чулочки. Все зависит от погоды. Петербург живет погодой больше, чем любой другой город России. Выходишь в одну погоду, а возвращаешься в другую.

Изменилась ли погода в Петербурге со времен моего детства? Что называть погодой? Если в погоду включать снег и его поведение на мостовой, тротуарах, крышах, то изменилась. Если в погоду включать дым из множества труб, когда-то поднимавшийся вертикально в низкое осеннее небо (и наоборот, в очень высокое зимой) или гонимый ветром над крышами, то этих эффектов погоды сейчас уже нет. Не топятся в городе тысячи кафельных печей и больших кухонных плит, не разжигаются самовары, меньше дымят трубы заводов, и нет пароходных дымов. Другим стал запах уличного воздуха, даже его ощущение лицом. Десятки тысяч лошадей, обдававших прохожих своим теплом, как это ни странно, делали воздух города менее «официальным». Я не оговорился: именно «менее официальным», менее безразличным к человеку.

В «Поэме без героя» Ахматовой удивительно передана маскарадная атмосфера Петербурга, в немалой степени зависевшая от погоды города, таинственной в своих изменениях и тончайших нюансах.

Об интеллектуальной топографии Петербурга первой четверти двадцатого века[1]

Интеллектуальная жизнь Петербурга слабо, но касалась всех, кто жил в его пределах. Поэтому нельзя вспомнить об окружающем, ограничиваясь только тем, что видел и помнишь непосредственно. Невольно культурная жизнь города проникала и в сознание детей, и это будет особенно заметно из последующих глав, в которых я стану писать о своих дачных впечатлениях и встречах, встречах в школе, в университете, в тюрьме, на Соловках. Поэтому сейчас пора попытаться восстановить интеллектуальный Петербург хотя бы внешне, в его «интеллектуальной топографии».

Как известно, старые города имели социальную и этническую дифференциацию отдельных районов. В одних районах жила по преимуществу аристократия (в дореволюционном Петербурге аристократическим районом был, например, район Сергиевской и Фурштатской), в других — мелкое чиновничество (район Коломны), в третьих — рабочие (Выборгская сторона и другие районы заводов, фабрик и окраины). Довольно компактно жили в Петербурге немцы (Васильевский остров: см. роман Н. Лескова «Островитяне»; немцы населяли отдельные пригороды — Гражданку, район Старого Петергофа, район в Царском Селе и пр.). Этими же

---

[1] В составлении этих заметок большую помощь оказал Е. Ф. Ковтун, которому приношу глубокую благодарность. Им, в частности, сообщены мне основные факты относительно дома Мятлевых и других творческих центров Петербурга, связанных с художественной жизнью.

чертами отличались и дачные местности (например, на Сиверской жило богатое купечество; квалифицированные мастеровые жили на даче с дешевым пароходным сообщением — по Неве, а также на Лахте, в Келомяках около Сестрорецкой узкоколейной железной дороги и пр.). Были районы книжных магазинов и «холодных букинистов» (район Литейного проспекта, где со времен Н. А. Некрасова располагались и редакции журналов), кинематографов (Большой проспект Петербургской стороны) и др.

Социальной и национальной топографии Петербурга посвящено довольно много очерков, выросших на основе «физиологических очерков» в середине XIX в. и продолжавших появляться вплоть до 1917 г.

Обращает на себя внимание попытка Н. В. Гоголя в повести «Невский проспект» обрисовать смену социального лица Невского проспекта в разные часы дня и ночи.

Моя задача состоит в том, чтобы наметить наличие в Петербурге в первой четверти XX в. районов различной творческой активности.

Четкая «интеллектуальная граница» пролегала в Петербурге первой четверти XX в. по Большой Неве. По правому берегу, на Васильевском острове, располагались учреждения с традиционной академической научной и художественной направленностью — Академия наук с Пушкинским Домом, Азиатским музеем, Кунсткамерой, где находилась и Библиотека Академии наук, являвшейся в те годы значительным научным центром, Академия художеств, Университет, Бестужевские курсы, и... ни одного театра, хотя именно здесь, на Васильевском острове, на Кадетской линии, с 1756 г. стал существовать первый профессиональный театр — Театр Шляхетского корпуса — того корпуса, где учились М. М. Херасков, Я. Б. Княжнин, В. А. Озеров и другие. Характерно, что вся эта линия научных учреждений по правой стороне Невы открывалась длинной линией одного из самых знаменитых научных учреждений России — Военно-медицинской академии.

Иным был интеллектуальный характер левого берега Большой Невы. Здесь в соседстве с императорскими дворцами и особняками знати нашли себе место не только императорские театры, кстати сказать не чуждые экспериментов (достаточно напомнить интенсивную балетную деятельность Мариинского театра, постановки В. Э. Мейерхольда в Мариинском и Александринском театрах, театральную активность Малого драматического театра на Фонтанке и Михайловского театра в начале 20-х гг.). На левом берегу Большой Невы на Большой Морской находился и выставочный зал Общества поощрения художеств. У Таврического сада существовала знаменитая «Башня» Вячеслава Иванова с журфиксами, на которых бывал весь интеллектуальный Петербург и даже осуществлялись небольшие постановки и интересные выступления. На Литейном проспекте ее сменил известный «Дом Мурэзи», где собирались поэты. На Надеждинской (теперь Маяковского) располагался Союз поэтов. На Троицкой улице функционировал «Зал Павловой», где выступал Маяковский. На Моховой улице в зале Тенишевского училища происходили дискуссии, в частности формалистов с «академистами». В зале городской думы выступали поэт А. Туфанов и художник К. С. Малевич и были, если не ошибаюсь, постановки Экспериментального театра. В Калашниковской бирже выступал Маринетти по приезде в Петербург. Городская дума и Соляной городок были центрами интеллектуальной активности с конца XIX в. У Нарвских ворот были выступления Молодежного экспериментального театра. На том же левом берегу Большой Невы в 1909–1911 гг. существовал театрик «Голубой глаз», где впервые была поставлена «Незнакомка» А. Блока. Некоторое время существовало артистическое кабаре «Летучая мышь» (см.: *Кугель А.* Артистические кабачки // Театр и искусство. 1906. № 33). Значительную роль играл на левом берегу Театр В. Ф. Комиссаржевской (1904–1910), в обиходе называвшийся тогда «Театром на Офицерской». В другом «Театре на Офицерской», располагавшемся на пустыре в деревянном строении, была осуществлена постановка оперы «Победа над солнцем» (Крученых, Малевич, Матюшин). На левом же берегу существовало возглавлявшееся А. Р. Кугелем «Кривое зеркало» (1908–1910–1918; возобновлено в 1922–1928), кроме того, «Старинный театр» (1911–1912). Напомним и о знаменитом артистическом кабаре на Михайловской площади — «Бродячая собака» (1910–1912) и сменившем собаку «Привале комедиантов» на Марсовом поле. Там же, на Марсовом поле, существовало «Художественное бюро» Н. Е. Добычиной, где были художественные выставки и первое выступление супрематизма в 1915–1916 гг. Почти все выставки «Союза молодежи», в которых участвовали и петербургские, и московские молодые художники, проходили на левом берегу — главным образом в районе Невского проспекта.

К институтам, находившимся на Исаакиевской площади, мы еще вернемся. Возвращаясь же к правобережной части Большой Невы, отметим, что на Петербургской стороне, помимо улицы кинематографов — Большого проспекта и Народного дома со случайной, эпизодической творческой активностью, существовал Каменноостровский проспект с сетью ресторанов дурного вкуса, преимущественно для «фармацевтов» (так называли в «Собаке» богатых буржуазных посетителей): «Аквариум», «Вилла Эрнест», «Вилла Родэ» (последний — ресторан с цыганами на отрезке Каменноостровского уже в Новой Деревне). Все эти мелкие заведения только подчеркивали отсутствие на Петербургской стороне большой художественной жизни. Из немногих поздних интеллектуальных исключений на Петроградской стороне — это дом художника Михаила Матюшина и Елены Гуро на Песочной улице на левом берегу Малой Невы. Здесь бывали Филонов, Крученых, Бурлюки и многие другие. На Большой Пушкарской улице интерес представляло в начале 20-х гг. «Общество художников», помещавшееся в деревянном доме с выставочным помещением, где была, кстати, выставка П. Н. Филонова (среди произведений последнего помню знаменитую картину «Формула пролетариата»).

Представляется любопытным и следующий факт. А. А. Блок ни разу, по всем данным, в отличие от Л. Д. Блок, не бывал в «Бродячей собаке». Зато его любимыми прогулками, даже после переезда на Офицерскую, были по Большой Зелениной с мостом, ведшим на Крестовский остров (здесь, на Большой

Зелениной улице, происходит действие его «Незнакомки» и, как утверждает Л. К. Долгополов, действие «Двенадцати»; см. факсимильное переиздание: Александр Блок. Двенадцать / Рисунки Ю. Анненкова. Петербург: Алконост, 1918. С. 5 и далее). Местом любимых прогулок Блока являлась Новая Деревня, Лесной, Парголово, Озерки, но не дальше устья Сестры-реки (о северном береге Финского залива — ниже). Блок не любил изысканно интеллектуальной публики.

Теперь перейдем к самому важному для литературоведов и искусствоведов факту. На левом берегу Невы на Исаакиевской площади располагались два центра интеллектуальной жизни Петербурга-Ленинграда: Институт истории искусств (в разговорном названии — «Зубовский институт») и через дом от него на углу Почтамтской улицы — дом Мятлевых. История и значение Института истории искусств достаточно хорошо известны и в данных заметках не нуждаются в освещении. Между тем не менее важен для интеллектуальной жизни города дом Мятлевых, история которого за первые годы советской власти известна литературоведам мало.

Вот некоторые факты. В доме Мятлевых в 1918 г. был организован Отдел народного просвещения, вошедший затем в состав Комиссариата народного просвещения до переезда советского правительства в Москву. Здесь бывал и А. В. Луначарский. Тогда же усилиями Н. И. Альтмана здесь был создан первый в мире Музей художественной культуры (открыт в 1919 г.). В экспозиции находились произведения Кандинского, Татлина, Малевича, Филонова, Петрова-Водкина. На базе музея по инициативе П. Н. Филонова здесь в 1922 г. были организованы исследовательские отделы музея. В следующем году отделы были преобразованы в Институт художественной культуры (директором был К. С. Малевич, живший в том же доме с входом с Почтамтской улицы; в его квартире собирались многие художники и поэты — бывал В. Хлебников, приходили М. Матюшин с Эндерами, поэты-обэриуты; заместителем К. С. Малевича был Н. Н. Пунин). В институте были отделы: живописной культуры (руководил К. С. Малевич), материальной культуры (руководил М. В. Матюшин), отдел общей идеологии (первоначально руководил П. Н. Филонов, которого сменил Н. Н. Пунин). Экспериментальным отделом руководил П. А. Мансуров. В 1923 г. в доме Мятлевых в годовщину смерти В. Хлебникова была поставлена Татлиным «Зангези» с «хлебниковской» выставкой П. В. Митурича. В 1925 г. этот институт, утвержденный Советом народных комиссаров, стал именоваться Государственным институтом художественной культуры ГИНХУК (не смешивать с московским ИНХУКом).

В 1926 г. в институте была организована последняя художественная выставка, на которую пришел некий критик Серый (Гингер) и, возмущенный недружелюбным приемом Татлина (последний, стоя в дверях, не пропустил Серого, явившегося на следующий день переодетым), выступил с грубой и несправедливой критикой в газете. В конце того же, 1926 г., институт был закрыт, Н. Н. Пунин передал материалы музея в Государственный Русский музей, а Н. М. Суетин, А. А. Лепорская, М. В. Матюшин, К. С. Малевич перешли в соседний Институт истории искусств и здесь организовали «Лабораторию изучения формы и цвета».

Из изложенного ясно, что правый и левый берег Большой Невы резко различались между собой в интеллектуальном отношении, настолько, что попытки Ф. Сологуба и А. Чеботаревской организовать на Петербургской стороне собственное артистическое кабаре не увенчались успехом с самого начала.

Впрочем, различие между правым и левым берегом Большой Невы не выходило за пределы ее устья. Правый и левый (южный) берега Финского залива резко расходились по своему значению. На южном (левом) берегу располагались дачные места, где в окружении исторических дворцов жили по преимуществу художники с ретроспективными устремлениями (вся семья Бенуа — Николай, Леонтий, Александр; семья Кавос; Е. Е. Лансере, К. А. Сомов, А. Л. Обер, бывал С. Дягилев и другие). На северном (правом) берегу Финского залива располагались дачные места, где жила по преимуществу интеллигенция, склонная к творческому бунтарству. В Дюнах жил В. Б. Шкловский. В Куоккале были репинские «Пенаты», вокруг которых группировалась молодежь, жил К. И. Чуковский, были дачи семей Пэни и Анненковых (жили Анненковы на Средней дорожке и дружили с семьей сенатора Сергея Валентиновича Иванова, с которыми мы были общие друзья), жил Горький, жил Кульбин, один год жил А. Ремизов в пансионате около «Мельницы», на Сестре-реке. Взрослые и подростки устраивали празднества, спектакли, писали озорные стихи и пародии. В Териокском театре работали В. Э. Мейерхольд, Н. Н. Сапунов, Л. Д. Блок (о Блоке в Териокском театре см.: Собр. соч. в 8 т. Т. 7. С. 151 и далее; Т. 8. С. 391 и далее). Нельзя и перечислить всего того, чем примечательны в интеллектуальной жизни России северные дачные места Финского залива.

Вернемся в Петроград.

В 1922 г. наметился частичный отход В. М. Жирмунского от Института истории искусств и сближение его с академическим направлением в науке о литературе. В. М. Жирмунский переезжает на Васильевский остров (в Горный институт) и начинает больше преподавать в университете на факультете общественных наук по романо-германской секции. Начались острые расхождения, отразившиеся в дискуссиях в зале училища Тенишевой на Моховой и в Институте истории искусств. На левом берегу Большой Невы В. М. Жирмунского обвиняли в «академизме».

На титульном листе своей «Мелодики русского лирического стиха», вышедшей весной 1922 г., Б. М. Эйхенбаум написал следующее дарственное стихотворение В. М. Жирмунскому:

Ты был свидетель скромной сей работы.
Меж нами не было ни льдов, ни рек;
Ах, Витя, милый друг! Пошто ты
На правый преселился брег?

Б. Эйхенбаум
2 марта 1922 г.

Книга со стихами Б. М. Эйхенбаума хранится в семье Н. А. Жирмунской. Различие правого и левого берега Большой Невы ясно осознавалось в свое время.

Итак, в городах и пригородах существуют районы наибольшей творческой активности. Это не просто «места жительства» «представителей творческой интеллигенции», а нечто совсем другое. Адреса художников различных направлений, писателей, поэтов, актеров вовсе не группируются в некие «кусты». В определенные «кусты» собираются «места деятельности», куда тянет собираться, обсуждать работы, беседовать, где обстановка располагает к творческой откровенности (прошу извинения за это новое вводимое мной понятие), где можно было быть «без галстуха», быть во всех отношениях расторможенным и в своей среде.

Примечательно, что тяга к творческому новаторству возникает там, где появляется группа людей — потенциальных или действительных единомышленников. Как это ни парадоксально на первый взгляд может показаться, но новаторство требует коллективности, сближения и даже признания хотя бы в небольшом кружке людей близкого интеллектуального уровня. Хотя и принято считать, что новаторы по большей части люди, сумевшие подняться над общим мнением и традициями, это не совсем так. К этому стоит приглядеться.

Удивительна «связь времен». Знал ли я, садясь в конке на империал со своей нянькой, чтобы прокатиться в Коломну и обратно, что на остановке против Никольского собора на Екатерингофском я могу заглянуть прямо в окна квартиры Бенуа. Что я буду учиться в старшем приготовительном классе в гимназии Человеколюбивого общества, где первоначально учился и А. Н. Бенуа. Что потом я перейду в гимназию и реальное училище К. И. Мая на Васильевском острове, куда перед тем задолго до меня перешел и он. Что моим любимым местом в Петергофе будет площадка Монплезира со стороны моря, которую и А. Н. Бенуа считал красивейшим местом под Петербургом. Что затем я буду долго и упорно хлопотать об издании в серии «Литературные памятники» его воспоминаний, переписываться с его дочерью Анной Александровной.

И еще: А. Н. Бенуа жил в Лондоне в 1899 г. в «Boarding place» на «Montague street», очень вероятно — там же, где я останавливался в 1967 г. Если бы в 1967 г. я это знал, я бы совсем иначе отнесся к своей староанглийской гостинице с Библией, детективами на полочке над кроватью и камином, впрочем переделанным на газ. В этой же гостинице, по-видимому, останавливался и Владимир Соловьев, когда приезжал в Лондон работать в библиотеке Британского музея.

Все так близко и рядом. Даже в пространстве истории. Ведь А. Н. Бенуа видел в детстве маленького столетнего старичка — пажа Екатерины II, жившего в одном из служебных корпусов Петергофского дворца.

Связи небольшие, слабые, но они есть, и они удивительны.

До чего же привлекательны для детей обычаи, традиции! На Вербную неделю в Петербург приезжали финны катать детей в своих крестьянских санках. И лошади были хуже великолепных петербургских извозчичьих лошадей, и санки были беднее, но дети их очень любили. Ведь только раз в году можно покататься на «вейке»! «Вейка» по-фински значит «брат», «братишка». Сперва это было обращение к финским извозчикам (кстати, им разрешалось приезжать на заработки только в Вербную неделю), а потом сделалось названием финского извозчика с его крестьянской упряжкой вообще.

Дети любили именно победнее, но с лентами и бубенцами — лишь бы «поигрушечнее».

Куоккала

Квартира из пяти комнат стоила половину отцовского жалованья. Весной мы рано уезжали на дачу, отказываясь от квартиры и нанимая в том же районе Мариинского театра осенью. Так семья экономила деньги.

Ездили мы обычно в Куоккалу за финской границей, где дачи были относительно дешевы и где жила петербургская интеллигенция — преимущественно артистическая.

Сейчас мало кто себе представляет, какими были дачные местности и дачная жизнь. Постараюсь рассказать о местности, с которой связано мое детство, — о Куоккале (теперь Репино).

В «Спутнике по Финляндии» К. Б. Грэнхагена о Куоккале сказано мало и сухо: «Куоккала (42 килом. от СПб.). Станция находится в одной версте от берега залива. В летнее время местность густо населена дачниками. Однако скученность построек и отсутствие хороших дорог являются крупным недочетом в ряду прочих более или менее удовлетворительных условий дачной жизни. В особенности плохи дороги к северу от ж.-д. станции. Песчаная местность, покрытая сосновым лесом, в общем вполне пригодна для дачной жизни. Имеются лавки, аптека и даже театр. Лучшие дачи расположены вдоль береговой линии и отдаются внаем за высокую плату. Недорогие дачи находятся к северу от ж.-д. станции. Многие из них также заняты зимою. Имеется прав. церковь». Далее мелким шрифтом напечатано любопытное сообщение: «В последние годы русской революции (имеется в виду революция 1905 года. — *Д. Л.*) здесь находили приют эмигранты, преследуемые русским правительством. Однако после обнаружения в окрестностях Куоккалы (Хаапала) „фабрики бомб“ финляндская администрация в силу закона 1826 года пошла навстречу требованиям русских властей, ввиду чего многие эмигранты были арестованы и доставлены в петербургское охранное отделение».

О Куоккале, как интереснейшей дачной местности Петербурга, я писал и говорил (по телевидению в фильме о К. И. Чуковском «Огневой вы человек»). Здесь жила летом небогатая часть петербургской интеллигенции. Две дачи принадлежали зимогорам Анненковым (из этой дворянской семьи, сыгравшей большую роль в русской культуре, вышел и художник

Юрий Анненков); на самом берегу против Куоккальской бухты была дача Пу́ни[1]. Владелец ее Альберт Пуни, принявший православие с именем Андрей (поэтому часть его детей были Альбертовичи, а другие — Андреевичи), виолончелист Мариинского театра, был сыном автора балетной музыки и владельцем большого доходного дома на углу Гатчинской улицы и Большого проспекта Петроградской стороны. Его сын стал известным живописцем во Франции (под именем Жан Пюни) и до конца жизни любил писать пляжи, напоминавшие ему о его счастливом детстве.

Уезжая во Францию, Мария Альбертовна оставила нам два гобелена (один с видом Венеции до сих пор цел у нас), Детскую энциклопедию, которую я чрезвычайно любил, миланский кофейник коричневого цвета с чашечками и еще что-то на память.

Была ранняя весна. Пуни заехали в Куоккалу к отцу, и именно тогда Репин подарил отцу Марии Альбертовны ее акварельный портрет в пляжном костюме, пририсовав на нем легкий контур Эйфелевой башни, под сенью которой ей предстояло жить.

Самые счастливые воспоминания детства связаны у меня с пляжем в Куоккале. Как вчерашние, я помню дни, с утра проведенные на пляже у своей будки. Эта будка была непременной принадлежностью сдаваемых дач. Дача сдавалась только целиком. По комнатам нанимать или сдавать дачу никому еще не приходило в голову. И вот весной, как только дачники переезжали на нанятую ими дачу, хозяин водворял будку на воз и вез ее на пляж, где вместе с моим отцом они выбирали место для «нашей» будки. Часто будок было так много, что их выстраивали в два ряда (естественно, что в менее удобном втором ряду ставились будки поздно переехавших на дачу).

---

[1] Почему-то сейчас принято ставить ударение на последнем слоге фамилии Пуни. Но семья эта была итальянской, а не французской. Другая ошибка в имени Петипа: он Мариу́с, а не Ма́риус. Его дочь, хорошая знакомая нашей семьи, звалась Мария Мариу́совна.

В будке хранились шезлонги, купальные костюмы, игрушки. Я больше всего любил игрушечные яхты с килем и парусом. Недолго был у меня и «военный корабль». Его заводили, он отплывал, раздавался выстрел, и он поворачивал к берегу. Два-три раза эти пускания броненосца мне нравились, но уж очень он был «нереальным». Гораздо больше мне нравилось ставить парус и руль на игрушечной яхте и пускать ее плавать косо к ветру. Море было мелким, и идти за яхточкой можно было долго...

В 12 часов на пляже мы пили молоко, принесенное утром в бутылке и закопанное в прохладный сырой песок позади будки.

Счастьем было наблюдать артиллерийские учения на фортах. Ближе всего к Куоккале был форт «Тотлебен». Мимо него на канате буксир тянул белый щит, хорошо нам видный, по нему артиллеристы стреляли. Попадание нам не было видно, но звук выстрела мне нравился чрезвычайно. Он был несколько приглушен и растянут водой и вместе с гомоном купающихся создавал ту симфонию звуков, которая сливается для меня со звуковыми ассоциациями детства.

Позади будок мы с братом строили окопы и «сражались» друг с другом в обществе товарищей, кидая шишки, намачивая их водой или «приготовляя» их к киданию в сыром песке: чтобы они сложились и летели дальше.

А еще дальше рос прекрасный сосновый лес, над которым возвышался ветряк, не то вырабатывавший электричество, не то наполнявший водой из колодца водонапорную башню богатых соседей-дачевладельцев...

А еще мне нравилось делать из высохшего тростника, который прибивало ветром со стороны Петергофа, где он рос, разнообразные «гидропланчики» и пускать их, особенно тогда, когда ветер был со стороны берега. «Гидропланчики» уходили в море на большой скорости.

Папу из города встречаем всей семьей.

Мама с куоккальскими дамами сидит на скамейке, а я, как обычно, хожу, балансируя, по рельсине. Рельсовый путь уходит в бесконечность — к Петербургу, откуда должен на поезде приехать отец. Он привезет павловскую гигантскую землянику или еще что-нибудь вкусное, а иногда игрушку: серсо, игрушечную парусную яхточку, заводной пароходик (играть в воде мне особенно нравилось, и сохранилась даже фотография — я на море, по щиколотку в воде, в панамке и коротких штанишках, а у ног парусная игрушечная лодочка).

Жду, смотрю вдаль. И вот появляется мой «человечек»: пузатенький, с большой головой, в юбочке и курит. Это паровоз поезда. Круглое туловище — это котел. Большая голова — труба с раструбом, она дымится. А странная юбочка (паровоз, несомненно, мужчина, господин) — это предохранительная сетка, расширяющаяся книзу, к рельсам.

Приближается. Тонко, на заграничный лад, свистит (русские паровозы гудят басом, как пароходы). Потом подкатывает, работая колесами (любимая игра детей моего, пятилетнего, возраста — изображать собой паровоз, двигая локтями, как поршнями). Тянутся вагоны — синие, зеленые и красные, но значение цветов другое, чем русских. Сейчас я уже точно не помню. Кажется, синие вагоны — первого класса. Из синих вагонов выходят первыми финские кондукторы в черной форме, становятся у лесенки и помогают пассажирам выходить. Появляется отец и, целуя маму, рассказывает, с кем ехал. Однажды в окне вагона мне показали барона Мейерхольда, он ехал дальше, в Териоки. Чудится, что я его запомнил, и запомнил именно как барона. Как барона его знали и средние дачники — инженеры, чиновники. Другие дачники и зимогоры были художниками: Пýни, Анненковы, Репины и другие. Почему-то они представлялись мне другой породы — итальянцами, брюнетами, заводилами разных забав. Постепенно все разъезжаются на финских двуколках. Несутся двуколки с быстротой ветра, а если пассажиров несколько, финн-хозяин стоит на оси колеса и управляет с ловкостью циркача. Но главное — скорость.

Вечером, когда приезжал со службы из Петербурга отец, мы обедали, я бежал через Большую дорогу (теперь — Приморское шоссе) в ларек к его владелице, пожилой вдове, покупал у нее семечек и сосательных финских конфет, возвращался, и мы шли гулять по берегу. Семечки мы не лущили, а чистили ногтями (теперь так никто не делает), а отец задавал нам загадки. Одна из них была такая: он точно указывал, не смотря на Толбухин маяк, — когда маяк зажигался и когда гас. Сперва я думал, что он делает это по отражению в своем пенсне, но отец снимал пенсне и все же угадывал! Просто он отсчитывал время — знал периодичность его вспыхивания.

На границе с Оллилой (ныне Солнечное) были репинские «Пенаты». Около «Пенат» построил себе дачу К. И. Чуковский (помог ему в этом — и деньгами, и советами — И. Е. Репин). На мызе Лентулла по Аптекарской дорожке (теперь ее именуют Аптекарской аллеей) жил Горький. В те или иные летние сезоны жил Маяковский, наезжал Мейерхольд, жил художник и врач Кульбин (он, кстати, лечил и меня), приезжали к Репину Леонид Андреев, Шаляпин и многие другие. Некоторых я встречал на Большой дороге — главной улице Куоккалы — и в чудесном общедоступном парке сестер Ридингер, о котором не удосужился упомянуть автор цитировавшегося мною выше путеводителя. По вечерам мы гуляли либо по самому берегу залива, по сырому, укатанному волнами песку, либо по бетонной дорожке, которая шла к глубине пляжа около заборов выходивших к морю дач.

Куоккальские дачи имели заборы всегда деревянные и всегда различные, пестро окрашенные. У заборов останавливались разносчики и финские возки: «молоко, метана, ливки» (финны не произносили двух согласных звуков в начале слова: только второй). Разносчики часто бывали ярославцы, торговавшие зеленью, булками, пирожными. Корзинки с товарами носили на голове, подкладывая мягкий круг. Цыгане били в котел и кричали: «Лудить, паять...» — и еще что-то третье, что — я уже забыл. За пределами дачной местности часто стоял цыганский табор. Работали честно и честно возвращали заказы.

Если погода безветренная, особенно утром — в предвестии жары, то, прислушавшись, на берегу можно было слышать как бы басовитые гудки: у-у-у, у-у-у, у-у-у! Это в Куоккале слышен на пляже звон большого колокола Исаакиевского собора. Звонят во все колокола, но слышен только большой, самый большой в городе. И в определенный час, пока еще пляж не наполнится людьми, мы бегали к морю послушать Исаакий.

Море становилось торжественным и значительным, когда через воду долетал еле слышный звук тяжкого колокола Исаакия. С тех пор я знаю, что такое «пуститься во все тяжкие». И я запомнил двойное значение этого выражения: мы бежали к морю «во все тяжкие» и слышали «тяжкий» колокол Исаакия.

А днем в жару пляж гудел, как улей, роем детских голосов, радостных, испуганных, когда окунались, озорных при игре, но всегда приглушенных водой, расплывающихся, нерезких. Эта музыка пляжа слышна и сейчас, и до сих пор я ее очень люблю. Что за чудо веселья, развлечений, озорства, легкости общения, театральных и праздничных экспромтов была эта Куоккала!

Куоккала была царством детей. На пляже слышался гомон детских голосов. К морю уходили на целый день, брали с собой молоко и завтрак, пропуская обеденное время, принятое зимой, — в час. У каждой дачной семьи, как я уже сказал, была своя будка, часто своя лодка. От пляжа в море шли мостки, с которых было весело кувыркаться в воду. Мостки были и частные, и общественные — за деньги. По воскресеньям на пляже где-нибудь играл оркестр: это означало, что было благотворительное представление. Представления были и в куоккальском театре. Небольшой оркестрик из четырех отставных немецких солдат ходил по улицам Куоккалы, останавливался перед какой-нибудь дачей и начинал играть — начинал с «Ойры», любимой финнами песенки. Если им махали рукой, они прекращали игру, но часто мы просили их записать — в какой день прийти играть танцы на дне рождения или на именинах, когда собирались дети со всей округи.

В дни рождения и именин детей обычно иллюминировали сад китайскими фонариками, обязательно жгли фейерверк; впрочем, Горький на своей даче зажигал не только фейерверки, но и просто костры без всякого повода. Он любил огонь.

Покупали фейерверки в пиротехническом магазине под городской думой на Невском. На такие веселые вечера сбегались дети со всех дач.

Дети бегали веселыми стайками по Куоккале и продавали благотворительные значки (в день Ромашки — в пользу туберкулезных, во время Первой мировой войны — в пользу раненых).

Интересы детей, их развлечения господствовали. Взрослые с удовольствием принимали участие в детских играх. Дух озорства проявлялся в местном театре, где выступал иногда и Маяковский, читали Репин, Чуковский, Кульбин, ставились подростками фарсы. Мальчишки пели озорные песни про пупсика, «большую крокодилу», матчиш. И дети, и взрослые (иногда вместе, разновозрастными компаниями, а иногда небольшими группами) ходили на длинные прогулки. Раз в лето непременно ходили на музыку в Сестрорецкий курорт (выходили очень рано утром). Чаще ходили «на мельницу»: на Сестререке была мельничная запруда (там жил как-то на даче А. Ремизов). «Мельница» (так мы называли всю местность) казалась мне красивейшим местом в мире. Молодежь ездила туда компаниями на велосипедах.

Вот в этой обстановке расцветала озорная живопись, озорное сочинительство (пьес и стихов), по преимуществу для детей. Без этого детского и юношеского озорства нельзя понять многое в Чуковском, в Репине, в Пуни и в Анненкове.

И какие только национальности не жили в Куоккале: русские, финны-крестьяне, сдававшие дешевые дачи (с финскими мальчиками мы играли в прятки и другие шумные игры), петербургские немцы, финляндские шведы, петербургские французы и итальянская семья Пуни — с необыкновенно темпераментным стариком Альбертом Пуни во главе, вечным заводилой различных споров, в которых он всегда и вполне искренне выступал как отчаянный русский патриот.

На благотворительных спектаклях стремились поразить неожиданностями. Ставились фарсы, шутили над всеми известными дачниками. Мой старший брат Миша играл в куоккальском театре в фарсе Е. А. Мировича (Дунаева) «Графиня Эльвира». Но были и «серьезные» спектакли. Репин читал свои воспоминания. Чуковский читал «Крокодила». Жена Репина знакомила с травами и травоедением.

Почти все (кроме новичков) были знакомы друг с другом, ходили друг к другу в гости. Создавали благотворительные сборы, детские сады на общественных началах. Взрослые и дети вместе играли в крокет, в серсо, в рюхи. На даче у Пуни большими компаниями катались на гигантских шагах, делали на них «звездочку», при которой «закрученный» другими катающийся взлетал очень высоко — почти вровень с макушкой столба. Пожилые играли в саду в винт и преферанс. Неторопливо беседовали. Общественным местом была церковь, где собирались все, в том числе лютеране и католики, но стояли в ней не всегда полностью всю службу, а выходили на лужайку, где были врыты деревянные скамейки и можно было поговорить, посплетничать. Во время войны Репин стал особенно религиозен и пел на клиросе. Религиозен стал и зять Пуни — Штерн — управляющий его доходным домом (угол Большого проспекта и Гатчинской улицы). Он был немцем, но в начале Первой мировой войны переменил фамилию на Астров, принял православие. С Мишей Штерном я дружил.

Одевались весело. Приятельница моей матери Мария Альбертовна Пуни, красивая черноглазая итальянка, носила на щиколотке ноги золотую браслетку (платья к четырнадцатому году укоротились и стали только чуть-чуть нависать над стопой). Девочки Анненковы смущали всех, нося в своем саду брюки. Сам Корней Иванович, вернувшись в 1915 г. из Англии, куда он ездил с какой-то делегацией, стал ходить босиком, хотя и в превосходном костюме. А писатели — те все выдумывали себе разные костюмы: Горький одевался по-своему, красавец Леонид Андреев по-своему, Маяковский по-своему... Всех их можно было встретить на Большой дороге в Куоккале (теперь Приморское шоссе), они либо жили в Куоккале, либо часто приезжали в Куоккалу.

Люди искусства стали для нас всех если не знакомыми, то легко узнаваемыми, близкими, встречаемыми.

Свой куоккальский озорной характер К. И. Чуковский сохранял до конца жизни. Вот что мне рассказывала старый врач санатория Академии наук «Узкое» Татьяна Александровна Афанасьева. Жил К. И. Чуковский обычно в центральном корпусе, в комнате 26. Возвращаясь с прогулки, ловил ужей, которых в Узком (по-старинному Ужское) было много. Навешивал ужей себе на шею и на плечи штук по пять, а затем, пользуясь тем, что двери в комнаты не запирались, подбрасывал их отдыхающим и наслаждался их испугом. Не позволял мешать себе во время работы и поэтому вывешивал на дверях своей комнаты плакат: «Сплю». Такой лист висел часов до трех дня. Приезжавшие к Корнею Ивановичу из Москвы ждали, ждали и в конце концов часто уезжали. Татьяна Александровна рассказывала и о следующей проделке. Бывало, он бросался на колени перед сестрами, приносившими ему лекарства (обычно травные настойки: сердечные, успокаивающие, снотворные), и умолял их с трагическими жестами забрать лекарства назад.

Давняя подавальщица в столовой Антонина Ивановна тоже хорошо помнит Корнея Ивановича: «Ох, и чудил же», а сама смеется. То было уже в Узком, но стиль поведения был куоккальский.

Веселая и озорная дачная жизнь Куоккалы приобрела в 1914 году тревожные нотки. В сентябре ждали германского десанта в Финляндии. Финские полицейские заколачивали досками вышки дач (дачи в начале века строились непременно с башенками, откуда было видно море). Из фортов Кронштадта доносилась учебная стрельба, которой море придавало какой-то булькающий звук, — точно хлопали открываемые бутылки шампанского. Все чаще было видно, как буксиры везли мимо фортов барки со щитами, по которым и шла учебная стрельба.

Сам я озорником не был, но озорников в искусстве любил с мальчишеских лет, разумеется — талантливых озорников. Я в детстве жил в Куоккале недалеко от «Пенат» Репина. Он очень покровительствовал Чуковскому, Пуни, Анненкову, Кульбину. С семьями Пуни и Анненкова наша семья дружила. Помню Мейерхольда, красавца Леонида Андреева. Все они оригинальничали и озорничали, играли в рюхи, запускали змеев на пляже, жгли костры, увлекались фейерверками, домашними театрами, шутливыми выставками. Д. Н. Чуковский подарил мне афишу выступления куоккальских озорников в местном театре. О Куоккале как одной из родин европейского авангардизма стоило бы мне написать отдельно. Но тут надо потратить много времени на розыски материалов, а времени остается все меньше и меньше. В студенческие годы огромное впечатление произвели на меня «Столбцы» Н. А. Заболоцкого. Я до сих пор их очень люблю. Люблю веселое искусство — в том числе праздничный балет, классический, «мариинский». Люблю веселое искусство природы: цветы, бабочек, тропические растения, водопады, фонтаны и бури (воду во всех ее шумных проявлениях). И еще люблю большие корабли, особенно парусные, «мирные» пушечные выстрелы в 12 часов с Петропавловской крепости.

Летом 1915 г. в Куоккале появились новые «зимогоры» — беженцы-поляки. И от них я получил первый урок уважения к другим нациям. Мы, мальчики, дразнили поляков словами «цото бендзе» («что-то будет!»), которые они часто произносили в своих тревожных разговорах. И вот однажды изящная полька обернулась к нам с улыбкой и ласково сказала: «Да, мальчики! Цото бендзе — и для вас и для нас в этой войне». Нам стало стыдно. Мы не обсуждали между собой этот случай, но дразнить перестали.

И еще одно сильное впечатление в Куоккале. В Пасхальную неделю, как и во всех русских православных церквах, разрешалось звонить всем и в любое время. Отец и мы, два брата, однажды (приезжали на дачи рано весной) ходили на колокольню звонить. До какой же степени было восхитительно слушать звон под самыми колоколами!

Был в Куоккале один случай, который «прославил» нас с братом среди всех дачников. Ветер дул с берега (самый опасный). Мой старший брат Миша снял синюю штору у нас в детской, водрузил ее на нашей лодке и предложил прокатиться под «парусом» вполне домашнему мальчику — внуку сенатора Давыдова. Домашний мальчик Сережа (он впоследствии, после Второй мировой войны, работал архитектором-реставратором в Новгороде) пошел к своей бабушке и спросил у нее разрешения прокатиться. Бабушка была франтиха с фиолетовыми глазами, сидела в шелковом платье стального цвета под зонтиком от солнца. Она спросила Мишу только — не промочит ли Сережа ноги: в лодке ведь всегда есть на дне вода. Велела Сереже надеть галоши. Сережа надел новые блестящие галоши и сел в лодку. Все это происходило на моих глазах. Поехали. Северный ветер тихий, как всегда у берега, усилился вдали. Лодку погнало. Я наблюдал с берега и увидел: синий парус медленно наклонился и исчез. Бабушка, как была в корсете и с зонтиком, пошла по воде, простирая руки к любимому Сереже. Дойдя до глубокой воды, бабушка с фиолетовыми глазами упала без чувств, могла захлебнуться и утонуть. А на берегу за загородкой из простыни загорал проректор Петербургского университета — красавец Прозоровский. Он наблюдал за бабушкой и, когда та упала, бросился ее спасать. И, о ужас! — в одних трусах — тогда это считалось неприличным. Он поднял бабушку с фиолетовыми глазами и понес ее к берегу. А я изо всех сил побежал домой. Подбежав к нашей даче, я замедлил шаг и постарался быть спокойным. Мать спросила, очевидно догадавшись все же, что что-то случилось: «На море все спокойно?» Я немедленно ответил: «На море все спокойно, но Миша тонет».

Эти мои слова запомнились и вспоминались потом в нашей семье сотни раз. Они стали нашей семейной поговоркой, когда внезапно случалось что-либо неприятное.

А в море в это время происходило следующее. Домашний мальчик Сережа, конечно, не умел плавать. Брат стал его спасать и велел сбросить галоши. Но Сережа не хотел — то ли чтобы не ослушаться бабушки, то ли потому, что было жаль блестящих галош с медными буковками «С. Д.» («Сережа Давыдов»). Брат пригрозил: «Сбрасывай, дурак, или я сам тебя брошу». Угроза подействовала, а от берега уже гребли лодки.

Вечером приехал отец. Брата повели на второй этаж пороть, а затем отец, не изменяя своим привычкам, повел нас гулять вдоль моря. Как полагалось, мы с братом шли впереди родителей. Встречные говорили, указывая на моего брата: «Спаситель, спаситель!», а «спаситель» шел мрачный, с зареванной физиономией.

Хвалили и меня за «мудрую» выдержку. А однажды в особенно сильную бурю кто-то из встречных сказал мне: «На море все спокойно, но четыре будки подмыло и опрокинуло». Я немедленно побежал на море смотреть. Бури я люблю и до сих пор, не люблю обманчивого берегового ветра.

Лето длилось бесконечно долго. И в город я возвращался каждый раз повзрослевшим.

И опять «связь времен». Дачевладелец серб А. Ша́йкович, у которого мы снимали дачу последние три года перед революцией, оказывается, переводил «Слово о полку Игореве» на сербский язык. После революции он был югославским консулом в Финляндии и издал свой перевод «Слова» на сербский язык в Гельсингфорсе.

И еще раз «связь времен». Когда рукопись этих моих воспоминаний была совершенно готова, я полистал очерк К. И. Чуковского о Короленко. Выяснилось, что Владимир Галактионович Короленко чрезвычайно любил бросать на тихую поверхность моря плоские камешки и был своего рода чемпионом этой игры. Я тоже любил это занятие, и осенью 1931 г. мы развлекались с племянником писателя Владимиром Юльяновичем Короленко во время своих тайных прогулок в лесу у соловецких озер (об этом дальше). Оказывается, «печь блины» было любимым занятием Короленок...

Часть Финского залива, отделенная сейчас от остальной его части дамбой, до сих пор называется Маркизовой лужей: в первые годы XIX в. здесь обычно устраивал морские учения маркиз де Траверсе. Море располагало к забавам.

Жизнь дачной местности летом была совершенно непохожа на современную. Дачники постоянно общались, ходили друг к другу в гости, обсуждали все новости — как газетные, так и местные. Каждый заботился о своей репутации, о том, что о нем говорят. Наряжались не только для того, чтобы похвастаться своей портнихой, но и чтобы создать «свой образ». Мария Альбертовна Пуни одевалась экстравагантно, другие — подчеркнуто скромно или «строго» — в аристократическом вкусе.

Все это создавало культуру. Культура дачного общества была повторением русской культуры в целом, но в меньшем масштабе. Она носила разговорный характер. Мнение каждого вырабатывалось в беседах с друзьями, иногда в спорах, которые не вели к вражде, но создавали интеллектуальную индивидуальность каждого.

К прогулкам готовились за неделю. Обсуждались наряды. Прогулочный костюм должен был быть скромным и вместе с тем красивым. Обувь! — это был главный вопрос для дам. Готовились бутерброды, закуски, напитки. Надо было не только поесть семье, но и угостить знакомых.

У садовницы-финки, к которой я зашел в 1985 г. в Комарове, чтобы купить цветов для кладбища, я спросил: не помнит ли она пансионат «Юлия» на Церковной улице в Келомяках, где мы жили, кажется, в 1915 г. «Юлии» она не вспомнила, а о пансионатах и о Куоккале мы разговорились. Вот что она рассказывала:

«Когда здесь русские господа жили, как здесь было весело, сколько было праздников. На Троицу, бывало, все березками украшено — даже поезда с березками ходили. На берегу вечерами оркестр играл. Компании водили. В ветреную погоду змея пускали. А теперь есть ли змеи? А тогда и взрослые и дети пускать змея любили. На Иванов день костры жгли, бочки со смолой. В крокет играли. А теперь и крокет забыли. Наверное, и не продается? На станции встречать поезда ходили. Около всех станций садики были. С поезда разъезд был. Много таратаек ехало. Финские лошадки маленькие, но быстрые и выносливые.

Финны русских господ любили... Русские вежливые были, приветливые».

Когда в первую Финскую войну финны отсюда уходили, Александра Яновна спряталась — хотела с русскими остаться. Между двумя финскими войнами ее вывезли куда-то — может быть, в Вологду. Там она замуж вышла. Первую ее дачу отобрали пожарные, но дали другую, и она разводила цветы, ягоды, огурцы. С того и жила. К ней мы постоянно заходили. И с дочерью Верой заходили.

Я был рад поговорить с ней о Куоккале. Мои впечатления совпали с ее. Значит, я не преувеличивал.

«Семейные» слова

Существование «семейных» слов, шуток и поговорок — свидетельство крепости семьи. Моя бабушка по матери и ее верная Катеринушка (о последней я писал выше) любили вставлять в свою речь поговорки и пословицы (и первые, и последние всегда как шутку), и эти обычные для всех шутки своею понятностью именно в тесном семейном кругу как бы служили удостоверением прочности семейного быта. О надетой с форсом набекрень дамской шляпке или слишком вольном дамском костюме говорили: «неглиже с отвагой». О франтоватом мужчине, что он держится фертом (ферт —

название буквы «Ф», напоминающей избоченившегося человечка) и т. д.

Наша няня Катеринушка, вдова питерского мастерового, любила присказку: «Как у Семянникова на заводе, только трубы пониже и дым пожиже» (в начале нашего века густой дым из труб завода служил как бы рекламой предприятия, свидетельствуя якобы о напряженной его работе). Эту присказку Катеринушка говорила о тех, кто старался показать, что вовсю работает. В разговорах бывало множество острот, которые я называю «устойчивыми» и которые понимались «между своими». Из поговорок в нашей семье особенно частыми были: «Мели Емеля — твоя неделя» (о вранье и пустозвонстве) и «На тебе, боже, что нам негоже». Обе поговорки «успокаивали», приглашали терпимо относиться к чужому хвастовству и показной доброте.

Много было и «детских» слов, с которыми обращались к детям и говорили о детях. Но, увы, слова эти забылись.

Меньше традиционных, «семейных» слов и выражений я слышал от отца: может быть, потому, что весь уклад отцовской семьи был мрачноватым и шутить там не было принято. Но, скажем, молитвенные слова повторялись у отца и у его брата «дяди Васи»: «Царица Небесная», «Матерь Божья», не потому ли, что семья была в приходе храма Владимирской Божьей Матери? Со словами «Царица Небесная» отец и умер во время блокады. Но были у отца и свои привычные выражения, которые воспринял и я, хотя смысл их для меня остается непонятным; привычным было только их употребление в быту. Так, например, при какой-либо мелкой неприятной неожиданности отец восклицал: «Ах ты! сделай одолжение!» Например, когда ошибся в чем-либо, занозил руку, не туда попал, забыл пенсне или носовой платок... Объяснить это выражение я не берусь, хотя сам употреблял его до сорока лет постоянно. Думаю, что оно повторяет какую-либо реплику из фарса или водевиля. Выражение это, верно, повторялось в тексте пьесы и имело комический эффект: то, что в искусстве клоунов когда-то называлось «лягушкой». А потом это выражение стало обычной реакцией на неприятную неожиданность в какой-то узкой, «своей» среде.

Были свои обычные шутки в языке моего класса, в кружке, где я уже студентом встречался с товарищами, и т. д. Изучать их надо.

Были в моем языке и семейные неправильности. Например, я во всех случаях говорил «оне», а не «они». Как будто бы это была петербургская черта в моем языке, вероятнее всего передавшаяся мне по семейной линии. Из петербургских слов запомнились мне такие: «вставочка» вместо «ручка», «клякс-папир» вместо «промокательная бумага», «фрыштак» вместо «завтрак». Долгое время (да и сейчас порой) произносил я «ч» вместо полагавшегося по литературному произношению «ш» в словах «что», «булочная», «прачечная» и т. д., а также «г» вместо «в» в словах «его», в окончании родительного падежа на «ого» («нового», «красного», «городового» и пр.).

Старался я внимательно следить за ударениями в своем языке и даже изобрел «спасительное» правило: если не знаешь, где поставить ударение, — ставь его на один слог ближе к концу слова. С начала XIX в. появилась тенденция переносить ударение на один слог ближе к началу слова. По-старому говорили: «аге́нт», «аре́ст», «астроно́м», «нача́ть» (ставшая знаменитой ошибка — «на́чать»), «объясни́ть», «углуби́ть».

Как-то я спросил у академика А. С. Орлова, чистоте речи которого я всегда удивлялся: в каком слое русских самый богатый и правильный язык? Он подумал и ответил: «У средне-усадебного дворянства». И действительно, из этого слоя происходили Пушкин, Тургенев, Бунин: три столпа русского языка. Язык их богат и гибок. Очень много дали мне общения на Соловках с А. А. Мейером, К. А. Половцевой, А. Н. Колосовым, А. П. Суховым, а в корректорской издательства Академии наук в 30-е годы с образованнейшими на старый манер «учеными корректорами» — А. В. Сусловым, Л. А. Федоровым и другими.

Совершенствовать свой язык — громадное удовольствие, не меньшее, чем хорошо одеваться, только менее дорогое...

Крым

Огромную роль в эстетическом воспитании нашей семьи сыграло пребывание на юге. Отец год работал в Одессе (1911–1912), и два лета мы провели в Крыму, в Мисхоре. Мне вспоминается запах разогретого на солнце лавра, вид от Байдарских ворот, где помещался тогда монастырь, алупкинский парк и дворец, купания в Мисхоре среди камней (впоследствии по фотографиям я установил, что это было как раз то место, где перед тем купался после болезни Лев Толстой, спускаясь сюда из имения графини Паниной в Гаспре). Особенно эмоционально воспринималась мною маленькая полянка над морем с необыкновенно душистыми цветами. Полянку эту все называли «Батарейка», и туда чаще всего мы ходили гулять. Во время Крымской войны там размещалась небольшая батарея, чтобы воспрепятствовать возможному десанту англо-французских войск в Алупке. Здесь для меня все было слито: чувство природы и чувство истории. Последнее появилось у меня в возрасте 5–6 лет — и прежде всего на памятниках Севастопольской обороны, по которым я любил лазать, и на Малаховом кургане, воображая себя артиллеристом у стоявших среди укреплений орудий; поражение русских войск воспринималось мною уже тогда как личное горе.

Месяцы, проведенные в Крыму, в Мисхоре, в 1911 и в 1912 гг., запомнились мне как самые счастливые в моей жизни. Крым был другой. Он был каким-то «своим Востоком», Востоком идеальным. Красивые крымские татары в национальных нарядах предлагали верховых лошадей для прогулок в горы. С минаретов раздавались унылые призывы муэдзинов. Особенно красив был белый минарет в Кореизе на фоне горы Ай-Петри. А татарские деревни, виноградники, маленькие ресторанчики! А жилой Бахчисарай и романтический Чуфут-Кале! В любые парки можно было заходить для прогулок, а дав «на чай» лакеям, осматривать в отсутствие хозяев алупкинский дворец Воронцовых, дворец Паниной в Гаспре, дворец Юсуповых в Мисхоре. Никаких особых запретов в отсутствие хозяев не существовало, а так как хозяева почти всегда отсутствовали, то парадные комнаты (кроме сугубо личных) были доступны для обозрения.

Береговая полоса в те времена не могла находиться в частной собственности. От Мисхора по берегу шла бетонированная дорожка до Ливадии, по которой мы всей семьей гуляли по вечерам за маяк Ай-Тодор. Никаких частновладельческих пляжей! По берегу нельзя было пройти только от Мисхора до Алупки, из-за скал. Но по высокой части шла прекрасная дорога. Все эти прогулки хорошо сохранились в моей памяти благодаря отличным фотографиям отца. Теперь многого уже нет, нет и чудесной дорожки по берегу от Алупки. «Царская тропа» к Ореанде тоже укоротилась и изменила свой вид.

В 60-е гг. мы ездили в Дом творчества, в Ялту. После уже не захотелось ехать туда во второй раз — разрушать тот «маленький рай», который еще существовал в моей памяти.

Когда эта заметка была уже написана, я прочел статью Т. Братковой «Город Солнца» (Дружба народов. 1987. № 6). Ее надо прочесть и не забывать: она нужна всем, кто любит Крым.

Может быть, с тех пор у меня начала укрепляться любовь к различным памятным местам и «музеям под открытым небом» — будь то знаменитый памятник-«пушка» в Одессе, усадьбы-музеи, петровские домики в Петербурге, да и просто маленькие лирические памятники вроде памятника Жуковскому в Петербурге в Александровском саду, где я чаще всего гулял до «вечернего колокольчика» сторожа, когда сад запирался на ночь, или небольших памятников Петру, которых было несколько в Петербурге: например, Петр, мастерящий лодку, — на набережной у Адмиралтейства. Уже тогда в Крыму меня поразили старые деревья в Никитском саду, а в Петербурге во время неизменных праздничных прогулок на Острова я благоговейно смотрел на Петровский дуб, огороженный скромной решеткой. Стоя перед этим дубом, я шептал ему свои заветные желания: например, получить в подарок еще одну лучиночную коробочку с оловянными солдатиками или «настоящую» паровую машину — паровозик, который видел у приятеля. Странно — желания мои исполнялись, и я приписывал исполнение их не внимательности родителей, которые, конечно, о них догадывались, но доброму и всесильному дубу. Язычество проснулось у меня вместе с чувством истории очень рано.

Осенью 1914 г., когда началась Первая мировая война, мы жили в Оллило близко от Большой дороги. Ждали десанта немцев в Финляндии. Дачники спешно уезжали в Питер. Вагонов для перевозки дачного скарба не хватало. Финны везли тяжело нагруженные телеги мимо нашей дачи и часто застревали в песке. Тревога усиливалась лесными пожарами (лето было засушливое). В воздухе стоял запах дыма. Время детского рая кончилось навсегда.

По Волге в 1914 году

В мае 1914 г. мы ездили по Волге — от Рыбинска до Саратова и обратно. Мои родители, старший брат Михаил и я. До Рыбинска от Петербурга — поездом. Как ехали поездом — не помню. Смутные впечатления сохранились только от вокзала в Петербурге. Скорее всего, это был Николаевский (теперь Московский). Там, где прибывали и отходили поезда, в крытой части вокзала, и где обрывались рельсы, всегда помещалась икона. Отъезжающие молились перед ней. Жарко горели десятки свечей.

Был май месяц. Утром Рыбинск встретил нас дождем и холодом. Мы направились в суровский магазин купить мне длинные чулки, на которые мне надо было сменить мои носочки. Разумеется (дети всегда одинаковы!), мне этого очень не хотелось. Весной надо было быть одетым как можно более легко: таково было мальчишеское франтовство. А тут еще «оскорбление» в магазине. Приказчица-девушка, которая взялась мне примерить чулки, обратилась ко мне со словами: «Барышня, дайте мне вашу ножку!» Меня приняли за девочку! Ужас!

В те времена на Волге лучшими пароходными компаниями считались две: «Самолет» (розовые красавцы-теплоходы с двумя красными полосами на трубе и полукруглым зеркальным стеклом спереди в ресторане) и «Кавказ и Меркурий» (белые суда). Суда «Самолета» ходили от Нижнего до Астрахани. До Нижнего надо было добираться на колесных «кашинских». А суда общества «Кавказ и Меркурий» шли от самого Рыбинска. Мы взяли каюту на одном из судов компании «Кавказ и Меркурий».

И. Разживихин в статье «Как назывались пароходы» (журнал «Речной транспорт». 1984. № 9) указывает такие названия пароходов общества «Самолет»: «Князь Серебряный», «Князь Юрий Суздальский», «Князь Мстислав Удалой»; общества «Русь»: «Князь Пожарский», «Козьма Минин», «Владимир Мономах», «Дмитрий Донской», «Алеша Попович», «Добрыня Никитич». Даже по названиям пароходов мы могли учиться русской истории.

На Волге погода потеплела, и мы в первый же день обедали на носу парохода на воздухе. До сих пор помню вкус хлеба и весенних огурцов. Замечали ли вы, что еда на воздухе имеет другой вкус? Гораздо лучший.

Волга тогда была другая, чем сейчас. Я уже не говорю о том, что она была без «морей» и разливов, без плотин и шлюзов. На ней было множество мелких судов разных типов. Буксиры тянули канатами караваны барок. Сплавляли лес плотами. На плотах ставили шатры и даже маленькие домики для плотогонов. Вечером ярко горели костры, на которых плотогоны готовили пищу и у которых сушили выстиранную одежду. Русские крестьяне при всей своей бедности были очень опрятные. Раза два-три встретились красавицы-«беляны». Беляны назывались так потому, что они были некрашеные. Бель — это некрашеное дерево. Эти огромные высокие барки плыли по течению, управляясь длинными веслами. В нижнем безлесном районе Волги их разбирали на строительный материал.

И строились беляны в верховьях Волги так, чтобы не портить бревна и доски.

Волга была наполнена звуками. Гудели, приветствуя друг друга, пароходы. Капитаны кричали в рупоры, иногда — просто чтобы передать новости. Грузчики пели.

Существовали специально волжские анекдоты, где главную роль играли голоса кричавших друг другу с больших расстояний людей, плохо и по-своему понимавших друг друга. Но были и детские байки, и звукоподражания. Помню такое «звукоподражание» перекликающимся друг с другом петухам. Первый петух кричит: «В Костроме был». Второй спрашивает: «Каково там?» Первый отвечает: «Побывай сам». Этот «диалог» довольно хорошо передавал по интонации петушиную перекличку.

А вот сцена, которую я сам наблюдал. Была она в духе Островского. Сел к нам на пароход богатый купец, не уставший хвастаться своим богатством. Встречающиеся плоты он приветствовал, приложив ко рту ладони рупором: «Чьи плоты-те?» С плотов ему непременно отвечали: «Панфилова». Тогда купчишка с гордостью оборачивался к стоявшей на палубе публике и с важностью говорил: «Плоты-те наши!»

Была и такая сцена. По Волге обычно плавал бывший борец Фосс. Был он огромного роста и необыкновенной толщины. Говорили, что он под рубашку подвязывал себе подушку, чтобы казаться еще толще. Хвастался он дружбой с кем-то из великих князей и поэтому считал себя вправе ни за что не платить. Во время обедов он съедал множество всего. Волжские пароходы славились тогда великолепной кухней, особенно рыбной (стерляди, осетрина, икра паюсная, зернистая, истычная и пр.).

Фосс сел к нам на пароход вечером в Нижнем. Пассажиры встревожились: будет скандал. А шутники пугали: «Съест все, и ресторан закроют». Капитан знал, однако, как бороться с Фоссом. Отказать Фоссу заказывать блюда было нельзя. Капитан шел на расход. Но когда Фосс отказался платить, ему предложили сойти с парохода. Фосс упрямился. Тогда собрали всех матросов, и они, подпирая Фосса с обоих боков, выдавили его. Мы с верхней палубы следили за тем, как выставляли Фосса. Он долго стоял на пристани и сыпал угрозами.

Много на Волге пели. Песни слышались и с берега. Пели и на нижней палубе, в третьем классе: пели частушки и плясали. Мать не вынесла, когда плясала беременная женщина, и ушла вместе с отцом. Вдогонку беременная плясунья спела нам частушку об инженерах (отец неизменно носил инженерскую фуражку; поэтому плясунья и узнала его профессию).

На пристанях грузчики («крючники») помогали своему тяжелому труду возгласами и пением. Помню, ночью тащили из трюма (пароход был грузо-пассажирский) какую-то тяжелую вещь; грузчики дружно в такт кричали: «А вот пойдет, а вот пойдет!» Когда вещь сдвинулась, дружно кричали: «А вот пошла, а вот пошла, пошла, пошла!» Этот ночной крик хорошо запомнился мне.

На каждой остановке у пристани собирался маленький базар. Капитан говорил, где и что покупать — где ягоды, где корзины, где икру, где палочки-тросточки. Палочки мы с братом жадно выбирали. Брат купил себе палочку с рукояткой в виде головы турка, а я — с птичкой. Эти палочки долго у нас хранились. Не то эти покупки тросточек были в Кинешме, не то в Плесе. Помню точно, что берег у пристани, где шла торговля, был очень зеленый, лесистый и круто поднимался вверх.

В Троицу капитан остановил наш пароход (хоть и был он дизельный, но слова «теплоход» еще не было) прямо у зеленого луга. На возвышенности стояла деревенская церковь. Внутри она вся была украшена березками, пол усыпан травой и полевыми цветами. Традиционное церковное пение деревенским хором было необыкновенным. Волга производила впечатление своей песенностью: огромное пространство реки было полно всем, что плавает, гудит, поет, выкрикивает. В городах пахло рыбой, разного рода снедью, лошадьми, даже пыль пахла почему-то ванилью. Люди ходили, громко разговаривая или перебраниваясь, торговцы выкликали свои товары, заманивали покупателей. Мальчишки — продавцы газет выкликали их названия, а иногда и заголовки статей, сообщения о происшествиях. На рынках встречались персы, кавказцы, татары, калмыки, чуваши, мордвины — все одетые посвоему, говорившие на своих языках. В Сарепте и Саратове слышалась немецкая речь.

В Саратове мы пересели на обратный пароход той же компании «Кавказ и Меркурий», которую мы, мальчишки, дружно стали считать лучше бледно-розового пароходства «Самолет».

Как возвращались поездом, не помню. Помню только, что обратный пароход назывался «1812 год» и встретился нам «Кутузов». Это было на 101-й год после Бородинской битвы.

От прежнего остаются картины, своеобразные фотографические снимки. От путешествия по Волге я яснее всего помню одну. Мы сидим с дочкой капитана на ковре в капитанской каюте и играем во что-то скучное (дочка младше меня, да она и девочка, а я не умею играть в куклы). От палубы нас отделяет решетка от потолка до пола. Родители кричат мне: «Посмотри — Жигули! Соловьи поют». Я вижу через решетку высокий лесистый берег и слышу щелканье соловьев, но мне неловко не играть с дочкой капитана. Я долго потом жалел, что плохо видел Жигули и плохо слушал соловьев. Это ощущение упущенной возможности сохранилось и до сих пор. Но может быть, в этом случае мое сознание не «сфотографировало» бы этот вид на Жигули через решетку?

И все же я могу сказать про себя с гордостью: «Я видел и Волгу».

Гимназия Человеколюбивого общества

Осенью 1914 г. я поступил в школу — в гимназию Человеколюбивого общества, ту самую, в которой одно время учился А. Н. Бенуа. Она находилась на Крюковом канале против колокольни Чевакинского, недалеко от дома Бенуа — того самого, от которого отходила конка в Коломну. На этой конке я любил ездить со своей нянькой, забравшись на империал. Какой волшебный вид на город открывался с империала!

Учиться я поступил восьми лет, и сразу в старший приготовительный класс. Родители выбирали не школу, а классного наставника. И он в этом старшем приготовительном классе был действительно замечательным. Капитон Владимирович! Он был строг, представителен, умен и отечески добр, когда это было можно. Это был воспитатель с большой буквы. Ученики его уважали и любили. Ученики! Но они были со мной совсем другими, и у меня с ними сразу пошли столкновения. Я был новичок, а они уже учились второй год, и многие перешли из городского училища. Они были «опытными» школьниками. Однажды они на меня накинулись с кулачками. Я прислонился к стене и, как мог, отбивался от них. Внезапно они отступили. Я почувствовал себя победителем и стал на них наступать. Но я не видел инспектора, которого заметили они. В результате в дневнике у меня появилась запись: «Бил кулаками товарищей. Инспектор Мамай». Как я был поражен этой несправедливостью! В другой раз они бросали в меня на улице снежками и подвели к маленькому оконцу, из которого за поведением учеников наблюдал все тот же инспектор Мамай. В дневнике появилась вторая запись: «Шалил на улице. Инспектор Мамай». И родителей вызвали к директору.

Как я не хотел ходить в школу! По вечерам, становясь на колени, чтобы повторять вслед за матерью слова молитв, я еще прибавлял от себя, утыкаясь в подушку: «Боженька, сделай так, чтоб я заболел». И я заболел: у меня стала подниматься каждый день температура — на две-три десятых градуса выше 37. Меня взяли из школы, а чтобы не пропустить год, наняли репетитора. Это была польская школьница-беженка (шла зима 1915 г.). Маленькая, худенькая. И нанималась она заниматься со мной за плату вместе с обедом. За обеденным столом она казалась совсем маленькой, и отец из жалости к ней подпилил ножки обеденного стола, сделал его ниже. Потом этот обеденный стол всегда приходилось ставить на стеклянные подножки от рояля, чтобы вернуть ему прежнюю высоту. От этой польской девочки я получил еще один урок национального воспитания. Рассказывая мне русскую историю, она увлеклась и стала говорить про польскую историю, а я взял да и выпалил ей в лицо: «Никакой польской истории нет». Я, очевидно, спутал историю с учебником истории. Учебника истории Польши действительно на русском языке не было. Но польская школьница стала мне возражать и вдруг заплакала. Этих слез мне и сейчас стыдно...

Гимназия и реальное училище К. И. Мая

В 1915 г. я поступил в гимназию и реальное училище К. И. Мая на 14-й линии Васильевского острова. К этому времени мой отец получил в заведование электрическую станцию при Главном управлении почт и телеграфов и казенную квартиру при этой станции. День и ночь квартира наша содрогалась от действия паровой машины. Сейчас этой станции и в помине нет. Двор пуст, нет и нашей квартиры. Но тогда посещение станции доставляло мне большое удовольствие. Громадное колесо вращалось поршнем, оно блестело от масла, было необычайно красивым.

В училище Мая мне надо было ездить на трамвае, но пробиться в трамвай было чрезвычайно трудно: площадки были забиты солдатами («нижними чинами», как их называли). Им разрешалось ездить бесплатно, но только на площадках вагонов. Жили мы рядом с Конногвардейским бульваром, и я наслаждался тогда вербными базарами, где можно было потолкаться около букинистических ларьков, купить народные игрушки и игрушки специально вербные (вроде «американских жителей», чертей на булавках для прикалывания к пальто, акробатов на трапециях, «тещиных языков» и проч.) и полакомиться вербными кушаньями.

Вербная неделя была лучшей неделей для детей в старом Петрограде, и именно здесь можно было почувствовать народное веселье и красоту народного искусства, привозимого сюда из всего Заонежья.

Ведь Петербург-Петроград не только стоял лицом к Европе, что ощущалось прежде всего в его пестром населении (немцы, французы, англичане, шведы, финны, эстонцы наполняли собой и школу К. И. Мая), но за его спиной находился весь Русский Север с его фольклором, народным искусством, народной архитектурой, с поездками по рекам и озерам, близостью к Новгороду.

О гимназии и реальном училище К. И. Мая написано много. Есть специальные юбилейные издания, много написано в «Воспоминаниях» А. Н. Бенуа, изданных в серии «Литературные памятники», есть и статья в журнале «Нева» (1983. № 11. С. 192–195). Не буду повторять всего того хорошего, что о ней уже сообщалось; отмечу только, что школа эта сыграла большую роль в моей жизни. Я чувствовал себя там прекрасно и, если бы не трудности дороги, не мог бы и желать лучшего.

Я взрослел и был как раз в таком возрасте, когда особенно тяжело переживаются военные неудачи. Обсуждение военных неудач и всех возмутительных неурядиц в правительстве и в русской армии занимало изрядное место в вечерних семейных разговорах, тем более что все происходившее было как будто тут же, рядом. Распутин появлялся в ресторанах и домах, которые я видел, мимо которых гулял, солдат обучали совсем рядом на любой свободной площади, спектакли в Мариинском театре начинались с томительного исполнения всех гимнов союзных России держав, и прежде всего с бельгийского гимна «Барбансон». Национальное чувство и ущемлялось, и подогревалось. Я жил известиями с «театра военных действий», слухами, надеждами и опасениями.

Школа К. И. Мая наложила сильный отпечаток и на мои интересы, и на мой жизненный, я бы сказал мировоззренческий, опыт. Класс был разношерстный. Учился и внук Мечникова, и сын банкира Рубинштейна, и сын швейцара. Преподаватели тоже были разные. Старый майский преподаватель Михаил Георгиевич Горохов обучал нас два года перспективе почти как точной науке; преподаватель географии изумительно рассказывал о своих путешествиях и по России, и за границей, демонстрируя диапозитивы; библиотекарь умела порекомендовать каждому свое. Я вспоминаю те несколько лет, которые я провел у Мая, с великой благодарностью. Даже почтенный швейцар, который приветствовал нас по-немецки, а прощался по-итальянски, учил нас вежливости собственным примером — как много все это значило для нас, мальчиков!

Учителя не заставляли нас выдавать «зачинщиков» шалостей, разрешали на переменах играть в шумные игры и возиться. На уроках гимнастики мы главным образом играли в активные игры — такие, как лапта, горелки, хендбол (ручной мяч). На школьные каникулы выезжали всей школой в какое-то имение на станцию Струги — Белая[1] по дороге на Псков. Мы выпускали разные классные журналы и даже писали и размножали собственные сочинения в духе повестей Буссенара и Луи Жаколиу без преподавательского надзора.

Я жалею, что не мог ходить на все вечерние занятия и школьные кружки, — уж очень трудная была дорога в переполненных трамваях.

Уроки рисования в училище Мая

Уроки рисования в училище Мая, как я уже сказал, вел наш классный наставник М. Г. Горохов. Он всегда входил в класс серьезный, как бы «выполняющий высокий долг» (а долг его

---

[1] Название станции «Струги — Белая» произошло от того, что около нее помещались две большие деревни — Струги и Белая. Потом стали называть станцию Струги Белые, а в революцию переименовали и в Струги Красные.

и в самом деле был высоким). Часто читал нам нотации. Учил нас корректности в обращении друг с другом, манере держаться. Помню, что ставил нам в пример учеников старших классов, и в частности будущего архитектора Игоря Ивановича Фомина.

Но самое удивительное были уроки рисования М. Г. Горохова. Два года мы проходили с ним перспективу. По его проекту был создан в новом здании училища Мая кабинет для уроков рисования. Там были удобные пюпитры, на которые мы накалывали бумагу для рисунков. Со всех мест было хорошо видно натуру, а натура состояла для уроков перспективы главным образом из проволочных каркасов. Перспектива была точнейшая наука, учившая нас думать. Уроки перспективы были сродни урокам геометрии. С тех пор я умею замечать ошибки художников в перспективе. Уроки М. Г. Горохова подготовили меня к пониманию исследований перспективы о. П. Флоренского.

И вместе с тем уроки рисования были уроками труда, ручного труда, они учили работать руками. Даже стирать резинкой неверно нанесенную карандашную линию надо было уметь. И этому М. Г. Горохов нас тоже учил. А что стоили походы с ним на выставки, хотя принимать участие в этих походах мне приходилось редко.

Умный «ручной труд»

В годы Первой мировой войны в училище Мая был введен урок ручного труда. Чем это диктовалось, я не знаю. Но воспитательное значение он имел очень большое.

Сравнительно молодой столяр говорил нам: «Когда работаешь, надо думать». Я это запомнил. Он учил нас, как без гвоздей делать различные деревянные поделки — полки, рамки, табуретки, как делать различные сочленения, чтобы вещь крепко держалась без гвоздей, как выбирать дерево для работы, как обходить сучки, как работать рубанком, полировать.

Закончив один какой-то прием, мы переходили к другому. «Ручной труд», так назывался урок, был уроком творчества. От менее сложных приемов мы переходили к более сложным. И хотя в классе было много детей работников отнюдь не ручного труда — уроки эти нам нравились. Единственное, что нам мешало, — это то, что нас было много: человек двадцать, а нашему преподавателю надо было показывать каждому в отдельности. Объяснив нам всем приемы работы, преподаватель ручного труда подходил к каждому из нас (верстаков и столярных инструментов было много) и каждому показывал отдельно — как держать инструмент, как им работать. Многие, конечно, понимали не сразу, стояли и ожидали, пока к ним подойдет наш милый интеллигентный рабочий-столяр.

Ручной труд был трудом умственным и давал нам радость овладения новым.

Само собой, что сделанные нами полочки, коробочки и скамейки мы уносили домой, и сделанным нами гордилась вся семья.

Революция — внешние впечатления

Ни моя семья, ни я, одиннадцати-двенадцатилетний мальчик, разумеется, ничего толком не понимали, что происходит; и происходит почти на наших глазах, так как жили мы на Новоисаакиевской улице вблизи Исаакиевской площади. Семья слабо разбиралась в политике.

Когда в первые дни Февральской революции «гордовики» (так называли в Петрограде городовых) захватили вышку Исаакиевского собора и чердаки гостиницы «Астория» и оттуда обстреливали любую собиравшуюся толпу, мои родители возмущались «гордовиками» и боялись приближаться к этим местам. Но когда «гордовиков» стащили с их позиций и разъяренная толпа убивала их, родители возмущались жестокостью толпы, не особенно входя в дальнейшее обсуждение событий.

Когда мы с отцом ходили на Невский, чтобы посмотреть на непрерывно и, по-видимому, без особой цели маршировавшие под оркестры полки, звуки маршей поднимали нам настроение, но когда эти же полки шли нестройными рядами, мы огорчались, ибо помнили, с каким блеском шел до войны Конногвардейский полк по воскресеньям в свою полковую Благовещенскую церковь, с каким балетным искусством вышагивал впереди командир полка — полковник из русских немцев, как блестели кирасы и каски, как лихо крутил палку тамбурмажор перед оркестром.

Да и до революции... Когда мы с отцом гуляли по Большой Морской и видели, как строят дом и носят тяжести на своих спинах обутые в лапти, чтобы не скользить, крестьяне, приехавшие в город на заработки, я почти задыхался от жалости и вспоминал с отцом «Железную дорогу» Некрасова. То же самое происходило на любой набережной в местах, где разрешалось разгружать барки с кирпичом и дровами. Здоровенные ка́тали вкатывали быстро-быстро свои тачки с тяжеленным грузом, чтобы взобраться, не останавливаясь, по узким доскам, перекинутым с бортов барж на набережную. Мы жалели каталей, старались представить себе, как они живут в отрыве от семей на этих барках, как замерзают по ночам, как тоскуют по своим детям, ради которых они, в сущности, и зарабатывали свой хлеб тяжелым трудом. Но когда эти же бывшие грузчики и носильщики, мастеровые и мелкие служащие пошли по бесплатным билетам на балет в Мариинский театр и заполнили собой партер и ложи, родители жалели о былом бриллиантовом блеске голубого Мариинского зала. Единственное, что на тех представлениях радовало родителей, — это то, что балерины танцевали не хуже прежнего. Спесивцева, а затем и Люком были так же великолепны, раскланивались перед новой публикой так же, как и перед старой. А ведь как это было замечательно! Какой урок уважения к новому зрителю давал нам всем тогдашний театр!

В 1920-е гг. величайшим успехом пользовались оперы «Хованщина» и «Сказание о граде Китеже», а в операх этих два замечательнейших певца и артиста: Павел Захарович Андреев (муж Дельмас) и Иван Васильевич Ершов. Мусоргский и Римский-Корсаков — особенно первый, — это не только композиторы, но и философы русской истории. Надо было иметь Мусоргскому гениальное чутье, чтобы вложить проникновеннейшую арию, обращенную к России, в уста нравственно сомнительного персонажа — Шакловитого. Если бы он вложил ее в уста безупречного героя, она бы не производила такого впечатления. Впрочем, все равно, ария оставалась гениальной. Зал ждал и замирал от волнения, когда Андреев — Шакловитый пел: «Спит стрелецкое гнездо. Спи, русский люд. Ворог не дремлет», а затем, обращаясь к залу: «О, ты, в судьбине злосчастная Русь. Стонала ты под яремом татарским, шла-брела за умом боярским... Пропала дань татарская, престала власть боярская, а ты, печальница, страждешь и терпишь...» Зал вставал, когда Андреев заканчивал свой монолог молитвой: «Ей, Господи, вземляй грех мира, услышь меня, не дай Руси погибнуть от лихих наемников». До трех раз пел Андреев эту арию: зал требовал повторений. Многие плакали.

Другой не менее сильный сюжет была судьба Гришки Кутерьмы, которого гениально пел и играл Ершов в опере «Китеж». Этими Гришками, разорявшими церкви и предававшими Русь, была наполнена страна, и когда мы с родителями возвращались на Петроградскую сторону пешком среди полной темноты, стараясь держаться середины улицы, по заржавевшим трамвайным рельсам, нам казалось, что нас окружают за углами перекрестков точно такие же Гришки: пропившиеся, продавшие всё и вся.

Впоследствии, в 30-е гг., Ершов часто заходил в книжный магазин Академии наук, помещавшийся тогда на Менделеевской линии, дом 1. Он любил поболтать с заведующей магазином полькой Еленой Казимировной, которой мы дали прозвище Отчаянная Любезность. Галантный и остроумный Ершов любил побеседовать с Еленой Казимировной, как бы отдохнуть от царящей кругом грубости.

Жизнь в Первой государственной типографии

Отец был искренне рад и горд, когда рабочие электрической станции в Первой государственной типографии (теперь это «Печатный Двор») выбрали его своим заведующим. Мы переехали с Новоисаакиевской в центре Петрограда на казенную квартиру при типографии на Петроградской стороне. Это была осень 1917 г. События Октябрьской революции оказались как-то в стороне от меня. Я их плохо помню.

Жизнь в типографии меня во многом воспитала. Типографии я обязан своим интересом к типографскому делу. Запах свежеотпечатанной книги для меня и сейчас — лучший из ароматов, способный поднять настроение. Я свободно ходил по типографии, знакомился с наборщиками, считавшими себя среди рабочих интеллигентами, носившими длинные волосы (прическа эта называлась «марксистка»), часто писавшими стихи и гордившимися своей работой. Отец постепенно стал специалистом по типографским машинам. Вскоре после революции для типографии были закуплены за рубежом печатные машины, в которых отец один и смог разобраться.

Типография имела большой театральный зал, где для рабочих и служащих выступали лучшие певцы и актеры города и даже однажды происходил публичный диспут на тему «Есть Бог или нет» между А. В. Луначарским и обновленческим митрополитом Александром Введенским...

Помню парадоксы того времени: толпа верующих после диспута хотела побить именно митрополита, и отец по просьбе начальства спасал его, выйдя с ним на другую улицу через черный ход нашей квартиры. Дело в том, что «митрополит» Введенский на суде в Филармонии давал показания против любимого народом петроградского митрополита Вениамина.

Жизнь в типографии многому меня научила, многое раскрыла, объяснила. Но может быть, не последнюю роль сыграло и то, что на некоторое время отец получил на хранение библиотеку директора ОГИЗа — небезызвестного в тогдашних литературных кругах Ильи Ионовича Ионова. В его библиотеке были эльзевиры, альдины, редчайшие издания XVIII в., собрания альманахов, дворянские альбомы, Библия Пискатора, роскошнейшие юбилейные издания Данте, издания Шекспира и Диккенса на тончайшей индийской бумаге, рукописное «Путешествие из Петербурга в Москву» Радищева, книги из библиотеки Феофана Прокоповича, множество книг с автографами современных писателей (запомнились письма-надписи на сборниках стихов Есенина, А. Ремизова, А. Н. Толстого и т. д.). Получил отец в подарок и некоторые вещи — посмертную маску, снятую Манизером с головы А. Блока новым способом — так, чтобы голова была цельной, не только лицо. В ней трудно было узнать Блока — совершенно лысый, изможденный, старый. Маска-голова эта пропала.

Библиотека была получена нами при следующих обстоятельствах. У нас была на «Печатном Дворе» огромнейшая казенная квартира, в которой мы с братом катались даже на велосипеде. И. И. Ионов получил в качестве почетной ссылки назначение торгпредом в США и, зная честность отца, существование у него большой квартиры, свез основную часть своей библиотеки к нам. Возвратился И. И. Ионов уже не в Ленинград, а в Москву. Отец немедленно по возвращении Ионова погрузил все книги в контейнеры и отправил их ему в Москву. Там вскоре Ионов, женатый на сестре Г. Зиновьева, был арестован, вещи в Москве пропали.

Несколько лет пребывания великолепной библиотеки в нашей квартире не прошли для меня даром. Я рылся и рылся в ней, читал, смотрел, любовался изданиями и рукописями, гравюрами и фотографиями с памятников искусства. Мне не хватало образования, — иначе я бы еще больше смог получить для себя от этой необыкновенной библиотеки. На многое я просто не обратил внимания.

Сам И. И. Ионов не имел систематического образования. Он в свое время был арестован царским правительством в Одессе еще гимназистом и получил пожизненное заключение, которое и проводил в Шлиссельбургской тюрьме, откуда вышел глубоко больным человеком и с невероятными провалами в знаниях, за что над ним насмехались многие, не зная, что при всем этом он был начитан в самых неожиданных областях, так как имел возможность в тюрьме получать книги.

Тайцы, Ольгино, Токсово

После революции, когда закрылась финляндско-русская граница, мы жили в дачный сезон в разных местностях: в Тайцах, в Ольгине за Лахтой, в Токсово. Но нигде уже не было такой интересной и веселой жизни, как в Куоккале, где был петербургский дачный уклад. Когда-то он, видимо, был и в Ольгине, но исчез уже к нашему там пребыванию. Дачники не ходили в гости друг к другу. В Ольгине был театр, темный и мрачный, в котором однажды со вступительным словом к концерту из произведений Чайковского выступил мой любимый школьный учитель Леонид Владимирович Георг. Это выступление, вероятно, было ему нужно как дополнительный приработок, и он застеснялся, увидев в зале меня и свою ученицу из другого класса — Женю Максимову. Мне было бесконечно жаль Леонида Владимировича. То немногое, что было интересным в Ольгине, — это огромный камень на берегу залива, взорванный пополам, на котором, по местным преданиям, стоял Петр в 1724 г., руководя спасением застигнутых бурей рыбаков; да еще — Коннолахтинская дорога, прорубленная, по тем же преданиям, в лесу, чтобы перевезти к берегу залива Гром-камень под пьедестал Медного всадника.

Дачная жизнь в Ольгине была сопряжена с хозяйственными заботами голодного времени. С утра я отправлялся в Конную Лахту искать молоко за деньги или за вещи в обмен. Местные крестьяне-финны по большей части отказывали грубо или соглашались обменять скупо; держались с чувством собственного превосходства. Я сушил на зиму листы черной смородины и малины для «чая», собирал шишки для самовара, вязал березовые веники для бани. Жить в Ольгине было, может, даже труднее, чем в городе, но такова сила обычая: летом надо выезжать на дачу.

Жизнь в Токсово была более интересной. В те времена вся местность, которая зовется сейчас Токсово и Кавголово, называлась Токсово. Кавголовским было только озеро, в которое врезалась Крестовая гора и где, по преданию, прежде стоял крест на месте гибели одного из дравшихся здесь на дуэли петербургских офицеров.

Вся местность была полна историческими воспоминаниями, о которых нам рассказывала хозяйка дачи — дочь местного учителя-финна, знавшая финский язык, и ее муж — Дмитрий Александрович Нецветаев, отдаленный родственник Дениса Давыдова, хранивший миниатюру с портретом поэта.

А местность действительно была интересной. Здесь находилась когда-то охотничья мыза шведского короля. Сама она сгорела, но сохранялись еще под покровом густого леса каменные своды ее подвалов. Недалеко была безлесая гора Понтус, на которой, как рассказывали, разбил свой лагерь шведский военачальник Понтус де ла Гарди во время своего похода на Москву в Смутное время. На этой горе финские мальчишки иногда находили шведские монеты, пуговицы, лезвия ножей...

Была в Токсово и Комендантская гора, где находилась финская школа и на которой когда-то жил шведский комендант мызы. Потомки шведов еще жили в Токсово. В хорошем доме жила семья Гавеман (ближе к озеру Хеппо-ярви), а в другом очень длинном и очень старом одноэтажном доме — две сестры Асаланус, бравшие к себе на две недели или на месяц финских девушек перед их конфирмацией в кирке. Финки обучались там начаткам музыки и французского языка. Конечно, все это потом начисто ими забывалось, но они возвращались к своим коровам с чем-то очень важным на всю жизнь:

с уважением к культуре, гордостью тем, что они знали два-три французских слова.

Ходил я на старинное шведское кладбище по старой дороге. Кладбище было отгорожено валом, на котором росли необыкновенной красоты старые березы. На самом кладбище сохранялись шведские надгробные плиты. Я старался разобрать надписи и даты, среди которых были и относящиеся к XVII в.

Железная дорога к Токсово и дальше была построена в стратегических целях во время Первой мировой войны, проходила за Токсово по узкому перешейку между Кавголовским озером, где берет свое начало речка Охта и имелся шлюз, и Пасторским озером, на берегу которого когда-то жил пастор-швед. Во время нашего там пребывания пастор приезжал уже только из Финляндии и только летом.

Впоследствии, как я узнал, шведские плиты на кладбище разбили; само кладбище было превращено в картофельное поле, шведов и финнов выселили. История «исчезла»...

Осталась ли пихтовая аллея, ведшая от нашей дачи к маленькому озеру Питки-вейси («Кривой ножик»)? Сохранились ли деревни за Хеппо-ярви («Лошадиное озеро»)? Я мечтал найти сведения об этих местах в архивах, найти остатки Петровской дороги, ведшей сюда, по преданию, из Петербурга.

История местностей, в которых мы жили летом на даче, начала интересовать меня еще с Тайц, где мы жили летом 1917 г., потом — в Ольгине, где мы жили в 1918 и 1919 гг., и стала серьезной в Токсово, где я уже занимался тем, что записывал местные предания. Записки пропали у меня во время обыска 8 февраля 1928 г.

В Токсово я набрался здоровья. Родители наняли мне на все лето лодку, небольшую финского образца с острым носом, и я особенно любил плавать в ней в непогоду навстречу волнам.

Следы загара, приобретенного мною на воде, еще долго оставались на мне. Когда в Соловках я болел сыпным тифом, врач спрашивал меня: «Откуда у вас загар? Вы ведь все лето провели в тюрьме?» А это был загар двухлетней давности. Думаю, своим здоровьем, интересом к людям, оптимизмом я обязан дачам, даже в самые тяжелые годы снимавшимся моими родителями.

И все-таки самыми яркими воспоминаниями о дачной жизни навсегда осталась Куоккала...

Школа Лентовской

Первое время после переезда в казенную квартиру на Петроградской стороне (Гатчинская, 16, или Лахтинская, 9) я продолжал учиться у Мая. В ней я пережил самые первые реформы школы, переход к трудовому воспитанию (уроки столярного искусства сменились пилкой дров для отопления школы), к совместному обучению мальчиков и девочек (к нам в школу перевели девочек из соседней школы Шаффé) и т. д. Но ездить в школу в переполненных трамваях стало совершенно невозможно, ходить — еще труднее, так как затруднения в тогдашнем Петрограде с едой были ужасными. Мы ели дуранду (спрессованные жмыхи), хлеб из овса с кострицей, иногда удавалось достать немного мороженой картошки, за молоком ходили пешком на Лахту и получали его в обмен на вещи. Меня перевели поблизости в школу Лентовской на Плуталовой улице. И снова я попал в замечательное училище. Сравнительно со школой Мая «Лентовка» была бедна оборудованием и помещениями, но была поразительна по преподавательскому составу. Школа образовалась после революции 1905 года из числа преподавателей, изгнанных из казенных гимназий за революционную деятельность. Их собрала театральный антрепренер Лентовская, дала денег и организовала частную гимназию, куда сразу стали отдавать своих детей левонастроенные интеллигенты. У директора (Владимира Кирилловича Иванова) в директорском его кабинете была библиотечка революционной марксистской литературы, из которой он до революции секретно давал читать книги заслуживающим доверия ученикам старших классов.

Между учениками и преподавателями образовалась тесная связь, дружба, «общее дело». Учителям не надо было наводить дисциплину строгими мерами. Учителя могли постыдить ученика, и этого было достаточно, чтобы общественное мнение класса было против провинившегося и озорство не повторялось. Нам разрешалось курить, но ни один из аборигенов школы этим правом не пользовался.

Об одном из преподавателей этой школы, Леониде Владимировиче Георге, я написал отдельный очерк. Но мог бы написать и о многих других: об Александре Юрьевиче Якубовском (нашем преподавателе истории, будущем известном востоковеде), о Павле Николаевиче Андрееве (преподавателе рисования, брате Леонида Андреева), о Татьяне Александровне Ивановой (нашем преподавателе географии) и о многих других. Школа была близко, и я постоянно посещал различные кружки, главным образом кружки литературы и философии, в занятиях которых принимали участие и многие «взрослые». Об одном из таких участников наших кружков — Евгении Павловиче Иванове, друге Александра Блока, я немного написал в статье «Из комментария к стихотворению А. Блока „Ночь, улица, фонарь, аптека...“» в книге «Литература — реальность — литература» (второе издание — 1984 г.).

Один летний месяц имел огромное значение для формирования моей личности, моих интересов и, я бы сказал, моей любви к Русскому Северу: школьная экскурсия в 1921 г. на Север — по Мурманской железной дороге в Мурманск, оттуда на паровой яхте в Архангельск вокруг Кольского полуострова по Белому морю, затем на пароходе по Северной Двине до Котласа и оттуда по железной дороге в Петроград. Двухнедельная эта школьная экскурсия сыграла огромную роль в формировании моих представлений о России, о фольклоре, о деревянной архитектуре, о красоте русской северной природы. Путешествовать нужно по родной стране как можно раньше и как можно чаще. Школьные экскурсии устанавливают и добрые отношения с учителями, вспоминаются потом всю жизнь.

В школе я наловчился рисовать карикатуры на учителей: просто — одной-двумя линиями. И однажды на перемене нарисовал всех на классной доске. И вдруг вошел преподаватель. Я обмер. Но преподаватель подошел, смеялся вместе с нами (а на доске был изображен и он сам) и ушел, ничего не сказав. А через два-три урока пришел в класс наш классный наставник и сказал: «Дима Лихачев, директор просит вас повторить все ваши карикатуры на бумаге для нашей учительской комнаты», — были у нас умные педагоги.

В школе Лентовской поощрялось собственное мнение учеников. В классе часто шли споры. С тех пор я стремлюсь сохранять в себе самостоятельность во вкусах и взглядах.

Для моего любимого преподавателя литературы Леонида Владимировича Георга существовал прежде всего Пушкин, но существовала и вся другая литература — не скажу даже, что на втором плане. Когда он чем-нибудь интересовался, это выходило на первый план. Кстати, он очень ценил и поощрял А. Введенского, который уже в школе (он был старше меня на 1 или 2 класса) писал свои «обэриутские» стихи.

В разные годы, в разных условиях мне нравятся совершенно различные произведения западных литератур. То тянет перечитать Диккенса, то Джойса, то Пруста, то Шекспира, то Норвида... Мне легче перечислить тех авторов, которых мне не хочется перечитывать. А ведь я не перечислил еще философов, которых люблю и мнение которых я могу даже, как бы играя, временно и с удовольствием разделять. Ведь философские теории и мироощущения имеют для меня еще и эстетическую ценность. Философы — художники, и мы не должны закрываться от них ширмами собственных взглядов. Впрочем, вопрос этот очень сложный — как воспринимать философские концепции. Возражая и «отругиваясь», мы многого себя лишаем.

Леонид Владимирович Георг

Леонид Владимирович Георг принадлежал к тем старым «учителям словесности» в наших гимназиях и реальных училищах XIX и начала XX в., которые были подлинными «властителями дум» своих учеников и учениц, окружавших их то серьезной любовью, то девчоночьим обожанием.

Именно эти старые «учителя словесности» формировали не только мировоззрение своих учеников, но воспитывали в них вкус, добрые чувства к народу, интеллектуальную терпимость, интерес к спорам по мировоззренческим вопросам, иногда интерес к театру (в Москве — к Малому театру), к музыке.

Леонид Владимирович обладал всеми качествами идеального педагога. Он был разносторонне талантлив, умен, остроумен, находчив, всегда ровен в обращении, красив внешне, обладал задатками актера, умел понимать молодежь и находить педагогические выходы из самых иногда затруднительных для воспитателя положений.

Расскажу об этих его качествах.

Его появление в коридоре, на перемене в зале, в классе, даже на улице было всегда заметно. Он был высок ростом, лицо интеллигентное и чуть насмешливое, но при этом доброе и внимательное. Белокурый, со светлыми глазами, с правильными чертами лица (может быть, чуть коротковат был нос, хотя правильная его форма скрадывала этот недостаток), он сразу привлекал к себе внимание. На нем всегда хорошо сидел костюм, хотя я никогда не помню его в чем-либо новом: времена были тяжелые (я учился у него в 1919–1923 гг.), и где было взять это новое на скромное учительское жалованье!

Мягкость и изящество в нем доминировали. Ничего агрессивного не было и в его мировоззрении. Ближе всего он был к Чехову — его любимому писателю, которого он чаще всего читал нам на своих «заместительских уроках» (т. е. уроках, которые он давал вместо своих часто хворавших тогда товарищей-педагогов).

Эти «заместительские уроки» были его маленькими шедеврами. Он приучал нас на этих уроках к интеллектуальному отношению к жизни, ко всему окружающему. О чем только не говорил он с нами! Он читал нам своих любимых писателей: я помню чтение «Войны и мира», пьес Чехова («Чайки», «Трех сестер», «Вишневого сада»), рассказов Мопассана, былин «Добрыня Никитич» и «Соловей Будимирович» («Добрыню Никитича» Леонид Владимирович читал на родительском собрании для родителей — их он также воспитывал), «Медного всадника»... Всего не перечислишь. Он приходил в класс с французскими текстами и показывал нам, как интересно учить французский язык: он разбирал рассказы Мопассана, рылся при нас в словарях, подыскивал наиболее выразительный перевод, восхищался теми или иными особенностями французского языка. И он уходил из класса, оставляя в нас любовь не только к французскому языку, но и к Франции. Стоит ли говорить, что все мы после этого начинали как могли изучать французский. Урок этот был весной, и помню, что я все лето потом занимался только французским... На иных своих «заместительских уроках» он рассказывал нам о том, как он слушал Кривополенову, показывая, как она пела, как говорила, как делала во время пения свои замечания. И все мы вдруг начинали понимать эту русскую бабушку, любить ее и завидовали Леониду Владимировичу, что он ее видел, слышал и даже разговаривал с ней. Но самыми интересными из этих «заместительских уроков» были рассказы о театре. Еще до выхода в свет знаменитой книги Станиславского «Моя жизнь в искусстве» он нам рассказывал о теории Станиславского, последователем которой он был не только в своей актерской практике, но и в педагогике. Его рассказы о постановках и знаменитых актерах как-то органически переходили в занятия по той или иной пьесе, которую он великолепно ставил с учениками в школе. Постановка «Маленьких трагедий» Пушкина была его огромным успехом не только как педагога, не только как великого режиссера (я не побоюсь назвать его именно «великим»), но и как художника-декоратора. Из цветной бумаги вместе с помогавшими ему учениками он создал необычайно красивые лаконичные декорации к своим постановкам. Помню в «Каменном госте» черные или какие-то очень темные (зеленые? синие?) кипарисы в виде остроконечных конусов, белую колонну в каком-то интерьере — тоже вырезанную из бумаги, которую мой отец добывал ему из отходов на «Печатном Дворе», где мы тогда жили.

Помню, как он воспитывал в своих учениках актеров. Это был именно его прием — прием режиссера-воспитателя. Он заставлял своих актеров носить костюм своей роли в обыденной жизни. На уроках сидел Дон Гуан, загримированный, в испанском костюме и со шпагой, сидела Дона Анна в длинном платье. А на переменах они гуляли и даже бегали, но только так, как должен был бы бегать Дон Гуан или Дона Анна в какой-то сложной воображаемой ситуации (актер должен был играть все время, но, если он хотел порезвиться или сделать что-либо необычное для своей роли, он обязан был придумать мотивировку, создать себе соответствующую «ситуацию»). Носить платье Леонид Владимирович учил прежде всего — прежде, чем входить в роль. Актер должен был чувствовать себя совершенно свободно в плаще, в длинной юбке, свободно играть шляпой, уметь ее небрежно бросить на кресло, легко выхватить шпагу из ножен. Незаметно Леонид Владимирович следил за таким костюмированным учеником и умел его поправить одним или двумя замечаниями, сделанными всегда тактично и с необидным юмором.

Леонид Владимирович был поклонником психолога Джемса. Помню, как хорошо объяснял он нам положение Джемса: «Мы не оттого плачем, что нам грустно, но потому грустно, что мы плачем». И это положение он сумел применить в своей педагогической практике. Одному крайне застенчивому мальчику он предложил изменить походку. Он сказал ему, чтобы он двигался быстрее, делал шаги шире и непременно размахивал руками, когда ходил. Встречая его на перемене, он часто говорил ему: «Машите руками, машите руками». Кстати, он обращался к ученикам старших классов на «вы», как это было принято в старых гимназиях, и редко отступал от этого правила. Он воспитывал в своих учениках самоуважение и требовал от них уважения к другим, к своим товарищам. Разбирая какое-нибудь происшествие в классе, он никогда не настаивал, чтобы ему выдали зачинщика или виновника. Он добивался того, чтобы провинившийся сам назвал себя. Выдать товарища было для него недопустимым, как, впрочем, и для всех хороших педагогов старого времени.

Когда я учился в «Лентовке», у Леонида Владимировича был тенор. Впоследствии у него «открылся» баритон, и, говорят, довольно хороший. В те времена в каждом классе стоял рояль, из реквизированных у «буржуев». Леонид Владимирович подходил к роялю и показывал нам на нем то особенности музыкального построения у Чайковского, которого он очень любил (в те времена было модно не любить Чайковского, и Леонид Владимирович посмеивался над этой модой), то тот или иной мотив былины (помню, как он пел зачин к былине «Соловей Будимирович», рассказывая об использовании этой былины в «Садко» Римского-Корсакова).

С дурными привычками или безвкусицей в одежде учениц Леонид Владимирович боролся мягкой шуткой. Когда наши девушки повзрослели и стали особенно следить за своими прическами и походкой, Леонид Владимирович, не называя никого из них по имени, рассказывал нам, что происходит в этом возрасте, как девочки начинают ходить, вихляя бедрами (и рискуя, по его словам, получить «вывих таза», им, конечно, придуманный), или устраивают себе кудельки, и в чем состоит вкус в одежде. Он даже читал нам в классе о Дж. Бреммеле из книги М. Кузмина «О дендизме», но не для того, чтобы восславить дендизм, а скорее для того, чтобы раскрыть нам сложность того, что может быть названо красивым поведением, хорошей одеждой, умением ее носить, вышутить фатовство и пижонство у мальчишек.

Немало лет прошло с тех пор, но как много запомнилось из его наставлений на всю жизнь! Впрочем, то, что он говорил и показывал нам, нельзя назвать наставлениями. Все говорилось ненарочито, при случае, шутливо, мягко, «по-чеховски».

В каждом из учеников он умел открыть интересные стороны — интересные и для самого ученика, и для окружающих. Он рассказывал об ученике в другом классе, и как было интересно узнать об этом от других! Он помогал каждому найти самого себя: в одном он открывал какую-то национальную черту (всегда хорошую), в другом нравственную (доброту или любовь «к маленьким»), в третьем — вкус, в четвертом — остроумие, но не просто остроумие, а умел охарактеризовать особенность его остроумия («холодный остряк», украинский юмор — и непременно с пояснением, в чем состоит этот украинский юмор), в пятом открывал философа, и т. д., и т. п.

Мой друг Сережа Эйнерлинг (сын поэта Галины Галиной) увлекался в школе Ницше, а другой друг Миша Шапиро — О. Уайльдом. Разумеется, Леонид Владимирович знал об этих увлечениях и как-то рассказывал в классе и о Ницше, и об Уайльде. Он показывал ценные стороны их отношения к действительности, но так, что нам всем становилось ясным: тот и другой интересны, но нельзя ограничиваться ими. Надо быть всегда шире своих учителей. Он помог моим друзьям сойти со своей «мировоззренческой платформы», оставшись при этом благодарными своим мальчишеским кумирам.

Для самого Леонида Владимировича не было кумиров. Он с увлечением относился к самым разнообразным художникам, писателям, поэтам, композиторам, но его увлечения никогда не переходили в идолопоклонство. Он умел ценить искусство по-европейски. Пожалуй, самым любимым его поэтом был Пушкин, а у Пушкина — «Медный всадник», которого он как-то поставил с учениками. Это было нечто вроде хоровой декламации, которая была поставлена как некое театральное представление, главным в котором был сам текст, пушкинское слово. На репетициях он заставлял нас думать — как произнести ту или иную строфу, с какими интонациями, паузами. Он показывал нам красоту пушкинского слова. И одновременно он неожиданно показывал нам и пушкинские «недоделки» в языке. Вот пример, запомнившийся мне с тех времен: «Нева всю ночь / Рвалася к морю против бури. / Не одолев их (чьей?) буйной дури... / И спорить стало ей невмочь...» Такие же недоделки, если не ошибки, умел он найти в самых известных произведениях живописи, скульптуры, музыки. Он говорил как-то, что у Венеры Милосской ноги чуть короче, чем следует. И мы это начинали видеть. Разочаровывало ли это нас? Нет, наш интерес к искусству от этого возрастал.

Леонид Владимирович был очень широк в своих эстетических вкусах. В нашей школе учились некоторые из будущих «обэриутов». Как сейчас помню Александра Введенского. Уже окончив школу, он пришел как-то на заседание школьного литературного кружка и читал там свои заумные стихи. Леонид Владимирович с очень большим интересом отнесся к его стихам и, выбрав в одном из них самую бессмысленную строку, со смехом и одобрением ее повторял, а потом в этой строке повторил одно только самое в них «острое» слово — «воротнички».

В школе Леонид Владимирович организовал самоуправление КОП (я уже забыл, как расшифровывается это сокращение). Я почему-то очень был против этой «лицемерной», как мне казалось, затеи. Я доказывал в своем классе, что настоящего самоуправления быть не может, что КОП не годится и как некая игра, что все эти заседания, выборы, выборные должности — только напрасная потеря времени, а нам надо готовиться поступать в вуз. Я как-то стал вдруг действовать против Леонида Владимировича. Моя любовь к нему почему-то перешла в крайнее раздражение против него. Весь класс наш отказался принимать участие в КОПе. Мы не ограничились этим, но агитировали и в других классах против КОПа.

Леонид Владимирович сказал по этому поводу моему отцу: «Дима хочет показать нам, что он совсем не такой, каким он нам представлялся раньше». Он был явно сердит на меня. Но в класс он к нам пришел, как всегда, спокойный и чуть-чуть насмешливый и предложил нам рассказать ему все наши мысли по поводу КОПа, внести свои предложения. Он терпеливо выслушал все, что мы думали о КОПе. И он нам не возражал. Он только спросил нас: что же мы предлагаем? К позитивной программе мы были совершенно не готовы. И он помог нам. Он обратил внимание на те наши высказывания, где мы признавали, что в школе некому выполнять тяжелые работы, некому пилить дрова, некому таскать рояли (почему-то приходилось часто переносить рояли из одного помещения в другое). И он предложил нам: пусть класс не входит в КОП, пусть он будет организован так, как он хочет, или даже не организован вовсе; но пусть класс помогает школе в тяжелой работе, на которую нельзя нанять людей со стороны. Это оказалось для нас приемлемым. Конечно, мы были в школе самые старшие и самые сильные; конечно, мы не могли допустить, чтобы девочки из младших классов выполняли за нас трудные работы. Мы будем все это делать, но мы не хотим никакой организации. Леонид Владимирович сказал на это: «Но назвать вас все же как-то надо?» Мы согласились. Он тут же предложил: «Давайте без претензий: „самостоятельная группа", или короче — „самогруппа"». Мы согласились и на это. Таким образом, незаметно для нас он прекратил весь наш «бунт», и мы вошли в школьное самоуправление как его очень важная и действительно ценная часть.

Жил Леонид Владимирович тяжело. Педагоги получали тогда очень мало. Иногда устраивались в их пользу концерты. Леонид Владимирович долго отказывался, но однажды и в его пользу пришли в школу играть знакомые ему актеры.

Приходилось ему самому ради денег читать лекции в совсем непривычной аудитории.

Вскоре после окончания мной школы он заболел, кажется, сыпным тифом. Болезнь испортила сердце. Я встретил его в трамвае, и он мне показался потолстевшим. Леонид Владимирович сказал мне: «Не располнел, а распух я!» Затем наступила пора, в которой Леонид Владимирович являлся нам, его ученикам, только в воспоминаниях. Более полувека помню я его так ясно, как никого из других своих учителей. Помню его высокий, очень красивый лоб...

Университет

Наиболее важный и в то же время наиболее трудный период в формировании моих научных интересов — конечно, университетский.

Я поступил в Ленинградский университет несколько раньше положенного возраста: мне не было еще 17 лет. Не хватало нескольких месяцев. Принимали тогда в основном рабочих. Это был едва ли не первый год приема в университет по классовому признаку. Я не был ни рабочим, ни сыном рабочего, а — обыкновенного служащего. Уже тогда имели значение записочки и рекомендации от влиятельных лиц. Такую записочку, стыдно признаться, отец мне добыл, и она сыграла известную роль при моем поступлении. Университет переживал самый острый период своей «перестройки». Активно способствовал или даже проводил перестройку «красный профессор» Николай Севастьянович Державин — известный болгарист и будущий академик.

Появились профессора «красные» и просто профессоры. Впрочем, профессоров вообще не было — звание это, как и ученые степени, было отменено. Защиты докторских диссертаций совершались условно. Оппоненты заключали свои выступления так: «Если бы это была защита, я бы голосовал за присуждение...» Защита называлась диспутом. Особенно хорошо я помню защиту в такой условной форме, но в очень торжественной обстановке в актовом зале университета — Виктора Максимовича Жирмунского. Ему так же условно была присуждена степень доктора, но совсем не условно аплодировали и подносили цветы. Тема «диспута» была его книга «Пушкин и Байрон».

Так же условно было и деление «условной профессуры» на «красных» и «старых» по признаку — кто как к нам обращался: «товарищи» или «коллеги». «Красные» знали меньше, но обращались к студентам «товарищи»; старые профессоры знали больше, но говорили студентам «коллеги». Я не принимал во внимание этого условного признака и ходил ко всем, кто мне казался интересен.

Я поступил на факультет общественных наук. Сокращение ФОН расшифровывалось и так: «Факультет ожидающих невест». Но «невест» там, по нынешним временам, было немного. Просто их много казалось от непривычки: ведь до революции в университете учились только мужчины. Состав студентов был не менее пестрый, чем состав «условных профессоров»: были пришедшие из школы, но в основном это были уже взрослые люди с фронтов Гражданской войны, донашивавшие свое военное обмундирование. Были «вечные студенты» — учившиеся и работавшие по 10 лет, были дети высокой петербургской интеллигенции, в свое время воспитывавшиеся с гувернантками и свободно говорившие на двух-трех иностранных языках (к таким принадлежали учившиеся со мной И. И. Соллертинский, И. А. Лихачев (будущий переводчик), П. Лукницкий (будущий писатель), да и многие другие).

На факультете были отделения. Было ОПО — общественно-педагогическое отделение, занимавшееся историческими науками, было этнолого-лингвистическое отделение, названное так по предложению Н. Я. Марра, — здесь занимались филологическими науками. Этнолого-лингвистическое отделение делилось на секции. Я выбрал романо-германскую секцию, но сразу стал заниматься и на славяно-русской.

Обязательного посещения лекций в те годы не было. Не было и общих курсов, так как считалось, что общие курсы мало что могут дать фактически нового после школы. Студенты сдавали курс русской литературы XIX в. по книгам, прочесть которых надо было немало. Зато процветали различные курсы на частные темы — «спецкурсы», по современной терминологии. Так, например, В. Л. Комарович вел по вечерам два раза в неделю курс по Достоевскому, и лекции его, начинаясь в шесть часов вечера, затягивались до двенадцатого часа. Он погружал нас в ход своих исследований, излагал материал как научные сообщения, и посещали его лекции многие маститые ученые. Я принимал участие в занятиях у В. М. Жирмунского по английской поэзии начала XIX в. и по Диккенсу, у В. К. Мюллера по Шекспиру, слушал введение в германистику у Брима, введение в славяноведение у Н. С. Державина, историографию древней русской литературы у члена-корреспондента АН СССР Д. И. Абрамовича, принимал участие в занятиях по Некрасову и по русской журналистике у В. Е. Евгеньева-Максимова; англосаксонским и среднеанглийским занимался у С. К. Боянуса, старофранцузским у А. А. Смирнова, слушал введение в философию и занимался логикой у А. И. Введенского, психологией у Басова (этот замечательный ученый очень рано умер), древнецерковнославянским языком у С. П. Обнорского, современным русским языком у Л. П. Якубинского, слушал лекции Б. М. Эйхенбаума, Б. А. Кржевского, В. Ф. Шишмарева и многих, многих других, посещал диспуты между формалистами и представителями традиционного академического литературоведения, пытался учиться пению по крюкам (ничего не вышло), посещал концерты симфонического оркестра в Филармонии, но путешествовал мало: не позволяло здоровье, условия для поездок по стране после Гражданской войны были трудные, родители снимали на лето дачу, и надо было ею пользоваться целиком. Мы часто ездили тогда на дачу в Токсово, и я интересовался историей тех мест (здесь еще в 20-е гг. жили шведы и финны, знавшие местные исторические предания, которые я записывал). Все кругом было интересно до чрезвычайности, а если вспомнить и о событиях чисто литературных, возможность пользоваться всеми книжными новинками, печатавшимися на «Печатном Дворе», библиотекой университета и библиотекой редчайших книг в Доме книги, в котором по совместительству работал отец, то единственное, в чем я испытывал острый недостаток, — это во времени.

Ленинградский университет в 20-е гг. представлял собой необыкновенное явление в литературоведении, а ведь рядом еще, на Исаакиевской площади, был Институт истории искусств («Зубовский институт»), и существовала интенсивная театральная и художественная жизнь. Все это пришлось на время формирования моих научных интересов, и нет ничего удивительного в том, что я растерялся и многого просто не успевал посещать.

Я окончил университет в 1928 г., написав две дипломные работы: одну о Шекспире в России в конце XVIII — самом начале XIX в., другую — о повестях о патриархе Никоне. К концу моего учения надо было еще зарабатывать на хлеб, службы было не найти, и я подрядился составлять библиотеку для Фонетического института иностранных языков. Институт был богатый, но деньги мне платили неохотно. Я работал в Книжном фонде на Фонтанке, в доме № 20, возглавлявшемся Саранчиным. И снова поразительные подборки книг из различных реквизированных библиотек частных лиц и дворцов, редкости, редкости и редкости. Было жалко подбирать это все для Фонетического института. Я старался брать расхожее, необходимое, остальное, наиболее ценное, оставляя неизвестно кому.

Что дало мне больше всего пребывание в университете? Трудно перечислить все то, чему я научился и что я узнал в университете. Дело ведь не ограничивалось слушанием лекций и участием в занятиях. Бесконечные и очень свободные разговоры в длинном университетском коридоре. Хождения на диспуты и лекции (в городе была тьма-тьмущая различных лекториев и мест встреч — начиная от Вольфилы на Фонтанке, зала Тенишевой (будущий ТЮЗ), Дома печати и Дома искусств и кончая небольшим залом в стиле модерн на самом верху Дома книги, где, случалось, выступали Есенин, Чуковский, различные прозаики, актеры и т. д.). Посещения Большого зала Филармонии, где можно было встретить всех тогдашних знаменитостей — особенно из музыкального мира. Все это развивало, и во все эти места открывал доступ университет, ибо обо всем наиболее интересном можно было узнать от товарищей по университету и Институту истории искусств.

Из занятий в университете больше всего давали мне не «общие курсы» (они почти и не читались), а семинарии и просеминарии с чтением и толкованием тех или иных текстов.

Прежде всего занятия по логике. С первого курса я посещал практические занятия по логике профессора А. И. Введенского, которые он по иронии судьбы вел в помещении бывших Женских Бестужевских курсов. «По иронии судьбы» — ибо женщин он открыто не признавал способными к логике. В те года, когда логика входила в число обязательных предметов, он ставил студенткам «зачет», подчеркнуто не спрашивая их, изредка отпуская только иронические замечания по поводу женского ума. Но занятия свои он вел артистически, и студентки, хотя и в малом числе, на них присутствовали. Когда лекции и занятия А. И. Введенского прекратились, один из наших «взрослых» студентов, помню — из числа участников Гражданской войны, организовал группу по занятию логикой на квартире у профессора С. И. Поварнина, автора известного учебника логики. Мы ходили к нему и читали в русском переводе «Логические исследования» Гуссерля, изредка для лучшего понимания текста обращаясь к немецкому оригиналу. Поварнин неоднократно повторял нам: языки надо знать хотя бы немного, хотя бы постоянно прибегая к словарю, ибо переводчикам научных и технических книг доверять нельзя. И это мы ощущали.

Настоящей школой понимания поэзии были занятия в семинарии по английской поэзии начала XIX в. у В. М. Жирмунского. Мы читали с ним отдельные стихотворения Шелли, Китса, Вордсворта, Кольриджа, Байрона, анализируя их стиль и содержание.

В. М. Жирмунский обрушивал на нас всю свою огромную эрудицию, привлекал словари и сочинения современников, толковал поэзию всесторонне — и с биографической, и с историко-литературной, и с философской стороны. Он нисколько не снисходил к нашим плохим знаниям того, другого и третьего, к слабому знанию языка, символики, да и просто английской географии. Он считал нас взрослыми и обращался с нами как с учеными коллегами. Недаром он называл нас «коллеги», церемонно здороваясь с нами в университетском коридоре. Это подтягивало. Нечто подобное мы ощущали и на семинарских занятиях по Шекспиру у Владимира Карловича Мюллера, на занятиях старофранцузскими текстами у Александра Александровича Смирнова, среднеанглийской поэзией у Семена Карловича Боянуса.

Но истинной вершиной метода медленного чтения был пушкинский семинар у Л. В. Щербы, на котором мы за год успевали прочесть всего несколько строк или строф. Могу сказать, что в университете я в основном учился «медленному чтению», углубленному филологическому пониманию текста. Иному — занятиям в рукописных отделениях в библиотеках — учил нас милый В. Е. Евгеньев-Максимов. Дав нам рекомендацию в архив, он как бы невзначай приходил туда же и проверял — как мы работаем, все ли у нас благополучно. А однажды он возил меня с собой и к коллекционеру Кортавову в Новую Деревню, надеясь добыть у него кое-какие материалы по Некрасову. Он пробуждал в нас инициативу поисков, учил нас не «бояться архивов». Боязнь архивов В. Е. считал своего рода детской болезнью начинающего ученого, от которой он должен избавиться как можно быстрее.

Увлекали меня и лекции Е. Тарле. Но лекции эти учили главным образом ораторскому, лекционному искусству. Часто впоследствии, когда я в сороковых годах начинал преподавать на историческом факультете Ленинградского университета, я вспоминал, как останавливался Тарле, якобы подыскивая подходящее слово, как потом «стрелял» в нас этим найденным словом, поражавшим своею точностью и запоминавшимся на всю жизнь. Я вспоминал и о том, как Е. В. Тарле «думал», читая свои лекции, как неуклюже, по-медвежьи топтался возле кафедры, «подыскивая» факты, «вспоминая» документы, создавая полную иллюзию блестящей импровизации. На самом же деле его лекции были детально продуманы заранее — вплоть до остановок в «поисках нужного слова».

К древнерусской литературе в университете я обратился потому, что считал ее малоизученной в литературоведческом отношении, как явление художественное. Кроме того, Древняя Русь интересовала меня и с точки зрения познания русского национального характера. Перспективным мне представлялось и изучение литературы и искусства Древней Руси в их единстве. Очень важным казалось мне изучение изменений стилей в древней русской литературе, во времени. Мне хотелось создать характеристики тех или иных эпох вроде тех, что имелись на Западе — особенно в культурологических работах Эмиля Маля.

Мое время — это не только расцвет литературы (не скажу «ленинградской», ибо литературу на русском языке нельзя делить на ленинградскую, московскую, одесскую, вологодскую и т. д.), но и расцвет гуманитарных наук. Такого созвездия ученых — литературоведов, лингвистов, историков, востоковедов, какое представлял собой Ленинградский университет и Институт истории искусств в Зубовском дворце в 20-е гг., не было в мире. К несчастью, я не представлял себе тогда — как важно послушать поэтов и писателей, повидать их. Поэтому для меня учение в Ленинградском университете было временем упущенных возможностей. Я слышал Собинова, но уступил другу свой билет на Шаляпина, не пошел на встречи с Есениным и Маяковским. Только однажды разговаривал по телефону с С. Маршаком (он предлагал мне заняться детской литературой — писать для детей по русскому языку).

Красный террор

Русская культура Серебряного века (век этот, впрочем, длился всего четверть столетия) рождалась в разговорах, беседах — откровенных, свободных, вскрывавших заветные мысли. В беседах этих, в которых по каким-то особым законам духа должно было быть не меньше трех собеседников, рождались новые мысли, новые «откровения». Беседуя, человек формулировал, оттачивал мысль, прокладывал дорогу для новых мыслей. Полная свобода в этих разговорах была условием их плодотворности. Отнюдь не случайно с 1928 г., с приходом к власти Сталина и его диктатуры над умами и душами, начались гонения именно на кружки интеллигенции, на их встречи и на их беседы.

«Русские разговоры», длительные, за полночь, — типичная и очень плодотворная черта русской культуры XIX — первой четверти XX в.

В своих воспоминаниях мне хотелось бы рассказать о том, чем жила думающая русская молодежь в эти годы, конечно, через узкую «щель» моего личного опыта. Я не вел записок, кроме тех, которые были сделаны на Соловках и сразу по возвращении в Ленинград. Не могу уже сейчас точно восстановить даты. Что помню, то помню.

Есть принципиальное различие в том, как начинались кружки в 20-е гг. и как возникают ученые общества сейчас. Тогда достаточно было найти временное помещение для заседаний, чтобы назначить лекцию, доклад, открыть дискуссию. Если появлялась серия выступлений или спорный вопрос растягивался на несколько заседаний, иногда не очень ясных — кто их созывает, — появлялось и желание окрестить себя и завести книгу протоколов. Комната в квартире, зал школьного театра Тенишевского училища, учительская комната в школе, оповещение от руки написанными объявлениями (а чаще друг через друга) были вполне достаточными.

Сперва потребность — потом скромное «оформление». Сейчас, в наши дни, нечто совершенно противоположное: прежде всего придумывается название, изыскиваются средства, утверждается штат и т. д. Названия — самые «высокие», и ранг не ниже лицея, колледжа, университета, академии и т. д.

* * *

Одна из целей моих воспоминаний — развеять миф о том, что наиболее жестокое время репрессий наступило в 1936–1937 гг. Я думаю, что в будущем статистика арестов и расстрелов покажет, что волны арестов, казней, высылок надвинулись уже с начала 1918 г., еще до официального объявления осенью этого года «красного террора», а затем прибой все время нарастал до самой смерти Сталина, и, кажется, новая волна в 1936–1937 гг. была только «девятым валом»... Открыв форточки в своей квартире на Лахтинской улице, мы ночами в 1918–1919 гг. могли слышать беспорядочные выстрелы и короткие пулеметные очереди в стороне Петропавловской крепости.

Не Сталин начал «красный террор». Он, придя к власти, только резко увеличил его, до невероятных размеров.

В годах 1936-м и 1937-м начались аресты видных деятелей всевластной партии, и это, как кажется, больше всего поразило воображение современников. Пока в 20-х и начале 30-х гг. тысячами расстреливали офицеров, «буржуев», профессоров и особенно священников и монахов вместе с русским, украинским и белорусским крестьянством — все казалось «естественным». Но затем началось «самопожирание власти», оставившее в стране лишь самое серое и безличное — то, что пряталось, или то, что приспосабливалось.

Пока же в стране оставались мыслящие люди — люди, обладавшие своей индивидуальностью, умственная жизнь в ней не прекращалась — ни в тюрьмах и лагерях, ни на воле. Чуть-чуть захватив в своей молодости людей Серебряного века русской культуры, я почувствовал их силу, мужество и способность сопротивляться всем процессам разложения в обществе. Русская интеллигенция никогда не была «гнилой». Подвергнувшись «гниению», только ее часть начала участвовать в идеологических кампаниях, проработках, борьбе за «чистоту линии» и тем самым перестала быть интеллигенцией. Эта часть была мала, основная же уже была истреблена в войне 1914–1917 гг., в революцию, в первые же годы террора.

Мои воспоминания — прежде всего о людях, меня окружавших, об умственной жизни 20-х — начала 30-х гг., поскольку она, эта жизнь, была мне доступна в те годы.

С каждым годом моей юности я ощущал надвигающийся гнилостный дух, убивавший удивительную животворную силу, исходившую от старшего поколения русской интеллигенции.

Дневная эпоха сменилась ночной, люди не спали ночами. Люди жили в ожидании, что перед их окнами вот-вот возникнет и замолкнет шум мотора автомобиля и в дверях квартиры появится «железный» следователь в сопровождении бледных от ужаса понятых...

Молодость всегда вспоминаешь добром. Но есть у меня, да и у других моих товарищей по школе, университету и кружкам нечто, что вспоминать больно, что жалит мою память и что было самым тяжелым в мои молодые годы. Это разрушение России и русской церкви, происходившее на наших глазах с убийственной жестокостью и не оставлявшее, казалось, никаких надежд на возрождение.

Многие убеждены, что любить Родину — это гордиться ею. Нет! Я воспитывался на другой любви — любви-жалости. Неудачи русской армии на фронтах Первой мировой войны, особенно в 1915 г., ранили мое мальчишеское сердце. Я только и мечтал о том, что можно было бы сделать, чтобы спасти Россию. Обе последующие революции волновали меня главным образом с точки зрения положения нашей армии. Известия с «театра военных действий» становились все тревожнее и тревожнее. Горю моему не было пределов.

Естественно, было много разговоров в нашей семье о врожденной якобы беспечности русских (говорилось, что русские всегда полагаются на свое авось), о немецком засилии в правительстве, о Распутине, о плохом поведении в Петрограде огромной массы слабо обученных солдат и отвратительных прапорщиках, грубо обучавших новобранцев на улицах и площадях. Этих-то прапорщиков из скрывавшихся от фронта «революционеров», зарабатывавших свое право оставаться в тылу, в Петрограде, жестоким обращением с новобранцами, я наблюдал в районе Исаакиевского собора, где мы жили, ежедневно. Эти «народолюбцы» на деле презирали и ненавидели новобранцев из крестьян.

Когда был заключен позорный Брест-Литовский мир, было невозможно поверить, что это не прямая измена, не дело рук самих врагов нашей родины.

Почти одновременно с Октябрьским переворотом начались гонения на церковь. Эти гонения были настолько невыносимы для любого русского, что многие неверующие начали посещать церковь, психологически отделяясь от гонителей. Вот недокументированные и, возможно, неточные данные из одной книги того времени: «По неполным данным (не учтены Приволжье, Прикамье и ряд других мест), только за 8 месяцев (с июня 1918 по январь 1919 г.)... были убиты: 1 митрополит, 18 архиереев, 102 священника, 154 дьякона и 94 монаха и монахинь. Закрыто 94 церкви и 26 монастырей, осквернено 14 храмов и 9 часовен; секвестрованы земля и имущество у 718 причтов и 15 монастырей. Подверглись тюремному заключению: 4 епископа, 198 священников, 8 архимандритов и 5 игумений. Запрещено 18 крестных ходов, разогнана 41 церковная процессия, нарушены церковные богослужения непристойностью в 22 городах и 96 селах. Одновременно происходило осквернение и уничтожение мощей и реквизиция церковной утвари». Это только за первые месяцы советской власти. А потом пошло и пошло. Это было только начало, после которого последовало объявление «красного террора» (5 сентября 1918 г.). Хотя самосуды и массовые расстрелы (те, что происходили в Петропавловской крепости) были и раньше.

Затем начались еще более страшные провокационные дела с «живой церковью», изъятием церковных ценностей, и т. д., и т. п. Появление в 1927 г. «Декларации» митрополита Сергия, стремившегося примирить церковь с государством и государство с церковью, было всеми, и русскими и нерусскими, воспринято именно в этом окружении фактов гонений. Государство было «богоборческим».

Богослужения в остававшихся православными церквах шли с особой истовостью. Церковные хоры пели особенно хорошо, ибо к ним примыкало много профессиональных певцов (в частности, из оперной труппы Мариинского театра). Священники и весь притч служили с особым чувством. Мой педагог Пантелеймон Юрьевич Германович особенно часто ходил в церковь. Там же бывал и мой школьный друг Миша Шапиро из сугубо традиционной еврейской семьи. Тогда же крестилась Мария Вениаминовна Юдина, мой школьный товарищ Володя Раков стал прислуживать в церкви на Петровском острове у отца Викторина Добронравова и т. д.

Чем шире развивались гонения на церковь и чем многочисленнее становились расстрелы на «Гороховой, два», в Петропавловке, на Крестовском острове, в Стрельне и т. д., тем острее и острее ощущалась всеми нами жалость к погибающей России. Наша любовь к Родине меньше всего походила на гордость Родиной, ее победами и завоеваниями. Сейчас это многим трудно понять. Мы не пели патриотических песен, — мы плакали и молились.

И с этим чувством жалости и печали я стал заниматься в университете с 1923 г. древней русской литературой и древнерусским искусством. Я хотел удержать в памяти Россию, как хотят удержать в памяти образ умирающей матери сидящие у ее постели дети, собрать ее изображения, показать их друзьям, рассказать о величии ее мученической жизни. Мои книги — это, в сущности, поминальные записочки, которые подают «за упокой»: всех не упомнишь, когда пишешь их, — записываешь наиболее дорогие имена, и такие находились для меня именно в Древней Руси.

Выработка мировоззрения

Именно мировоззрения, а не «идеологии». К этому разделу моих воспоминаний я бы взял эпиграфом диалог из «Юлия Цезаря» Шекспира. Мысль, в нем выраженная, стала и моим убеждением в течение всей жизни: только правильная философия, правильное мировоззрение способны сохранить человека — и телесно, и духовно. Вот этот диалог.

Б р у т. Кассий, у меня
Так много горя!
К а с с и й. Если пред бедами
Случайными ты упадаешь духом,
то где же ФИЛОСОФИЯ твоя?

(Четвертое действие)

Я стал задумываться над сущностью мира, как кажется, с самого детства. Помню, как меня, да и многих детей, волновал «феномен зеркала». Что там за мир, и нельзя ли заглянуть в ту часть зеркального мира, которая скрыта за краями зеркала. «Алиса в Зазеркалье» — этот интерес переживают, мне кажется, все дети. Меня интересовало еще — остаются ли на месте те предметы и тот мир, который я в данное время не вижу. Я старался как можно быстрее и внезапнее оглянуться, чтобы поймать — что же делается за моей спиной, когда я туда не смотрю. Из молитвы, которую мы с матерью читали на ночь, я знал, что у каждого ребенка есть свой ангел-хранитель. И я внезапно оглядывался, чтобы увидеть его за моей спиной. Мир всегда, с дошкольных лет, казался мне загадочным.

В последних классах Лентовской школы ученики стремились вырабатывать свои собственные взгляды на мир. Иметь свое мировоззрение было очень важно для самоутверждения подростков, и, думая над смыслом всего существующего, подростки редко приходили к выводу, что эгоизм им необходим. Когда человек задумывается над общими проблемами жизни, он только в случаях полного духовного одиночества решается принять «злые» выводы. Зло возникает обычно от бездумья. Залог совестливости не просто чувства, а мысль!

Мой ближайший друг и сосед по парте Сережа Эйнерлинг увлекался Ницше. Он сам себя называл ницшеанцем.

Но ницшеанство его было «добрым ницшеанством». Учение Ницше он вовсе не истолковывал вульгарно и не брал его в целом. Он восхищался отдельными страницами его книг и принимал деление на дионисийское и аполлоновское начала.

Другой мой друг Миша Шапиро любил Оскара Уайльда и мечтал о государстве, во главе которого стояла бы интеллектуальная аристократия. Что-то ему нравилось в Венецианской республике, что-то другое — в английском государственном строе. В последний год своего школьного учения я сдружился с Сережей Неуструевым. Это был самый скептичный из моих друзей. Скепсис — опасен. По окончании школы его завербовало ОГПУ. С риском для своей свободы он предупредил меня за неделю о готовившемся аресте. Вскоре он погиб где-то на Дальнем Востоке.

Конечно, не весь класс серьезно думал о выработке мировоззрения. Но необходимость осознавать свое отношение к окружающему, смею утверждать, была у всех. Это диктовалось событиями в стране и общей интеллигентностью класса.

Что такое общая интеллигентность среды — это разговор особый. Коллективная психология, предполагающая свободу личности, коллективная нравственность, коллективное сверхмировоззрение, сближающее интеллигентных людей всего мира, коллективные умственные интересы, даже свободно меняющиеся моды на глубокие философские течения, понятия человеческой репутации, воспитанности, приличия, порядочности и многие другие, ныне полузабытые, — составляли содержание этой нравственной среды. В нравственной среде мировоззрение становилось естественным ***поведением*** в широком смысле.

Создал и я себе свою «философскую систему». В какой-то мере она отразилась на моем характере, а главным образом — на моей реакции на все невзгоды жизни.

Я увлекался в последних классах школы интуитивизмом А. Бергсона и Н. О. Лосского. Последнего мне удалось даже однажды увидеть в кружке, собиравшемся у университетского доктора Р. Поля, жившего на первом этаже главного здания университета, примерно там, где сейчас находятся помещения университетского книжного магазина. Был чей-то доклад, и среди многих голов присутствующих мне показали одну — Н. О. Лосский! Примерно через год (следовательно, я видел его зимой 1921 г.) он был отправлен на пароходе «Preussen» или «Burgomister Hagen», отчалившем от Николаевской набережной с цветом русской интеллигенции в Германию, в Штеттин: один из видов обескровливающей тогда нашу страну «контрибуции» по Брестскому миру! Так мы тогда и считали: платили Германии золотом, предметами искусства (их начали продавать из страны очень рано, еще в 1918 г.), хлебом и людьми мысли!

Итак, вот мое тогдашнее мировоззрение, созданное под влиянием мучивших меня тогда «проклятых вопросов».

Если время — абсолютная реальность, тогда Раскольников прав. Все забудется, уйдет из жизни, и останется только «осчастливленное» ушедшими в небытие преступлениями человечество. Что важнее на весах времени: реально наступающее будущее или все больше и больше исчезающее прошлое, в которое, как в топку котла, уходит в равной мере и добро, и зло? И какое утешение может найти человек, потерявший близких? Как возможно предсказание, пророчество? Ведь факты предсказаний существуют, они бесспорны для непредвзятого ума. И т. д.

Я пришел к выводу, что время — это только одна из форм восприятия действительности. Если «времени больше не будет» при конце мира (Апокалипсис, гл. 10, ст. 6), то его нет как некоего абсолютного начала — и при его возникновении, и во всем его существовании.

Муравей ползет, и то, что исчезло позади, для него уже как бы не существует. То, к чему он ползет, для него еще не существует. Так и мы, все живое, обладающее сознанием, воспринимаем мир. На самом же деле все прошлое до мельчайших подробностей в многомиллионном существовании еще существует, а будущее в таком же размахе до его апокалиптического конца уже существует.

Мы смотрим в окно мчащегося поезда. Ребенку кажется, что существует только то, что он видит в окне. Того, мимо чего поезд промчался, больше нет. Того, к чему поезд приближается, еще не существует вообще.

Прообраз вечности наличествует и во времени. Простейший пример — музыка. В каждый данный момент в музыкальном произведении наличествует прошлое звучание и предугадывается будущее. Без этого «преодоления времени» нельзя было бы воспринимать музыку. И это слияние в музыке прошлого, настоящего и будущего в какой-то мере есть слабое отражение той вечности, в которую уже погружено все существующее и снимается «иглой настоящего» с «пластинки» (диска) вечности.

«Пластинка» с записью всего совершившегося и того, что в будущем совершится, существует во вневременной вечности, а проигрывание этой пластинки, в которой «спрессовано» все, совершается во времени. Время дает возможность «прослушать пластинку».

Это непредставимо? Да! Для возможности восприятия бесконечно богатой вечности и существует время. Время, вернее, ощущение времени есть во всех живых существах (не только в человеке, но и во всем живом), но это только форма восприятия бесконечно богатого вневременного бытия.

Есть еще одна сторона, которая заставляла меня лично считать время лишь условием восприятия вневременного бытия. Ведь если время абсолютная, а не относительная категория, то прошлое — огромнейшая область бытия, полностью неподвластная Богу. Прошлое ограничивает всемогущество Бога. Прошлое, если оно есть, неизменяемо. И поэтому, с моей точки зрения, прошлое — лишь часть вневременного монолита, создаваемого Богом. Прошлое не уходит и не меняется потому, что оно вневременно с нами, а следовательно, подчинено Богу, создано Богом вместе со всем «последующим». Его не надо воскрешать. Воскресение мертвых, которое нам обещано и без которого нет нравственного утешения, наступает немедленно после смерти, как переход в вечность. Мы просто вливаемся в мир вневременности, вечности. И в этом мире мы находимся со всем тем, что совершили, со всем нами пережитым, со всем, что было, а на самом деле остающимся существовать.

Всеведущий Бог! Что такое его всеведение? Я представлял себе это всеведение следующим образом. Подумаем: какое число одинаковых предметов мы можем сразу, не считая, определить, т. е. указать одномоментно их количество? Один — считать не надо. Два — тоже. Три — тоже. Но уже четыре и пять — надо мысленно считать, располагать в последовательности. Пусть счет происходит чрезвычайно быстро, но в уме он все же ведется. Всеведущему Богу не надо считать ничего. Он держит одновременно «в сознании» миллионы и миллионы. При этом он удерживает в сознании разнородные явления и явления всех времен в своем вневременном ведении. Вот величие Бога, рассуждал я, сравнительно с нами, которым необходимо познание, познание и время как формы познания действительности.

Но тут на пути моих размышлений возникало серьезнейшее препятствие. Я был уверен в свободе воли человека. Только при этом условии он может быть добр или зол, отвечать за свои поступки. Если же он свободой не обладает, а это следовало как нечто само собой разумеющееся из моих изложенных выше рассуждений, то все равно нравственности нет, ибо у человека нет выбора. Дух человека — это вневременная данность. Здесь скрывается величайшая тайна, нечто конкретно не представимое. Человек существует вне времени, как свободное существо, само за себя отвечающее и вместе с тем находящееся в воле Божьей. Так оно, очевидно, и есть, даже если признавать время не формой восприятия существующего, а абсолютным явлением, в котором существует и сам Бог.

На помощь мне приходило богословское учение о синергии — соединении Божественного всевластия с человеческой свободой, делающей человека полностью ответственным не только за свое поведение, но и за свою суть — за все злое или доброе, что в нем заключено.

Чтобы приблизить понимание вневременного мира, как-то приблизиться к его представлению, я думаю, удобнее всего его представлять не как «вечность», то есть как какое-то растянутое до бесконечности пребывание во времени, а как бесконечно великую единовременную всеохватывающую сущность. То есть и прошлое существует, и будущее — в одной, общей для всего «единовременности». Говорят, что умирающему представляется сразу вся его жизнь. Если она представляется ему сразу во всем крупном и одновременно мелком (до движения руки, до каждого поворота головы, до каждой промелькнувшей в нем мысли), и при этом в ее связях с остальным миром, то вот это и будет отчасти только приближенное представление о пребывающем вне времени мире. Только приближенное и сугубо условное.

В связи с этим представлением о времени как о некотором ограниченном способе восприятия мира находится и представление о всеведении Бога — всеведении, которое ярче всего рисует Божье величие. Но об этом особо.

Однако зачем я все время говорю о времени как о способе восприятия мира? Время — это и форма (по-видимому, одна из форм) существования. И можно точно сказать, зачем нужна эта форма. Все убегающее от нас будущее необходимо для сохранения за нами свободы выбора, свободы воли, существующих одновременно с полной Божьей волей, без которой ни один волос не упадет с головы нашей. Время — не обман, заставляющий нас отвечать перед Богом и совестью за свои поступки, которые на самом деле мы не можем отменить, изменить, как-то повлиять на свое поведение. Время — одна из форм реальности, позволяющая нам быть в ограниченной степени свободными. Однако совмещение нашей ограниченной воли с волей Божьей, как я уже сказал, — это одна из тайн синергии. Наше неведение противостоит всеведению Бога, но отнюдь не равняется ему по значению. Но если бы мы всё знали — мы не могли бы владеть собою.

Вспоминая мою тогдашнюю теорию вневременной сущности всего существующего, мне кажется интересной в ней одна ее сторона, касающаяся законов природы. С моей тогдашней точки зрения, которую я не помню сейчас в деталях, законы природы — это отражение того вневременного, что остается во временном. Истинное бытие не имеет ни времени, ни пространства. Оно все компактно — едино. Это нечто вроде точки. Законы природы (от закона тяготения до законов поведения) — своего рода «воспоминания» о первородном вневременном и внепространственном единстве мира. Но не только законы, но и предчувствия, пророчества, как и сама память, — все это элементы той же первородной связи всего в мире.

Жаль, но я не помню всей своей тогдашней аргументации, ибо, как мне кажется, философская сущность законов бытия прозревалась в моих юношеских рассуждениях с некоторой долей смысла.

Созданная мною еще в школе концепция времени была в значительной мере наивной. Отводя времени лишь функции восприятия человеком мира, она полностью игнорировала онтологическую сущность времени как самовыражения Бытия и входила в противоречие с моим христианским самосознанием. Представить себе историю человечества, а главное — вочеловечение Христа как форму восприятия вневременного явления было бы не только совершенно невозможным, но и кощунственным. Однако концепция времени как формы восприятия бытия сыграла в моей юношеской жизни большую роль, — я бы сказал, «успокаивающую», способствующую твердости и душевной уравновешенности во всех моих переживаниях, особенно связанных с заключением в тюрьме ДПЗ и на Соловках. Но на Соловках же она стала постепенно разрушаться, когда я познакомился и проводил долгие часы в философских беседах с А. А. Мейером (о нем в дальнейшем).

Еще до ареста я делал о своей «концепции» доклад на кружке, где присутствовали не только учителя, но и посещавшие кружок философы. Помню присутствие Е. П. Иванова. Обо мне заговорили в школе, однако это «признание» через некоторое время обернулось для моего самолюбия испытанием, ибо, когда я появился в университете и меня там «не признали», так как студенты были старше меня и опытнее, а многие бесспорно умнее и способнее, я переживал это «снижение ранга» тяжело и пытался «нагнать» их честолюбивым усердием в занятиях.

Помню и еще один факт с моими философскими исканиями. В «Хельфернаке» (об этом кружке ниже) С. А. Аскольдов (Алексеев) должен был делать доклад «О чуде». Он просил меня записать его доклад и представить ему его изложение. Не знаю, почему он обратился с такой просьбой ко мне. Предлог был тот, что он хотел, чтобы ему был облегчен процесс написания, но я думаю — он предложил мне изложить его доклад в педагогических целях и потому, что знал о моей философской концепции.

Доклад С. А. Аскольдова состоял из двух частей. В первой Сергей Алексеевич рассуждал о том, почему чудо и непосредственное общение с Богом было столь обычным в библейские времена и в Средневековье, а теперь исчезло. Во второй части Сергей Алексеевич развивал мысль о том, что чудо есть форма «экономии» Божественной энергии. Первая и вторая части были друг с другом связаны. Вместо изложения я представил Сергею Алексеевичу целую тетрадь моих возражений на вторую часть. Для меня было чрезвычайно лестно, что с частью моих рассуждений Сергей Алексеевич согласился. Я учился тогда в последнем классе, и Сергей Алексеевич спросил, куда я собираюсь поступать. Он полагал, что я буду философом. Услышав, что я хочу стать литературоведом, он согласился, сказав, что в нынешних условиях литературоведение свободнее, чем философия, и все-таки близко к философии. Тем самым он укрепил меня в моем намерении получить гуманитарное образование вопреки мнению семьи, что я должен стать инженером. «Будешь нищим», — говорил мне отец на все мои доводы. Я всегда помнил эти слова отца и очень стеснялся, когда по возвращении из заключения я оказался безработным и мне пришлось месяцами жить на его счет.

С. А. Алексеев-Аскольдов

Когда в начале 20-х гг. Сергей Алексеевич Алексеев пришел преподавать психологию в нашу школу имени Лентовской, на Плуталовой улице Петроградской стороны, он был очень красив. Большая его фотография с белой бородой висела в витрине мастерской фотографа на Большом проспекте. Мы ходили группами смотреть на нее, чтобы сравнивать с «натурой». Фотографические витрины были в те послереволюционные годы чем-то вроде нашего телевидения: они создавали популярность персонажам снимков. Зная очень мало о действительных заслугах Сергея Алексеевича перед русской философией и русской культурой в целом, мы считали его знаменитостью только потому, что его фотографическим портретом любовалась вся Петроградская сторона.

У нас в классе он не преподавал, а преподавал в классе постарше. Зато я его постоянно видел и слушал в тех многочисленных кружках, которыми наполнен был Петроград того времени. Прежде всего философские и литературные кружки были в самой нашей школе; на их заседания приходили многие «взрослые»: сам С. А. Алексеев, другие преподаватели.

Что было замечательно в преподавателях тех лет? Они все что-то продолжали изучать, у них были свои пристрастия, они умели спорить при людях, не боясь уронить свое достоинство и достоинство того, с кем спорили. Слушать их, когда они все собирались вместе и приводили своих друзей (одним из них был Евгений Павлович Иванов, ставший затем руководить занятиями одного из кружков), было сущим удовольствием.

С молодежью Сергей Алексеевич всегда общался как с равными ему по возрасту. Он приглашал меня к себе домой (жил он с семьей, из которой хорошо помню его сына-поэта, на Кронверкской улице в отличном доме). Он не только давал мне книги для прочтения, но и разговаривал со мной о своих впечатлениях от музыки и поэзии. Когда перед самым моим поступлением в университет от пристани на Васильевском острове отошел в Штеттин пароход «Preussen» («Пруссак») с учеными — цветом русской интеллигенции, о Сергее Алексеевиче «забыли», и он, по-моему, был этим даже немного обижен.

Я не помню Сергея Алексеевича улыбающимся или смеющимся. Он всегда был серьезен, всегда думал. Его часто видели на велосипеде с развевающейся седой бородой (ездил он гулять на Острова), но и на велосипеде у него был такой вид, точно он глубоко над чем-то задумался.

В 1922 г. он внезапно прекратил преподавать в нашей школе. Дело было так: ученики старшего класса, прослышав о его философских воззрениях, которые они приняли за простой «мистицизм», привязали ниточки к струнам стоявшего в классе рояля (тогда в нашей школе во всех классах стояли рояли, реквизированные у «буржуев»). Во время урока стала звучать то одна струна, то другая. Сергей Алексеевич сперва не мог понять — в чем дело, но, заметив лукавые и ухмыляющиеся лица учеников, понял, вышел из класса и больше в школу не возвращался. К тому времени он уже преподавал товароведение в Технологическом институте (а может быть, Политехническом — не помню).

В 1928 г. мы все были арестованы. Арестовывались все участники кружков. Сергей Алексеевич, по-моему, был просто выслан. Когда меня освободили в 1932 г., я жил в Ленинграде, а Сергей Алексеевич продолжал мыкаться по провинции. В середине 30-х гг. он приезжал на несколько дней в Ленинград к семье из Новгорода. Встретиться в одной из наших квартир мы не решались: однодельцы, продолжавшие собираться, арестовывались и получали второй срок. Поэтому мы свиделись с ним в Летнем саду. Долго ходили по дорожкам сада, время от времени оглядываясь. Я рассказывал ему о своем пребывании на Соловках и на Беломоробалтийском канале и о судьбе тех, с кем мы были знакомы. Он же рассказывал мне о себе и об Иване Михайловиче Андреевском, жившем в ссылке в Новгороде и на Волховстрое. Говорил он, что «утешается музыкой», любит «Римского»... (была такая манера у петербургской интеллигенции в двойных названиях или двойных фамилиях оставлять только одно слово, которое было в форме прилагательного: «Римский», «Лебединое», «Спящая», «Пиковая» и т. д. — так, кстати, говорила и А. А. Ахматова).

Запомнилось мне и то, что он продолжал упорно настаивать на своей идее канонизации Владимира Соловьева, придавал все большее и большее значение почитанию Серафима Саровского.

Встреча с Сергеем Алексеевичем в Летнем саду была последней. Больше я его уже не видел. Слышал только, что нацисты захватили его в Новгороде и увезли в Германию. Он жил около Потсдама в так называемой «Русской деревне», где была русская церковь. Умер он, не выдержав своего ареста советскими освободителями. Похоронен он там же, но найти его могилу, когда я был в ГДР в 1966 г., мне не удалось.

Хельфернак

Вплоть до конца 1927 г. город кипел различными философскими кружками, студенческими обществами, журфиксами у тех или иных известных людей. Собирались — и в университете, и в Географическом обществе, и на дому. Относительно свободно обсуждались различные философские, исторические и литературоведческие проблемы. Литературоведы разделились на представителей формальной школы (формалистов) и на тех, кто продолжал традиционные методы изучения литературы. Диспуты происходили и в частных кружках, и на официальной территории — в Ленинградском университете, и в Институте истории искусств («Зубовском») на Исаакиевской площади, но больше всего — в зале Тенишевского училища. Были кружки и в нашей (Лентовской) школе. У нашего школьного преподавателя И. М. Андреевского с самого начала 20-х гг. собирался кружок, носивший, как я уже сказал, название Хельфернак (Художественно-литературная, философская и научная академия).

Расцвет Хельфернака приходился примерно на 1921–1925 гг., когда в двух тесных комнатках Ивана Михайловича Андреевского на мансардном этаже дома по Церковной улице, № 12 (ныне улица Блохина), каждую среду собирались и маститые ученые, и школьники, и студенты. Помню среди присутствовавших С. А. Аскольдова (Алексеева), М. В. Юдину, доктора Модеста Н. Моржецкого, В. Л. Комаровича, И. Е. Аничкова, Л. В. Георга, Е. П. Иванова, А. А. Гизетти, М. М. Бахтина, Всеволода Вл. Бахтина, А. П. Сухова и многих других, а из молодежи — Володю Ракова, Федю Розенберга, Аркашу Селиванова, Валю Морозову, Колю Гурьева, Мишу Шапиро, Сережу Эйнерлинга. Всех не перечислишь. Во время заседаний пускалась по рядам громадная книга, в которой расписывались присутствующие и где на страницах сверху своеобразным «готическим» почерком Ивана Михайловича Андреевского была обозначена тема доклада, фамилия докладчика и дата. В 1927 г., когда время наступило опасное, один из самых молодых участников Хельфернака Коля Гурьев завернул эту книгу протоколов в различные водоустойчивые материалы и затем закопал где-то на Крестовском острове.

Доклады были самые разнообразные — на литературные, философские и богословские темы. Обсуждения бывали оживленными. Комнатки Андреевского никогда не бывали пустыми.

У Ивана Михайловича была огромная и тщательно подобранная библиотека. (Книги тогда были исключительно дешевы: их могли менять на хлеб, соль, муку, ими даже торговали на вес!) Каждый мог брать из библиотеки Ивана Михайловича любую книгу, даже в его отсутствие, но обязывался наткнуть расписку в ее получении на специальный крючок и не держать книгу дольше определенного срока. Благодаря этой библиотеке я смог еще школьником познакомиться с самой разнообразной философской литературой: и если и не прочесть книгу, то хотя бы подержать ее в руках, запомнить содержание и внешний облик, просто узнать о ее существовании, что тоже было важно. Еще большую роль в моем книжном образовании сыграла библиотека И. И. Ионова, а также огромная библиотека Дома книги, о которых я уже писал выше.

Библиотеки и кружки явились основой моего образования.

«Братство святого Серафима Саровского»

Во второй половине 20-х гг. кружок Ивана Михайловича Андреевского Хельфернак стал все более и более приобретать религиозный характер. Перемена эта объяснялась, несомненно, гонениями, которым подвергалась в это время церковь. Обсуждение церковных событий захватывало основную часть кружка. И. М. Андреевский стал подумывать о перемене основного направления кружка и о его новом названии. Все согласились, что кружок, из которого ушли уже многие атеистически настроенные участники, следует назвать «братством». Но во имя кого? Первоначально ратовавший за защиту церкви И. М. Андреевский хотел назвать его «Братством митрополита Филиппа», имея в виду митрополита Филиппа Колычева, говорившего в глаза правду Ивану Грозному и задушенного в Тверском Отроче монастыре Малютой Скуратовым. Потом, однако, под влиянием С. А. Алексеева (Аскольдова) мы назвались «Братством святого Серафима Саровского».

В разыгравшемся в 1927 г. и последующие годы споре сергианцев и непримиримых иосифлян мы, интеллигентная молодежь, были всецело на стороне митрополита Иосифа, не согласившегося признать декларацию митрополита Сергия, в которой он объявил, что у нас не было и нет гонений на церковь.

Действия правительства в отношении церкви были у всех на виду: церкви закрывались и осквернялись, богослужения прерывались подъезжавшими к церквам грузовиками с игравшими на них духовыми оркестрами или самодеятельными хорами комсомольцев, певшими на удалой цыганский мотив «популярную» песню, сочиненную едва ли не Демьяном Бедным, с припевом:

Гони, гони монахов,
Гони, гони попов,
Бей спекулянтов,
Дави кулаков...

Комсомольцы вваливались в церкви группами в шапках, громко говорили, смеялись. Не буду перечислять всего того, что тогда делалось в духовной жизни народа. Нам было тогда не до «тонких» соображений о том, как сохранить церковь в обстановке крайней враждебности к ней власть предержащих. Возмущение творившимся охватывало и интеллигентную еврейскую молодежь. Мой друг Миша Шапиро из патриархальной верующей еврейской семьи возмущался и изредка посещал домовую церковь в доме для престарелых (угол Гатчинской и Малого), где пел удивительно хороший хор.

У нас возникла идея — посещать церковь совместно. Мы, пять или шесть человек, пошли все вместе в 1927 г. на Крестовоздвижение в одну из впоследствии разрушенных церквей на Петроградской стороне. Увязался с нами и Ионкин, о котором мы еще не знали, что он провокатор (см. о нем ниже). Ионкин, притворявшийся религиозным, не знал, как себя вести в церкви, боялся, жался, стоял позади нас. И тут я впервые почувствовал к нему недоверие. Но потом выяснилось, что появление в церкви группы рослых и не совсем обычных для ее прихожан молодых людей вызвало в причте церкви переполох, тем более что Ионкин был с портфелем. Решили, что это комиссия и церковь будут закрывать. На этом наши «совместные посещения» и прекратились.

Вспоминая те годы, я уверен, что иного подхода к церковному расколу, кроме непосредственно эмоционального, у нас и не могло быть. Мы стояли на стороне гонимой церкви и к рациональным компромиссам, к которым была склонна часть православного епископата, просто не могли примкнуть. Если бы мы были политиками, тогда решение могло бы быть любым. Мы же были не политиками, боровшимися за выживание церкви, а просто верующими, желавшими быть правдивыми во всем и питавшими отвращение к политическим маневрам, программам, расчетливым и двусмысленным формулировкам, позволявшим уклониться от прямого ответа.

Помню, что однажды на квартире у своего учителя я встретил настоятеля Преображенского собора отца Сергия Тихомирова и его дочь. Отец Сергий был чрезвычайно худ, с жидкой седой бородой. Не был он ни речист, ни голосист и, верно, служил тихо и скромно. Когда его «вызвали» и спросили об отношении к советской власти, он ответил односложно: «от Антихриста». Ясно, что его арестовали и очень быстро расстреляли. Было это, если не ошибаюсь, осенью 1927 г., после Крестовоздвижения (праздник, в который, по народным поверьям, бесы, испуганные крестом, особенно усердствуют напакостить христианам).

Как я узнал из своего дела, показанного мне в 1992 г., звали дочь отца Сергия Юлией. Я жалею, что ничего не записывал. Я жил в такое значительное время! Но дело даже не в этом: надо сохранить память обо всем и всех: это наш долг. Ясно, что она пошла вслед за отцом.

В братстве до его «официального» закрытия было всего три или четыре заседания. На одном из последних его заседаний И. М. Андреевский представил нам молодого человека, стоявшего перед нами в позе отрока Варфоломея на известной картине Нестерова, молитвенно сложив руки и невнятно, но «вдохновенно» что-то бормоча, ни к кому конкретно не обращаясь. И. М. Андреевский был от него в восторге: «Такой религиозный, такой религиозный!» Поросячьи глаза этого «религиозного» человека были между тем очень зорки. Здороваясь, он шептал «Сережа», старательно узнавая имена и фамилии присутствовавших. Через несколько дней я встретил его в знаменитом университетском коридоре, где в те времена еще не были убраны длинные скамейки, на которых обычно сидели студенты, жарко споря по политическим и общемировоззренческим вопросам. Некоторых студентов можно было встретить постоянно, как, например, красивого высокого юношу Борю Иванова — убежденного кантианца, а потом незаурядного религиозного мыслителя.

Я подошел к «Сереже», и мы о чем-то поговорили. В конце разговора он стал уговаривать меня принять участие в размножении каких-то прокламаций: «Мы их будем оставлять здесь в коридоре, и это будут огоньки, огоньки, вспыхнет пожар...» Я запомнил его выражения — «огоньки» и «пожар». Кто-то из студентов заметил мой разговор с «Сережей Ионкиным» и предупредил — «это провокатор». Расспрашивая меня, Ионкин узнал, что мой отец когда-то преподавал химию в Первом кадетском Николаевском корпусе. «Я у него учился, учился... Можно, я к вам зайду?» Я сказал отцу. Отец ответил: «Ионкин? Я всех своих учеников помню по фамилиям. Такого у меня никогда не было».

Тогда я зашел к И. М. Андреевскому и предупредил его, что к нам затесался провокатор. Решено было изобразить самороспуск братства. В ближайшую же среду, на которую чуть ли не первым явился Ионкин, И. М. Андреевский встретил нас хмуро, уселся в глубокое, обитое синим бархатом кресло, подаренное ему одной из его учениц, и стал говорить о бесполезности наших собраний и о решении его больше не собираться. Призвав всех ходить по мере сил и веры в церковь и читать религиозную литературу, он встал и пожал на прощание каждому из нас руку. Речь И. М. Андреевского была настолько убедительна и, я бы сказал, разумна, что «Сережа Ионкин» поверил и оставил в покое Андреевского, а когда попытался в университете все-таки ко мне подойти (при этом он был серьезно пьян), я отшил его с несвойственной мне в том возрасте решительностью.

Просматривая свое дело в 1992 г., я увидел там показания некоего «Ивановского», которого нетрудно было отождествить с нашим Ионкиным. «Ивановский» был явным секретным агентом ГПУ. Никаких сведений о его официальном положении в деле нет, зато откровенно продемонстрирована его обязанность представить всех нас монархистами, ярыми контрреволюционерами. Заодно обнаруживается его полнейшая безграмотность. Он был у Андреевского в тот период, когда мы еще предполагали называться «братством святого митрополита Филиппа». Ивановский-Ионкин не знал, кто это, и донес, что мы — «братство Кирилла, покровителя островов» (очевидно, он что-то слышал о том, что митрополит Филипп, которого он назвал Кириллом, был игуменом Соловецкого монастыря, расположенного на островах Белого моря).

У Андреевского после истории с провокатором Сергеем Ионкиным мы действительно некоторое время не собирались. Мне кажется, что Иван Михайлович был настроен целиком уйти в церковные дела, и разнообразие тем, которое демонстрировали собой собрания Хельфернака, становилось даже в какой-то мере неуместным в свете событий, которые переживала Русская церковь.

Однако уйти от Ивана Михайловича совсем мы не могли. Потребность обменяться мнениями по поводу того, что происходило кругом, была слишком велика. Мы заходили, незваные, к Ивану Михайловичу, по-старому брали у него книги, вешая расписки на большой крючок, прибитый к одной из полок, а когда заставали дома Ивана Михайловича, старались узнать его мнение по тому или иному поводу или послушать его рассказы о церковных событиях. Разумеется, круг сузился, но он все же был, и Иван Михайлович почувствовал, очевидно, что бросать нас он не имеет права. Заседания стихийно возобновились.

Первого августа 1927 г., в день обретения мощей Серафима Саровского, на квартире родителей Люси Суратовой, прелестной и очень религиозной девушки, был отслужен молебен. Служил отец Сергий Тихомиров. Комната (очевидно, гостиная) была большая, светлая, служил отец Сергий с необыкновенным чувством.

В русском богослужении проявление чувства всегда очень сдержанно. Сдержанно служил и отец Сергий, но настроение передавалось всем каким-то особым образом. Не могу это определить. Это была и радость, и сознание того, что жизнь наша становится с этого дня какой-то совсем другой.

Мы расходились по одному. Против дома одиноко стояло орудие, стрелявшее в ноябре 1917 г. по юнкерскому училищу. Слежки не было.

«Братство Серафима Саровского» просуществовало до дня нашего ареста 8 февраля 1928 г. Однако Иван Михайлович, имевший скромный недостаток — некоторую хвастливость и стремившийся иногда изобразить себя главой или участником большого движения, почему-то впоследствии никогда не упоминал о Хельфернаке, а братство считал существовавшим как бы изначала. Позже он утверждал, что и Космическая академия (о ней в дальнейшем) была как бы филиалом братства, принявшим свое пышное наименование в целях конспирации.

На самом деле из восьми «академиков» к Ивану Михайловичу ходили только я, Раков, Селиванов и Розенберг. П. П. Машков и А. С. Тереховко были атеистами. Оба они сердились, когда впоследствии на Соловках Иван Михайлович представлял их как своих учеников. Владимир Карлович Розенберг, старший брат Эдуарда, к Ивану Михайловичу тоже не ходил. И хотя в тюрьме он подружился с отцом Александром Пищулиным, но религиозным не был и формально оставался лютеранином.

Космическая академия наук

Более безопасным казалось тогда общение в шутливых кружках. Казалось, никому в голову не придет преследовать людей, собирающихся, чтобы беззаботно провести время. Володя Раков, мой соклассник по Лентовской школе, пригласил меня бывать у них в КАНе — в Космической академии наук. Члены этой «академии» летом прошли от Владикавказа до Сухума по Военно-Осетинской дороге, обзавелись на Кавказе тросточками, заявили о своей верности дружбе, юмору и оптимизму. У членов КАН было свое приветствие — «хайре» *(греч.)*, свой гимн, свои «конференцзалы», свой «хартифилакс» — Федя Розенберг, свое священное место в Царском Селе на вершине Парнаса и т. д. Со мной нас было девять: Федя Розенберг («хартифилакс»), его брат Володя Розенберг, Володя Раков и его друг Аркаша Селиванов, Андрюха Миханьков, Петр Павлович Машков (самый старший из нас), Коля Сперанский, Толя Тереховко и я. Из этих девяти «кановцев» двое хорошо писали стихи (Тереховко и Розенберг), один свободно владел греческим и латинским, на обоих языках писал стихи и подавал большие академические надежды (А. Миханьков), двое хорошо пели (Володя Раков и Аркаша Селиванов), один хорошо рисовал и знал мундиры всех русских полков конца XVIII — начала XIX в. (Володя Раков). Федя Розенберг был всегда изумительно весел, непосредственен и находчив в своих выдумках. Словом, мы были обычной молодежью, собирались почти еженедельно, ничуть не скрываясь.

По своим докладам мы получали в КАНе «кафедры». Я сделал доклад об утраченных преимуществах старой орфографии и получил кафедру старой орфографии, или, как вариант, кафедру меланхолической филологии.

Сейчас часто читатели воспринимают мой кановский доклад (он опубликован в 1993 г. в Твери в книге «Неизвестный Лихачев») как вполне серьезный, но стоит прочесть хотя бы его заглавие, пародирующее сочинения против древнерусских еретиков, чтобы понять, что доклад шуточный, хотя иные из его аргументов против отмены старой орфографии и замены ее «скучной», «унылой» и «безродной» никак не соответствуют современному мышлению. Доклад ироничен и соответствует духу карнавала, господствовавшему в Космической академии.

Володя Раков занимал кафедру апологетического богословия, и это в какой-то мере серьезно, если учесть, что он и его друг Аркаша Селиванов, занимавший кафедру изящного богословия, были глубоко верующими людьми. Эдуард Карлович Розенберг — он вообще перешел в православие из лютеранства и принял имя Федор. Но с другой стороны, Толя Тереховко (кафедра изящной психологии) был принципиальный атеист. То же можно было сказать и о Петре Павловиче Машкове (кафедра изящной химии). Такое глубокое расхождение не мешало нам всем не только дружить, но и любить друг друга, находя удовольствие в пении хором русских песен и романсов, в совместных поездках в Царское Село и прогулках на лодке по Неве.

Космическая академия наук была своего рода маскарадным действом. Нами был провозглашен принцип «веселой науки» — науки, которая не только ищет истину, но истину радостную и облеченную в веселые формы. Кстати, принцип этот давно существует в ученом мире. Различные университетские торжества, парадные шествия, традиционные костюмы, пышные звания, церемонии, совместные прогулки, поездки всегда носили и носят полусерьезный характер. Это тоже своего рода «веселая наука», ибо сама по себе наука, требующая полной отдачи своего времени и душевных сил, не должна быть скучной и однообразной.

Один из постулатов этой «веселой науки» состоял в том, что тот мир, который создает наука путем исследования окружающего, должен быть «интересным», более сложным, чем мир до его изучения. Наука обогащает мир, изучая его, открывает в нем новое, дотоле неизвестное. Если наука упрощает, подчиняет все окружающее двум-трем несложным принципам — это «невеселая» наука, делающая окружающую нас Вселенную скучной и серой. Таково учение марксизма, принижающее окружающее общество, подчиняющее его грубым материалистическим законам, убивающим нравственность, — попросту делающим нравственность ненужной. Таков всякий материализм. Таково учение З. Фрейда. Таков же социологизм в объяснении литературных произведений и литературного процесса. К этому же разряду «ускучняющих» учений принадлежит и учение об исторических формациях. Не скажу, что в своем интересе к происходившему я полностью избежал этого напора упрощенчества в разных его видах, но в целом, в основном, в главном я стремился найти в людях и в том, что изучал, сложное и интересное, своеобразное и индивидуальное. И это было настолько увлекательно, что могло даже пересилить все то тяжелое, что выпало мне на долю, особенно в молодости.

В нашем студенческом кружке, игравшем особенно значительную роль в нашей жизни того периода, когда свободная философия и религия постепенно становились запретными, неофициальными, непризнаваемыми, создавался своего рода маскарад отнюдь не с целью какой-то конспирации. Напротив, шумные формы этого маскарада скорее могли привлечь внимание к нашему кружку. Так и случилось. Телеграмма якобы от папы римского с поздравлением к годовщине академии привлекла внимание сверхбдительных организаций...

Создавалась эта «другая жизнь» нами всеми и еще одним способом. Один из «академиков», мой соклассник, а потом студент Строительного института (б. Институт гражданских инженеров) Володя Раков бойко (быстро и безошибочно) рисовал и владел акварелью. При этом он отлично знал формы русской армии начала XIX в., а также быт и костюмы той же эпохи. Он изображал нас всех и знакомых нам людей в различных ситуациях начала XIX в. Сочинял даже целые истории о нас. Если история была большой, он делал целый альбом и дарил его по какому-либо случаю главному герою рисованной истории. Женские роли исполняли то участница кружка Андреевского Валя Морозова, то сестра Толи Тереховко. Незнакомые в эту «рисованную жизнь» не допускались. У каждого из прототипов рисунков было свое амплуа. Старший из нас, Петя Машков обычно изображался гусарским полковником, Валя Морозова — девочкой, играющей в серсо, крокет, прыгающей через веревочку или гоняющей палочкой обруч. Я в рисунках всегда был в штатском, иногда с «двойным лорнетом» («двойной лорнет» — в котором линзы располагались одна перед другой, и таким образом он мог настраиваться на резкость). Мы ждали появления рисованных историй с нетерпением и дружно смеялись, особенно если в них находили намеки на ситуацию, в которую попадали в реальной жизни. Один из таких альбомов, в которых все мы жили второй жизнью, у меня сохранился.

После нашего освобождения Володя Раков продолжал создавать в Петрозаводске свои альбомы...

М. М. Бахтин посещал, как я уже сказал, Хельфернак, где легко мог узнать о сообществе КАН. Мог он знать о нас и от Всеволода Бахтина, с которым я учился в университете на одном курсе. Больше того, М. М. Бахтин мог знать и о нашей второй сочиненной жизни и приключениях в рисунках Владимира Тихоновича Ракова. Широко известно было и поэтическое сообщество «Обериу», в котором господствовал тот же дух карнавала. Были десятки кружков, встреч, шутливых обычаев, которыми Петербург провожал свое блистательное прошлое. Впоследствии А. А. Ахматова прекрасно уловила этот характер умирания культуры в своей «Поэме без героя».

Так монологическая культура «пролетарской диктатуры» сменяла собой полифонию интеллигентской демократии. С самого своего утверждения в нашей стране советская власть стремилась к уничтожению любого многоголосия. Страна погрузилась в молчание, — только однотонные восхваления, единогласие, скука смертная — именно смертная, ибо установление единоголосия и единогласия было равно смертной казни для культуры и для людей культуры.

Арест и тюрьма

В начале февраля 1928 г. столовые часы у нас на Ораниенбаумской улице пробили восемь раз. Я был один дома, и меня сразу охватил леденящий страх. Не знаю даже почему. Я слышал бой наших часов в первый раз. Отец не любил часового боя, и бой в часах был отключен еще до моего рождения.

Почему именно часы решились в первый раз за двадцать один год пробить для меня мерно и торжественно?

Восьмого февраля под утро за мной пришли: следователь в форме и комендант наших зданий на «Печатном Дворе» Сабельников. Сабельников был явно расстроен (потом его ожидала та же участь), а следователь был вежлив и даже сочувствовал родителям, особенно когда отец страшно побледнел и повалился в кожаное кабинетное кресло. Следователь поднес ему стакан воды, и я долго не мог отделаться от острой жалости к отцу.

Сам обыск занял не много времени. Следователь справился с какой-то бумажкой, уверенно подошел к полке и вытащил книгу Г. Форда «Международное еврейство» в красной обложке. Для меня стало ясно: указал на книгу один мой знакомый по университету, который ни с того ни с сего заявился ко мне за неделю до ареста, смотрел книги и все спрашивал, плотоядно улыбаясь, — нет ли у меня какой-нибудь антисоветчины. Он уверял, что ужасно любит эту безвкусицу и пошлость.

Мать собрала вещи (мыло, белье, теплые вещи), мы попрощались. Как и все в этих случаях, я говорил: «Это недоразумение, скоро выяснится, я быстро вернусь». Но уже тогда в ходу были массовые и безвозвратные аресты.

На черном фордике, только-только появившемся тогда в Ленинграде, мы проехали мимо Биржи. Рассвет уже набрал силу, пустынный город был необычайно красив. Следователь молчал. Впрочем, почему я называю его «следователь». Настоящим следователем у меня был Александр (Альберт) Робертович Стромин, организатор всех процессов против интеллигенции конца 20-х — начала 30-х гг., создатель «академического дела», дела Промпартии и пр. Впоследствии он был в Саратове начальником НКВД и расстрелян «как троцкист» в 1938 г.

После личного обыска, при котором у меня отобрали крест, серебряные часы и несколько рублей, меня отправили в камеру ДПЗ на пятом этаже — дом предварительного заключения на Шпалерной (снаружи это здание имеет три этажа, но во избежание побегов тюрьма стоит как бы в футляре). Номер камеры был 273: градус космического холода.

В университете я увлекался Л. П. Карсавиным, а когда оказался в ДПЗ, то волею судеб попал в одну камеру с братом близкой Льву Платоновичу женщины. Помню этого юношу, носившего вельветовую куртку и тихонько, чтобы не услышала стража, отлично напевавшего цыганские романсы. Перед этим я читал книгу Л. П. Карсавина «Noctes petropolitanae».

Пожалуй, эта камера, в которой я просидел ровно полгода, была действительно самым тяжелым периодом моей жизни. Тяжелым психологически. Но в ней я познакомился с огромным числом людей, живших по совсем разным принципам.

Упомяну некоторых из моих сокамерников. В «одиночке» 273, куда меня втолкнули, оказался энергичный нэпман Котляр, владелец какого-то магазина. Его арестовали накануне (это был период ликвидации нэпа). Он сразу же предложил мне навести чистоту в камере. Воздух там был чрезвычайно тяжелый. Покрашенные когда-то масляной краской стены были черны от плесени. Стульчак был грязный, давно не чищенный. Котляр потребовал у тюремщиков тряпку. Через день или два нам бросили чьи-то шерстяные кальсоны. Котляр предположил — снятые с расстрелянного. Подавляя в себе подступавшую к горлу рвоту, мы принялись оттирать от плесени стены, мыть пол, который был мягок от грязи, а главное — чистить стульчак. Два дня тяжелой работы были спасительны. И результат был: воздух в камере стал чистым. Третьим втолкнули в нашу «одиночку» профессионального вора. Когда меня вызвали ночью на допрос, он посоветовал мне надеть пальто (у меня с собой было отцовское теплое зимнее пальто на беличьем меху): «На допросах надо быть тепло одетым — будешь спокойнее». Допрос был единственным (если не считать обычного заполнения анкеты перед тем). Я сидел в пальто, как в броне. Следователь Стромин (организатор, как я уже сказал, всех процессов конца 20-х — начала 30-х гг. против интеллигенции, — не исключая и неудавшегося «академического») не смог добиться от меня каких-либо нужных ему сведений (родителям моим сказали: «Ваш сын ведет себя плохо»). В начале допроса он спросил: «Почему в пальто?» Я ответил: «Простужен» (так научил меня вор). Стромин, видимо, боялся инфлуэнцы (так называли тогда грипп), и допрос не был изматывающе длинным.

Потом в камере попеременно были: мальчик-китаец (по каким-то причинам в ДПЗ сидело в 1928 г. много китайцев), у которого я безуспешно пытался учиться китайскому; граф Рошфор (кажется, так его фамилия) — потомок составителя царского положения о тюрьмах; крестьянский мальчик, впервые приехавший в город и «подозрительно» заинтересовавшийся гидропланом, которого никогда раньше не видел. И многие другие. Интерес ко всем этим людям поддерживал меня.

Гулять полгода водил нашу камеру «дедка» (так мы его звали), который при царском правительстве водил и многих революционеров. Когда он к нам привык, он показал нам и камеры, где сидели разные революционные знаменитости. Жалею, что я не постарался запомнить их номера. Был «дедка» суровый служака, но он не играл в любимую игру стражников — метлами загонять друг к другу живую крысу. Когда стражник замечал пробегающую крысу на дворе, он начинал ее мести метлой — пока она не обессилеет и не сдохнет. Если находились тут же другие стражники, они включались в этот гон и с криками гнали метлой крысу друг к другу — в воображаемые ворота. Эта садистская игра вызывала у стражников необычайный азарт. Крыса в первый момент пыталась вырваться, убежать, но ее мели и мели с визгом и воплями. Наблюдавшие за этим из-под «намордников» в камерах заключенные могли сравнивать судьбу крысы со своей.

Спустя полгода следствие закончилось, и меня перевели в общую библиотечную камеру. В библиотечной камере (в которой, кстати, после меня сидел, как вспоминает, Н. П. Анциферов) было много интереснейшего народа. Спали на полу — даже впритык к стульчаку. Там для развлечения мы попеременно делали «доклады» с последующим их обсуждением. Неистребимая в русской интеллигенции привычка к обсуждению общих вопросов поддерживала ее и в тюрьмах, и в лагерях. Доклады все были на какие-либо экстравагантные темы, с тезисами, резко противоречащими общепринятым взглядам. Это была типичная черта всех тюремных и лагерных докладов. Придумывались самые невозможные теории. Выступал с докладом и я. Тема моя была о том, что каждый человек определяет свою судьбу даже в том, что могло показаться случаем. Так, все поэты-романтики рано погибали (Китс, Шелли, Лермонтов и т. д.). Они как бы «напрашивались» на смерть, на несчастья. Лермонтов даже стал хромать на ту же ногу, что и Байрон. Относительно долголетия Жуковского я высказал тоже какие-то соображения. Реалисты, напротив, жили долго. А мы, следуя традициям русской интеллигенции, сами определили свой арест. Это наша «вольная судьба». Через полвека, читая «Прогулки с Пушкиным» А. Синявского, я подумал: «Какая типично тюремно-лагерная выдумка» — вся его концепция о Пушкине. Впрочем, я и еще делал такие «ошарашивающие» доклады — но уже на Соловках. Об этом после.

Самым интересным человеком в библиотечной камере был, несомненно, глава петроградских бойскаутов граф Владимир Михайлович Шувалов. Сразу после революции я встречал его иногда на улицах в бойскаутской форме с высокой бойскаутской палкой и в своеобразной шляпе. Сейчас, в камере, он был сумрачен, но крепок и подтянут. Занимался он логикой. Насколько я помню, это были какие-то соображения, продолжавшие «Логические исследования» Гуссерля. Как он мог для работы полностью отключаться от шумной обстановки камеры — не понимаю. Должно быть, у него была большая воля и большая увлеченность. Когда он излагал результаты своих поисков, я, хотя и занимался перед этим логикой у А. И. Введенского и С. И. Поварнина (у которого занимался ранее и сам Шувалов), с трудом его понимал.

Впоследствии он получил высылку и полностью исчез из моего поля зрения. Кажется, его родственница (м. б., жена) работала в Русском музее, занимаясь иконами.

Странные все-таки дела творились нашими тюремщиками. Арестовав нас за то, что мы собирались раз в неделю всего на несколько часов для совместных обсуждений волновавших нас вопросов философии, искусства и религии, они объединили нас сперва в общей камере тюрьмы, а потом надолго в лагерях, комбинировали наши встречи с другими такими же заинтересованными в решении мировоззренческих вопросов людьми нашего города, а в лагерях — широко и щедро с людьми из Москвы, Ростова, Кавказа, Крыма, Сибири. Мы проходили гигантскую школу взаимообучения, чтобы исчезать потом в необъятных просторах нашей родины.

В библиотечной камере, куда по окончании следствия собирали людей, ожидавших срока, я увидел сектантов, баптистов (один из них перешел нашу границу откуда-то с запада и ожидал расстрела, не спал ночами), сатанистов (были и такие), теософов, доморощенных масонов (собиравшихся где-то на Большом проспекте Петроградской стороны и молившихся под звуки виолончели; кстати, какая пошлость!). Фельетонисты ОГПУ «братья Тур» пытались время от времени вывести всех нас в смешном и зловредном виде (о нас они опубликовали в «Ленинградской правде» пересыпанный ложью фельетон «Пепел дубов», о других — «Голубой интернационал» и пр.). О фельетоне «Пепел дубов» вспоминал впоследствии и М. М. Бахтин.

Объединились и наши родные, встречаясь на передачах и у различных «окошечек», где давали, а чаще не давали справки о нас. Советовались — что передать, что дать на этап, где и что достать для своих заключенных. Многие подружились. Мы уже догадывались — кому и сколько дадут.

Однажды всех нас вызвали «без вещей» к начальнику тюрьмы. Нарочито мрачным тоном начальник тюрьмы, как-то особенно завывая, прочел нам приговор. Мы стоя его слушали. Неподражаем был Игорь Евгеньевич Аничков. Он с демонстративно рассеянным видом разглядывал обои кабинета, потолок, не смотрел на начальника, и, когда тот кончил читать, ожидая, что мы бросимся к нему с обычными ламентациями:

«мы не виноваты», «мы будем требовать настоящего следствия, очного суда» и пр., Игорь Евгеньевич, получивший 5 лет, как и я, подчеркнуто небрежно спросил: «Это все? Мы можем идти?» — и, не дожидаясь ответа, повернул к двери, увлекая нас за собой, к полному недоумению начальника и конвоиров, не сразу спохватившихся. Это было великолепно!

Заодно пользуюсь случаем, чтобы исправить некоторые неточности, сообщаемые О. В. Волковым в книге «Погружение во тьму» (Париж, 1987. С. 90–94). И. Е. Аничков имел не 3 года лагерного срока, а 5 лет и после «освобождения» в 1931 г. скитался по ссылкам так же, как и сам О. В. Волков. После смерти Сталина И. Е. Аничков вернулся в Ленинград, где несколько лет преподавал в Педагогическом институте, подвергаясь постоянным «проработкам» за нежелание признавать «новое учение о языке» Н. Я. Марра и марксистское учение в целом. Его мать Анна Митрофановна Аничкова никогда профессором университета не была, жила частными уроками и преподаванием языков в частном же «Фонетическом институте» О. К. Боянуса и умерла весной 1933 г. в коммунальной квартире на Французской набережной.

Недели через две после вынесения приговора нас всех вызвали «с вещами» (на Соловках выкрикивали иначе: «Вылетай пулей с вещишками») и отправили в «черных воронах» на Николаевский (теперь Московский) вокзал. Подъехали к крайне правым путям, откуда сейчас отправляются дачные поезда. По одному мы выходили из «черного ворона», и толпа провожавших в полутьме (был октябрьский вечер), узнавая каждого из нас, кричала: «Коля!», «Дима!», «Володя!». Толпу еще не боявшихся тогда родных и друзей, просто товарищей по учению или службе грубо отгоняли солдаты конвойного полка с шашками наголо. Два солдата, размахивая шашками, ходили перед провожавшими, пока нас один конвой передавал другому по спискам. Сажали нас в два «столыпинских» вагона, считавшихся в царское время ужасными, а в советское время приобретших репутацию даже комфортабельных. Когда нас наконец распихали по клеткам, новый конвой стал нам передавать все то, что было принесено нам родными. От университетской библиотеки я получил большой кондитерский пирог. Были и цветы. Когда поезд тронулся, из-за решетки показалась голова начальника конвоя (о идиллия!), дружелюбно сказавшая: «Уж вы, ребята, не серчайте на нас: служба такая! Что, если недосчитаемся?» Кто-то ответил: «Ну, а зачем же непременно матом и шашками на провожавших?»

Кемперпункт и переправа на остров Соловки

Наше счастье было в том, что отправляли нас на Соловки — тех, кто получил трехлетний срок, и тех, кто получил по пяти, — всех вместе в одном вагоне, хотя и в разных клетках (так называемые «столыпинские» вагоны имели решетки в коридор, по которому ходил конвой). И все-таки мы общались, делились сведениями о судьбе, о допросах, — кто что сказал. Больше всего мы боялись, что нас разлучат в лагере.

Я не описываю подробно первые дни в Кеми, на Поповом острове, в тринадцатой роте на Соловках. Дело в том, что, как только я получил возможность работать на канцелярской работе, я стал вести записи и прятал их среди канцелярских бумаг, а затем отправил с родителями, приезжавшими ко мне на свидание весной 1929 г. Я печатаю эти записи в Приложении, и мне нет необходимости повторять все, что там сказано. Отмечу только, что при высадке из вагона конвоир разбил мне сапогом в кровь лицо, что над нами измывались как только могли. Кричали нам: «Здесь власть не советская, — здесь власть соловецкая». Откуда и пошло название известного документального фильма «Власть соловецкая».

То угрожающе надвигаясь на нас, то отступая, принимавший этап Белоозеров ругался виртуозно. Я не мог поверить, что кошмар этот происходит наяву. Помню (это сверх моих записок, которые я сделал в Соловках в 1929 г.), одна из самых «приличных» угроз нам была: «Сопли у мертвецов сосать заставлю!» Когда я рассмеялся (впрочем, вовсе не оттого, что мне было весело), Белоозеров закричал на меня: «Смеяться потом будем», но не избил...

Должен отметить, что о начальниках мы знали только по слухам, ходившим среди заключенных, и в мои соловецкие записи вкрались ошибки, которые затем утвердились в литературе — особенно через «Архипелаг ГУЛаг» Солженицына и тех, кому я рассказывал о лагере.

Принимали этапы в Кемперпункте двое по очереди: Курилко и Белоозеров. Последнего я называл Белобородовым по ошибке: заключенные приписали ему эту фамилию, очевидно путая с тем Белобородовым, что расстреливал царскую семью. Ни один из них не был гвардейским офицером, как у меня было сказано, и не говорил по-французски (разве что, зная одну-две фразы, находил особое удовольствие щеголять ими перед бесправными заключенными). Человек, видевший лично дело Курилки в Петрозаводске в 1989 г., говорил мне, что Курилко служил в Красной армии, но в перипетиях Гражданской войны месяца два служил и в Белой. Однако сам выдавал себя за гвардейца. И от Н. П. Анциферова уже после нашего освобождения я слышал, что когда он (Анциферов) сидел в карцере, дожидаясь расстрела (которого, к счастью, избежал) вместе с Курилкой, то тот якобы сказал перед расстрелом: «Я умираю как чекист и гвардейский офицер». Он потребовал, чтобы ему стреляли не в затылок, а в лоб. Вполне возможно, что те два месяца, что Курилко был в Белой армии, он служил в полку, носившем звание гвардейского.

Я пишу это для того, чтобы знали, что настоящие гвардейские офицеры, все до одного, кого я встречал на Соловках, были людьми честными: к зверствам охранников не имели отношения, в охране никогда не служили, да и не могли служить: принимали во внутреннюю охрану только «бытовиков» — непрофессиональных уголовных преступников-убийц, насильников и т. п.

На ночь нас погнали на Попов остров, чтобы запихнуть в сараи, а наутро переправить на остров. В сарае мы стояли всю ночь. Нары были заняты полуголыми «урками» (мелкими воришками), «вшивками», обстреливавшими нас вшами, в результате чего мы через час уже были покрыты ими с головы до ног. Только притушили свет — точно темный занавес начал опускаться по стенам на лежащих. Это ползли клопы. И среди всего этого ада был кусочек рая: на маленьком пространстве нар, которое стерегли два статных красавца-кабардинца в национальной одежде, лежали старики — священник и мулла. Под утро, когда я уже не мог стоять на отекших за ночь ногах (даже сапоги стали малы), один из кабардинцев — Дивлет-Гирей Албаксидович (я запомнил его имя, ибо вечно ему благодарен), видя мое состояние, уступил мне место, и я смог полежать.

Священник, рядом с которым я лег, украинец по происхождению, сказал мне: «Надо найти на Соловках отца Николая Пискановского — он поможет».

Почему именно он поможет и как — я не понял. Решил про себя, что отец Николай занимает, вероятно, какое-то важное положение. Предположение нелепейшее: священник и «ответственное положение»! Но все оказалось верным и оправдалось: положение у отца Николая состояло в уважении к нему всех начальников острова, а помог он мне на годы.

На следующий день нас грузили на пароход «Глеб Бокий», что отправлялся на Соловки. Домушник (вор по квартирам со взломами) Овчинников стоял рядом и предупреждал:

— Только не торопитесь, будьте последними.

Он был второй раз на Соловках. Первый раз бежал. Явился к своей «марухе» на Сенной в Ленинграде и был схвачен. Прошел всю дорогу к ней пешком по шпалам с «когтями» за спиной. Когда замечал патруль, то надевал «когти» и залезал на ближайший телеграфный столб. Разумеется, со столба его патруль не снимал: человек работает!

Избит Овчинников был в Кемперпункте страшно. Избивали его за то, что подвел часовых, начальников, «испортил статистику» (считалось, что с Соловков бежать нельзя). Но и избитый домушник оставался человеком. Мы его подкармливали, а он помогал нам своим лагерным опытом. Когда людей стали запихивать в трюм, он затащил нас на площадку посредине трапа и посоветовал не спускаться ниже. И действительно, там внизу люди начали задыхаться. Нас же команда выпустила раз или два подышать. После 9 месяцев тюрьмы я с жадностью дышал свежим морским воздухом, смотрел на волну, на проходившие мимо безлесые острова.

Около Соловков нас снова запихнули в чрево «Глеба Бокого» (этот живой человек, в честь кого был назван пароход, — людоед — главный в той тройке ОГПУ, которая приговаривала людей к срокам и расстрелам). По шуршанию льда о борта парохода мы поняли, что подходим к пристани. Был конец октября, и у берегов стал появляться «припай» — береговой лед. Вывели нас на пристань с вещами, построили, пересчитали. Потом стали выносить трупы задохшихся в трюме или тяжело заболевших: стиснутых до перелома костей, до кровавого поноса.

Нас, живых, повели в баню № 2. В холодной бане заставили раздеться и одежду увезли в дезинфекцию. Попробовали воду — только холодная. Примерно через час появилась и горячая. Чтобы согреться, я стал беспрерывно поливать себя горячей водой. Наконец вернули одежду, пропахшую серой. Оделись. Повели к Никольским воротам. В воротах я снял студенческую фуражку, с которой не расставался, перекрестился. До того я никогда не видел настоящего русского монастыря. И воспринял Соловки, Кремль не как новую тюрьму, а как святое место.

Прошли одни ворота, вторые и повели в 13-ю роту. Там при свете «летучих мышей» (были такие, не гаснущие на ветру фонари) нас пересчитали, обыскали.

Помню, я никак не мог завязать после обыска свою корзинку, которую купили мне родители: легчайшую и прочнейшую, имевшую форму чемодана, и никак не мог проглотить печенье, что оказалось в корзине. Горло мое так отекло, распухло, что глотнуть я не мог. С большой болью, размешав кусочек печенья в обильной слюне, я проглотил.

Затем произошло неожиданное. Отделенный (мелкий начальник над каким-то участком нар) подошел именно ко мне (верно, потому, что я был в студенческой фуражке и он поверил ей), попросил у меня рубль и за этот рубль, растолкав всех на нарах, дал место мне и моим товарищам. Я буквально свалился на нары и очнулся только утром. То, что я увидел, было совершенно неожиданно. Нары были пустые. Кроме меня оставался у большого окна на широком подоконнике тихий священник и штопал свою ряску. Рубль сыграл свою роль вдвойне: отделенный не поднял меня и не погнал на поверку, а затем на работу. Разговорившись со священником, я задал ему, казалось, нелепейший вопрос, не знает ли он (в этой многотысячной толпе, обитавшей на Соловках) отца Николая Пискановского. Перетряхнув свою ряску, священник ответил:

— Пискановский? Это я!

Сам неустроенный, тихий, скромный, он устроил мою судьбу наилучшим образом. Но об этом потом. А пока, оглядевшись, я понял, что мы с отцом Николаем вовсе не одни. На верхних нарах лежали больные, а из-под нар к нам потянулись ручки, прося хлеба. И в этих ручках тоже был указующий перст судьбы. Под нарами жили «вшивки» — подростки, проигравшие с себя всю одежду. Они переходили на «нелегальное положение» — не выходили на поверки, не получали еды, жили под нарами, чтобы их голыми не выгоняли на мороз, на физическую работу. Об их существовании знали. Просто вымаривали, не давая им ни пайков хлеба, ни супа, ни каши. Жили они на подачки. Жили, пока жили! А потом мертвыми их выносили, складывали в ящик и везли на кладбище.

Это были безвестные беспризорники, которых часто наказывали за бродяжничество, за мелкое воровство. Сколько их было в России! Дети, лишившиеся родителей — убитых, умерших с голоду, изгнанных за границу с Белой армией, эмигрировавших. Помню мальчика, утверждавшего, что он сын философа Церетели. На воле спали они в асфальтовых котлах, путешествовали в поисках тепла и фруктов по России в ящиках под пассажирскими вагонами или в пустых товарных. Нюхали они кокаин, завезенный во время революции из Германии, нюхару, анашу. У многих перегорели носовые перегородки. Мне было так жалко этих «вшивок», что я ходил как пьяный — пьяный от сострадания. Это было уже во мне не чувство, а что-то вроде болезни. И я так благодарен судьбе, что через полгода смог некоторым из них помочь.

Одной из моих первых забот было сохранить вещи, чтобы не украли. В один из первых дней (может быть, даже в первый) я передал корзину с вещами кому-то из людей, живших в канцелярских ротах. Потом я научился спать так, чтобы не украли мой романовский полушубок. Ложась на нары, я переворачивал его полами к лицу, продевал разутые ноги в рукава, а сапоги клал под голову, как подушку. Даже при моем крепчайшем юношеском сне меня нельзя было обокрасть, не разбудив.

Утром я получал свою пайку хлеба и кипяток в большую эмалированную кружку, которой снабдили меня заботливые родители. По возвращении с работы в ту же кружку мне наливали поварешкой похлебку. Наряды на работу давали утром во тьме, у столов, освещавшихся «летучей мышью», отправляли на работу группами. У меня вторая группа трудоспособности, которую определила медицинская комиссия еще в Кемперпункте, поэтому отправляли меня на работы сравнительно легкие.

На 1929 г. приходится столько событий, что моя память невольно перенесла на следующий год целые истории. Дело осложнилось еще и тем, что на 1929 г. пришлись целых два приезда моих родителей ко мне — один приезд был весной, а другой осенью. Всего на Соловках у меня было три свидания с родителями, но в последний год пребывания на Соловках — 1931-й — ни одного, так как меня должны были летом отправить на беломоробалтийское строительство. Вот и получилось так, что события, связанные со вторым свиданием, перекочевали в моей памяти на 1930 г., а то, что было в 1930 г., на 1931 г. Осень расстрелов разделилась на две осени и на две кампании расстрелов, а отъезд А. И. Мельникова, с которым у меня было связано много важных для меня фактов, оказался на год раньше, чем я, вспоминая свое соловецкое житье-бытье, долго считал. Только получив точную справку о дате смерти А. И. Мельникова в Кеми, я смог разобраться в хронологии своих припоминаний.

Итак, продолжаю свой рассказ. Сколько «специальностей» я переменил в 13-й роте! Редко удавалось попасть на одну и ту же работу. Больше всего мне запомнились — пильщиком дров на электростанции, грузчиком в порту, вридлом («временно исполняющим должность лошади») по Муксаломской дороге в упряжке тяжело нагруженных саней, электромонтером в мехзаводе (по-старому — в «монастырской кузне»), рабочим в лисьем питомнике (у О. В. Волкова и Н. Э. Серебрякова) и, наконец, коровником в сельхозе.

Об этой последней работе стоит рассказать особо. Прикрепили меня к ветеринару Комчебек-Возняцкому. Это был настоящий авантюрист, чудовищный враль. Уверял, что он командовал эскадрильей самолетов, профессорствовал (читал где-то лекции по международным делам). Мне он объявил, что в коровнике «эпизоотия», что ему некогда заниматься коровами, так как он пишет докладную записку в Москву о каком-то заговоре и его должны туда вызвать (его потом и в самом деле вызвали), что коровам надо ставить градусники, записывать температуру и усиленно кормить болтушкой, которую следует варить у озера в бывшей монастырской портомойне. Затем показал мне, где мука, и ушел, бросив на меня несколько десятков коров, истошно мычавших от голода. Я не знал, что делать, пытался его искать (он уверял, что живет в первой роте и у него отдельная комната с роялем), ставил коровам градусники, втыкая их под хвост, и приходил в ужас от температуры (около 40°, что для коров, как потом узнал, нормально). В конце концов решил, что важнее всего коров накормить, и пытался варить болтушку, которая у меня пригорела, коровы ее не ели. Мне в помощь дали какого-то флегматичного эстонца. Он возмутился Комчебеком, и мы с ним как-то накормили вполне здоровых коров хорошей (как уверял меня эстонец) особой монастырской породы.

Я постарался разыскать владыку Виктора (см. о нем ниже) и рассказал ему о своем положении. Владыка сказал мне, что Комчебек ужасный «авантюрьер» и надо решительно не ходить к нему на работу. Как мне удалось уклониться от работы в сельхозе — я уже не помню. Знаю только, что Комчебека по его доносу вызвали самолетом в Москву и он исчез. Был он явно умалишенным, не только мерзавцем и вором («эпизоотия» ему нужна была, чтобы получать лишнюю муку на коров, якобы больных).

Срок карантина в конце концов прошел, и меня перевели из 13-й роты в 14-ю, где уже находились Федя Розенберг, Володя Раков, Толя Тереховко и др. Вызов на работу в Криминологический кабинет, обещанный мне А. Н. Колосовым, не поступал. Я продолжал работать на «общих работах». «Сумасшедший дом» продолжался.

Места в 14-й роте на нарах у меня не было, и я стелил свою постель на полу после того, как все улягутся. У меня болел желудок (я еще не знал, что у меня язва), и архитектор Клейн, которого я по невежеству принимал сперва за строителя Музея изящных искусств в Москве, советовал мне получать сухой паек и варить кашу на стоявшей в камере буржуйке. Сам он варил манную кашку в небольшой кастрюльке и был чрезвычайно худ. Через несколько месяцев он умер (у него был рак).

Однажды я вернулся с работ и почувствовал что-то новое: страшно болела голова, я не мог даже стоять. Володя Раков уступил мне свое место на верхних нарах. В глазах у меня темнело, начался бред. Вызвали лекпома. Температура оказалась 40 градусов. Необходимо было лечь в лагерную больницу. Уже поздно вечером мои разыскали делопроизводителя медчасти Г. М. Осоргина. Он дал направление в больницу, но как меня туда доставить? Меня волочили под руки Федя

Розенберг и Володя Раков, был и еще кто-то третий. Хотя я был в полусознательном состоянии, но хорошо запомнил этот переход через двор в подворотню и налево в приемный покой.

Поволокли в ванну. Ванна стояла в большом помещении, была уже наполнена водой. Мне было невероятно противно: кто-то уже мылся в ванне, и, видимо, давно — вода была совершенно холодной. Поразительно, что я не простудился. Кто-то мне говорил потом, что холодная ванна при высокой температуре была даже полезной. Потом помню себя лежащим в большой палате на чистой простыне. Несмотря на сильнейший жар, испытываю состояние блаженства: вшей нет. Ложе мягкое. Беспокоюсь о вещах: где полушубок и корзинка? Подходит Андреевский: он здесь врачом, тут и живет. Моя корзинка у него под топчаном. Вскоре установлен диагноз: сыпной тиф. Дня через три я лежу уже в помещении для тифозных на соломе на полу. Помещение устроено в каком-то бывшем складе.

При переносе в тифозный изолятор меня обокрали. Помню фамилию и должность вора: лекпом Астахов. Помню потому, что Андреевский просил меня подписать заявление, что Астахов меня не обкрадывал. Я отказался: заявление казалось мне нелепым. Но краж у Астахова оказалось много, и его осудили. Я даже видел его, как он работал на каких-то тяжелых работах. Это был интеллигентный человек (по крайней мере, интеллигентного вида), и я очень мучился потом, что в его осуждении (сколько-то месяцев карцера) я отчасти виноват, причастен...

Потом в беспросветной темноте соловецких зимних суток появились часа два светлых. Со своей койки я видел луковицу надвратной Благовещенской церкви. На луковице креста не было, но место это помнили соловецкие чайки. Первая, прилетевшая весной на остров, садилась именно тут, и это был знак весны: через две недели прилетали все остальные чайки. До прилета чайки было еще далеко. Я смотрел в окно, и мне было бесконечно тяжело...

В тифозном бараке у меня был и кризис. Г. М. Осоргин прислал мне в бутылке немного красного вина, но я по своим «антиалкогольным убеждениям» пить не стал и отдал вино кому-то другому. Помню отчетливо свой бред. Бред странный: он не переносит меня в какое-то другое помещение. Я продолжаю лежать на соломе, и ко мне подвозят санки, на которых горой лежат лапти. Я должен эти лапти раздавать «вшивкам» — подросткам, которые голыми жили в 13-й роте под нарами. Я пытаюсь встать и начать эту работу и не могу. В конце концов кто-то вернул меня на мое место, но меня мучает, что я не могу раздать лапти. Подростки в одном белье меня окружают, просят.

Из больницы я попадаю в «команду выздоравливающих», освобожденных от работы. Я лежу в каком-то подвале недалеко от прачечной.

Когда я был потом на Соловках в 1966 г., этот подвал без верхнего этажа почти перестал существовать. Не мог себе представить, что я там когда-то лежал. И тогда надо было в него спускаться. Прямо над головой в полуметре нависал кирпичный свод, в котором к тому же была щель, откуда на меня постоянно дуло.

У выхода из помещения команды выздоравливающих дежурил «каталикос», не то армянский, не то грузинский. Я искал — кто это мог быть, расспрашивал и армян, и грузин, но так мне и не удалось установить, кто он был. Его пост был рядом с парашей, большой, железной, к которой вела короткая деревянная лестница с площадочкой. Он подавал мне руку и помогал забраться. Никогда этого я не забуду. Хотя почему мне забывать в оставшуюся небольшую часть моей жизни, если я не забывал этого до сих пор 65 лет! Помню: вставать я могу только с большим трудом. Мой сосед — крестьянин. Живое воплощение Платона Каратаева. Он говорит мне както: «Я научу тебя чему-то, но ты обещай мне, что не разболтаешь. С этим ты всегда будешь сыт». Он говорит мне: «Галоши к валенкам нужны повсюду: надо только уметь их делать».

И он учит меня. Рисует выкройку, показывает, как уменьшать или увеличивать размер. Резать резину никто не умеет. Весь секрет в том, что резину надо резать ножницами в воде. Резину легко достать у шоферов: ничего, что красная. Видимо, галоши — это главная его надежда на будущее благополучие после возвращения домой.

Лагерная топография Соловков

Из разговоров на Соловках в 1929 г. я помню: плотность «населения» на Соловках больше, чем в Бельгии. При этом огромные площади лесов и болот не только не населены, но и неизвестны.

Что же было на Соловках? Гигантский муравейник? Да, муравейник был, — между зданиями трудно было даже протолкаться. Давка при входе и выходе у 13-й роты — рядом с Преображенским храмом. Охранники из заключенных с палками («дрынами») «наводили порядок». И при этом вход и выход разрешен каждому — только с «нарядами» — листами на работу.

Ночью проходы между зданиями затихали. Высились богатырские стены, башни и храмы, устойчиво опиравшиеся на расширявшиеся книзу стены.

Попробую описать устройство лагеря. В Кремле (так называлась часть монастырских строений, огражденная стенами из гигантских валунов, поросших оранжевым лишайником) было 14 рот. 15-я рота, вне монастыря, — для заключенных, живших в различных «шалманах» — при мехзаводе, алебастровом заводе, при бане № 2 и т. д. Про лагерное кладбище говорили — 16-я рота. Шутили, но трупы в некоторых ротах зимой лежали незасыпанные и раздетые.

Почему заключенные распределялись по ротам? Я думаю, тут известную роль сыграли заключенные из военных, сами устанавливавшие порядок среди первых прибывших на острова лагерников. Тюремщики сами ничего не могли сделать, организовать тем более. Военные были поначалу единственной организующей силой, способной разместить, накормить, навести элементарный порядок среди прибывавших и прибывавших на острова Соловецкого архипелага заключенных. Они и делали многое по армейскому образцу.

Первая рота была ротой «привилегированных» — командиров, начальников. Она помещалась за алтарем Преображенского собора и глядела окнами на площадь общелагерных поверок. Над первой ротой помещалась третья, «канцелярская», с окнами в обе стороны. Где была вторая рота, не помню. Шестая — «сторожевая» — состояла в основном из священников, монахов, епископов. Им поручалась работа, на которой нужна была честность: сторожить склады, каптерки, выдавать посылки заключенным и т. д. Она помещалась в основном здании, тоже обращенном на площадь поверок. Седьмая рота — «артистическая». Здесь жили работники культурно-воспитательной части: актеры, музыканты, административные деятели учреждений, изображавшие собой «перевоспитательную» работу на Соловках. Восьмая, девятая и десятая роты тоже были «канцелярскими». Одиннадцатая рота — это карцер. Он помещался у Архангельских ворот. Там заключенные сидели на «жердочках» — узких высоких скамьях, а спали прямо на полу. К карцеру пришлось прибегнуть, когда в Соловки стали прибывать уголовные и против них стали приниматься меры самими заключенными «каэрами» («контрреволюционерами», по терминологии начальства). В конце концов прибытие нового большого числа заключенных заставило превратить в роту трапезную. Трапезная единостолпная палата, по своим размерам превосходившая Грановитую палату Московского Кремля, первоначально использовалась по своему прямому назначению — как общая столовая для всех заключенных. Когда помещений в монастыре стало не хватать, превратили в роту помещение, вход в которое был через трапезную. Это была двенадцатая рота.

Из всех рот тринадцатая была самой большой и самой страшной. Туда принимали вновь прибывавшие этапы. Там их муштровали, чтобы сломить всякое желание сопротивляться или протестовать, и направляли на тяжелые физические работы. Все прибывающие на Соловки обязаны были пробыть в тринадцатой роте не менее трех месяцев. Называлась рота «карантинной».

Нас выстраивали по утрам на длительную поверку по коридорам, окружавшим Троицкий и Преображенский храмы. Строились по десять человек, пересчитывались, и последний в строю орал, помню:

«Сто восемьдесят второй полный строй по десяти».

Порой в тринадцатой карантинной роте на нарах вплотную друг к другу помещалось три-четыре, а то и пять тысяч человек. Конечно, мы все были во вшах. Только по особым ходатайствам удавалось вызволить кого-либо из карантинной роты.

Помню, как начальник здоровался с нами:

— Здравствуй, карантинная рота!

И мы, сосчитав про себя до трех, после последних слов этого «приветствия», хором гаркали:

— Здра!

Затем по очереди подходили к маленьким столикам, за которыми сидели нарядчики (среди них «чубаровцы»: участники ужасающего группового изнасилования в Чубаровом переулке в 1927 г. в Ленинграде) и получали наряды на работу.

В четырнадцатой роте, помещавшейся за единостолпной трапезной палатой, и в прилегающих помещениях жили те, кто не был еще распределен после трехмесячного пребывания в тринадцатой роте по «командировкам» и дожидался отправки на лесозаготовки, торфоразработки и всякие производства.

Пятнадцатая рота, иначе «сводная», была для тех, кто жил по разным углам за пределами Кремля. Эта рота считалась самой блатной, т. е. самой привилегированной. На этом официальное число рот в лагере заканчивалось. Кроме того, были «командировки» — заключенные, работавшие в Савватиеве, Филимонове, на островах — Муксалме, Анзере, Зайчиках, на различных торфо- и лесоразработках.

«16-я рота», как я уже сказал, — кладбище.

Кроме рот в Кремле существовал отдельно обширный лазарет, где обычно все было до предела переполнено, и «команда выздоравливающих» в подвале, недалеко от прачечной.

Вот, кажется, и все из «жилого» фонда в центральном «кремлевском» участке.

Кроме «жилых» помещений в пределах Кремля были еще и «работающие»: баня, там, где Сушило; адмчасть, распоряжавшаяся всем порядком и снабжением лагеря (тут работали главным образом лучшие организаторы — бывшие военные); ИСЧ (информационно-следственная часть), сочинявшая для собственного существования различные «заговоры», выслушивающая информаторов (сексотов) из заключенных (для их приема был предназначен ныне не существующий деревянный домик под Сторожевой башней вне Кремля); «Помоф» (пошивочная мастерская, где работали по преимуществу женщины). «Помоф» и часть лазарета помещались в первом отсеке Кремля недалеко от Никольских ворот. Был театр с фойе, служившим также лекционным залом. Но самое главное — в Кремле существовал музей. В музее было даже уютно, а в театре ставились замечательные постановки, играли прекрасные актеры, но попасть в него было труднее, чем сейчас в Большой театр в Москве.

Наконец, в Кремле, в первом его отсеке с отдельным выходом через Сельдяные ворота (сейчас ими не пользуются), существовал «монастырь»: два десятка монахов с игуменом, схимником (не путать с отшельником, якобы жившим где-то в лесах) и отведенной для монахов на кладбище деревянной Онуфриевской церковью, где совершались богослужения. Эти монахи были специалистами по рыбной ловле. Они умели управляться с сетями, знали течения в море, ход рыбы и т. д. Ловили они навагу, но главным образом — знаменитую соловецкую сельдь, шедшую на столы Московского Кремля, за что сельдь эту еще называли «кремлевской». Когда Онуфриевскую церковь закрыли, сельдь «исчезла» (может быть, в знак невыполнения УСЛОНом своих обязательств перед монахами?). Что случилось потом с монахами — изгнали или уничтожили, — сказать не могу, не знаю. Жил монах и на Муксалме, умевший обращаться с коровами (коровы были в сельхозе у Кремля и на Муксалме, где находились чудесные выпасы для скота).

Были еще в Кремле «заведения» помельче. Клетушка под большой колокольней, где расстреливали поодиночке (выстрелом в затылок), после чего приезжала телега с ящиком, куда бросали труп (отсюда пошло выражение «сыграть в ящик»), и приходили поломойки — мыть пол от крови. Была хлебопекарня, выпекавшая отличный хлеб по технологии еще XVI в. — митрополита Филиппа. Был дровяной двор (он сейчас пустой — там висят два сохранившихся колокола — норвежский и «царский»). Была кипятильня около хлебопекарни, где из выходившего в подворотню крана можно было для рот получать кипяток (его забирали в больших медных монастырских кувшинах для кваса).

В каждое помещение посторонним вход был запрещен. Дежурили люди с палками, которые били ими слишком настойчивых посетителей. Я лично общался с людьми из других рот главным образом на работе.

Вход и выход из Кремля разрешен был только через Никольские ворота. Там стояли караулы, проверявшие пропуска в обе стороны. Святые ворота использовались для размещения пожарной команды. Пожарные телеги могли быстро выезжать из Святых ворот наружу и внутрь. Через них же выводили на расстрелы — это был кратчайший путь из одиннадцатой (карцерной) роты до монастырского кладбища, где производились расстрелы.

За пределами Кремля в здании бывшей монастырской гостиницы помещались Управление СЛОН, женбарак, мехзавод (бывшая кузня), сельхоз, баня № 2 (где принималась санобработка и где просиживали по несколько часов голые заключенные, пока пропаривалась в вошебойке их одежда), алебастровый завод, канатный завод, спортплощадка (для вольнонаемных), обслуживаемая двумя-тремя заключенными, дом и столовая для вольнонаемных (для немногих начальников). Вдалеке находился кирпзавод (кирпичный завод).

Что же помещалось на остальной части Соловецкого архипелага? Должен сказать, что я знал остальную часть лагеря очень плохо: только в моих пеших командировках для собирания сведений о подростках, которых необходимо было определить в детколонию, вскоре переименованную в трудколонию и печально известную в связи с посещением Соловков Максимом Горьким в 1929 г.

Я не могу не сказать особо еще о двух учреждениях, игравших большую роль в умственной жизни на Соловках: Музее и Солтеатре. Все эти три учреждения для прикрытия кошмарных условий пребывания на Соловках, но худым словом я их не помяну. Они не только спасли жизнь многим интеллигентным людям, но позволили не прекращать до известной степени жить умственной жизнью.

Я очень опасаюсь, что мемуарная литература о 20-х и 30-х гг. создает однобокое представление о жизни тех лет, а главное, о жизни в заключении. Вовсе не все ограничивалось страданиями, унижением, страхом. В ужасных условиях лагерей и тюрем в известной мере сохранялась умственная жизнь. И эта умственная жизнь была даже в некоторых случаях весьма интенсивной, когда вместе оказывались люди, привыкшие и хотевшие думать. Перефразируя известную лагерную поговорку «был бы человек, а статья для него найдется», можно было бы сказать — «был бы думающий человек, а мысли у него будут».

Мой школьный учитель и «одноделец» И. М. Андреевский в журнале «Соловецкие острова» опубликовал статью, посвященную нервным и психическим заболеваниям на Соловках. Он открыл даже особую психическую болезнь, в названии которой сохранил ее соловецкое происхождение (сейчас не помню). Заболевавшие ею люди постоянно стремились улучшить свое положение: занять лучшее место на нарах, захватить пайку хлеба чуть больше, чем у других, искать выгодных знакомств и всяческого «блата». Такие люди были напряженно заняты только этим. Они погибали скорее остальных. Но были люди (и их было немало), сохранявшие свое человеческое достоинство, думавшие и осмыслявшие бытие в духовном масштабе.

Соловки были именно тем местом, где человек сталкивался с чудом и с обыденностью, с монастырским прошлым и с лагерным настоящим, с людьми всех уровней нравственности — от высочайшей до самой позорно низкой. Здесь были представители разных национальностей и разных профессий — бывших и настоящих. Сталкивались две эпохи: одна дореволюционная, а другая сугубо современная — типичнейшая для двадцатых и начала тридцатых годов.

Жизнь на Соловках была настолько фантастической, что терялось ощущение ее реальности. Как пелось в одной из соловецких песен: «Все смешалось здесь, словно страшный сон».

Характерная черта интеллигентной части Соловков на рубеже 1920-х и 1930-х гг. — это стремление перенарядить «преступный и постыдный» мир лагеря в смеховой мир. Если соседи наши по Савватиеву и Муксалме, где содержались «политические», т. е. люди, официально состоявшие в политических партиях, зарегистрированных в каких-то международных организациях защиты политзаключенных, превращали (не без преувеличений) свое содержание на Соловках в мир страданий и мучений, то настоящие «каэры» (контрреволюционеры) центральной части Соловков всячески подчеркивали абсурдность, идиотизм, глупость, маскарадность и смехотворность всего того, что происходило на Соловках, — тупость начальства и его распоряжений, фантастичность и сноподобность всей жизни на острове (мир страшных сновидений, кошмаров, лишенных смысла и последовательности). Характерны для Соловков странички юмора в журнале «Соловецкие острова», сочинявшиеся по преимуществу Ю. Казарновским и Д. Шипчинским, а отчасти и Артурычем — Александром Артуровичем Пешковским. Анекдоты, «хохмы», остроты, шутливые обращения друг к другу, шутливые прозвища и арго как проявление той же шутливости сглаживали ужас пребывания на Соловках. Юмор, ирония говорили нам: все это не настоящее. Настоящая жизнь ждет вас по возвращении... Ощущение нереальности бытия поддерживалось своеобразной атмосферой белых ночей летом и черных дней зимой, а в промежутках — длинными утрами (без ощущения дня), переходящими в столь же длинные вечера, пустынностью лесов и гибельностью болот, обилием темных камней, покрытых яркими лишайниками и мхами. Разнообразие пейзажей на главном острове было удивительным, и каждый остров в Соловецком архипелаге был не похож на другой.

Природа Соловков

Душевное здоровье на Соловках помогла мне сохранить именно природа, а точнее, постоянный пропуск на выход из Кремля, который в начале 1929 г. оформил мне делопроизводитель адмчасти, бывший флагофицер А. Ф. Керенского — Александр Иванович Мельников. После отъезда Мельникова с Соловков в самом конце 1929 г. этот пропуск постоянно мне возобновлялся, так как я должен был ходить в детколонию (переименованную затем в трудколонию) по делам Кримкаба.

Я пользовался этим пропуском как только и когда только мог: ходил по Реболдовской дороге до Глубокой Губы, тайно — до Переговорного камня (здесь велись переговоры монастырских представителей с командованием английской эскадры во время Крымской войны); по Савватиевской дороге, по Муксаломской дороге и т. д. Несмотря на строжайшее запрещение появляться в прибрежной полосе, несколько раз я ходил к Митрополичьим садкам, где в солнечные дни лежал час или два на солнце, совершенно забывая об опасности. На Заячьей Губе у Митрополичьих садков я познакомился с замечательной заячьей семьей. Я лежал в кустах и задремал. Когда я открыл глаза, я увидел прямо против себя на расстоянии чуть большем протянутой руки очаровательную зайчиху и несколько маленьких зайчат. Они смотрели на меня не отрываясь, как на чудо. Монахи приучили животных не бояться человека. Зайчиха явно привела своих детишек показать им меня. Я не шевелился, они тоже. Мы смотрели друг на друга, вероятно, с одинаковым чувством сердечной приязни. Такое бездумное созерцание не могло продолжаться вечно: я пошевелился, и они исчезли, но надолго осталось удивительно теплое чувство любви ко всему живому. Кругом росли низкорослые и искореженные ветрами соловецкие березы, журчали струйки воды, с отливом или приливом проходившие через сложенную из сравнительно небольших камней плотину Митрополичьих садков.

По Реболдовской дороге я ходил безопасно с тоненькой березовой палочкой в руках. Доходил до Глубокой Губы и тут однажды купался. Вода здесь сохраняла холод зимы. Я вошел в нее не страшась, но, когда окунулся, дыхание у меня перехватило, и я едва выполз. Тут же я обнаружил полусгнивший крест с обозначением, что на этом месте высадилась рать Мещеринова во время Соловецкого восстания в конце XVII в. Поперечная доска отвалилась, и в ней торчал кованый гвоздь. Я его взял, и он был у меня до блокады, когда в суете вынужденного отъезда (меня высылало из Ленинграда с семьей ОГПУ) я его забыл взять с собой.

Реболдовская дорога была изумительно красива, и однажды я ее прошел всю до самой Реболды, откуда переправа была на Анзер. Вблизи Реболды начинался «бегущий лес», впоследствии вырубленный. Это были многолетние сосны с толстыми стволами, которые постоянный ветер пригнул к земле, и они поэтому казались «бегущими» и живыми. На что они могли понадобиться? Древесина их была плотной и плохо поддавалась пиле.

Зато какие бревна были в срубе сторожевой избы, где в тепле можно было дожидаться переправы на весельных лодках! Гигантские по длине и толщине прокопченные бревна, создававшие впечатление глубокой старины. Мне казалось, что я нахожусь прямо-таки в XVII в. Да оно, пожалуй, так и было...

Природа Соловецких островов словно создана между небом и землей. Летом она освещена не столько солнцем, сколько громадным высоким небом, зимой — погружена в низкую кромешную тьму, смягченную белизной снега, изредка прорываемую сполохами северного сияния, то бледно-зелеными, то кроваво-красными. На Соловках все говорит о призрачности здешнего мира и о близости потустороннего...

Острова — разные по ландшафту. Два Заяцких, Большой и Малый, на которых не растет ни единого дерева, красота которых — в изумительных цветовых сочетаниях лишайников, камней и валунов, кустов и полярных березок и возможностью отовсюду видеть море. Здесь нельзя заблудиться. Все кажется диким и пустынным, и только низкие лабиринты напоминают об обычаях, которые создал себе человек. Два острова — Большая и Малая Муксалма — покрыты лесами и болотами, холмами, обрывающимися у моря, и тучными пастбищами, на которых веками паслись коровы. Искусственная дамба соединяет Большую Муксалму и Большой Соловецкий остров. Великолепен Анзер. Природа его пышная и словно даже веселая. Песчаные пляжи и прекрасные лиственные леса напоминают о юге. Но высокую гору острова венчает Голгофский скит, самим своим названием пророчески предсказавший невыносимые страдания умиравших здесь стариков, калек и безнадежно больных, свезенных сюда со всего лагеря, замерзших здесь, заморенных голодом, заживо погребенных. Центральный остров — Большой Соловецкий — собрал в своем ландшафте все, что имеют другие острова. К тому же триста озер, больших и малых, часто несущих на себе еще новые острова, на которых могли содержаться и особо секретные заключенные, которых лишали возможности видеть других людей, а когда-то — затворялись отшельники.

Здесь — большой природный Рай, но одновременно большой Ад для заключенных всех рангов, сословий, всех населявших Россию народов! Здесь, в этом мире святости и греха, небесного и земного, природа и человек соединились в необыкновенной близости.

Огромные валуны служили основным строительным материалом: из них воздвигнуты башни и стены, вместе с плинфой и кирпичом они легли в основание храмов. Крыши крыты тесом, купола — лемехом. Но иконы и книги, алтарная резьба и кованое железо свидетельствуют об огромных усилиях человека преодолеть природу, поставить дух выше материи, создать из природы гигантский храм. Скиты словно «сужают» расстояние по всему острову. Землянки отшельников и медные кресты, вросшие прямо в стволы деревьев. Об эти кресты и медные иконы ломались зубья двуручных пил заключенных на лесозаготовках.

Триста озер Большого Соловецкого острова, самые большие из которых соединены между собою каналами, чтобы непрестанно пополнять чистой водой большое Святое озеро, по берегу которого поднимаются главные постройки Соловецкого монастыря, поставленные на перешейке между Святым озером и морем. Разница в уровне, как говорили, — восемь метров. Эта разница позволила создать в монастыре водопровод, канализацию, использовать различную технику, построить быстро наполняемые и опорожняемые доки для починки судов, прекрасную хлебопекарню, портомойню, кузницу (исключительную для XVI в.), снабжать водой трапезную, и т. д., и т. п. Монастырь мог бы служить наглядным опровержением ложных представлений об отсталости древнерусской техники. Святое озеро — это, по существу, гигантский пруд, искусственно созданный, чтобы заставить жить и работать все жизнеобеспечивающие механизмы монастыря.

Восемь метров перепада уровней моря и озера, образовавшегося от перемычки, заставляли строить стены храмов с широким фундаментом, создавать стены и храмы, как бы тяжко, незыблемо стоящие на земле, чтобы уберечь обитателей монастыря от врагов и непогоды, создать внутри монастыря условия для процветания маленького живописного садика, где всюду были места, удобные для душевного отклика и молитвенных размышлений престарелых монахов.

Соловецкие острова — место, где ощущение творящего Бога и временности человеческого постоянно поддерживается сменами времен года, ритмом суток, длинными ночами зимой и длинными закатами вечером, длинными восходами солнца по утрам, быстрыми сменами погоды, многообразием ландшафтов, ощущением длительности истории этих мест, отмеченных языческими лабиринтами и обетными крестами, храмами и часовнями, где напряженный крестьянский и ремесленный труд был бы так свят и так угоден Богу.

И вместе с тем, уже в монастырское время в мирную молитвенную и трудовую жизнь монахов врывались и чисто мирские заботы: столкновение с еретиками, пребывание в нем сосланных, большое старообрядческое восстание, приведшее к длительной осаде в 1668–1678 гг. и сотням погибших, чьи тела валялись непогребенными перед монастырем на льду...

Заканчивались мои прогулки к морю на противоположной стороне от монастыря — недалеко от Переговорного камня. Я знал, что выбирать место для отдыха надо на каком-либо мысу, куда обычно не заезжал «главный хирург» Соловков латыш Дегтярев. Но я не знал, что у него появилась маленькая собачка с необыкновенным чутьем, выдрессированная на человека. Людей она чувствовала на большом расстоянии.

Я выбрал место для отдыха на берегу бухты с противоположной стороны от той, с которой делал свой объезд на белой лошади «начальник войск Соловецкого архипелага» Дегтярев. За камнями меня трудно было увидеть. И вдруг я услышал отвратительный пискливый лай собачонки. Ко мне в объезд бухты скакал Дегтярев — главный расстрельщик Соловков. Я успел натянуть брюки и ринулся в лес, захватив все остальное под мышку. На мое счастье, в лесу была длинная болотистая полоса, видимо бывшая когда-то руслом реки. Через этот болотный «ров» лежала огромная ель. Я ступил на ствол, и меня прямо перенесло на противоположную сторону. Если бы не страх попасть к Дегтяреву (а от него прямо на Секирку), я никогда не был бы таким «храбрым», чтобы перейти по стволу с одного берега болота на другой. Дегтярев остановился и, нарушив удивительную благостность соловецкого леса отборной бранью, не стал меня преследовать, да и не мог он спешиться и бежать за мной. Почему он не стал стрелять — не знаю.

Кримкаб

Отец Николай Пискановский и владыка Виктор Островидов, пока я находился в 13-й роте («общих работ»), делали попытки устроить меня на какую-либо канцелярскую работу или на работу полегче. Однажды, когда мы возили свиной навоз (вот запах-то!), к нам подошел и со мной познакомился очень почтенный и красивый немолодой господин с седой бородой в черном полушубке и с самодельной березовой палочкой в руках. Это был А. Н. Колосов. Минута разговора — и мне обещана «постоянная» работа в Криминологическом кабинете. Не сразу, правда. Из 13-й роты я попал в 14-ю роту — в трапезную палату, где я заболел тифом. И вот после «Роты выздоравливающих», размещенной в страшном подземелье с низкими сводами в трещинах, я очутился в привилегированной третьей роте. Меня встретил командир роты, бывший комендант Петропавловской крепости барон Притвиц и поместил прямо в комнату к А. Н. Колосову на топчан, стоявший под окном (вдоль окна). Я был слаб, имел освобождение и не работал. Сидел один в камере на топчане. Первым вернулся около восьми вечера с работы Александр Николаевич и посмотрел на меня с удивлением и опаской. Я не сразу понял эту опаску. Потом я сообразил: Александр Николаевич боялся, что я могу заразить тифом жителей камеры. Он просил командира Притвица поселить меня на неделю в коридоре. Притвиц отказался. Ограничились тем, что мою корзинку с вещами вынесли в коридор или куда-то. Я прошел уже несколько дезинфекций, но корзина действительно представляла опасность, тем более что именно от нее, по-видимому, в санчасти, куда меня сперва поместили, когда я заболел, заразился тифом Иван Михайлович Андреевский, работавший врачом и взявший мою корзинку к себе под топчан.

Я был очень смущен опасениями Александра Николаевича и чувствовал себя первые недели в камере чужаком. В камере жили генерал Осовский и два счетовода — барон М. Т. Дистерло и Борис Николаевич Афинский. Не помню когда, но очень рано появился в камере и Федя Розенберг, которого удалось взять из коридора. Александр Николаевич был безусловным главой камеры. Он занимал лучшее место и спал на деревянном монашеском диване. Это было большое преимущество. Единственный стол в камере был приставлен ближе всего к его дивану. Вечерами и по утрам он ставил на этот стол зеркальце и долго расчесывал перед ним бороду, усы, массировал вазелином лицо. У него был ухоженный вид. Носил он высокие сапоги, синие галифе с лампасами и зеленый френч. В прошлом (во время войны 1914 г.) он был военным прокурором, судьей и пр. Чувство своего превосходства жило в нем прочно, но вместе с тем воспитание делало его очень приятным в общежитии человеком. Он был всегда ровным, не сердился. Только по дрожанию век можно было определить, что он был чем-то раздражен. Он был хороший рассказчик, хороший слушатель. Читал в свое удовольствие книги в «хорошем вкусе» (преимущественно Тургенева, которого доставал в библиотеке, — она помещалась у театра и состояла из конфискованных у заключенных книг или из книг, пожертвованных заключенными библиотеке при освобождении). На работе (в гостинице у пристани на третьем этаже помещался наш

Кримкаб[1] — Криминологический кабинет) он умел создавать впечатление у начальства большой и важной деятельности. В нашей рабочей комнате он сидел долго, тем более что это было и удобно, и читал романы, держа карандаш на весу в руке, облокотясь о стол. Внезапно вошедшее лагерное начальство всегда заставало его в этой «рабочей позе», и нельзя было усомниться в том, что он что-то пишет, т. е. «работает». По воскресеньям мы часто не имели выходных, но Александр Николаевич «уходил по делам» с каким-нибудь официальным поручением и гулял с самодельной березовой палочкой по Филимоновской дороге в сторону Глубокой Губы. Когда я получил от А. И. Мельникова пропуск по всему острову, мы гуляли с ним вместе, и прогулки эти были для меня очень полезны. Он обладал и жизненным опытом, и начитанностью в русской классической литературе, и способностями рассказчика. Когда Александра Николаевича отправили в Кемь осенью 1929 г. (зимой у него подходил срок), мои прогулки продолжались с не менее интересным человеком — тоже юристом Владимиром Юльяновичем Короленко, племянником писателя.

В чемодане у Александра Николаевича был превосходно сшитый синий шевиотовый костюм и рубашка с отложным воротничком и галстук. Когда надо было идти докладывать начальству или когда в Кримкабе ожидался приход машинистки Ширинской-Шихматовой, Александр Николаевич надевал свой костюм и выглядел великолепно — барином. Он как-

[1] Мне исключительно посчастливилось, что благодаря усилиям отца Николая Пискановского и владыки Виктора Островидова я стал работать и Криминологическом кабинете. Николай Павлович Анциферов пишет в своих воспоминаниях «Из дум о былом» (М., 1992): «Я мечтал работать в Криминологическом кабинете, где собирали рисунки, письма, стихи заключенных уголовников. Так, думалось мне, я лучше пойму психологию людей „Мертвого дома“» (с. 346). Н. П. Анциферов не пишет, что не только в понимании преступников было дело. Хотелось ему работать в Криминологическом кабинете потому, что там работали его друзья — А. А. Мейер, К. А. Половцева, А. П. Сухов и др.

то особенно складывал губы при появлении Ширинской-Шихматовой и всячески тонировал. С работавшей у нас в Кримбаке Юлией Николаевной Данзас (она не была ему прямо подчинена, занимаясь вырезанием из газет нужных начальству сообщений; каких? я никогда не интересовался) Александр Николаевич был менее галантен, хотя был не прочь и тут, как мы говорили, «распустить хвост», но не производил на нее впечатления.

Из всего предшествующего можно подумать, что Александр Николаевич был несерьезен. Нет, он сделал великое дело. Он дал идею создания в Соллагере детской колонии — для несовершеннолетних преступников — и спас, хотя и не перевоспитал, с помощью своих сотрудников сотни бывших беспризорников. Это началось в 1928 г., и наша детская колония была первой такого рода и такого масштаба в Советском Союзе. Он так сумел убедить начальство в показной (показательной) выгодности этого начинания, что оно приняло огромные по тем временам масштабы. В организации принял участие начальник КВЧ Д. В. Успенский (партийный деятель, по слухам, отправленный на Соловки вольнонаемным сотрудником). Были построены бараки (некоторые стоят на Соловках и до сих пор). Каждому подростку был дан топчан с бельем. Подросткам, жившим по общим ротам часто в одном белье, были выданы бушлаты, обувь, была придумана форма — шапки особого фасона — «линденеровки». Непосредственно хозяйственным организатором колонии был Линденер, обрусевший немец, бывший сотрудник Академии наук в Ленинграде. На смену ему пришел наркомюст Белоруссии Зданевич, смененный из-за полной тупости героем Гражданской войны командармом Дальневосточной республики Иннокентием Серафимовичем Кожевниковым.

Кримкаб сохранял над этой колонией научное руководство. Положение очень выгодное для всех нас — придуманное Александром Николаевичем.

Почему необходимо было собирать детей на месте? Почему нельзя было в то время просто вызвать их из тех рот, «командировок», пунктов, где они находились, пользуясь их личными делами, находившимися в УСЛОНе в адмчасти? Потому, что с учетом в лагере существовал удивительный беспорядок. Подростки, которых собирали на вокзалах, по улицам, вытаскивали из асфальтовых котлов, из ящиков под пассажирскими вагонами и т. д., каждый раз при опросах называли себя иными фамилиями, проигрывали в карты малые сроки и меняли их на большие, имели одинаковые приметы, если эти приметы заносились в дело. Мне приходилось уговаривать подростков не менять своих фамилий, пока их не заберут в колонию. Но они боялись колоний, подозревали обман, и поэтому только часть их, отобранных для колонии, попадали туда. Но зато, когда колония стала действовать и слух о хороших условиях в ней прошел по островам, подростки стали охотно соглашаться поступить туда, и мне уже пришлось меньше ходить за ними и записывать о них сведения.

Такой же беспорядок существовал и со взрослыми. Скажем, был такой случай. Москву решили очистить от нищих. «Черные вороны» объезжали церкви и с папертей брали нищих, а затем без суда и даже опросов (записывалась лишь фамилия, год рождения и еще, м. б., что-то) отправляли на Соловки и прямо с пристани на Анзер, а там на Голгофу. То же самое происходило и «в обратном направлении»: людей расстреливали — «неисправимых», не понравившихся, опасных, как казалось начальству, — а затем списывали их как умерших от какой-либо болезни. Такие расстрелы с оформлением их через санчасти были приняты не только в Соловках. Обычно таких расстреливаемых по произволу местного начальства долго не держали в карцере — максимум два-три дня. Так было, по-видимому, с Осоргиным, Покровским, Багратуни, Гацуком и многими другими.

Число расстрелянных обычно было больше числа, в отношении которых был вынесен приговор. Проверить это сейчас трудно, но что это было именно так, нет сомнений.

О работе Кримкаба я расскажу особо. Сейчас же скажу только об одном эпизоде моей работы, непосредственно связанной у меня с Александром Николаевичем. Последний поручил мне составить записку об организации колонии, изложив мне примерное ее содержание. Я писал ее несколько дней и, мне казалось, написал живо, убедительно и доступно для нашего полуграмотного начальства. Я ожидал похвал от Александра Николаевича, но, когда он ее читал, я заметил: уголки глаз у него дрожали. Он признал записку никуда не годной и принялся ее исправлять. В записке появились «понеже», «поелику», «принимая во внимание», «как явствует из вышеизложенного» и пр., т. е. как раз те выражения, которых я старался избегать, но которые, как оказалось, были нужны, чтобы «произвести впечатление». Я был расстроен. Мне было это непонятно. В общем, не сразу я разглядел, сколько добра, и отнюдь не поступаясь своими интересами, принес в Соллагерь Александр Николаевич Колосов — человек светский, тонирующий, бонтонный и при этом практически необыкновенно умелый и деловой. Может быть, этот стиль был обычен для старого царского чиновничества?

Не удивительно, что осенью 1929 г., когда мы провожали в камере 3-й роты Александра Николаевича (его «вывозили на материк»), то вечер этот был очень грустным и очень памятным. Я, как Лариосик, попробовал первый раз в жизни произнести тост (держа в руке кружку с компотом) и не смог — расплакался. Александр Николаевич был этим очень растроган.

Я не рассказал о нем и еще другого, очень важного: о его работе в Соловецком музее, куда он привел и меня.

В Александре Николаевиче было что-то от XIX в. В его суждениях, вкусах, в манере откликаться на внешние впечатления. Как-то мы гуляли с ним ранней весной по Реболдовской (Филимоновской) дороге. Было совершенно безветренно и очень ярко, морозно и сухо. Чистый белый снег отражал слепящие ясностью солнечные лучи. Я сравнил погоду с летней: крайности, и такие схожие. Александр Николаевич мечтательно и, как откровение, произнес: «Да, великий Гелиос...» Он вводил все в привычные схемы и штампы эстетики прошлого века. И в этом отношении он был прямой противоположностью Александру Александровичу Мейеру, абсолютно самостоятельное мышление которого как бы предугадывало будущие философские искания и концепции.

Очень похож был по своему «культурному типу» на А. Н. Колосова профессор Аркадий Владимирович Бородин. Его специальность была «обычное право». Его эстетические представления были также на уровне XIX в. (отнюдь не плохом). Он тоже любил Тургенева, А. К. Толстого, не понимал современную поэзию и живопись. Был немного сентиментален и очень старомоден. В Кримкабе он был недолго, и я даже не очень помню — в какое время. Жизненный опыт его был очень большим. У меня с ним была неприятная история. Както в Кримкабе я противопоставил его А. А. Мейеру с невыгодной для Бородина стороны. Я не заметил его присутствия. Он все слышал, но виду не подал и неприязни ко мне в дальнейшем никакой не проявил. Это мне был двойной урок — как себя вести: не говорить о других дурно без нужды и не обращать внимания, когда говорят дурно о тебе самом. Но урок этот я часто забывал: подводил темперамент.

Пожилые люди, которые любят Тургенева, — любят его по-особому. Тургенев — это их отношение к жизни, к «прекрасному» и к русскому слову. А. Н. Колосов, читавший Тургенева и восхищавшийся особенно «Асей», вызывал у нас удивление. Книг было немного, я тоже стал читать «Асю» и понял. То была настоящая жизнь, в которой даже несказанное слово играло роль. Мы же находились в грубом и свирепом мире кошмарного сновидения. Призрачная действительность Соловков была материально грубой. Не верилось в существование торфоразработок, лесозаготовок, болот, нар, сыпного тифа, «комариков», «пеньков», «камешков», «жердочек» — все это было невероятно. Тургенев же с его роковой судьбой одного только несказанного слова в «Асе» казался настоящей жизнью.

Поднятый карандаш Колосова был своего рода оружием, копьем, направленным против каторжного мира Соловков.

Искусство и действительность не были ничем связаны друг с другом. Заключенные, покрытые вшами, смотрели «Детей Ванюшина» в Солтеатре и заливались слезами, забывая о том, что они сами перенесли и что творилось за стенами театра. Пели чувствительный романс и переживали его с особенным чувством. Разлука в романсе была в какой-то момент сильнее, чем реальная разлука с семьей.

Вот почему придуманный «для туфты» Соловецкий театр играл такую большую и «утешающую» роль на Соловках. Он существовал по крайней мере 6 лет (с 1926-го по 1931-й).

Человеком XIX в., но совсем другого рода представлялся мне и профессор-климатолог Алексей Григорьевич Сатин. С ним разговоры были чаще всего при встречах на соловецких дорогах. Он ходил в окружности Кремля, записывая какие-то метеорологические данные на приборах. Должны ли были Соловецкие острова передавать метеорологические данные на материк — не знаю. Своими рассуждениями он очень напоминал мне Базарова. Грубый материалист и, как все материалисты, пессимист, иронически ко всему относившийся, презиравший удобства жизни. Ходил он в кавказской бурке и папахе. Когда начался второй тиф осенью 1929 г. и все боялись подхватить вшей, он спокойно говорил: «Своя вша не пустит чужую: лучший способ не заразиться тифом — иметь вшей». И имел.

Был он добр. Когда ко мне должны были приехать родители на свидание, он уступил нам свою клетушку на сортоиспытательной станции. Жил он вдвоем с морским офицером Ажаевым. Тот протестовал, не хотел переселяться в холодный сарай. Но Сатин просто его прогнал и сам перешел мерзнуть в сарай. А тут еще беда случилась: от времянки загорелись высушенные травы. Я успел погасить, что было духу сбегав за огнетушителем в соседний дом. Если бы не потушил — была бы мне верная Секирка[1]. Сатин же составил акт, что сгоревшая часть коллекции сухих трав не представляла собой

[1] Секирка — самый страшный карцер, помещавшийся на Секирной горе. Редко кто выходил из него живым.

никакой ценности. И еще одна деталь: он превосходно играл в шахматы, и про него шутили: «первый шахматист и последний нигилист».

Так опроверглись мои представления, что человек со взглядами материалиста непременно должен быть пессимистом и эгоистом. Всегда есть исключения.

Диагональ детского одеяла

В 1928 г., как я уже, кажется, писал, люди знали, что такое тюрьма, этап, лагерь, и знали, как снарядить высылаемых — что дать им в дорогу. Надо было, чтобы поклажа была легкой и чтобы там было самое необходимое. Знали, например, и такую деталь: лежать придется на жестком, а при этом больнее всего тазу. Поэтому шили маленькие матрасики, набивая их волосом — как самым легким и не сваливающимся в употреблении. Мне дали такой матрасик — не больше подушки, а укрываться — легчайшее детское пуховое одеяло, почти ничего не весившее, но укрыть которым я мог только либо ноги, либо плечи. Я накрывался им от угла к углу: уголок на ноги и уголок на плечи. Но клал на себя еще что-либо из одежды: зимой — полушубок. Закрывался с головой, чтобы уйти в свой мир воспоминаний о доме, об университете, о Петербурге. Особенно я любил вспоминать Петербург в сумерки — вид с Дворцового моста на Дворцовую площадь, когда на каком-то переломе от вечернего полусвета к ночной полутьме внезапно вспыхивала гирлянда желтых фонарей и появлялась грандиозная полукружность Генерального штаба.

Особенно хорошо помню третью роту. К моему топчану из экономии места плотно придвинут стол, за которым сидят мои сокамерники. Над столом мерцает лампочка. Вот-вот погаснет: срок ее мерцания до 10 часов, затем — предупредительное гашение лампочки на несколько секунд, и надо все успеть сделать, чтобы лечь при свете. Лампочка тускло бьется в тяжелом облаке махорочного дыма. Говорили: махорочный дым не так вреден, как табачный. Приходится этим утешаться, ибо открыть форточку — это впустить холод. Тепло, впрочем, бывает очень редко: либо жара от огромной монашеской печи, которая медленно остывает несколько дней, либо стужа в ожидании очередного разрешения на топку.

Лежать под детским одеялом — это ощущать дом, домашних, заботы родителей и детскую молитву на ночь: «Господи, помилуй маму, папу, дедушку, бабушку, Мишу, няню... И всех помилуй и сохрани». Под подушкой, которую я неизменно крещу на ночь, — маленький серебряный складень. Через месяц его нашел и отобрал у меня командир роты: «Не положено». Слово, до тошноты знакомое в лагерной жизни!

Приезд Максима Горького и массовые расстрелы 1929 года

Весной 1929 г. к нам на Соловки приехал Горький. Пробыл он у нас дня три (точнее я не помню — все это легко установить по его собранию сочинений).

От соловецких беглецов (бежали из отделений Соллагеря на материке и пешком в Финляндию, и на кораблях, возивших лес) на Западе распространились слухи о чрезвычайной жестокости на наших лесозаготовках.

Миссия Горького заключалась, по-видимому, в том, чтобы переломить общественное мнение Запада. Дело в том, что конгресс США и парламент Великобритании приняли решение не покупать лес у Советского Союза: там через бежавших (Мальсагов и др.) стали известны все ужасы лагерных лесозаготовок. Экспорт леса в массовых масштабах был организован Френкелем, заявившим: «Мы должны взять от заключенных все в первые три месяца!» Можно представить, что творилось на лесозаготовках!

Горький должен был успокоить общественное мнение. И успокоил... Покупки леса возобновились... Кто потом говорил, что своим враньем он хотел вымолить облегчение участи заключенных, а кто — вымолить приезд к себе Будберг-Закревской, побоявшейся вернуться вместе с ним в Россию. Не знаю — какая из версий правильна. Может быть, обе. Ждали Горького с нетерпением.

Наконец с радиостанции поползли слухи: Горький едет на Соловки. Тут уж стали готовиться не только начальники, но и те заключенные, у которых были какие-то связи с Горьким, да и просто те, кто надеялся разжалобить Горького и получить освобождение.

В один «прекрасный» день подошел к пристани «Бухты Благополучия» пароход «Глеб Бокий» с Горьким на борту. Из окон Кримкаба виден был пригорок, на котором долго стоял Горький с какой-то очень странной особой, которая была в кожаной куртке, кожаных галифе, заправленных в высокие сапоги, и в кожаной кепке. Это оказалась сноха Горького (жена его сына Максима). Одета она была, очевидно (по ее мнению), как заправская «чекистка». Наряд был обдуман! На Горьком была кепка, задранная назад по пролетарской моде того времени (в подражание Ленину). За Горьким приехала монастырская коляска с бог знает откуда добытой лошадью. Это меня поразило. Место, где он ждал коляску, я смог бы и сейчас указать точно...

Мы все очень обрадовались — все заключенные. «Горький-то все увидит, все узнает. Он опытный, его не обманешь. И про лесозаготовки, и про пытки на пеньках, и про Секирку, и про голод, болезни, трехъярусные нары, про голых, и про „несудимых сроках“... Про все-все!» Мы стали ждать. Уже за день или два до приезда Горького по обе стороны прохода в трудколонии воткнули для декорации срубленные в лесу елки. Из Кремля каждую ночь в соловецкие леса уходили этапы, чтобы разгрузить Кремль и нары. Персоналу в лазарете выдали чистые халаты.

Ездил Горький по острову со своей «кожаной спутницей» немного. В первый, кажется, день пришел в лазарет. По обе стороны входа и лестницы, ведшей на второй этаж, был выстроен «персонал» в чистых халатах. Горький не поднялся наверх. Сказал: «не люблю парадов» — и повернулся к выходу. Был он и в трудколонии. Зашел в последний барак направо перед зданием школы. Теперь (80-е гг.) это крыльцо снесено и дверь забита. Я стоял в толпе перед бараком, поскольку у меня был пропуск и к трудколонии я имел прямое отношение.

После того как Горький зашел, через десять или пятнадцать минут, из барака вышел начальник трудколонии, бывший командарм Иннокентий Серафимович Кожевников со своим помощником Шипчинским. Затем вышла часть колонистов. Горький по его требованию остался один на один с мальчиком лет четырнадцати, вызвавшимся рассказать Горькому «всю правду» — про все пытки, которым подвергались заключенные на физических работах. С мальчиком Горький оставался не менее сорока минут (у меня уже были тогда карманные серебряные часы, подаренные мне отцом перед самой Первой мировой войной и тайно переданные мне на острове при первом свидании). Наконец Горький вышел из барака, стал ждать коляску и плакал на виду у всех, ничуть не скрываясь. Это я видел сам. Толпа заключенных ликовала: «Горький про все узнал. Мальчик ему все рассказал!»

Затем Горький был на Секирке. Там карцер преобразовали: жердочки вынесли, посередине поставили стол и положили газеты. Оставшихся в карцере заключенных (тех, кто имел более или менее здоровый вид) посадили читать. Горький поднялся в карцер и, подойдя к одному из «читавших», перевернул газету (тот демонстративно держал ее «вверх ногами»). После этого Горький быстро вышел. Ездил он еще в биосад — очевидно, пообедать или попить чаю. Биосад был как бы вне сферы лагеря (как и лисий питомник). Там очень немногие «специалисты» жили сравнительно удобно.

Больше Горький на Соловках, по моей памяти, нигде не был. Горький со снохой взошел на «Глеба Бокого», и там его уже развлекал специально подпоенный монашек из тех, про которых было известно, что выпить они «могут»...

А мальчика не стало сразу. Возможно, даже до того, как Горький отъехал. О мальчике было много разговоров. Ох, как много. «А был ли мальчик?» Ведь если он был, то почему Горький не догадался взять его с собой? Ведь отдали бы его... Но мальчик был. Я знал всех колонистов.

Но другие последствия приезда Горького на Соловки были еще ужаснее. И Горький должен был их предвидеть.

Горький должен был догадаться, что будет сделана попытка свалить все «непорядки» в лагере на самих заключенных. Это классический способ уйти от ответственности. Сразу после отъезда Горького начались аресты и стало вестись следствие. Любопытна такая деталь. Когда Горький со снохой и сопровождающими его гэпэушниками приехали на Попов остров в Кеми, где они должны были сесть на пароход «Глеб Бокий», там на ветру и холоде работала на погрузке-разгрузке партия заключенных в одном белье (никакой казенной одежды, кроме нижнего белья, в лагерях того времени не выдавалось). Скрыть эту раздетую до белья партию было невозможно. Попов остров, где была пристань, и то без крыши от непогоды, был совершенно гол и продуваем. Я это хорошо знаю, так как мы сами грузились на «Глеба Бокого» часа дватри (после груза обычного наступала очередь полузамерзших и живых). Командовал при Горьком группой (партией) заключенных уголовник, хитрый и находчивый, и он «догадался» — как скрыть на голом острове голых заключенных. Он скомандовал: «Стройся», «Сомкни ряды», «Плотнее, плотнее» (здесь шли рулады матерной брани), «Еще плотнее! такие-сякие!!!», «Садись на корточки», «Садись, говорю, друг на друга, такие-сякие!!!». Образовалась плотная масса человеческих тел, дрожавших от холода. Затем он велел матросам принести брезент и паруса (на «Боком» были еще мачты). Всех накрыли. Горький простоял до конца погрузки на палубе, балагуря и фамильярничая с лагерным начальством. Прошло порядочно времени.

Только когда «Бокий» отплыл на достаточное расстояние, брезенты сняли. Что под этими брезентами было — вообразите сами. Вскоре после отъезда Горького начались беспорядочные аресты среди заключенных. Оба карцера — на Секирке и в Кремле — были забиты людьми.

Слышал я и следующий рассказ. Еще до приезда Горького в Соловецкий лагерь на отделении в Кеми появлялась комиссия из Европы Томсона, договорившаяся в Москве, что они будут ходить свободно по лагерю, куда им будет угодно, и свободно разговаривать с заключенными. Члены комиссии жили в Кеми в квартире кого-то из начальников лагеря, который якобы уехал в отпуск. Они собрали большой материал на материке, фотографировали, записывали. Однако одному опытному карманнику было дано задание — украсть весь материал. Он мобилизовал сподручных, они устроили давку вокруг комиссии, срезали фотоаппарат и украли документы, записные книжки из карманов (ясно — с помощью подручных). За это лагерное начальство расплатилось с ним несколькими килограммами муки и другой натурой («цена чести в нашей державе»). Комиссия уехала ни с чем. Но была ли она на самом острове — не знаю.

В том же 1929 г. поздним летом над Соловками разразилось и другое несчастье. Впрочем, могло ли произойти что-то «новое» в том фантастическом кошмаре, в который были погружены Соловки?

Однажды утром в Кабинет явился подросток-колонист и вручил А. Н. Колосову большой сверток: свернутую в трубку ватманскую бумагу. Развернув его, Колосов побледнел и долго сидел в задумчивости. Наконец он попросил сходить в низ управления, где размещалась с монастырских времен типография, и пригласить к себе заведующего типографией Молчанова. Молчанов пришел. Помню, что первое время оба, Молчанов и Колосов, тихо говорили между собой, читая и разглядывая большой лист ватманской бумаги. Затем к совещанию пригласили всех сотрудников. Лист ватманской бумаги оказался манифестом о вступлении на всероссийский престол Иннокентия I Серафимовича Кожевникова. Обещалась амнистия всем заключенным, предлагалось захватить соловецкие суда, захватить Кемь и двигаться на Петроград.

Что делать? Если это «шутка», то она угрожала жизнью всем, кто прочел этот «манифест», включая мальчишку. Решили, впрочем, сбегать к Кожевникову и узнать, в чем дело.

Пошедший вернулся с опрокинутым лицом. Кожевников поверку в трудколонии не принимал. Его нет, нет Шипчинского, окно в их комнате открыто. Тогда с выражением страдания на лице (он действительно страдал морально) Колосов поднялся, и вместе с Молчановым они пошли в ИСЧ (информационно-следственную часть), одна из комнат которой помещалась на втором этаже здания УСЛОНа. А весь лагерь уже кипел. Слухи не ползли — летели. Говорили — к берегам острова подошла миноноска и взяла Кожевникова на борт. Начались поиски. Никто не сомневался, что это хорошо организованный побег. Кожевников якобы решил перед бегством даже посмеяться над начальством, «издав» манифест. Весь лагерь ликовал. Но вот дошел слух: Кожевников и Шипчинский пытались убить часового у порохового склада, стоявшего в поле справа от Филимоновской дороги. Значит, они не бежали, скрываются на острове.

Каждый день поступали различные сведения: видели! не видели! Следы их пребывания обнаружены там-то. Напряжение в лагере было страшное. Примерно через две недели обоих захватили. Они сопротивлялись у какой-то елки, под которой жили. Был у них топор. Отбивались топором. Приказ был — захватить живыми.

Помню отлично чей-то крик: «Ведут, ведут!» Мы бросились к окнам Кримкаба. Я ясно вижу. Первым волокут в бессознательном состоянии грузного Кожевникова. Волокут под руки. Ступни ног выворочены, тащатся по мосткам, ведущим прямо на второй этаж УСЛОНа. Голова висит. Лысина в крови. За ним ведут с выкрученными назад руками Дмитрия Шипчинского. Он идет гордо, но странно дергаясь. Как шел допрос — не знаю.

Оказалось: Кожевников сошел с ума, Шипчинский же решил его не покидать. Жили они в лесу (уже была осень). Хлеб им давал «ковбой» Владимир Николаевич Дегтярев, живший в дендрологическом питомнике. Этот мужественный человек был невысок, ловок. У него были ковбойские перчатки и ковбойская шляпа. Когда-то он учился в гимназии Мая в Петербурге (в «моей» гимназии). Решил бежать в Америку еще до

Первой мировой войны. После революции вернулся. Поплатился десятью годами. Он был великолепный чудак. Отказывался ходить в Кремль пешком. Ему дали козла. Всю дорогу до Кремля (когда ему нужно было туда явиться) он вел козла, но перед Никольскими воротами садился на него верхом и, въезжая, выхватывал из-за раструбов своих перчаток пропуск для предъявления часовому. Почему разрешалась ему вся эта игра — не знаю. Вероятно, «начальству» нравились не только пьяницы, но и чудаки. Он был совершенно честен. Когда обнаружилось, что он помогал беглецам, я предположил, что его неминуемо расстреляют. Но нет... Уже после моего освобождения, идя с работы как-то пешком по Большому проспекту Петроградской стороны, по которому в те времена ходил трамвай, я изумился: на полном ходу из трамвая выскочил Дегтярев, подбежал ко мне (с площадки заметил) и сказал, что работает лесничим в каком-то заповеднике в Средней Азии. С приветственным возгласом «Привет вам с (какого-то) Алатау!» он бросился за следующим трамваем и исчез. Значит, жив! И я был рад, как только мог.

О Кожевникове рассказывали, будто он остался жив. Его якобы видели в Москве, не то входящим, не то выходящим из Кремля. Сказались, как говорили, прежние революционные заслуги, заслуги в Гражданской войне, связи[1], однако Шипчинского расстреляли и многих с ним. Испуганное начальство решило прибегнуть к острастке. Начались новые аресты. Пеклось какое-то дело о попытке восстания, но потом и дела не стали стряпать.

---

[1] После моего рассказа по телевидению о деле Кожевникова я получил письмо из Набережных Челнов от Сафин Мансура, где он писал мне: «Вы говорили о командарме (партизанской армии) Иннокентии Кожевникове, воевавшем в Гражданскую войну на нашем Прикамье, а в составе его армии было несколько тысяч челнинцев, т. е. моих земляков. В музее истории города и края у нас есть экспозиция, посвященная храброму командиру Иннокентию Кожевникову, но, к сожалению, абсолютно нет материалов, посвященных его дальнейшей жизни (после Гражданской войны), и ни слова о его пребывании на Соловках...»

Расстрелянных списывали как умерших от тифа. Возможно, что расстрелы по обоим делам и суммировались в общей цифре 300–400 человек. Во всяком случае, раз был А. Н. Колосов, значит это было ранее его отъезда — поздней осенью 1929 г. Тяжесть человеческих утрат меня давила. Особенно жалко мне было тщедушного Шипчинского — всегда веселого и несгибаемого.

Начальник КВЧ (культурно-воспитательной части), в которой работал Шипчинский (трудколония подчинялась КВЧ), перед советским праздником спросил Шипчинского: «Придумай мне лозунг, из которого ясно было бы, что у нас на Соловках делается все для социально близких — рабочих и крестьян». Шипчинский[1] выпалил: «Соловки — рабочим и крестьянам». Начальник (все тот же Д. В. Успенский) ответил: «Во здорово!» — и приказал писать плакат. Я передаю, конечно, только смысл разговора, о котором рассказывал Шипчинский. Возможно, стрелял в затылок Шипчинского именно Успенский.

А у Шипчинского перед расстрелом возник какой-то роман с молоденькой хромой балериной (ногу ей перебили на следствии). Им удавалось как-то видеться. После трагической гибели Шипчинского мне особенно было жалко их обоих.

Осенью 1931 г. один мальчик, работавший в канцелярии ИСЧ (информационно-следственной части управления), спросил меня — хочу ли я посмотреть свое дело. А меня к этому времени упорно не вывозили на материк в Белбалтлаг. Он провел меня поздно вечером в комнату второго этажа управления, поразившую меня отсутствием окон и сплошь заставленную стеллажами с делами заключенных. Он показал мне стандартную (типа школьной) тетрадочку, содержавшую анкетные данные (статья УК, срок и т. п.), но на которой сверху была крупная надпись: «Имел связь с повстанцами на Соловках». Дела эти, видимо, сохранились в Петрозаводске. Любо-

[1] В отрывке моих «Воспоминаний», напечатанных в другом месте, я называю ошибочно Казарновского как автора этого «лозунга».

пытно было бы взглянуть на эту короткую отметку, чуть не лишившую меня жизни и сделавшую меня «невыездным» на Соловках в течение почти всего 1931 г., когда все мои друзья уже перебрались в Медвежью Гору на строительство Беломоробалтийского канала.

В конце 1929 г. на острове вспыхнула вторая эпидемия тифа. Тиф этот был странный. Его фактически не лечили. Камеры, где появлялись больные, запирались до тех пор, пока в них все не умирали. Кипяток и обед подавали через приоткрываемую щель. Театр закрыли: там вповалку лежали больные из общих рот. Когда больной уже начинал терять сознание, к нему подходил санитар, теребил и спрашивал: «Фамилия, фамилия!» Фамилию записывал химическим карандашом на левой руке у кисти, предварительно плюнув на нее. Путаница в делах заключенных появилась страшная. Умиравшие в бреду уползали со своих мест. Шпана с большими сроками менялась фамилиями с умиравшими, у которых сроки были маленькие.

А предположение о том, что «азиатский тиф» был именно чумой, появилось по простой причине: на теле заболевших «азиатским тифом» выступали черные пятна или черные бляшки (я уже забыл, так как сам их не видел: к заболевшим не пускали).

В седьмой роте, где я жил с лета 1929 г., заперта была первая камера слева (окна ее глядели в сторону моря, и там раньше жил Володя Свешников-Кемецкий). В этой камере оказался недавно привезенный молодой писатель-москвич, с которым я успел подружиться. Он выпустил роман, который я уже давно ищу, — не то «Север и Юг», не то «Юг и Север». Он говорил мне, что для России гораздо важнее проблема Юга и Севера, чем Запада и Востока. Он был совершенно здоров, когда кто-то в его камере заболел. Его заперли со всеми, и я переговаривался с ним через дверь. Когда он почувствовал, что умирает, он попросил передать его жене серебряную ложку. Он подсунул ее под дверь. Ложечка была меньше чайной и согнута. Я ее помню лучше, чем его лицо и лицо его жены, вопреки всем правилам лагеря все же приехавшей на Соловки летом 1930 г. «на могилу мужа». Могила была одной из ям, и нельзя было даже установить, в какой из них лежит ее муж. Фамилию молодого писателя и название его первой книги я полностью забыл.

Поздно осенью 1929 г. ко мне еще раз приехали на свидание (разрешалось два свидания в год) родители. Мы жили в комнате какого-то вольнонаемного охранника (были охранники и из заключенных), с которым родители познакомились на «Глебе Боком» и договорились с ним о его комнате за какую-то плату. Комната его была в гостинице (бывшая «Петроградская»), что на горушке сзади УСЛОНа. Там помещалась и фотография для вольнонаемных, где меня трижды в разное время снимали с родителями, по разрешению Мельникова, и лечпункт с главным лекпомом Григорием Григорьевичем Тайбалиным. Тайбалин, кстати, писал стихи (поэму о его пребывании на Соловках) и взял к себе работать не говорившего по-русски старика — «лучшего певца Старой Бухары». Из окон нашей комнаты, обращенной в сторону сельхоза, мы видели, как изнеженные восточные люди в шелковых халатах и шелковых сапогах на высоких каблуках что-то делали. Вскоре все эти «басмачи», как их именовало начальство, вымерли, не выдержав ни холода, ни работы... Но память о них осталась: зимой 1929–1930 гг., как я уже писал, на острове начался страшный «азиатский тиф».

Я жил у родителей, аресты шли. Под конец их пребывания ко мне пришли вечером из роты и сказали: «За тобой приходили!» Все было ясно: меня приходили арестовывать. Я сказал родителям, что меня вызывают на срочную работу, и ушел: первая мысль была — пусть арестовывают не при родителях! Я пошел к Александру Ивановичу Мельникову, в комнату, где он жил над шестой ротой у Филипповской церкви. Стучусь, он не открывает. Но уйти он не мог. Я стучусь все громче. Наконец Мельников мне отворяет. Он одет. За столом сидит молодая женщина — я ее знал, она была схвачена по делу о фальшивых деньгах. Значит, не отворял потому, что свидание!

Увидев меня, Мельников успокоился.

Успокоился и сделал мне строгое внушение. Смысл этого внушения состоял в следующем: «Если за вами пришли — нечего подводить других. За вами могут следить». Дверь передо мной захлопнулась. Я понял, что поступил плохо. Ведь и он мог быть подведен под расстрел. Помимо расстрелов по ложным обвинениям в жестокостях, расстреливали и мнимых «повстанцев», а также просто «строптивых» заключенных. В основном расстрелы шли 28 ноября 1929 г. за Кремлем на кладбище. Однако массовые расстрелы были и в другие дни под Секиркой, на Анзере, в Савватиеве. Расстрелянных без постановлений списывали как умерших от болезней.

Сквозь события этой ночи вспомнилась мне и еще одна деталь. Летом 1929 г. до расстрелов приезжала к Мельникову его жена Ольга Дмитриевна — знакомая моей матери. Оба пригласили меня на чай. Я видел: оба расстроены. Наконец жена спросила меня, и Мельников подтвердил вопрос: изменяет ли он (Мельников) семье? Вопрос был для меня неожидан. Я совершенно ничего не знал. Решил, что вопрос этот — шутка, и решил ответить шуткой: «Да, надо бы пожаловаться...» и пр. После Мельников сделал мне краткий выговор: «Если не знаете — и говорите, что не знаете». И все-таки глупость моего ответа, мне кажется, успокоила жену Мельникова: если бы что-то было, я бы не стал шутить, а врал бы серьезно. Все это мелькало в моем мозгу: ведь какого страха натерпелись оба, Мельников и его любовница, когда я к ним безумно стучался.

Выйдя на двор, я решил не возвращаться к родителям, пошел на дровяной двор и запихнулся между поленницами. Дрова были длинные — для монастырских печей. Я сидел там, пока не повалила толпа на работу, и тогда вылез, никого не удивив. Что я натерпелся там, слыша выстрелы расстрелов и глядя на звезды неба (больше ничего я не видел всю ночь)!

С этой страшной ночи во мне произошел переворот. Не скажу, что все наступило сразу. Переворот совершился в течение ближайших суток и укреплялся все больше. Ночь была только толчком.

Я понял следующее: каждый день — подарок Бога. Мне нужно жить насущным днем, быть довольным тем, что я живу еще лишний день. И быть благодарным за каждый день. Поэтому не надо бояться ничего на свете. И еще — так как расстрел и в этот раз производился для острастки, то, как я потом узнал, было расстреляно какое-то ровное число: не то триста, не то четыреста человек, вместе с последовавшим вскоре. Ясно, что вместо меня был «взят» кто-то другой. И жить надо мне за двоих. Чтобы перед тем, которого взяли за меня, не было стыдно! Что-то было во мне и оставалось в дальнейшем, что упорно не нравилось «начальству». Сперва я валил все на свою студенческую фуражку, но я продолжал ее упорно носить до Белбалтлага. Не «свой», «классово чуждый» — это ясно.

К родителям я уже в тот день вернулся спокойный. Не знаю: снялся ли я с родителями до той ночи или позже. На одной я сфотографирован с родителями и моим младшим братом, но брата в тот приезд осенью 1929 г. не было. Значит, я там, где нас трое, а не четверо. Четверо — это на первой фотографии — весной 1929 г.

Вскоре поступило распоряжение прекратить свидания заключенных с родными. Мои родители уехали за несколько дней до конца срока свидания. Уехала и жена Г. М. Осоргина. Он вернулся в карцер, а я в третью роту.

28 октября 1929 г. по лагерю объявили: все должны быть по своим ротам с какого-то (не помню) часа вечера. На работе никто не должен оставаться. Мы поняли. В молчании мы сидели в своей камере в третьей роте. Раскрыли форточку. Вдруг завыла собака Блек на спортстанции, которая была как раз против окна третьей роты. Это выводили первую партию на расстрел через Пожарные ворота. Блек выл, провожая каждую партию. Говорят, в конвое были случаи истерик. Расстреливали два франтоватых (франтоватых по-лагерному) с материка и наш начальник культурно-воспитательной части Дм. Вл. Успенский. Про Успенского говорили, что его загнали работать на

Соловки, чтобы скрыть от глаз людей: он якобы убил своего отца (по одним сведениям, дьякона, по другим — священника). Срока он не получил никакого. Он отговорился тем, что «убил классового врага». Ему и предложили «помочь» при расстрелах. Ведь расстрелять надо было 300 или 400 человек.

С одной из партий получилась «заминка» в Святых (Пожарных) воротах. Высокий и сильный одноногий профессор баллистики Покровский (как говорят, читавший лекции в Оксфорде) стал бить деревянной ногой конвоиров. Его повалили и пристрелили прямо в Пожарных воротах. Остальные шли безмолвно, как завороженные. Расстреливали против женбарака. Там слышали, понимали — начались истерики.

Могилы были вырыты за день до расстрела. Расстреливали пьяные палачи. Одна пуля — один человек. Многих закопали живыми, слабо присыпав землей. Утром земля над ямой еще шевелилась...

Мы в камере считали число партий, отправляемых на расстрел, — по вою Блека и по вспыхивавшей стрельбе из наганов.

Утром мы пошли на работу. К этому времени наш Кримкаб был уже переведен в другое помещение — комнату налево от входа, рядом с уборной. Кто-то видел там перед умывальником Успенского, смывавшего кровь с голенищ сапог. Говорят, у него была приличная жена...

У Осоргина тоже была жена. Я ее помню — брюнетка, выше его ростом. Мы встретились у Сторожевой башни, Георгий Михайлович меня представил. Какую надо было иметь выдержку, чтобы не сказать жене о своей обреченности, о готовящемся...

А Блек убежал в лес. Он не пожелал жить с людьми! Его искали. Особенно искали Успенский и начальник войск Соловецкого архипелага латыш Дегтярев по прозвищу Главный Хирург (он обычно расстреливал одиночек под колокольней). Однажды я видел его бегающим в длинной шинели в толпе заключенных с «монтекристом», стреляющим в собак. Раненые собаки с визгом разбегались. Полы длинной «чекистской шинели» хлопали по голенищам... После той ночи с воем Блека Дегтярев возненавидел собак. А за камень, пущенный в чайку, заключенного чуть ли не расстреливали.

Уже после расстрела на поверках заключенным читали приказ о расстреле «за жестокое» обращение с заключенными (какое лицемерие!). Были в приказе разные люди — и те, что действительно были жестоки, и те, на которых были свалены разные беды, а других расстрелянных даже и не упоминали. Велись расстрелы и на Секирке. Лагерь освобождали от «лишних». Мне кажется, не были прочитаны в приказе имена Георгия Михайловича Осоргина, Фицтума, Сиверса и многих других. К счастию, Н. П. Анциферов, находившийся в карцере на Секирке, в число осужденных не попал и был увезен назад в Кемь.

Третье (и последнее) на Соловках свидание с родителями у меня было ранним летом 1930 г. на вытащенном на берег катере (или большой моторной лодке). Помню, что укрытие это было очень ненадежным и в единственную каюту с кроватью-нарами проникал холод, а сверху через щели в палубе мочил дождь. Около катера стоял на посту епископ, кажется Смоленский, с очень густыми светлыми волосами. Особенно поражала его борода — как войлок и такого же цвета, разве что чуточку светлее. У него были очки в золоченой оправе, и очень трудно было определить его возраст. Во всяком случае, для епископа он был необычно молод. Епископ этот обратился к моему отцу (помимо меня) с просьбой передать послание его пастве. Отец согласился, но я по какому-то инстинкту запретил отцу это делать. И впрямь, через год я встретил развеселого молодого человека, с бритым лицом в обычной одежде заключенного. «Вы меня не узнаете?» — и хохочет. Видно, духовенство его разоблачило.

Возвращаюсь к хронологии. В 1931 г. на остров родители ко мне не приезжали. Меня должны были отправить в Кемь и на Медвежью Гору, но я был «невыездной» (об этом выше). Свидание состоялось на Медвежьей Горе осенью.

Соловецкий музей

Самым примечательным для меня местом на Соловках был Музей. Многое в его существовании если не загадочно, то, во всяком случае, удивительно. Во главе Соловецкого общества краеведения в середине 20-х гг. стоял эстонец Эйхманс (его фамилию в воспоминаниях бывших соловчан часто пишут «Эйхман» — это неправильно). Человек относительно интеллигентный. Получилось так, что из заведующего Музеем он стал начальником лагеря, и при этом чрезвычайно жестоким. Но к Музею он питал уважение, и Музей даже после его отъезда вплоть до трагического лета 1932 г. сохранял особое положение. Сохранялся, в частности, Преображенский собор (пожар 1922 г. коснулся только его куполов). В нем блистал золотом великолепный иконостас, созданный на деньги, пожертвованные Петром Великим. Количество икон было около 200–250. В алтаре висело чудо резного искусства — сень. Сохранилась и надвратная Благовещенская церковь с основной музейной экспозицией. В ж. «Соловецкие острова» (1926, № 2–3) напечатана статья В. Никольского «Иконографическое собрание Соловецкого монастыря». Из нее ясно: в алтаре Благовещенского собора (начат в 1596 г., окончен в 1601 г.) было более 500 икон. Среди них чудотворные — Сосновская и Славянская. Перед последней молился митрополит Филипп, когда был игуменом монастыря. На иконе была надпись: «Моление игумена Филиппа» (7 1/2 на 9 1/2 вершков с басменным окладом). Приписывалась монахами эта икона самому Рублеву. На левой руке Богоматери Младенец. Одной рукой Он касается щеки, другой старается обнять (тип Владимирской?). Где эта икона сейчас — не знаю. Врата в Благовещенской церкви были выполнены в 1633 г. по вкладу келаря Троице-Сергиевой лавры Александра Булатникова, и резал их «мастер лавры Лев Иванов». Это чудо искусства было уничтожено летом 1932 г. по требованию комиссии, приезжавшей на Соловки из Москвы и расправлявшейся со всеми остатками «монашеского дурмана».

Печатались труды Музея — сперва типографским способом в бывшей монастырской типографии, помещавшейся в первом этаже УСЛОНа на пристани, а потом — каким-то множительным аппаратом. Эти последние издания я пытался искать по ленинградским библиотекам в последние годы, но не нашел.

Примерно с 1927 г. заведующим Музеем стал заключенный Николай Николаевич Виноградов. Он имел уголовную статью (67 УК), говорят — за присвоение из костромских музеев каких-то ценных экспонатов. Одним словом, он не был «политическим» и поэтому к нему было особое снисходительное отношение начальства. В те годы еще не «прикрывали» политических заключенных уголовными статьями, скорее наоборот — за уголовным делом стремились видеть политическую диверсию. Сперва Н. Н. Виноградов был заместителем заведующего, а потом — сразу по своем освобождении — вольнонаемным заведующим Музеем. Это было в 1929 г. весной, и тогда он съездил в Ленинград позаниматься в архиве Синода делами дяди Пушкина Павла Исаковича Ганнибала — бывшего заключенного Соловков после декабристского восстания. Этими материалами уже занимался в свое время Б. Л. Модзалевский. Н. Н. Виноградову удалось установить кое-что дополнительно, и он, с большим подъемом, сделал в Музее доклад о Павле Исаковиче. На докладе этом присутствовал и я, получив плитку шоколада «Тип-Топ», которую он привез для меня из Ленинграда от родителей.

Но дело не в плитке шоколада. Дело в том, что Н. Н. Виноградов, каким бы темным ни было его прошлое (а оно было отнюдь не благополучным в моральном отношении), делал очень много для оказавшейся на Соловках интеллигенции, в том числе и для молодых художников и поэтов, которых было в лагере немало.

У Н. Н. Виноградова был простецкий вид и умение быть «своим» среди лагерного начальства. В каком-то отношении он умел быть циником, говорить то, что нравилось начальству, бранился матом, а это, как известно, до сих пор очень ценится в этой среде. Я очень хорошо помню его на постановке замятинской «Блохи» по лесковскому рассказу «Левша». Постановка была замечательной, и она шла под навязчивый частушечный напев «Николай, давай покурим». Музыку сочинил «мейеровец» Вальгардт. Я был недалеко от Николая Николаевича, когда он подошел к одному из начальников лагеря, которого тоже звали Николаем, предложил ему папироску и негромко спел «Николай, давай покурим». Меня поразило, как ловко на моих глазах он благодаря этому приему перешел со своим начальником на «ты».

Ему ничего не стоило изобразить из себя циничного антирелигиозника и вместе с тем сохранить многое из церковных ценностей в Благовещенской церкви, назвав ее «антирелигиозным отделом музея». Он явно был неверующим, хотя в своей Костромской области был некоторое время сельским священником. В Музее у него работал лектором А. Б. Иванов, имевший среди заключенных самую дурную репутацию. Иванов был карликового роста, и его звали «антирелигиозной бациллой» или еще — «кусочком сволочи»[1].

Когда Николая Николаевича заставляли отдавать для шкатулочной мастерской на Анзере иконы, он стремился отделываться только самыми малоценными, для чего он создал даже особый их запас.

Однажды Виноградов подошел ко мне, когда я вечером сидел в Музее, чтобы не ходить в роту (выхлопотал мне это разрешение Виноградов, через моего знакомого делопроизводителя адмчасти А. И. Мельникова). Я составлял опись наиболее ценных икон в алтаре. Николай Николаевич сунул мне акт о вскрытии мощей Зосимы и Савватия, молча указав пальцем на одну важную деталь: в одной из рак при вскрытии был

---

[1] До своего ареста благодаря своему маленькому росту А. Иванов был служкой новгородского митрополита, затем — антирелигиозным деятелем. В каких-то своих статьях он «оклеветал» новгородскую партийную организацию. Был посажен за кражи в особо больших размерах церковных ценностей. Его «труды» полны выдумками — главным образом в антирелигиозных целях. Верить им никак нельзя.

«обнаружен» окурок папиросы советского времени. Эта деталь ясно свидетельствовала, что до официального вскрытия в раку лазил кто-то, кто при этом курил советскую папироску. Этим Николай Николаевич явно хотел показать цену «вскрытия».

Юлия Николаевна Данзас в своих воспоминаниях, написанных во Франции, чрезвычайно резко отзывается о Музее, называя его «антирелигиозным», а также о самом Н. Н. Виноградове и о его сотрудниках, заявляя при этом, что она решительно отказалась водить антирелигиозные экскурсии. Вряд ли Н. Н. Виноградов заставлял ее водить такие экскурсии: для этого у него был сподручный негодяй — А. Б. Иванов. Напротив, Н. Н. Виноградов всячески спасал интеллигенцию и никого ни к чему не принуждал. Спас он от «общих» (физических) работ и саму Юлию Николаевну, прежде чем она перешла потом на работу в Криминологический кабинет. Кстати, когда освободили заведующего Криминологическим кабинетом А. Н. Колосова (и само существование кабинета было под сомнением), Н. Н. Виноградов «торговал» меня у начальника КВЧ (культурно-воспитательной части) за несколько церковных риз, которые готов был дать в обмен за меня для театра. Так я оказался предметом настоящей работорговли. К счастью для меня, кабинет не закрыли. Но об этом в дальнейшем.

Еще до моего приезда на Соловки Виноградов устроил работать в Музее известного художника Осипа Эммануиловича Браза[1], добыв ему бумагу и акварельные краски и получив на него разрешение свободно писать акварели за пределами Кремля, якобы «для увековечения замечательного достижения перевоспитания». О. Э. Браз нарисовал несколько десятков прекрасных пейзажей, выставленных затем на хорошо освещенных хорах Благовещенской церкви. Впоследствии мне говорили, что акварели эти находились в Казанском соборе —

[1] Кстати, Бразу принадлежит, бесспорно, лучший из портретов Чехова, сделанный с натуры.

Музее религии и атеизма Академии наук СССР. Куда они делись затем — не знаю.

Когда на Соловки прибыло два студента украинских художественных училищ — один из Киева, а другой из Чернигова — Петраш и Вовк, Н. Н. Виноградов и их снабдил акварелью и бумагой. Н. Н. Виноградов разбирался в людях и знал, кому следует помогать.

В Музее у Н. Н. Виноградова работало несколько спасаемых им лиц: князь Вонлярлярский, который был настолько стар, что ничего уже не мог делать и ему грозило уничтожение где-нибудь на анзерской Голгофе, хлопотливая «Аленушка» — Елена Александровна Аносова; потом искусствовед и реставратор Александр Иванович Анисимов, из молодежи — бывший бойскаут Дмитрий Шипчинский, о котором Юлия Николаевна Данзас пишет в воспоминаниях, что он был похож на «типичного комсомольца», хотя он всегда был непримирим к советской власти, а через год пошел в лес «в бега» на верную гибель вслед за сошедшим с ума своим старшим другом И. С. Кожевниковым, как уже упоминалось, был пойман и расстрелян. В Музей Н. Н. Виноградов пытался устроить работать М. Д. Приселкова, поручив мне вызволить его из карантина, и устраивал многих других. Каждый вечер, перед сном, с ротных нар и топчанов, где царствовала полутьма едва мерцавших лампочек, он приглашал интеллигентных людей, чтобы слушать доклады, работать над музейными картотеками, просто беседовать, и они на час или другой чувствовали себя в своей среде.

Это он, Николай Николаевич, заботился о сохранении соловецких лабиринтов, тщетно воевал с начальством за сохранение моленных крестов на берегах острова, да и делал многое другое.

Здесь, в Музее, В. С. Свешников-Кемецкий читал свои стихи и волновавшую нас «Сагу об Эрике — сыне Яльмара» — своем легендарном предке по матери, который придет за ним в час смерти и унесет его «в высокую Валгаллу под бряцанье арф и лязг мечей».

Сам Николай Николаевич старался не присутствовать на многих устраиваемых им вечерних собраниях: то ли для того, чтобы не отвечать за них и за все, на них сказанное, то ли чтобы не стеснять свободы нашего общения, ибо знал собственную дурную репутацию из-за своих связей с лагерным начальством.

Когда летом 1932 г. Музей был разорен комиссией из Москвы и остатки его отправлены в Москву и Ленинград по разным запасникам, Николай Николаевич уехал в Петрозаводск, увезя с собой свою незаконно и законно собранную коллекцию древних соловецких рукописей, разысканных им на острове после всех вывозов рукописей в Казань и Петроград в Археографическую комиссию. Где эта коллекция сейчас? Как-то в середине тридцатых годов, когда я работал «ученым корректором» в издательстве Академии наук и ходил обедать в Дом ученых, я встретил там приехавшего из Петрозаводска Николая Николаевича. Он, как всегда, был внешне бодр и крепок, рекомендовал мне поехать летом отдыхать в Кижи к Рябининым, где отдыхал и сам. Но вот пришло известие, что он арестован и расстрелян, а о коллекции его я и до сих пор не могу найти никаких сведений. А был он человек «понимающий» в искусстве, в древностях, хотя и очень загадочный во многих других отношениях.

Архивные сведения о нем собирает в его родном городе Костроме Л. И. Сизинцева. Не перебегая дорогу ее научным интересам, скажу только, что жизнь Николая Николаевича была бурной, главным образом благодаря пережигавшей его душу страсти коллекционера. Он не останавливался ни перед чем. Знаток этнографии, старых вещей, фольклора, древней литературы он был очень большой. Ему принадлежит книга «Повесть о Париже и Вене», изданная по рекомендации А. А. Шахматова, две книги-брошюры о Соловецких лабиринтах, выпущенные на Соловках, множество статей и публикаций, в частности интересная статья в журнале «Соловецкие острова» о художественной ковке на Соловках. Его серьезно ценил до революции А. А. Шахматов в Петербурге, куда он переехал в десятых годах (потом, впрочем, вернулся в Кострому). Он служил секретарем в ж. «Живая старина», сотрудничал в ж. «Русское слово», был членом Императорского Географического общества.

Есть какие-то глухие намеки на его связи с царской охранкой, но нет никаких определенных сведений, что кто-нибудь пострадал от этих связей. Может быть, и в те времена существовало у него сочетание личной нечистоплотности с желанием помогать, избавлять... Возможно ли такое сочетание? Если оно возможно — Николай Николаевич был именно таким. Во всяком случае, сделанное им добро не следует сбрасывать со счетов.

Николаю Николаевичу я был представлен, и именно он дал мне поручение — составить опись икон. Вечерами я сидел в алтаре церкви Благовещения на Святых (тогда уже Пожарных) воротах и рисовал экспозицию «на глаз». Иконы обозначал условно прямоугольниками, ставил на прямоугольниках номера, затем отдельно под номерами обозначал название иконы и примерно (как указывал мне А. И. Колосов и другие) век иконы. Многие иконы, которые теперь изданы или хранятся в музее в Коломенском, мне знакомы, например большая византийская икона (мы ее обозначили как «итало-критскую» — по Н. П. Лихачеву), которую назвали «Нерушимая скала» (Божья Матерь сидит на троне). Был там и «Нерукотворный Спас» Симона Ушакова и др. Все это я рисовал и писал на бумаге из школьных тетрадей. Если бы она нашлась! Это важно для истории Соловков.

Издавал Николай Николаевич на гектографе не то материалы, не то «Записки» СОК (Соловецкого общества краеведения). Узнав, что я писал у Д. И. Абрамовича дипломную работу о повестях о патриархе Никоне, он упрашивал меня выписать ее из Ленинграда от родителей и дать для его предполагаемых новых изданий СОК. Но диплом куда-то пропал вместе с другим дипломом — о Шекспире в России в конце XVIII — начале XIX в. (который я писал у С. К. Боянуса, но не успел защитить).

Работа вечерами в Музее, общение с А. Н. Колосовым, Н. Н. Виноградовым, А. И. Анисимовым дали мне чрезвычайно много для понимания древнерусского искусства. Как и работа в качестве чернорабочего у псковского археолога и реставратора Назимова (мы занимались обмерами сушила).

У меня хранится акварель молодого художника Петраша из Чернигова (там, как и в Киеве, была арестована большая группа молодежи за принадлежность к двум организациям — Союзу украинской молодежи — СМУ и Союзу вызволения Украины — СВУ). На акварели (ее подарил мне уже в Ленинграде Э. К. Розенберг) изображен простенок между зданием Музея и крепостной стеной (вид, кажется, из окна комнаты Н. Н. Виноградова).

Поскольку я коснулся вопроса о судьбе крупнейшего нашего специалиста по древнерусскому искусству — А. И. Анисимова, приведу полностью мое письмо о нем в газету «Советская культура», опубликованное под заголовком: «И документы могут ошибаться» (по поводу заметки «По приговору Тройки», подписанной Е. Кончиным в рубрике «Продолжение темы» в номере «Советской культуры» от 14 апреля 1990 г.).

«Газета „Советская культура“ второй раз возвращается к теме о судьбе замечательного искусствоведа и реставратора икон А. И. Анисимова, последние работы которого собрал и недавно издал Г. И. Вздорнов.

В документе, который сообщен Комитетом государственной безопасности Карельской АССР и который цитируется в статье, сказано, что для отбытия десятилетнего срока заключения по приговору Коллегии ОГПУ (Тройки) А. И. Анисимов „прибыл в Беломорско (так!)-Балтийский исправительно-трудовой лагерь 16 апреля 1931 г.“. Это не так. Я сидел с ним несколько месяцев в одной камере в седьмой роте, где сейчас расположены запасники Соловецкого историко-архитектурного и природного музея. На Соловки он прибыл не ранее мая 1931 г. (в мае только открывалась навигация). Его тотчас же выручил с „общих (физических) работ“ и устроил у себя заведующий Музеем Соловецкого общества краеведения Николай Николаевич Виноградов.

В Соловецком музее того времени оставалось много исключительно ценных икон большого размера, которые не смогла вывезти экспедиция будущего академика Б. Д. Грекова в начале 20-х гг., спасшая много рукописей и икон первой категории.

В Соловецком музее на хорошо освещенных хорах надвратной Благовещенской церкви А. И. Анисимов реставрировал большого размера великолепную икону символического содержания. Когда мог, я приходил к нему на хоры и следил за его кропотливой работой. В камере А. И. Анисимов был аккуратен, медлителен, сам себе готовил на ротной плите какие-то кашки. И при этом он был исключительно деятелен — тип поведения совершенно для меня до того незнакомый. Два или три раза летом 1931 г. Николай Николаевич получал для него пропуск за пределы Кремля, и он приносил из своих длительных прогулок ягоды и зелень, которую знал он один. Он много рассказывал и при этом как бы „назначал" свои доклады. Один доклад был о реставрации им иконы Владимирской Божьей Матери, при этом он читал поэму Максимилиана Волошина о Владимирской Божьей Матери. Подробно он рассказывал и о своем деле, по которому был арестован. Он не скрывал своего возмущения продажами и вывозами из страны произведений искусства. И вот что он утверждал: если страна не ценит своих сокровищ, пусть они уходят из этой страны, но они должны быть проданы в крупные музеи или известным коллекционерам, и ни в коем случае не „депаспортизироваться". Происхождение икон не должно быть скрыто. Нельзя распродавать в разные руки цельные собрания икон: деисусные чины и т. д. Цены на иконы были столь дешевы, что богатые люди покупали иконы для модных одно время шахматных досок, в которых черными клетками являлись остатки древней живописи. Поэтому А. И. Анисимов, имея дело с иностранными покупателями, заботился о дальнейшей судьбе продаваемых икон, рекомендовал иконы в „хорошие руки". Эти общения его с иностранцами и послужили поводом для обвинения в „шпионаже" (в пользу Швейцарии, кстати).

В 1931 г. начался массовый вывоз с Соловков „рабочей силы“ на подготовляемый к строительству Беломоробалтийский канал. Жизнь на Соловках становилась невыносимой. Меня долго не выпускали. Вывезли меня с последним рейсом парохода „Глеб Бокий“ в конце октября — начале ноября. А. И. Анисимов остался на Соловках. Я не терял с ним связи. Весной 1932 г. на Соловки приехала „комиссия“ — какая, не знаю. Эта комиссия, зайдя в Музей, пришла в ярость: „пропаганда религии“. Икону, которую А. И. Анисимов ценил особенно, считая ее первой в ряду символических икон конца XV в., на его глазах разбили. А. И. Анисимов заболел сердцем. Музей закрыли. Н. Н. Виноградов стал жить в Петрозаводске, увезя с собой свое личное собрание, мелкие предметы и рукописи из Соловецкого музея. Остатки Музея в разбитом состоянии были частично переданы Историческому музею в Москве (знаменитая соловецкая сень выставлена сейчас в музее села Коломенского, ценнейший семиконечный крест с острова Кий с тремястами мощами передан Церкви). Оставался еще замечательный иконостас Преображенского собора. Он был уничтожен по приказу начальника Школы юнг значительно позднее[1].

Возвращаясь к судьбе А. И. Анисимова, скажу только, что осенью 1932 г. он работал уже на трассе Беломоробалтийского канала. Вдова Максимилиана Волошина Мария Степановна говорила мне, что после смерти Волошина А. И. Анисимов и несколько других заключенных нашли в лесу старообрядческую часовню и отслужили там по „Максу“ заупокойную службу, о чем так мечтал сам поэт. Умер Волошин, как известно, 11 августа 1932 г. Значит, к этому времени А. И. Анисимов успел освоиться в Белбалтлаге настолько, что снова, как и на Соловках, добился разрешения на выход в лес. Дальнейшая судьба А. И. Анисимова мне неизвестна. Неизвестна она

---

[1] Мне рассказывали, что по его же распоряжению была уничтожена (сожжена) замечательная библиотека, собранная из книг, присылавшихся заключенным. Впрочем, вина лежала, очевидно, на высшем начальстве.

была и Н. Н. Виноградову. Может быть, документ о его расстреле 2 сентября 1937 г., приводимый в „Советской культуре“ Е. Кончиным, и не обманывает нас...»

Добавлю к этой заметке и еще один разговор, ходивший на Соловках об А. И. Анисимове: говорили, что на каком-то собрании в Москве он не почтил память В. И. Ленина и остался сидеть, когда все встали. Очень похоже на него...

Солтеатр

Было на Соловках и другое «чекистское чудо»: Соловецкий театр (Солтеатр), созданный для «туфты» — изображать культурно-воспитательную работу, но ставший немаловажной реальностью соловецкой интеллектуальной жизни. Наряду с «живгазетой», концертными номерами самого низкого пошиба там шла и интересная творческая работа.

В годы моего пребывания на Соловках душой Солтеатра, как и журнала «Соловки», был Борис Глубоковский — актер Камерного театра Таирова, сын известного в свое время богослова и историка церкви Николая Никаноровича Глубоковского, переписка которого с В. В. Розановым не так давно опубликована.

Бориса Николаевича Глубоковского я хорошо знал, но не как близкого знакомого, а как чрезвычайно видную и много сделавшую для лагерной интеллигенции личность. Его, по существу, знали все. Жаль, что не сохранилось его фотографии. Это был высокого роста человек, стройный, красивый, живой, с хорошими манерами. Одет он был по соловецкой моде немногих людей, которым был доступен «Помоф» (пошивочная мастерская, одевавшая жен немногих вольнонаемных и наиболее блатных из заключенных): черное полупальто с кушаком, черные галифе, высокие сапоги, кепка чуть набекрень.

Он был разносторонне одарен. Ему приписывалось участие в богемном окружении Есенина. Обвинялся за участие в каком-то заговоре «Белого центра». Обвиняться он, конечно, мог, но вряд ли бы он стал рисковать участвовать по свойствам своей несколько эгоистической натуры.

Солтеатр был главным «показушным» предприятием на Соловках. Театром хвастались перед различными комиссиями, перед приезжавшим из Москвы начальством, перед Горьким, побывавшим на Соловках весной 1929 г.

Вот некоторые постановки в Солтеатре: «Дети Ванюшина», «Блоха» Е. Замятина, «Маскарад» М. Лермонтова. Полный репертуар Солтеатра можно восстановить по ж. «Соловецкие острова» и газете «Новые Соловки», а также по маленькой газетке «Соловецкий листок», издававшейся тогда, когда управление СЛОН в 1930 г. переехало в Кемь, а вместе с управлением перебрался туда же и Глубоковский.

Он написал много статей и одну книгу — «49», изданную Соловецким обществом краеведения году в 1926-м или 1927-м, — об уголовниках, попавших в лагерь по статье 49 Уголовного кодекса о «социально опасных».

Чрезвычайной популярностью пользовалась на Соловках его постановка «Соловецкое обозрение». Постановка остро иронизировала над соловецкими порядками, бытом и даже начальством. Однажды, когда одна из «разгрузочных комиссий» в подпитии смотрела в театре «Соловецкое обозрение» в переполненном заключенными зале, Б. Глубоковский (тоже, очевидно, хлебнувший), который вел представление, выкрикнул со сцены: «Пойте так, чтобы этим сволочам (и он указал рукой на комиссию) тошно было». А обозрение состояло не только из комических номеров, но и тоскливо-лирических, заставлявших многих плакать. Стихи писал сам Глубоковский (что мог, я записал), а мотивы он подбирал главным образом из оперетт. Но все ж таки один мотив сочинил, говорят, сам: к его песне «Огоньки», которую в начале 30-х гг. пела вся Россия. Заканчивалась эта песнь следующими словами:

От морозных метелей и вьюг
Мы, как чайки, умчимся на юг,
И мелькнут вдалеке огоньки —
Соловки, Соловки, Соловки!

Припев был такой:

Обещали подарков нам куль
Бокий, Фельдман, Васильев и Вуль.
Но в Москву увозил Катанян
Лишь унылый напев соловчан:

Всех, кто наградил нас Соловками,
Просим, приезжайте сюда сами.
Посидите здесь годочков три иль пять —
Будете с восторгом вспоминать.

Среди куплетов был и такой, обрисовывавший представления о будущем заключенных:

И когда-нибудь вьюжной зимой
Мы сберемся веселой толпой,
И начнут вспоминать старики
Соловки, Соловки, Соловки!

Наивные мечты заключенных двадцатых годов...

В Солтеатре были и другие постановки. Я помню «Маскарад» М. Лермонтова. Арбенина играл Калугин — артист Александринского театра в Петрограде. Дублировал Калугина Иван Яковлевич Комиссаров, — король всех эрок Соловецкого архипелага. В прошлом бандит, ходивший «на дело» во главе банды с собственным пулеметом, грабивший подпольные валютные биржи, ученик и сподвижник знаменитого Леньки Пантелеева. А Арбенин у него был настоящим барином...

Что еще шло в Солтеатре, не помню. Были и киносеансы. Помню фильм по сценарию Виктора Шкловского, где двигались какие-то броневики через Троицкий мост в Петрограде. Ветер нес бумаги, мусор. Были и какие-то концерты, на которых актеры из эрок ловко отбивали чечетку, показывали акробатические номера (особенным успехом пользовалась пара — Савченко и Энгельфельд). Оркестром дирижировал Вальгардт — близорукий дирижер из немцев, впоследствии дирижировавший оркестром в Одессе и еще где-то (сидел он по делу кружка А. А. Мейера). Была актриса, истерическим голосом читавшая «Двенадцать» Блока. Была хорошенькая певица Перевезенцева, певшая романсы на слова Есенина (помню — «Никогда я не был на Босфоре...») и нещадно изменявшая мужу, работавшему в Кремле и пытавшемуся из ревности покончить с собой в одной из рот. В фойе театра читались лекции по истории музыки профессором-армянином из Тифлиса В. Анановым, по психологии — А. П. Суховым и еще кем-то и о чем-то.

У меня сохранилась афиша вечера памяти Н. А. Некрасова в Солтеатре в четверг 12 января 1929 г. Я на нем не был: лежал больной тифом. Открывал вечер докладом Б. М. Лобач-Жученко. Это была заметная личность в лагерной жизни, но я его, к сожалению, совсем не помню. Ощущение чего-то большого и значительного, которое у меня возникает при упоминании его фамилии, может быть, вызвано самой его фамилией — длинной и какой-то важной[1]. Затем следовали доклады Б. Глубоковского, П. И. Иогалевича, П. С. Калинина, Я. Я. Некрасова (Некрасова я встречал на беломоробалтийском строительстве, но там был другой — один из глав Временного правительства, масон). После антракта следовал концерт, в котором принимали участие чтецы (была и хоровая декламация, модная в те времена), духовой оркестр, симфонический квинтет, соловецкий хор. Самое интересное, что исполнялись отдельные части оперы «Кобзарь», сочиненной заключенным Кенель. Как и все представления в Солтеатре, начало было поздно — в девять часов, так как официальный конец работы в лагере был в восемь часов вечера. Программка открывается неплохим портретом Н. А. Некрасова — гравюрой по линолеуму заключенного И. Недрита.

И все это в разгар тифозной эпидемии и истязаний на общих работах! Воистину «Остров чудес».

«Все смешалось здесь без цвета и лица» (из соловецкой песни Глубоковского на мотив из «Жрицы огня»).

---

[1] О Б. М. Лобач-Жученко (сыне, как считалось, Марко Вовчок) см. воспоминания его сына — Б. Б. Лобач-Жученко «На перекрестках судьбы» // Радуга. 1990. № 1. С. 109–126.

Б. Н. Глубоковский по освобождении из Белбалтлага получил удостоверение (как и многие из нас) с красной диагональной полосой. По этому удостоверению его прописали в Москве и приняли назад в Камерный театр. Как я узнал из объявления в газете, умер он в середине 30-х гг. Говорили — от заражения крови. Он стал морфинистом и кололся прямо через брюки...

Зимой 1929–1930 гг., когда свирепствовал «второй тиф», так называемый «азиатский», люди заболевали тысячами, театр был закрыт и зрительный зал обращен в лазарет, где больные лежали вповалку, почти без помощи. Но на сцене за спущенным занавесом читались лекции, хотя из зала доносились стоны и крики.

Много лекций по музыке прочел уже упомянутый мной Ананов — бывший сотрудник Театра имени Руставели в Тифлисе и газеты «Заря Востока». Прочел и я что-то о дошекспировском театре (упросили, хотя я и понимал всю нелепость такой лекции в таких условиях, но для КВЧ (культурно-воспитательной части) моя лекция была нужна «для галочки»).

Весной, когда тиф прекратился и из оркестровой ямы стали доставать сваленные туда скамьи и стулья, нашли труп умершего. Он был до того худ, что высох и не очень пропах. Больные расползались в бреду. Под аккомпанемент стонов была еще чья-то лекция о театре масок. А привезенный прямо из поездки за границу корреспондент Гарри Бромберг в широчайших модных тогда брюках — «оксфордах» — и коротеньком пиджаке делился там своими заграничными впечатлениями. Самое место!

Мне кажется, что Солтеатр с его занавесом, отделявшим смерть и страдания тифозных больных от попыток сохранить хоть какую-то иллюзию интеллектуальной жизни теми, кто завтра и сам мог оказаться за занавесом, — почти символ нашей лагерной жизни (да и не только лагерной — всей жизни в сталинское время).

Вокруг и внутри театра шли обычные для театров интриги. Образовывались какие-то группки, сторонники тех или иных актеров и постановщиков. Помню, что в еженедельной газете «Соловецкий листок», ставшей выходить после перевода «Новых Соловков» на материк, я поместил в 1930 или 1931 г. какую-то похвальную рецензию на одну из постановок Солтеатра. Немедленно на следующей неделе появился ответ мне: «Рецензия по блату», хотя, ей-ей, я писал, как стремлюсь всегда, искренне.

Жизнь на Соловках в 1929–1931 гг., возможно, покажется читателю «театром абсурда»: богатство интеллектуального общения в условиях лагеря со всеми его атрибутами — чекистами, камерами, карцерами.

Прежде всего следует упомянуть мужской карцер на Секирной горе (Секирка), женский карцер на Большом Заяцком острове («Зайчики»), Голгофу на о. Анзере для безнадежно больных и глубоко старых людей (главным образом священников и нищих, собранных с папертей московских церквей).

Существовали лесоразработки, торфоразработки, обширные лагеря в Савватиеве, Исакове, Филимонове, Муксалме.

Существовали безымянные лагеря в лесу. В одном из них я был и заболел от ужаса увиденного. Людей пригоняли в лес (обычно в лесу были болота и валуны) и заставляли рыть траншею (хорошо, если были лопаты). Две стороны этих траншей, чуть повыше, служили для сна, вроде нар; центральный проход был глубже и обычно весной заполнялся талой водой. Чтобы лечь в такой траншее спать, надо было переступать через уже лежавших. Крышей служили поваленные елки и еловые ветки. Когда я попал в такую траншею, чтобы спасти из нее детей, в ней «шел дождь»: снег наверху уже таял (был март или апрель 1930 г.), сливался и на земляные лежбища, и в центральную канаву, которая должна была служить проходом.

Я уже не говорю о «комариках» (наказание, применявшееся летом), о том, как не пускали на ночь и в эти траншеи, если не выполнялся «урок», как работали, какой выполняли «ударный» план. После одного такого посещения лесного лагеря у меня открылись сильнейшие язвенные боли, которые вскоре прошли, так как появилось язвенное кровотечение, перенесенное мною «на ногах».

В этих-то лесах главным образом и погибали заключенные. В 30-м г. осенью умерли тысячи «басмачей» — изнеженных восточных мужчин в халатах и шелковых башмаках. Умерли интеллигенты, которых мы, жившие в Кремле, не успели перехватить из 13-й и 14-й рот...

Итак, описав кое-как «богатство» соловецкой топографии, перехожу к рассказу о своих «путешествиях» по этому миру, в которых встречи с людьми — главное.

Люди Соловков

Александр Александрович Мейер

Весной 1929 г. на Соловках появились Александр Александрович Мейер и Ксения Анатолиевна Половцева. У А. А. Мейера был десятилетний срок — самый высокий по тем временам, но которым «милостиво» заменили ему приговор к расстрелу, учтя его «революционное прошлое» (тогда это еще учитывалось). В каком месяце они оба появились, я уже не помню. Он — в тринадцатой карантинной роте, а она — в женбараке. Не помню, кто из нас тогда выручал А. А. Мейера из карантина. Занимались «выручкой» в Кримкабе мы двое: я и Володя Раздольский. У обоих были пропуска в карантин, чтобы собирать подростков и устраивать их в трудколонию. Мы ходили к вновь прибывшим с этапами и старались вызволить оттуда не только подростков, но и всех «стоящих людей». Сделать это было не просто, и удача не так часто нас сопровождала. Надо было узнать, кто прибыл, и получить для них требования на какую-либо легкую работу в пределах Кремля, где условия были значительно лучше. Тех, кого выручал я, — помню. Среди прочих я получил от Николая Николаевича Виноградова направление на работу в Музей для Михаила Дмитриевича Приселкова. Но, к моему удивлению,

М. Д. Приселков отказался работать в Музее: «Я попал за занятия историей и больше ею заниматься не буду». Тогда я получил требование на него от владыки Виктора Островидова, работавшего в сельхозе бухгалтером. М. Д. Приселков стал счетоводом. А. А. Мейера выручал, очевидно, Володя Раздольский, и требование на него дал Александр Николаевич Колосов — прямо в Криминологический кабинет. Кто-то определил Ксению Анатолиевну Половцеву в какое-то учреждение в том же здании управления СЛОНа на пристани, где размещался и Кримкаб. Это дало возможность К. А. Половцевой ежедневно наведываться к А. А. Мейеру и приносить ему обед в каких-то маленьких кастрюлечках, а также принимать участие в удивительных обсуждениях различных философских проблем — обсуждениях, которые сразу же начались с появлением А. А. Мейера. Это был необыкновенный человек. Он не уставал мыслить в любых условиях, стремился все осмыслить философски и по возможности писать — то в царских ссылках и тюрьмах, то во всех новых «несвободах», куда бросало его время «Великой Октябрьской». Но прежде всего расскажу о том, кто такой был для всех нас А. А. Мейер.

С А. А. Мейером я работал в Криминологическом кабинете на Соловках в помещении УСЛОНа на пристани против Кремля больше года. Это помещение бывшей гостиницы монастыря. Кабинет помещался на третьем этаже в большой комнате. Если войти в здание со стороны острова, то надо подняться на третий этаж и пойти налево. Здесь находилась перед туалетом большая комната в три окна, выходивших на площадь перед УСЛОНом. А. А. Мейер занимал столик около левого окна. Жил он сперва в 3-й, потом в 7-й роте.

О жизни А. А. Мейера до Соловков привожу справку из примечаний к воспоминаниям Н. П. Анциферова, опубликованным за рубежом.

«Мейер Александр Александрович (1874–1939) — философ. Родился в Одессе в семье преподавателя древних языков в гимназиях. В 1895–1896 гг. учился в Новороссийском ун-те (Одесса). В 1896-м арестовали за участие в рев. движении и сослан в Шенкурск. Там много занимался самообразованием, переводил книги по философии, социологии, логике, психологии. Женился на сосланной одесской учительнице П. В. Тыченко (1872–1942). В 1902-м вместе с женой вернулся в Одессу, пытался продолжать учебу в ун-те, но был выслан из города. Перед 1905-м жил в Баку, где был арестован за организацию рабочих кружков и сослан в Ташкент. Там в 1905-м сотрудничал в газ. „Русский Туркестан", продолжал рев. деятельность. В 1906-м арестован, но вскоре бежал из ташкентской тюрьмы, некоторое время жил в Финляндии, а с начала 1907-го — в СПб. В конце 1900-х читал разнообразные курсы по философии, эстетике, истории религий, психологии и др. в Об-ве народных университетов, Народном университете Н. В. Дмитриевой, на Высших женских курсах им. П. Ф. Лесгафта и в др. местах. В 1909–1928 гг. работал в отделе Rossica Публичной библиотеки. После 1917-го преподавал в Ин-те живого слова и в Институте им. П. Ф. Лесгафта. В декабре 1928-го был арестован по „делу кружка „Воскресение" („дело Мейера")", в 1929-м приговорен к расстрелу, замененному 10-ю годами Соловков. В СЛОН работал в Криминологическом кабинете. В 1930-м вновь арестован (арестант еще раз был арестован! — *Д. Л.*), привезен в Ленинград и привлечен к „делу Академии наук". В 1931–34 гг. работал (также в качестве заключенного. — *Д. Л.*) техником-гидрологом на Беломоробалтийском канале (где встречался с А. Ф. Лосевым). В 1935–37 гг. — на канале Москва—Волга. Умер в ленинградской больнице от рака печени. Похоронен на Волковом кладбище. Философские и политические взгляды М. претерпели большую эволюцию. В молодости революционер-марксист, в 1907 г. он стал одним из теоретиков т. н. „мистического анархизма", опубликовал 2 статьи в сб. „Факелы" (СПб., 1907). В 1909-м появляется первая книга М. „Религия и культура". Одновременно он становится видным участником С.-Петербургского религиозно-философского о-ва, сближается с Мережковскими, которые считают его „совсем своим". В 1909–17 гг. много ездит по стране с лекциями, публикует не менее 50 рецензий, статей, брошюр. Для его размышлений военного времени характерна работа „Во что верит Германия“ (ПГР., 1916), посвященная критике протестантизма. В последнем М. выделяет три, по его мнению, порочные черты: отрицание христианского понимания личности, отрицание церкви как хранительницы предания, выдвижение принципа национальной и религиозной самосветности взамен идеи Вселенской Церкви. Этим тенденциям М. противопоставляет не православие (как, напр., Вл. Эрн), а некий грядущий синтез коллективизма (социалистической идеи) и христианства. В 1917-м М. — один из составителей проекта РФО об отделении церкви от государства, принимает участие в работе Поместного собора (избран от РФО). Он выпускает несколько работ, в которых выступает за поддержку Временному правительству, за созыв Учредительного собрания, против пораженчества большевиков. Его тревогу за судьбу страны и революции зафиксировал А. А. Блок, записавший кратко доклад М. в РФО 21.5.1917 (Блок А. Записные книжки. 1901–1920. М., 1965. С. 340–341). После Октября позиция М. по отношению к большевикам не была такой непримиримой, как у Мережковских. Он пытается найти положительное зерно в большевистской теории, в течение нескольких послереволюционных лет верит в возможность эволюции власти».

В своих воспоминаниях «Д. С. Мережковский» Зинаида Гиппиус трижды говорит об А. А. Мейере начиная с 1912 г. как о друге их семьи, одном из организаторов Религиозно-философского общества и человеке вообще «очень интересном». Сам А. А. Мейер говорит о Мережковских очень мало. Находясь на Соловках в 1929 г., он был уверен, что они продолжают жить в Варшаве, и не очень одобрительно к этому относился.

Для меня А. А. Мейер казался стариком, хотя было ему всего 55 лет. Худой, изможденный, очень нервный, подвижный, как бы преодолевающий внутреннюю усталость. Высокие сапоги, которые были ему явно велики (с «запасом» на теплые портянки), темная толстовка, длинное лицо, жидкая борода и длинные волосы (пока его, как и всех нас, не остригли) и очень живые глаза. Таким запомнился он мне на всю жизнь.

В нашем трехоконном Кримкабе ему дали, как я уже писал, лучшее место за столом у левого окна. У крайнего окна напротив помещался длинный стол Юлии Николаевны Данзас. Жить его поместили на втором этаже в «моей» третьей роте, которой в то время командовал барон Притвиц. Вскоре и в этой третьей роте неугомонный А. А. Мейер, привыкший постоянно выступать с лекциями и докладами перед самой различной аудиторией, прочел лекцию на какую-то сложную философскую тему. Лекция его была в широком ротном коридоре. После лекции комроты барон Притвиц элегантно расшаркался и поблагодарил Александра Александровича за «чудесную лекцию», в которой явно ничего не понял, как, впрочем, и большинство «слушателей».

Слава А. А. Мейера была велика в Петрограде. Мы знали, что вместе с Д. С. Мережковским, З. Н. Гиппиус, Н. А. Бердяевым и А. А. Блоком он был активным членом С.-Петербургского религиозно-философского общества. С первыми двумя он был дружен и во многом единомысленен. Был он участником Всероссийского собора, избравшего патриарха Тихона в 1918 г. Вместе с А. Блоком, Андреем Белым и другими он был членом-учредителем Вольной философской ассоциации (Вольфилы) в Ленинграде, а затем главой самого престижного в Петрограде-Ленинграде частного кружка интеллигенции, называвшего себя «вторничанами», потому что заседания кружка происходили по вторникам.

Впоследствии эти заседания были перенесены на воскресные дни, и кружок получил название «Воскресение» (впрочем, следователь, известный организатор «академических дел» Стромин, заявил на основании этого названия, что цель кружка была в «воскресении старой России»; здесь Стромин[1] перепутал значения слов «воскресение» и «воскрешение».

---

[1] Стромин был эстонец и поэтому, может быть, в должной мере не ощущал русского языка.

Еще до ареста я много слышал о кружке А. А. Мейера от И. М. Андреевского. Собирались мейеровцы на Малом проспекте Петроградской стороны около Спасской в деревянном доме (сейчас его уже нет) и в других местах. Вход к Мейеру был свободный. Постоянными участниками кружка были вначале (до своего отъезда) Мережковские, Ксения Анатолиевна Половцева, литературовед Л. В. Пумпянский, художник П. Ф. Смотрицкий, востоковед Н. В. Пигулевская и ее муж, затем Л. Орбели (будущий академик), пианистка М. В. Юдина, художник Л. А. Бруни, педагог И. М. Андреевский, Г. П. Федотов (пока не уехал из России) и многие другие. Кстати, многие из идей Г. П. Федотова родились именно в кружке Мейера. Наш Хельфернак посещался мейеровцами, и наоборот. Поэтому многие из возникавших в Хельфернаке дискуссий были продолжением споров в «Воскресении». Доступ на заседания «Воскресения» был открытый, входные двери в часы заседаний не запирались, но по молодости лет я стеснялся туда ходить, так как меня смущал церемониал, принятый у Мейера. Заседания начинались общей молитвой, и после докладов (обычно коротких) полагалось высказываться по кругу всем — хотя бы коротко (согласен — не согласен). Заседания «Воскресения» подробно описаны Н. П. Анциферовым: «Три главы из Воспоминаний», а также в биографии Г. П. Федотова, предваряющей I том его сочинений (Париж, YMKA-Press).

Для меня разговоры с А. А. Мейером в Кримкабе и со всей окружавшей его соловецкой интеллигенцией были вторым (но первым по значению) университетом.

Общение с людьми старше меня (а по существу, все заключенные из интеллигенции были старше) оказалось для меня чрезвычайно полезным. Я не «проходил» с ними курсы, но знакомился с их жизненным опытом и получал разнообразнейшие сведения из разных областей науки, философии, литературы и поэзии. В Кримкаб приходил Владимир Юльянович Короленко (племянник Владимира Галактионовича Короленко), целовал дамам ручки — В. Грузовой и Ю. Н. Данзас. Приходил Георгий Михайлович Осоргин[1] (но редко), приходил Михаил Иванович Хачатуров, в разговор включался Александр Петрович Сухов, Иван Михайлович Андреевский, скульптор Амосов и наша кримкабовская молодежь: В. С. Раздольский, А. А. Пешковский, Ю. Казарновский, А. Панкратов, Л. М. Могилянская. Если бы можно было все записать, какие великолепные беседы, дискуссии, просто споры, рассказы, рассуждения были бы сохранены для русской культуры.

Была ли это своеобразная «Башня» Вячеслава Иванова? Пожалуй, лучше, так как и длилось все дольше, и велись наши разговоры ежедневно под благословенным покровительством нашего начальника Александра Николаевича Колосова, державшего карандаш у уха и готового в любой момент прикрыть от начальства наше «безделие», а вместе с тем и заставить всех нас делать благое дело спасения детей — «вшивок», шпаны, «занюханных», «социально близких» и бесконечно несчастных колонистов (подростков, живших в детской колонии, потом переименованной в трудколонию)[2].

Многое вспомнилось мне из разговоров с А. А. Мейером после того, как я получил из Парижа его книгу «Философские сочинения» (Париж, 1982). Последние материалы этой книги связаны с его размышлениями на Соловках. А. А. Мейер был человек русской разговорной культуры. Он принадлежал к тем, чьи взгляды формировались в бесконечных русских разговорах. В Кримкабе у него были сильные собеседники (Данзас, Гордон, Сухов, Андреевский, Смотрицкий и др.), но не было ему равных. Важно, однако, что была молодежь, которую он мог учить, читать своего рода лекции. И все ж таки в устной его речи многое было лучше, интереснее и глубже, чем на письме. Говорил он смелее, чем писал. Для того чтобы хорошо писать, нужна смелость.

---

1 Кстати, сын того самого Мишанчика, который часто упоминается в «Записках кирасир» Трубецкого, напечатанных в ж. «Наше наследие».

2 Противостояние уголовных «каэрам» (контрреволюционерам) уже «воспитывалось», но не давало еще ощутимых результатов в конце 20-х гг.

Удивительное было свойство А. А. Мейера: на все решительно в общественной жизни откликаться философскими размышлениями. Он был интересен всем, потому что интересовался всеми. Очень много читал лекций и докладов в самой разнообразной обстановке. Как участник революционного движения при царе, он постоянно жил в ссылках, и вокруг него всегда появлялись какие-нибудь самодеятельные кружки. Он читал лекции и в рабочих университетах, и на Высших вольных курсах Лесгафта. Постоянно занимался изучением языков. Свободно читал на греческом и латинском; немецкий был для него родным, домашним языком (его дед был выходцем из немецкой части Швейцарии). Читал он сложнейшие философские сочинения фактически на всех европейских языках. Впоследствии в ссылке в 30-х гг. он делал, по словам его дочери, для А. Ф. Лосева переводы с греческого и латинского философских сочинений.

Его исключительная образованность позволила ему быть одним из самых современных философов, работы которого о слове, аллегории, мифе кажутся написанными сегодня. Во всяком случае, его «Философские сочинения», вышедшие в Париже в 1982 г., производят впечатление написанных как бы со знанием работ Леви-Стросса, К. Юнга, Б. Малиновского и А. Ф. Лосева, вышедших позднее, — настолько они предвосхитили их идеи.

Его первая книга «Религия и культура», в которой он заявил о себе как о «мистическом анархисте», увидела свет в 1909 г., но затем он все более приближался к православному восприятию мира, и это сблизило его с Г. П. Федотовым, одним из активнейших членов мейеровского кружка.

На Соловках начаты были А. А. Мейером две работы: «Три истока» и «Фауст» (размышления при чтении «Фауста» Гёте), посвященные проблемам культуры — мифу и слову.

Написал он и небольшую заметку «Принудительный труд как метод перевоспитания» (ж. «Соловецкие острова». 1929. № 3–4), вызвавшую раздражение у его подельцев, находившихся в лагере на материке. Было объявлено, что А. А. Мейер «изменил принципу свободы». Успел он, кажется, написать и работу о ритме в труде (отражение его опыта преподавания философии движения на Высших вольных курсах Лесгафта).

«Фауста» А. А. Мейер перечитывал по имевшемуся на Соловках переводу Холодковского, но многое из его текста помнил наизусть по-немецки: это было его любимое произведение. Все свои идеи он обсуждал с молодым философом примерно моего возраста из Ростова-на-Дону — Владимиром Сергеевичем Раздольским, с которым мы жили в одной камере и увлеченность которого философскими размышлениями меня всегда поражала. Был у нас под рукой и «живой книжный шкаф» — так мы звали Гаврилу Осиповича Гордона, о необыкновенной памяти которого я еще расскажу.

Одной из самых важных тем наших разговоров была тема «мифа» и другая связанная с ней — «слова». Обе эти темы отражены в упомянутой книге А. А. Мейера «Философские сочинения».

Размышления А. А. Мейера помогли мне в дальнейшем формировании моего мировоззрения.

Что означает первая же фраза Евангелия от Иоанна: «В начале было Слово»? И почему Фауст, приводя эти первые слова, заменяет «Слово» «Делом» («...im Anfang war die Tat!»)? Мои собственные размышления на этот счет явились как бы продолжением тех, которые вызывало во мне чтение книги И. О. Лосского «Мир как органическое целое». С помощью Лосского, а на Соловках — Мейера я пришел для себя к мысли, что «Общее» всегда предшествует «Частному», «Идея» («Слово») предваряет всякое ее воплощение. Отсюда я пришел к вере в первоначальность Разума и Слова. И отсюда же пришел к мысли, с которой через шестьдесят лет, в 1989 г., выступил в Гамбургском национальном обществе относительно необходимости положить в основу экологии как науки идею предшествования целого части. Экология как наука, с моей точки зрения, должна прежде всего изучать всю взаимосвязанность решительно всего в мире. Мир как целое и мир как Слово, как идея. Эта задача грандиозна, но она достойна нашего времени. Только на основе данных цельности мира можно решиться на его «исправление» или на внесение в мир тех или иных корректив. Мир как Слово! Слово Logos — Логос как нечто, предшествующее всякому Бытию. Ответственность человека за разрушение сложившихся в мире взаимосвязей — материальных и духовных! Отсюда же и взгляд, к которому я пришел уже в дни блокады Ленинграда, о цельности и взаимосвязанности (в высокой мере стилистической) культуры: мысль, положенная мною впоследствии в основу моей концепции Предвозрождения на Руси и книги «Поэзия садов», где стили в садово-парковом искусстве отождествляются мною со стилями культуры (готика, ренессанс, барокко, рококо, классицизм, романтизм, реализм и пр.).

В пределах сходных идей развивались и мои литературоведческие взгляды, понимание действительности и понимание человеческой культуры. Восприятие мира формируется всю жизнь, и характер его отчетливо сказывается как в научной методологии, так и в «научном поведении» (последнее — особое понятие, требующее особого же разъяснения).

Если Слово является началом дела, обобщением, то в ложном слове, слове-штампе заключена величайшая опасность, которой постоянно пользуется дьявол.

Мефистофель говорит:

> Дай людям лишь слова — не станут поверять,
> Какая мысль в них может заключаться.
>
> (Gewöhnlich glaubt der Mensch, wenn er nur Worte hört
> Es müsse sich dabei doch auch was denken lassen.)

Одной из тем разговоров с А. А. Мейером, которую я могу вспомнить, был миф, создаваемый в наше время. Тему эту А. А. Мейер поднял в своей лекции «О праве на миф»[1] еще в 1918 г. Естественно, что спустя 11 лет тема разрослась необычайно. Искать мифы и исследовать их на наших «заседаниях» было необычайно интересно. Я, кстати, тогда же, имея в виду учение А. А. Мейера о слове, написал шуточную «Феноменологию вопроса». Применив к слову «вопрос» все основные идиоматические сочетания, в которые входит «вопрос»,

[1] Мейер А. А. Философские сочинения. Париж, 1982. С. 96–100.

я получил своеобразную жизнь этого «вопроса»: «вопрос» зарождается, выявляется, привлекает внимание, ставится, встает во весь рост, возбуждает другой вопрос, затрагивает и порождает другие вопросы, затем решение его откладывается, затягивается, вопрос вылезает боком, пересматривается, от вопроса уходят, вопрос замалчивают, он отмирает, снимается, вопрос «исперчен». Я подбирал идиоматические выражения довольно долго и набрал их, помнится, до двух десятков. Здесь я даю лишь обрывки, чтобы продемонстрировать замысел. Последнее выражение «вопрос исперчен» вместо «исчерпан» очень часто употреблялось в двадцатых годах в виде шуточного выражения. Вокруг этой «феноменологии вопроса» было, как кажется, много разговоров в Кримкабе, так как «жизнь вопроса» в какой-то мере отражала бюрократическую действительность того времени: каждое настоящее дело превращалось в «вопрос» и в конце концов разрешалось бессмысленной и пошловатой пустотой: вопрос оказывался «исперчен».

Сейчас я уже всего не помню, но шутливые построения феноменологий различных понятий, абсурдность, к которой они приводили, обыгрывались и были «в ходу» в наших беседах. Когда у нас оставалось время от обязательной работы, то в Криминологическом кабинете делались небольшие сообщения, именовавшиеся докладами.

Уже в двадцатые годы власть «словесных формул», мифология языка стала занимать все большее и большее место в советской действительности. «Власть слов» становилась самым тяжким проявлением «духовной неволи». Поэтому в нашем кримкабовском кружке обсуждение вопросов языка и языковой культуры становилось одной из самых важных тем.

Создал я тогда и тесты на «чувство русского языка». Для первой категории (низшей) я предлагал различать два слова в письменной и устной речи: «кушать» и «есть», «супруга» и «жена». Для второй (высшей) — «разница» и «различие», а также употребление выражения «большое спасибо» (т. е. «большое „Спасибо Бог“»). Было что-то и еще в продуманных мною тестах на интеллигентность речи, но я уже точно не помню. Самое важное исчезло из моей памяти.

Когда было приказано не носить длинных волос, остригли и Александра Александровича Мейера. Он очень стеснялся своего нового вида (в моих записках, в той их части, что были написаны сразу по освобождении, сказано даже — «страдал»).

Когда Ксении Анатолиевны Половцевой не было поблизости, он не мог справиться со своими кастрюльками, сварить похлебку, хотя имел еды больше нас, так как преподавал жене одного из начальников лагеря Головкина латинский (очевидно, она собиралась стать медиком), читал ей стихи В. С. Кемецкого и был в наивном восторге от ее «душевных качеств». Отчасти под влиянием этих встреч с Головкиной у Александра Александровича создалось мнение, что можно «исправить лагерь» путем убеждения: «все скверное от организации, а не от людей». Эти взгляды Мейера служили предметом споров в Кримкабе, и я очень жалею, что не записал их точно и подробно: многое в них остается актуальным и по сей день.

В процессе обсуждения позиции А. А. Мейера определились три основания того кошмара, который был создан в лагере и который грозил распространиться на всю страну: злобная идеология, злобное ее осуществление и злобные люди, проводившие все это в жизнь. А. А. Мейер настаивал на том, что основная причина в организации, а правда есть и в стремлении к социализму, и в людях, вынужденных осуществлять дурными методами в какой-то мере добрые идеи. Мы настаивали, что люди испорчены дурными представлениями, внушенными им злобной идеологией, а организация лагерей — прямое следствие агрессивной идеологической схемы — марксизма (или того, что считается марксизмом).

Взгляды А. А. Мейера отчасти отразились в его статье «Ритм в труде», напечатанной в журнале «Соловецкие острова» и вызвавшей много споров, о чем я уже упоминал.

Юлия Николаевна Данзас

Прямой противоположностью Александру Александровичу Мейеру была в Кримкабе работавшая напротив него за огромным столом, сплошь заваленным газетами, из которых она делала вырезки для начальства, статс-фрейлина императрицы Александры Федоровны и доктор Сорбонны Юлия Николаевна Данзас, арестованная еще в ноябре 1923 г. и проведшая до Соловков пять лет в тюрьмах Сибири.

Довольно подробно жизнь Ю. Н. Данзас с ее слов описана в книге диакона Василия ЧСВ «Леонид Федоров. Жизнь и деятельность» (Рим, 1966). Она родилась в 1879 г. в Афинах. Была правнучкой французского эмигранта Карла Данзаса. Второй сын Карла Данзаса Константин был секундантом Пушкина. Мать Юлии Николаевны, в девичестве Аргиропуло, была из древнего византийского рода, происходившего по прямой линии от императора Романо Аргира (XI в.), женившегося на последней представительнице Македонской династии — императрице Зое. Блестяще образованная, Юлия Николаевна стала автором нескольких книг, доктором Сорбонны. Прекрасно ездила на лошади. Подолгу живала за границей (чтобы не быть вынужденной исполнять свои обязанности статс-фрейлины, которые ей были неприятны ввиду царившей при дворе атмосферы: спиритах, Митьках Гугнивых, Машках Странницах, а главное — Распутине).

Писать о Ю. Н. Данзас как-то особенно трудно. Она была сложным человеком, и не в том смысле, который вкладывается в это понятие сейчас (т. е. «не очень хорошим»), а в смысле буквальном: ее душевная жизнь была под покровом нескольких культурных наслоений. С одной стороны, аристократическое происхождение и положение статс-фрейлины императрицы Александры Федоровны. С другой — доктор Сорбонны, автор исследований по религиозным вопросам. С одной стороны, постоянно взыскующая истины, мятущийся религиозный мыслитель, а с другой — крайне нетерпимая католичка, как бы познавшая всю истину в спорах с православными или с католиками других направлений, готовая даже на Соловках с некоторым высокомерием относиться к страданиям многочисленного православного духовенства, даже писать в лагерной прессе о существовании инквизиции в православной церкви, тем самым фактически помогая антирелигиозной пропаганде. С одной стороны, изысканно воспитанная, а с другой — постоянно вступавшая в конфликты с соседями и одновременно находившая общий язык с Горьким. Еще и еще! С одной стороны, русская, патриотка, во время Первой мировой войны поступившая в уральские казаки и сидевшая в окопах на передовой, а с другой — как-то внезапно ощутившая себя потомком французского эмигранта и своими антирусскими высказываниями в Риме впоследствии (в конце 30-х — начале 40-х гг. на своей лекции в «Руссикуме») возбудившая негодование самого Вячеслава Иванова. В целом Ю. Н. Данзас была очень рационалистична, а потому плохо разбиралась в людях. Однако своим родовым (точнее, родовитым) чутьем высказывала о поведении людей очень интересные и верные мысли.

Я помню ее немощной пожилой женщиной, ходившей на работу с посохом в черном деревенского покроя полушубке. Но в январе 1933 г. после своего и моего освобождения как ударников Беломорстроя, живя в Ленинграде в ожидании выезда в Германию к своему брату (как это случилось, я расскажу позже), она легко поднялась на пятый этаж ко мне и моим родителям, модно одетая, в шляпке чуть набекрень, которую, видимо, тщательно выбирала. То старуха, то относительно молодая женщина с ярко-голубыми глазами. Так было и впоследствии за границей: то полумонашенка в монастыре, то мадемуазель, занимавшаяся научной и журналистской работой, написавшая после Соловков три книги: две — на французском языке о «советской каторге»: «Bagne rouge. Souvenirs d'une prisoniere au pays des Soviets», «L'itineraire religieux de la conscience russe» (обе без обозначения года), одна на русском: «Католическое богопознание и марксистское безбожие» (Рим, 1941). Кроме того, ею были написаны большие воспоминания о своем «духовном пути к Богу», а среди множества статей — одна о духовной жизни русской молодежи. Работая в Соловецком музее (перед тем, как стала работать в Криминологическом кабинете), она пользовалась услугами очень честного молодого человека, бывшего бойскаута — Димы Шипчинского, которого в своих воспоминаниях почему-то назвала типичным «комсомольцем», которым он никогда не был и не мог быть по своим нескрываемым политическим убеждениям. Кстати, Дима Шипчинский (Ю. Н. Данзас называет его «Шепчиневским») устраивал (с большим риском для себя) свидания Данзас с католическими деятелями.

На Соловках за работой над газетами она постоянно тихонько напевала себе под нос католические молитвы, но при этом не выпускала изо рта самокрутку, вставленную в длинный мундштук. Курила ли она арестантскую махорку или иностранный табак из какой-либо посылки — бог весть. Она все могла, все стоически переносила. Никто не ведает, сколько она знала, сколько помнила интересных людей, но живого непосредственного обаяния, столь необходимого для общения с молодежью на Соловках, у нее не было. И в этом она тоже была прямой противоположностью А. А. Мейеру. Я пишу это не для того, чтобы унизить одну и восхвалить другого. Это мое противопоставление двух душевных складов не имеет оценочного характера. Железный, но замкнутый характер Ю. Н. Данзас по-своему вызывал восхищение. Ее впоследствии осуждали многие, отрицательный отзыв о ней принадлежит, кстати, и Н. А. Бердяеву, однако преданность католической вере, с помощью которой она пыталась осветить всю русскую историю, начиная с киевского князя Владимира I Святославича, которого она считала верным Риму, по-своему достойна уважения, хотя тенденциозность ее работ очевидна.

Ю. Н. Данзас много писала, писала и по освобождении из «советского плена», но на Соловках не имела большого влияния на молодежь.

Ее жизненный путь к католицизму записан, как я уже сказал, с ее слов, в книге диакона Василия ЧСВ (так!) «Леонид Федоров. Жизнь и деятельность», которая в значительной мере освобождает меня от необходимости особо останавливаться на ее интереснейшей биографии. Скажу только, что в подробных сведениях о себе она почему-то опустила, что в Первую мировую войну одно время служила на передовых позициях в полку уральских казаков. Почему казаков, и к тому же именно уральских? Юлия Николаевна объясняла это так: в кавалерии она хотела служить, так как отлично ездила верхом, а у уральских казаков — потому что они были старообрядцами и отличались строгостью нравов. Ей простили то, что она не могла управляться с пикой (пика была для нее слишком тяжелой), но шашкой она, по ее словам, овладела хорошо (даже сдала экзамен). При Временном правительстве ее уговаривали взять на себя командование женским батальоном смерти. Она отказалась, и затем уже это командование было поручено Бочкаревой. Непонятно мне — почему в ее воспоминаниях о себе нет ничего о дворе и об императорской фамилии. Но в той же книге католика диакона Василия сообщается, что она собиралась писать роман о государыне Александре Федоровне. Жаль, что она берегла интереснейший материал для романа, потому что намерения своего не выполнила, да и беллетрист Юлия Николаевна была слабый. Это видно по ее повести «Соловецкий Абеляр», помещенной в журнале «Соловецкие острова» под ее обычным псевдонимом Юрий Николаев. К тому же беллетристическая форма всегда находится в разладе с достоверностью. Знала же Юлия Николаевна двор очень хорошо и много рассказывала о жизни государя и государыни (в Петербурге так принято было называть императора и императрицу).

Из рассказов Ю. Н. Данзас о семье государя мне вспоминаются три как наиболее важные. Во-первых, мне никогда не встречалось упоминания о том, что при дворе после Кровавого воскресенья 1905 г. был объявлен траур и никакие балы и широкие приемы некоторое время не существовали. Более известно, что государь с семьей 9 января находились не в Зимнем, а в Александровском дворце в Царском Селе и поэтому непосредственной вины за гибель людей нести не могли. Во-вторых, в начале войны 1914 г. был повешен как шпион полковник Мясоедов, начальник пограничной службы близ

Восточной Пруссии, к которому после охоты заезжал (или только однажды заехал) обедать германский император Вильгельм Второй. Государь достоверно знал, что Мясоедов не был ни шпионом, ни просто предателем, но под давлением общественного мнения, обвинявшего государыню в симпатиях к немцам, из трусости подтвердил смертный приговор суда. Государь очень мучился этим и все дальнейшие несчастья считал Божьим наказанием за свое малодушие. В-третьих, Юлия Николаевна много рассказывала об ужасных переживаниях государыни, боявшейся покушений при любом выезде государя.

Другой запомнившийся мне рассказ Ю. Н. Данзас касался ссоры семьи Столыпиных с царской семьей. После покушения на Столыпина на Аптекарском острове государь пригласил Столыпиных жить в Зимнем дворце. Столыпины переехали и разместились на втором этаже. Дети Столыпина бегали по всем залам и, играя, забирались на трон. Александра Федоровна имела по этому поводу объяснение с женой Столыпина, не отличавшейся тактичностью. Та стала защищать своих детей и между прочим «дала понять», что муж ее значит для России больше, чем государь. После этого случая семью Столыпиных устроили где-то в другом помещении, а государыня не смогла забыть нанесенного мужу оскорбления, что не могло не быть замеченным охранкой. Столыпин «впал в немилость у охранного отделения», что, возможно, и отразилось на плохой организации охраны Столыпина в Киевском театре, где он был убит.

Может быть, в этом последнем рассказе Ю. Н. Данзас и есть неточности, но запомнил я его точно. Проверить его следовало бы...

При всех огромных знаниях Юлии Николаевны и огромном мужестве в ней был элемент какой-то, осмеливаюсь сказать, примитивности. Вот, например, ее суждения о поэзии. Она говорила, что ставит Лермонтова выше Пушкина. На каком-то уровне поэзии, мне кажется, нельзя решать вопрос о том, кто выше, кто ценнее. Можно лишь сказать — кто из поэтов лично ближе, к кому чаще обращаешься. Кто выше, Державин или Баратынский? А уж тем более нельзя было бы в этот ряд ценностных определений вносить поэтов XX в. Скажу, что уже в тот период мы все — «кановцы» — очень любили многие из стихотворений О. Мандельштама; были среди нас поэты, подражавшие «Столбцам» Н. Заболоцкого. Стихи «Столбцов» были озорными, и это нам тоже нравилось. Любили Всеволода Рождественского, гораздо больше, чем его любят сейчас. Не скажу, что знали наизусть стихи Белого или Брюсова. Наизусть знали больше всего Блока и отчасти Волошина, разумеется, и упомянутых Мандельштама и Заболоцкого. Из старых поэтов больше всего знали Пушкина, потом Баратынского, Дениса Давыдова, Лермонтова. Вообще, это очень интересно — кого молодежь знает наизусть в ту или иную эпоху, в чьей поэзии ощущается душевная потребность...

Но я отвлекся от рассказа о Ю. Н. Данзас. Ее некоторая примитивность сказывалась и в ее католической позиции.

Никто, кажется, не обращал внимания на то, что большая эрудиция при недостатке обобщающих способностей может играть даже в известной мере отрицательную роль. Эрудиция укрепляет человека в его уверенности в собственной правоте, мешает его пониманию нового, непривычного. Чувство собственного превосходства над другими, которое развивает эрудиция, при недостатке творческих способностей может затруднять общение с людьми. То, что Ю. Н. Данзас приняла католичество, будучи уже вполне зрелым и мыслящим человеком, было для нас понятным: ей хотелось твердой духовной опоры, и вполне естественно, с нашей, юношеской точки зрения, она обратилась к вероисповеданию своих французских предков. О католичестве наша православная молодежь с ней не спорила, да и как могла спорить со своими скромными познаниями в богословии? Однако, когда в журнале «Соловецкие острова» мы прочли ее очерк об инквизиции в православной церкви, мы с ней как-то замерли в разговорах. Две причины: если у православных тоже была инквизиция, то в чем это оправдывало католическую инквизицию, вторая причина — давать еще козырь антирелигиозникам, особенно в условиях лагеря, переполненного православным духовенством, показалось нам недостойным.

В романе Бориса Ширяева «Неугасимая лампада», опубликованном в Париже и перепечатанном в «Нашем современнике», образ «фрейлины трех императриц» как будто бы опирается на Юлию Николаевну Данзас, так как других фрейлин на Соловках не было, но он значительно изменен. Стоит ли упоминать о том, что Ю. Н. Данзас не была баронессой, а фрейлиной (вернее, статс-фрейлиной) могла быть только у одной императрицы, в ее случае — у Александры Федоровны, и т. д. Но роман есть роман, и это надо иметь в виду, читая книгу Б. Ширяева.

Гавриил Осипович Гордон

В 1930 г. в тринадцатой карантинной роте поселили Гаврилу Осиповича Гордона — профессора-историка, члена ГУСа в прошлом, удивительно образованного, «бывшего толстяка» (особый тип людей, которые на воле были полными, а в лагере похудели).

Его появление всюду было всегда очень заметным, хотя подобающего ему места в жизни он никогда не занимал и не занял. Наша команда молодежи тотчас же пришла на помощь, и вскоре он был водворен в седьмую «артистическую» роту и на работу прямо в Криминологический кабинет. Дальше мы уже принимали меры, чтобы он не очень выделялся: на поверках не стоял в первом ряду, в коридорах УСЛОНа не очень громко разговаривал. Но он и из заднего ряда успевал бросить две-три реплики на нотации командира А. Кунста, которые тот читал нам на поверках. Реплики эти (в виде находчивых вопросов или поддакиваний, подчеркивающих глупость сказанного) могли вывести из себя любого дурака-командира, а Кунст хоть и был хитер и ловок, но особым умом не отличался.

О Г. О. Гордоне мне не удалось найти каких-либо печатных материалов, кроме его собственных книг и статей. Книги его были учебными пособиями по истории: «Чартистское движение», «Революция 1848 г.», «История классовой борьбы на Западе». Ни статьи, ни учебные пособия не дают представления о громадном диапазоне его знаний. Он в совершенстве владел древнегреческим и немецким языками, хорошо знал латынь и французский, свободно говорил по-итальянски, читал по-английски, испански, шведски и на всех славянских языках. Постоянно стремился узнать что-нибудь новое. На Соловках он нашел случай учиться арабскому языку у муфтия Московской кафедральной мечети и давал ему в ответ уроки древнегреческого.

По биографической справке, данной мне не так давно его дочерью Ириной Гавриловной, которую я разыскал в Москве, он родился в 1885 г. в г. Спасске. Семья переехала в Москву в 1890 г., где он окончил гимназию, затем университет. В 1906–1907 гг. прослушал курс так называемых «Летних семестров по философии» у Когена и Наторпа в Марбурге. В 1909 г. служил в Пятом Киевском гренадерском полку. В 1914 г. (перед самой войной) путешествовал по историческим местам Греции и Турции, о чем, кстати, любил вспоминать у нас в камере. А затем пошла обычная жизнь интеллигента той поры: новая мобилизация в армию, участие в различных общественных и ученых учреждениях периода революции, чтение лекций в Москве и провинции; служба ректором Тамбовского университета, основание Тамбовского научно-философского общества. Затем он — член Коллегии Наркомпросса РСФСР, заместитель председателя Совета по делам вузов В. П. Волгина, член Педагогической секции Государственного ученого совета, и т. д., и т. п.

Для молодежи на Соловках он был своего рода университетом: он не просто давал справку по любому вопросу, а охотно для одного или двух мог прочесть импровизированную лекцию с точными библиографическими справками, привести цитаты, прочесть стихи. И что было особенно важно — привести на немецком нужные места из «Фауста» Гёте, которым мы все тогда очень интересовались под влиянием А. А. Мейера. Володя Раздольский, живший с нами в одной камере, удивительно умел извлекать из Г. О. Гордона необходимые и интересные для себя сведения и вслушиваться в его собственные рассуждения. Впоследствии, уже в Москве и Ленинграде, при встречах со мной Г. О. Гордон отмечал незаурядные способности Раздольского, но при этом жалел, что в нем много дилетантства и «отсутствует школа».

Молодежь Гаврила Осипович привлекал своей «жовиальностью», непосредственностью, полным отсутствием позерства (которое всегда так соблазнительно для профессора), неумением сдерживаться и откровенностью. Вечно он попадал в какие-нибудь истории и наживал врагов, что было крайне небезопасно в то время.

Помню, как он появился в Кримкабе и отрекомендовался: «К Гордону Байрону и Гордону-аптекарю никакого отношения не имею...»

Павел Фомич Смотрицкий

Простить себе не могли, что пропустили в тринадцатой карантинной роте Павла Фомича Смотрицкого. Был он замечательный художник из круга «Мира искусства», участник русско-финляндской художественной выставки, друг архитектора Оля, строившего дачу Леонида Андреева на Черной речке. Его малая известность как художника, думаю, объясняется его исключительной скромностью, какой-то психологической неприметностью. Он не обращал на себя внимания ни внешностью, ни манерой себя держать, ни всегда спокойной и тихой речью.

После положенного срока пребывания в тринадцатой роте его как больного отправили на Анзер, где он устроился работать художником в лагерной шкатулочной мастерской. Была эта мастерская учреждением примечательным. Там работали хорошие столяры-краснодеревщики из заключенных, делавшие в основном шкатулки из икон. Иконы им выдавались из музейных запасников, которыми ведал Н. Н. Виноградов. Были они XVIII и XIX вв., но я подозреваю по обилию продукции, что в дело шли и иконы XVII в., которые считались тогда не заслуживающими внимания. Да что «тогда»! Еще в 40-х гг. (по-видимому, в конце войны) один доктор искусствоведения в городе Горьком разрешил освободить под госпиталь церковь, в которой был склад икон XVII–XVIII вв. И все иконы были просто сожжены.

Дерево икон было сухое, добротное (рассказывали, что были даже кипарисовые доски), столяры еще не перевелись, и бедный Павел Фомич, верующий и понимающий в иконах, принужден был эти шкатулки расписывать. Я, впрочем, этой продукции, расходившейся по Москве, никогда не видел.

Выписать Павла Фомича с Анзера было труднее, чем спасти из тринадцатой роты, но все-таки это удалось, и весной 1930 г. он стал принимать участие в наших беседах в Кримкабе, привезя с собой чудные акварели. Помню серию его кустов под снегом. Некоторые его кусты были переведены в графику для печати и опубликованы в журнале «Соловецкие острова». Внизу, в уголке справа, в них, как я помню, были в кружке его инициалы.

Павел Фомич никогда не говорил длинно, но все его замечания и ответы были очень тонки и «к месту». Помню такой разговор. Я рассказал ему о своем наблюдении: писатели конца XIX и начала XX в. стали изобретать себе особые одеяния. Первым стал по-особенному одеваться Л. Толстой (кстати, мы все тогда ходили в толстовках — одеянии, не требовавшем не только свежего воротничка, но порой и нижнего белья), потом особые одежды изобретали себе Стасов, Горький, Леонид Андреев, Блок, Волошин, Белый, Скиталец, и т. д., и т. д. Не изобретал себе особой одежды, по нашему мнению, только Чехов. Павел Фомич подумал и сказал: «Да, но Чехов одевался как типичный доктор». Я вспомнил свое детство, когда часто хворал, меня навещали детские врачи и меня водили по врачам. У Чехова, несомненно, было «докторское самосознание» в одежде. Павел Фомич был совершенно прав.

Этим своим тонким замечанием Павел Фомич запомнился мне на всю жизнь.

Владимир Сергеевич Раздольский

Первым человеком моего возраста, с которым я познакомился, а потом и подружился в Кримкабе, был Володя Раздольский из Ростова-на-Дону. Я его уже упоминал выше. Он был студентом, интересовался философией и сам отчасти философствовал. Что-то даже писал украдкой. Наружность его была примечательной. Огромные черные глаза. Постоянная усмешка, кривившая рот, как бы сопровождавшая его какие-то невысказанные мысли. Вечно дымящаяся трубка в зубах. Какая-то физическая слабость при быстроте движений. Сапоги с голенищами, в которых ноги свободно болтались, а сапоги стаптывались с каблуков (Володя ходил, как-то странно ударяя пятками). Работать он не мог. Он только читал, думал, рассуждал. Если же ему Александр Николаевич Колосов давал поручения, то он так долго обдумывал — как за них приняться, что приходилось передавать другому, т. е. мне или Александру Артуровичу Пешковскому. Казалось, что Володя ни на что не обращает внимания, кроме своих философских грез. Поэтому все бытовые предметы, объекты, действия он называл одним словом — «собачка». «Собачку» потерял — это значит и трубку свою потерял, и карандаш где-то оставил, и поручение не выполнил, и все прочее. «Где это собачка?» — спрашивал он и предоставлял нам самим заботиться о содержании его вопроса. В Кримкабе он либо был занят чтением где-то добываемых им интересовавших его книг, либо «умными» разговорами с Александром Александровичем Мейером (если последнего не занимала какими-либо разговорами, всегда шепотом, Ксения Анатолиевна Половцева, приносившая Александру Александровичу обед в баночках и кастрюльках). Разговоры, размышления Володи были всегда исключительно интересны. Продолжай он жизнь в нормальных условиях, из него, несомненно, получился бы интересный мыслитель. Жили мы с ним после отъезда «папашки» А. Н. Колосова в 7-й роте вместе в одной камере. Он спал под окном на топчане. Добудиться его утром было всегда трудно. Изредка он напивался (когда на Соловках появлялась «контрабандная» водка), и тогда мы его спасали от соглядатаев и дежурных всей камерой. Укладывали на топчан, накрывали пальто и говорили — «болен», чтобы не требовали на поверку. Был он ценителем стихов Свешникова-Кемецкого, жившего в нашей же камере, и постоянным собеседником в камере Гаврилы Осиповича Гордона.

В разговорах тягаться с Володей я не мог, но слушателем я был внимательным. Володя знал, в общем-то, мало, но умел втягивать в рассуждения и споры интересных «стариков» (Гордона, Мейера, Данзас, Сухова, Бардыгина — впрочем, последний был вовсе не стар) и др. В существовании Бога не сомневался, но церковным не был.

Приезжала к нему на свидание и мать. Отца у него не было. Мать же была необыкновенно красива, несмотря на измученность лица. Служила, зарабатывала, посылала единственному сыну... Володя познакомил меня с ней. Происхождения Володя был украинско-польского. Его полная фамилия была Раздольский-Ратошский, начало рода терялось где-то в глубине веков...

Когда вслед за мной его перевезли в Медвежью Гору, он присоединился к молодежи, группировавшейся вокруг А. Ф. Лосева.

Владимир Кемецкий (Свешников)

Стихи на Соловках писали из молодежи очень многие. Вообще в 20-е гг. редкие молодые интеллигентные люди не писали стихов. Такое было время. Одни писали тайно, никому не показывая, другие показывали, но не продвигали их в печать, третьи резво печатались в «Соловецких островах». К последним принадлежали из моих знакомых А. Панкратов, Ю. Казарновский, Д. Шипчинский, А. А. Пешковский, Лада Могиляньска, но, безусловно, самым талантливым и «настоящим» был Владимир Кемецкий. Впрочем, Кемецкий — это фамилия его матери и поэтический псевдоним. Его паспортная фамилия, под которой он и значился в лагере, была Свешников.

Я прибыл на Соловки в самом начале ноября 1928 г., но только весной 1929 г. смог посещать соловецкую кремлевскую библиотеку и брать в ней книги. Это была хорошая библиотека, так как там оставлялись все присылаемые заключенным книги, а было много профессоров, людей с высшим образованием. Работали в библиотеке: Кох (немецкий коммунист, молодой, без единого зуба — выбиты на допросах), Борис Брик (поэт), А. Н. Греч (потомок известного Греча, посажен за дело «Общества русских усадеб»), Новак (венгерский коммунист), небольшого роста старик Мёбус — составитель Теософской энциклопедии в двух широкоформатных томах, и Володя Свешников. Помню, что в помещении было очень холодно, и Володя, синий от холода и голода, в деревенском полушубке с огромным вырванным клоком (так ему этот клок никто и не зашил) выполнял требования на книги — подносил их к стойке, за которой стояли «читатели». Вид у него был всегда обиженного ребенка. Ему было на вид, если вглядеться, лет 20 с небольшим. На самом деле ему было под тридцать. В 1929 г. в конце или в начале 1930 г. Володю поселили в камеру вместе со мной. Его стихи очень ценились, и его всегда немножко (в меру своих возможностей) подкармливали те, кто получал посылки. Поражала его искренность и непосредственность: на его лице отражались все его чувства. Его приходилось часто как-то заслонять и защищать, так как он сразу реагировал на каждую несправедливость, грубость. Было даже иногда что-то истерическое в его возмущенных криках. Свой гнев он направлял иногда даже против тех, кто ему помогал. Сокамерники ему все прощали за талантливость его поэзии. Только небольшая часть попала из им написанного в ж. «Соловецкие острова» за 1930 г., а может быть, за 1929-й и 1931-й (я не проверял). Печатали и его старые стихи, написанные им в Берлине и Париже, но те были гораздо хуже — с претензией на «интеллигентность». В нашей камере 7-й роты он написал и свою «Сагу об Эрике, сыне Эльмара». Он думал о смерти, а свой род по линии матери вел от скандинавских викингов. Стихи он сочинял, вечно бормоча себе под нос с напряженным выражением лица, вытягивая губы. Я очень хорошо запомнил его лицо, манеру держаться. Г. О. Гордон говорил, что он (Володя) — «типичный парижский гамен», бездомный обитатель Монмартра.

О его досоловецком прошлом я помню только следующее. Его родители были белоэмигранты. Отец, Свешников, по-видимому, белый офицер. Семья с Володей жила некоторое время в Берлине (откуда у него берлинские темы в ранних стихах, которые, кстати, не все он хотел печатать, но показывал в нашей камере). Потом семья, как и многие эмигранты, переехала в Париж. В Париже Володя с группой эмигрантской молодежи вступил в комсомол (самодеятельный, очевидно), и эта молодежь стала хлопотать о возвращении в Советский Союз. Родители были против. Он без родителей в 1926 г. с группой молодежи был допущен вернуться. В Харькове, где он жил перед Соловками, а может быть, и в Москве он что-то наговорил, чем-то откровенно был недоволен, и ему «дали» пять лет.

На Соловках он был вечно голоден, ходил полным оборванцем. Один из начальников лагеря женился на бывшей заключенной из интеллигентной компании (ее подругой была Лада Могилянская). Она была восхищена его стихами, которые печатались в «Соловецких островах», и раза два посылала ему махорку и какую-то скромную еду. Фамилии ее не упоминаю — она жива. Он посвятил ей одно из своих стихотворений, напечатанное в «Соловецких островах» в 1930 г. Журнал «Соловецкие острова» шел в свободную продажу по всему Советскому Союзу и даже за рубеж (полный комплект его есть, например, как мне говорили, в библиотеке Хельсинки). Стихами его пленилась одна школьница где-то в Уфе, Перми или Вятке и стала ему писать и посылать посылки. От имени своего и родителей она пригласила его приехать к ним в город. Потом, как мне говорили, она стала его женой, но это была, по-видимому, ошибка. Он прожил, страшно бедствуя, в Архангельской области, где 29 января 1938 г. в Ухтпечлаге был расстрелян. Кемь была для него промежуточным пунктом при его освобождении: в Кемперпункт отправляли с Соловков всех тех, сроки освобождения кого приходились на время отсутствия пароходного сообщения. Лучшие его стихи принадлежат именно к этому, послелагерному, самому бедственному периоду его жизни. Тема ожидания близкой смерти в них главная.

Кое-что из его стихов мне удалось найти в берлинском журнале «Недра», 1923–1924 гг., в четвертой книге (с. 314). Ссылка на него имеется в сборнике «Русский Берлин»: 1921–1923 (Париж: YMCA-Press, 1983). Некоторые стихи напечатаны в ж. «Огонек» и «Наше наследие».

Более полувека разыскивал я какие-либо сведения о Володе Свешникове и его стихи, помимо тех, что были напечатаны в журналах «Соловецкие острова» и «Новые Соловки». В конце концов более чем через шестьдесят лет я получил обстоятельное письмо от историка Э. С. Столяровой, оставляющее надежду, что можно будет найти и еще что-либо из его стихов. Это письмо, ввиду его важности, я печатаю полностью, как справку о его трагической смерти. 22 июля 1994 г. Э. С. Столярова писала мне:

«Уважаемый Дмитрий Сергеевич! Чрезвычайно обрадовалась Вашему письму в связи с публикацией стихов В. Кемецкого (в первом издании данных „Воспоминаний“ в 1995 г. — *Д. Л.*). Исполняю Вашу просьбу и пишу о том, что мне известно о нем (о В. Свешникове-Кемецком. — *Д. Л.*).

Стихи В. Кемецкого в рукописных оригиналах и машинописи, по-видимому сделанной А. Панкратовым, попали ко мне в начале 80-х годов от моей родственницы Панкратовой — сестры известного Вам по Соловкам А. Панкратова (который умер в 1947 году). Возможно, А. Панкратова и Кемецкого связывали дружеские отношения, иначе как могли к нему попасть эти стихи.

В стихи я, что называется, „впилась". Я по образованию совсем не литературовед (я окончила истфак МГУ, по основному роду деятельности — редактор, сейчас, на пенсии, — библиотекарь), сразу почувствовала незаурядность и стихов, и личности их автора. Мне показалось до ужаса несправедливым и обидным, что у этого поэта нет читателя, что его стихи недоступны людям.

По датам и городам под стихами я попыталась проследить жизненный путь Кемецкого. Получалось, что сначала он жил за границей (Париж, Берлин), потом некоторые наши города — Москва, Тифлис, Харьков, потом Соловки, Кемь, потом — Архангельск. Далее все обрывалось.

Я попыталась разыскать какие-нибудь возможные публикации стихов в нашей стране. После долгих поисков мне повезло: я обнаружила три его сонета в альманахе „Недра" за 1924 год. Их автором значился В. Кемецкий. Так отпала бывшая у меня версия, что Кемецкий — псевдоним, взятый поэтом на Соловках в Кеми.

Я даже отправилась на Соловки, пыталась у тамошних музейных работников что-либо разузнать. Они потихоньку и в основном для себя занимались соловецкими узниками, хотя тогда, до перестройки, это было еще небезопасно. У меня завязалась дружеская переписка с Антониной Мельник, работавшей в музее, но пролить свет на судьбу Кемецкого она, к сожалению, не смогла. Зато я прочувствовала высокую красоту Соловков, которая вошла во многие стихи Кемецкого.

Безуспешно я пыталась что-либо выяснить и в „Мемориале". Написала письмо А. Рыбакову: у него в „Детях Арбата" был герой А. Панкратов, который в Канской пересылке встретился с поэтом, чья судьба напоминала судьбу Кемецкого, — он тоже молодым человеком вернулся в Россию из Парижа.

А. Рыбаков мне ответил. Но, к сожалению, этот путь никуда не привел.

Тогда я стала искать людей, профессионально занимающихся поэзией 20-х годов. Так я познакомилась с Н. А. Богомоловым. И это была величайшая удача: познакомившись со стихами Кемецкого, он смог связаться с Вами, послал Вам переданные ему мной стихи Кемецкого. И вот пришло от Вас большое письмо, где Вы рассказали о Соловках, об окружавших Вас там людях, об атмосфере и — о радость! — о Кемецком. Так некий бесплотный образ стал реальным человеком Володей Свешниковым, поэтом Владимиром Кемецким. Для меня тот день, когда я прочитала Ваше письмо, стал днем великой радости.

Затем через А. Лаврова я послала Вам все имеющиеся у меня стихи Кемецкого. И Вы сделали то, о чем я столько мечтала: Вы рекомендовали опубликовать в „Нашем наследии" несколько стихотворений. И вот в номере 2 за 1988 год появились с небольшим моим введением стихи Кемецкого. Поэт обрел читателя. Какое счастье!

На публикацию пришло два отклика. Во-первых, письмо Зелениной Елены Павловны, которая в 30-е годы приехала в Архангельск к ссыльным матери и отчиму. Здесь она познакомилась с ссыльным Яном Глинским, за которого вскоре вышла замуж. Глинский был знаком с Кемецким, жившим после Соловков в Архангельске. К ним часто приходили ссыльные литераторы и художники, в том числе и Кемецкий. Следующая встреча Зелениной с Кемецким произошла в Москве. Кемецкий несколько раз навещал ее. Затем она встретилась с ним в Уфе, где он якобы осел. Она с сожалением сообщила мне, что Кемецкий к тому времени очень много пил, не сумев приспособиться к действительности.

Совершенно уникальный отклик пришел от доктора исторических наук Клибанова Александра Ильича. (Осмелюсь сказать, что я с ним подружилась и часто виделась вплоть до самой его смерти. Это был удивительный человек и большой ученый. 13 лет его жизни прошли в лагерях. Я помогала ему подготовить к печати переписку с женой. Однако, увы, сделать это он так и не успел. А письма их замечательные — в том числе и как документ эпохи.)

С Кемецким он встретился в 1937 году в трюме баржи, везшей партию заключенных в лагеря Воркуты. Кемецкий произвел на него такое сильное впечатление, что он всю жизнь помнил наизусть некоторые его стихи. А. И. еще до встречи со мной наговорил на магнитофон свои воспоминания о встрече с Кемецким. Эти воспоминания в машинописи есть и у меня. Приведу отрывок из них.

„Однажды я был привлечен каким-то шумом у лестницы, что вела из трюма на палубу. Я был неподалеку от этого места, быстро слез с нар и подошел. И увидел следующее. Какой-то молодой человек, лет 25–26, человек маленький, худой, светловолосый и, насколько можно было видеть при слабом освещении, очень бледный подался на несколько ступенек вперед. А перед ним стоял здоровенный детина-конвоир, с трудом сдерживающий огромного пса, который, поднявшись на задние лапы, ощерился на маленького человечка. Но тот, весь дрожа от волнения, негромко, но с необычайной силой, с огромным напором, с грозой в голосе бросил конвоиру: „Не подходи... Убью!“ — нагнулся и с силой, которой никак нельзя было в нем ожидать, вырвал из ступеньки доску и, замахнувшись, приблизился к конвоиру. И так он был страшен, так грозен, что не только конвоир, но и его собака подались назад и скрылись на палубе.

Вместе с несколькими товарищами я подошел к этому человеку. Он был страшно взволнован. Его лихорадило. Мы с трудом увели его назад, усадили. Оказалось, что ему надобен был глоток воздуха. Он задыхался и сказал мне, что больше не в состоянии терпеть и готов был пойти на все и, собственно, даже хотел, чтобы конвоир его пристрелил, чтобы разделаться сразу со всеми этими муками, со всем этим плавучим адом, каким была наша баржа.

Наши отношения с ним как-то очень быстро стали хорошими, дружескими, доверительными. И как это обычно было принято между заключенными, каждый рассказывал друг другу историю своей жизни, тот путь, который привел его в это место. Рассказал мне о своей жизни и этот человек. Его фамилия Свешников. Он принадлежал к какому-то известному дворянскому роду. В годы революции его родители эмигрировали, скитались, в конце концов обосновались во Франции, в Париже. С ними и он. У него обнаружился поэтический талант, по-видимому сразу о себе заявивший и бесспорный. Он был принят в салоне Гиппиус и Мережковского, пользовался там большим успехом. Сам он с большим интересом приглядывался к бывавшим и выступавшим там лицам. Но вскоре почувствовал, что в салоне ему душно — душно нравственно, так же как физически душно было в этой барже.

Он бросил салон, порвал вообще с кругами эмиграции и вступил во французский комсомол. Но он был поэт. Он не умел заниматься конспиративной политической работой, был выслежен в каких-то неугодных французской полиции действиях и выслан из Франции. Он переехал в Берлин. Там снова вступил в комсомол — Югенбунд, участвовал в подпольной работе, тоже был выслежен полицией, и на этот раз — при каких-то обстоятельствах, не помню — его переправили в Советский Союз. Он поселился на юге, в каком-то большом городе. Попал в редакцию газеты „Заря Востока“ (издавалась в Тифлисе. — *Д. Л.*), где работал корреспондентом, литературным правщиком. Жил хорошо, дышал полной грудью. Все ему было ново, все интересно. Он слился с окружавшей его жизнью, и это были одни из лучших лет всей его еще такой небольшой биографии.

А потом случилось совершенно невероятное. Он был обвинен в том, что проник в Советский Союз с разведывательными целями, что был шпионом, то ли немецким, то ли французским, то ли немецко-французским, арестован и сослан в Соловецкий лагерь. Там он пробыл несколько лет. Говорил, что внешние условия жизни для него бывали не всегда тяжелыми. Он даже имел возможность не только писать, но и печататься в каком-то литературном альманахе, который издавали заключенные литераторы. Он выступал под псевдонимом Владимир Кемецкий.

Он читал мне (А. И. Клибанову. — *Д. Л.*) свои стихи. Я вспомнил далеко не все. Собственно, только четыре стихотворения. Я думаю, это очень хорошие стихи, и хорошие потому, что в них вылился сам их автор. Стихи, которые мне запомнились, носят, я бы сказал, характер лирическо-гражданственный, обличают немецкое мещанство, в котором он угадывал будущих фашистов. Запомнился мне кусочек сюжета его стихотворения „Герр Мюллер": Герр Мюллер веселится. Это лабазник, лавочник, мясник — с красной короткой шеей, который вдохновляется колбасой, баварским пивом. Он жадно ловит в воздухе запах крови, который будоражит его засаленную душу. Ну, что-то такое... Я говорю об ощущении, которое у меня осталось от этого стихотворения. Были и другие.

Когда мы прибыли к месту назначения, нас распределили по разным командировкам. Я попал в шахту „Капитальная". Свешников — в другую. Больше мы не встречались. Где-то в конце 1937 года до меня дошло известие о тяжелой болезни Свешникова. Это была последняя весть о нем". (На этом кончается выдержка из письма А. И. Клибанова. — *Д. Л.*)

Теперь из документа Министерства Безопасности, опубликованного в ваших „Воспоминаниях" (речь идет о первом издании данных „Воспоминаний", где приведены и все стихотворения Свешникова, которые он считал возможными опубликовать), ясно, что Кемецкий был расстрелян в январе 1938 года, а в мае 1957 года дело его было прекращено „за отсутствием состава преступления". У меня, правда, возник один вопрос: почему решение о расстреле было принято тройкой УНКВД по Архангельской области, хотя Кемецкий сидел в Воркутинских лагерях?

Господи, за что достались этому человеку такая жизнь и такая смерть?

Еще один отзыв о Кемецком я получила от А. Н. Доррер, сестры жены еще одного поэта 20-х годов — Вл. Щировского. Ей не довелось видеть публикации в „Нашем наследии“. Тут получилось иначе. Я помнила, что в поэме „Память крови“ Кемецкий выбрал эпиграф из Щировского. И вдруг я встречаю в „Огоньке“ подборку стихов Щировского в рубрике „Русская муза XX века“, которую вел Евг. Евтушенко. В „Огоньке“ мне дали адрес публикатора — Доррер А. Н., которая жила в Херсоне. Я написала ей. Она моментально отозвалась. (О, какое тогда было время! Как мы были обольщены изменениями, происходившими в стране, сколько мы ждали! Куда все девалось?) Она не очень много знала о Кемецком, написала мне, что Кемецкий и Щировский были друзьями, рассказала об одном эпизоде, который, как считал Щировский, стал поводом для ареста Кемецкого. Дело было в Харькове: „...в 27-м году был случай, когда однажды ночью, после совместных возлияний, где-то на площади Свешников кричал: „Продам свой плащ и уеду в Париж!“ Кажется, даже расстилал этот плащ на камнях мостовой. Ведь это были еще совсем мальчишки! Кемецкий и Щировский переписывались, когда Кемецкий был на Соловках. После освобождения Кемецкий заезжал к Щировскому, тогда жившему в Керчи. Сам Щировский позже тоже был арестован, освобожден и затем погиб на войне в первые же дни. „Огонек“ заинтересовался стихами Кемецкого, но, увы, времена уже начали меняться...

Потом я познакомилась с В. Б. Муравьевым, бывшим политзаключенным, который сначала в „Литературной газете“, а потом отдельной книгой („Среди других имен“) опубликовал стихи поэтов-заключенных. Среди них был и Кемецкий. Его стихи он взял из журнала „Соловецкие острова“. Познакомившись со всеми стихами Кемецкого, он решил издать их полностью. Но и этому не суждено было осуществиться. Я как-то все время чуточку опаздывала.

Однажды я получила письмо из Петрозаводска из Центра по изучению духовной культуры ГУЛАГа от Юрия Линника. По его просьбе я подготовила большую подборку стихов Кемецкого и А. Панкратова, которые и были опубликованы в журнале „Север“ в № 9 за 1990 год. Издательство „Карелия“ собиралось издать книгу „Неугасимая лампада“, куда должны были войти и стихи Кемецкого. И опять — увы! Был у петрозаводчан и другой план, тоже не осуществившийся. По просьбе Ю. Линника я послала для создавшегося музея автограф стихотворения Кемецкого „Песнь о возвращении“, оставив себе ксерокопию. Это единственный автограф, с которым я рассталась. Остальные до сих пор у меня.

А потом — Ваша книга. И моя радость. Вот, по сути, и все факты, уважаемый Дмитрий Сергеевич, что мне известны. Если Вам будут интересны те сведения, что я Вам сообщила, я буду рада. Думаю, что можно бы еще попытаться поискать публикации Кемецкого в газетах тех городов, куда забрасывала его судьба. А вдруг».

На этом кончается интересующая нас часть письма Э. Столяровой. Сведения о Кемецком могут оказаться в парижской части архива Гиппиус и Мережковского, в каких-либо изданиях Керчи (мне еще лет 20 назад говорили, что видели стихи Кемецкого в изданиях Керчи), а также следовало бы просмотреть подборку газеты «Заря Востока».

Мои воспоминания о Володе хотелось бы заключить строками из его стихотворения 1927 г.:

Мои стихи для всех времен
Мечтателей, бродяг и пьяниц,
Для тех, кто в жизни полюбил
Вино, любовь и вдохновенье,
Кто жизнь иную уловил
Сквозь эти тусклые мгновенья...
Сей миг приветствую, как праздник...
Суровый час грядущей казни.
Вы легкие! И больно мне —
И радостно полет ваш милый
Следить — в огромной тишине
Моей тюрьмы, моей могилы.

«Грядущая казнь» (расстрел) встретила его ровно через десять лет.

БЕЛАЯ НОЧЬ

Двух бледных зорь немая встреча.
И крылья чайки, и залив...
Всю ночь не умирает вечер,
С часами утренними слит.

Плывут в изменчивом движеньи
Вдоль искривленных берегов
Расплывчатые отраженья
Зеленоватых облаков.

И так томителен над нами
Двойной зари двуличный свет...
Обманчивое упованье —
Забытой страсти мертвый след.

Соловки, 1928

БАЛЛАДА О КАРЕЛЬСКОЙ СОСНЕ

Карельская глушь... Лесные сны...
Озерная сторона...
Корнями опутывая валуны,
Росла кондовая сосна.
И ветер пел, и ствол скрипел,
И в ветвях завывала пурга,
Пробиралась пурга по незримой тропе,
И в сугробах дремали снега...
Но день пришел. Разгоралась вдали
Рассветная полоса...
В молчаливую чащу внезапно вошли
Человеческие голоса.
И кто-то, сумерками объят,
Сказал: «Начинать пора». —
И кто-то, одетый в серый бушлат,
Сталью сверкнул топора.
Стучал топор. Тяжело человек
Дышал — и им сражена,
Грузно рухнула в рыхлый снег,
Ломая кустарник, сосна.

И вскоре пароход, под рычание волн,
Под шторма полярного стон,
Уносил прямой, оголенный ствол
В далекий Саутгемтон...

Ветер, волны и чаек крик...
Парусов напряженный брезент...
Шел по Белому морю британский бриг
«Каунти оф Нортумберленд».

Даль — мутна, холодна волна.
Моря враждебен шум...
Тяжестью стали и чугуна
Темный наполнен трюм —

Это к карельским берегам,
В край лесов и трясин,
Шеффилд шлет и шлет Бирмингем
Мерную силу машин...

И стояла в убранстве брезента и рей
Над палубою судна
На оснастку сменившая хвою ветвей
Карельская сосна.

И ветер пел, и ствол скрипел,
И рождались глухие сны —
Об озерах сны, о лесной тропе —
В смолистом сердце сосны.

И сосна задрожала ветвями рей —
Небосклона сломалась дуга,
И вышли из тумана навстречу ей
Гранитные берега.

Соловки, 14/X 1929

САГА ОБ ЭРИКЕ, СЫНЕ ЯЛЬМАРА, И О ПОСЛЕДНЕМ ИЗ ЕГО ПОТОМКОВ

I

Светлою, чешуйчатою сталью
С головы до ног облечены,
На ладьях дубовых вылетали
Мужи фьорда, возжелав войны.

Вдоль бортов тяжелые висели
Воинов округлые щиты,
Волны бились в пенистом весельи
В свежепросмоленные борты.

И над выпуклой равниной моря
Завывали хриплые рога,
И скрывались в утреннем просторе
Затуманенные берега...

Были алчны, веселы и смелы,
Юной волею опьянены,
Крепче ясеня упругим телом
И душой стремительней волны.

От болот Фрисляндии холодной
До сирийских знойных берегов
Возникали из пучины водной
Толпы белокурых смельчаков.

Ревом стад, возов протяжным скрипом
Наполнялись колеи дорог,
И вороньим неумолчным криком
О беде вещал угрюмый рок.

А в монастырях, в полдневных странах,
Ко Христу взывал дрожащий клир:
— Да хранит от ярости норманнов
Верный церкви христианский мир.

II

Я седые разбираю руны
Потаенной памяти моей,
Старой арфы слышу говор струнный,
Весел плеск и ропоты морей.

Тень встает в туманах полунощных,
Опирающаяся на меч, —
Узнаю тебя, мой пращур мощный,
Запевала грабежей и сеч.

Рослый, меднокудрый, бородатый,
Ты молчишь, приемля волн хвалы,
Шрам от сарацинского булата
Вьется вдоль обветренной скулы.

И кольчуга холодно мерцает,
Пены брызгами орошена,
И ладья твоя летит, качаясь,
Сквозь пространства, ветры, времена...

А над Балтикой, — ты помнишь, Эрик? —
Вечер молчаливый угасал,
Шли ладьи, родной покинув берег,
Шли ладьи, раскинув паруса.

Стаей кречетов ладьи летели,
Кровь зари стекала по щитам,
Паруса, вздуваясь, шелестели,
Волны льнули к выгнутым бортам.

О богах родимого Готланда,
О морских глубин холодной мгле,
О свирепых скрялингах Винланда
Пели скальды на крутой корме.

Пели скальды, рокотали воды,
Уносился ветер наугад,
Тускло рдел предвестник непогоды —
Раскаленный докрасна закат.

Так, по воле паруса и ветра,
Словно жизнь, прекрасен и жесток,
Плыл с дружиной старого Хрорекра —
Эрик, сын Яльмара, на восток.

III

Нежная, покорными глазами
Княжишь ты, бездумна и ясна,
Сладости безмолвные лобзанья,
Невзначайной ласки тишина.

Твой призывный, ветрами звучащий
Голос древние приносит сны,
Тихий шорох непробудной чащи,
Плеск прозрачной ильменской волны.

А когда нежданными слезами
Затуманится твой светлый взор,

Восстают забытые сказанья,
Затаенные на дне озер.

Помнишь, слушая, как вьюга злится
И терзает чахлые поля,
Ты в своей бревенчатой светлице
Пряжу до полуночи ткала.

А весною, на заре туманной,
Над изгибом медленной реки,
На вершине Чудского кургана
Ты сплетала бледные венки.

Помнишь, как в испуганной печали
Протекали на пиру часы,
Как подруги с песней расплетали
Кольца русой девичьей косы,

Как, дрожа, легла ты ночью хмурой,
Внемля влажным возгласам дождя,
На покрытое медвежьей шкурой
Ложе рыжекудрого вождя.

IV

За ладьей моей веселой стаей
Волны-псы не гонятся, ворча,
И рука моя не обнимает
Кованую рукоять меча.

Ветер, песни, сны, воспоминанья,
Тихий отзвук жизни вековой,
Лишь закат, как боевое знамя,
Развевается над головой.

Но, бессилен и обезоружен,
Слышу все ж дружин суровый зов.
Все же я с широким морем дружен,
С крыльями беспечных парусов.

Я люблю прибрежною тропою
Пробираться при мерцаньи звезд,
Я люблю суровый рев прибоя,
Яростно дробящего утес.

Черную люблю крутую спину
Мерно вырастающей волны,
Шквалами разломанные льдины,
Тронутые оловом луны.

А когда, как гость на новоселье,
Тьма придет и скроет небеса
И когда медлительно застелет
Роковой туман мои глаза —

Рухнет шумная волна на берег,
И, сверкая взора синевой,
Из тумана прародитель Эрик
Царственно возникнет предо мной.

Мощью, равной ясеню иль буку,
Встанет он, кольчугою звеня,
И протянет жилистую руку,
И в ладью свою возьмет меня.

И помчимся, с черной зыбью споря,
В непроглядной тьме, сквозь ураган,
По волнам неведомого моря
К сумрачным, скалистым берегам.

И, взойдя на облачные скалы,
В синем блеске ледяных лучей
Я вступлю в высокую Валгаллу
Под бряцанье арф и лязг мечей.

V

Не томи напрасною тревогой
Сердце юное и слез не лей,

Если ночью выйду на дорогу,
Вьющуюся меж пустых полей.

Если долго буду слушать волны
И прибоя вспененного шум,
Если, ветрами и ночью полный,
Возвращусь рассеян и угрюм,

Мне ль покинуть сонные озера,
Леса шепчущую глубину,

И зелено-дымчатые взоры,
И твоих улыбок тишину?

Нет, навеки я тобой окован,
От тебя мне некуда уйти,
Тихим волхованьем зачарован,
Старых странствий я забыл пути.

Слушай тихие повествованья,
Дочь страны озерной и лесной,
Слушай эти смутные сказанья,
Для тебя лишь сложенные мной.

Знали викинги одну отраду —
Бег ладьи да пиршество меча,
Жемчуг, злато — смелому награда,
Пахнущая мускусом парча.

Были алчны, веселы, упорны...
Только, знаешь, не ушел домой
От страны славян, от глаз покорных —
Эрик — сын Яльмара — пращур мой.

ПЕСНЬ О ВОЗВРАЩЕНИИ

Разбиваются в море льды,
Вдоль тропы прорастает трава,
Острый запах соленой воды
Обволакивает острова.

Разбиваются льды, звеня,
Хриплый ветер кричит, смеясь...
Ты едва ли узнаешь меня
В нашей встречи вечерний час.

Снег блестит на моих висках.
На лице морщины легли —
Ибо тяжко ранит тоска
На холодном краю земли.

Слишком долго к тебе одной
Белой вьюгой рвалась душа,
Когда сполох мерцал надо мной,
Как прозрачный твой синий шарф.

Слишком много ночей я вникал
В зимних звезд ледяную игру —
Ожерелья твои вспоминал,
Упадающие на грудь...

Я приду — и внесу в твой дом
Запах водорослей и смолы,
Я приду поведать о том,
Что узнал у замшелой скалы.

И прочту я тебе стихи
О стране, где не пахнут цветы,
Не поют по утрам петухи,
Не шуршат по весне листы.

Расскажу тебе про народ
Неприветливых этих мест —
Он отважно и просто живет,
Бьет тюленей и рубит лес.

Догорят в камине огни,
Затуманится голова...
Все равно, ни к чему они,
Человечьи пустые слова...

Замолчу. Оборву рассказ.
Попрошу для трубки огня.
Может быть, хоть на этот раз
Ты сумеешь услышать меня.

Соловки, 1931

* * *

Испей вина созвездий и лучей,
Цветов и трав. И радостно спокоен
Да будешь ты, как неистомный воин,
В бушующем скрещении мечей.

Растущий ствол судьбы могуч и строен —
Таков и ты, слух напряженный чей
В замедленном движении ночей
Цветущих звезд привета удостоен.

Блажен, кому прислушаться дано,
Как темное колышется вино
В хранилище небесных водоемов,
Кто проникал в сплетенья дальних лоз
Иль в мерное произрастанье звезд
На целине ночного чернозема.

Москва, 1927

ВОСПОМИНАНИЕ

Только зеркало не вспоминает
Вглубь его смотревшие глаза —
Наша память мечется, шальная,
Вскрикивает и зовет назад.

Каждый день болезненно отмечен
С пробужденья моего, с утра,
Радостями незнакомых встречных
И печалями чужих утрат.

Так, должно быть, сам того не зная,
Мучается старый клен
И взволнованно припоминает
Позабытых множество имен —

Нежных, девичьих имен, когда-то
Вырезанных на коре его,
Полустертых, никому не внятных,
И не трогающих никого.

1929

МОЕЙ МУЗЕ

То струн ли отдаленных переборы,
То ль ветра стон — иль милый голос твой?
Веду опять, прелестная, с тобой
Воображаемые разговоры.

Не раз ко мне, гонимому судьбой,
Задумчивые покидая горы,
Слетала ты. Твои движенья скоры,
А в волосах дыханье влажных хвой.

Звук узнаю негромкого напева —
Ты вновь со мною, солнечная дева,
Посланница парнасских гулких скал...

Позволь же, гостья, за твое здоровье
Наполненный незримых гроздьев кровью
Поднять воображаемый бокал.

Москва, 1927

Александр Артурович Пешковский

Писать о нем серьезно трудно. И все же в нем наряду с чрезвычайной вульгарностью и практичностью была наивность, простодушие и что-то еще, привлекавшее к себе. Он работал в Кримкабе еще до меня, был меня чуть старше возрастом, и А. Н. Колосов держал его при себе своим первым помощником, что он и любил нам показывать. А мы с Володей Раздольским на это не обижались: «Пусть себе!» Он был чрезвычайно активен и «подвижен». Подвижен не только потому, что вечно что-нибудь добывал и устраивал (для себя в первую очередь — иногда и для нас), но и потому подвижен, что был болен какой-то формой хореи: дрыгал ножками (в гольфах и остроносых модных туфлях «джимми»), крутил плечами, ерзал головкой и как-то особенно прорывался словами (из того, что он думал, вечно вырывались какие-то слова, особенно когда писал). Из отдельных слов, которые вырывались у него, когда он писал, например, заявление с просьбой о помиловании, мы отлично представляли себе этот «документ», полный унижения и преувеличений. «Документ» этот он от нас скрывал, но мы, посмеиваясь, все же жалели Артурыча за то унижение, через которое ему приходилось пройти. Впрочем, освобожден он был досрочно не по заявлению, а за свое поведение в Солтеатре. Летом 1931 г., когда приехала разгрузочная комиссия (она приезжала ежегодно), для нее было дано представление — «Соловецкое обозрение» Б. Н. Глубоковского (автор, режиссер и актер). В театр были допущены и заключенные. Артурыч, который писал в «Соллисток» «театральные рецензии» (хвалил нужных ему актеров и постановщиков), занял в рядах свое обычное место под ложей начальства. Как только поднялся занавес и водворилась тишина, стали слышны вскрики и бормотания Артурыча. Комиссия изумилась, и в этот же свой приезд его освободила. Сам я на этом «двойном» спектакле не был: так рассказывали.

Артурыч пытался писать стихи, прозу — его «шедевр» «Кузьма вдова». Печатался Артурыч в «Соловецких островах», выделяя в своих произведениях отдельные слова крупным шрифтом, и это казалось каким-то продолжением его странной болезни. «Артурыч заикается, когда молчит, а Юрка Казарновский, когда говорит», — шутили про них. Но Артурыч «заикался» и в печатном тексте этими своими нарочитыми выделениями слов. Его прозаическая вещь (с главной героиней, кажется, мадам Либерман) была все же неплохой.

Был он племянником специалиста по русскому синтаксису — А. М. Пешковского. Мать его и отчим Шведов приезжали к нему на свидание. Были они из Царского Села (к тому времени уже переименованного в Детское Село). Мать была очень религиозной. Проникнув в Музей, она горячо молилась у выставленных для глумления мощей Зосимы и Савватия.

Артурыч удивительно умел устраиваться, имел всюду блат (соловецкое словцо, прокатившееся потом по всей стране) и окружал себя пишущей молодежью.

Служебные поручения «папашки» А. Н. Колосова он также выполнял отменно. Знал он все слухи, все «параши», или, как их еще называли на Соловках, «радиопараши», т. е. слухи, исходившие главным образом с радиостанции — единственной месяцами связующей нитью с материком.

В «Соловецком обозрении» пелось:

> То не радиопараши
> И не граммофон, —
> То поет, поевши каши[1],
> Наш веселый СЛОН.

---

[1] А кормили нас главным образом кашей — пшенной, перловой.

Его окружала вся соловецкая молодежь, писавшая стихи: Панкратов, Казарновский, Шипчинский, Свешников-Кемецкий, Л. М. Могилянская (кстати сказать, все они потом были расстреляны, кроме Ю. Казарновского, погибшего от наркомании).

После освобождения из лагеря я встретился с А. А. Пешковским в Ленинграде. Я рассказал ему, что хочу писать очерки для детских журналов (для «Костра», куда уже сдал рукопись) о происхождении тех или иных слов и выражений. Каково же было мое удивление, когда он сразу же и быстрее меня опубликовал серию таких очерков как раз о тех словах, которые я ему назвал, и по тем же справочникам и изданиям. Я рассердился и больше с ним не встречался. Когда и как он вскоре пропал — не знаю, но быть просто незаметным он не мог, даже в Ленинграде. Я же благословляю судьбу, что не вступил на стезю писательства в те годы и стал незаметным, работая корректором сперва в типографии «Коминтерн», а затем «ученым корректором» в издательстве Академии наук в Таможенном переулке на Васильевском острове.

Александр Александрович Бедряга

После освобождения Александра Николаевича Колосова Кримкабом стал заведовать Александр Александрович Бедряга.

Как сейчас помню его. У него была узкая, сужающаяся кверху лысеющая голова, усики, красивые лукавые глаза, маленький рот и вечная готовность на лице превратить любой разговор в шутку. Ходил он в темной толстовке и высоких сапогах. Научился, как «папашка» Колосов, читая беллетристику, держать в руке карандаш, готовый в любую секунду предстать перед внезапно появившимся начальством в позе пишущего докладную записку.

Он был юрист, но перед своим арестом бросил свою профессию и стал массажистом в Максимилиановской (платной) лечебнице в Ленинграде. Жил он до ареста в Ленинграде в Озерном переулке, в доме, где жил и Б. Д. Греков. Его мать (фамилию ее забыл — кажется, Чеботарева) сватала (еще до ареста) Александра Александровича за свою воспитанницу Лизу. И ждала, что он женится на ней после своего возвращения. Он уклонялся от обещаний, но после больших выпивок на Соловках, до которых он был большой охотник, он обычно бывал в мрачном настроении и говорил: «Женюсь на Лизке». Это означало, что у него болит голова с похмелья. Меня он не очень жаловал, так как я был «непьющий», а для пьющего непьющий всегда враг, неприятель, живой укор! Питал он любовь только к Володе Раздольскому, так как тот охотно участвовал в его пьянках. Стоили эти выпивки больших денег. Водка привозилась контрабандой.

Помню такой эпизод. Напился Бедряга в 3-й роте до положения риз. Лежал пластом на своем топчане, чем-то и кем-то заботливо накрытый. Было это уже в период отсутствия навигации. Пришли почтарки (лодки, которые можно было тащить по шуге и льду, — сравнительно небольшие) и привезли контрабандную водку. Эту водку добывал от почтарей и сам начальник нашего островного отделения «Петя» Головкин — заливистый пьянчужка. Время прибытия почтарей с водкой он знал точно. И вот, напившись, «Петя» Головкин начинал искать пьяниц по ротам, устраивал обход, сам едва держась на ногах, и сажал в карцер всех пьяных. А попасть в карцер на Соловках было почти гибелью. Надо было обладать огромным здоровьем, чтобы сидеть весь день «на жердочке» (так назывались карцерные узкие скамьи без спинок и притом высокие — ноги не доставали до полу).

Итак, напившись, «Петя» Головкин ринулся в третью роту, где были «состоятельные» заключенные, имевшие средства покупать водку. При входе начальника в роту дежурный кричал: «Встать, смирно», — двери в камеры открывались, и все должны были стоять руки по швам. А Бедряга лежит! «Петя» Головкин спрашивает дежурного: «А это кто?» — «Больной-с», — отвечает дежурный подобострастно. Решив, что «больной» от него не уйдет, а другие пьяницы успеют спрятаться, «Петя» Головкин бросился по другим камерам, а за это время Володя Раздольский и я выволокли «мертвое тело» Бедряги в седьмую роту через всю площадь перед Преображенским собором. Осмотрев все камеры на двух этажах, «Петя» Головкин вернулся в ту, где лежал Бедряга, и не нашел его. «Куда делся?» — «Не могу знать», — отвечал дежурный, и действительно, откуда ему было знать, раз обход он делал вместе с самим Головкиным. Увидев, что его обманули, «Петя» Головкин взревел от обиды и понесся ловить «мертвое тело». Прежде всего пришел в 7-ю роту — роту артистов и музыкантов Солтеатра. Командовал ею эстонский офицер Александр Адольфович Кунст (один из «каламбуров» адмчасти, где командовали всем веселые белогвардейцы, заключался в том, чтобы давать назначения в соответствии с фамилией). Кунст был хороший товарищ и смелый. Ворвавшись в седьмую роту, «Петя» Головкин накинулся на Кунста: «У тебя в роте бардак, пьянки!» Кунст знал, что возражать Головкину, да еще пьяному, никак нельзя, и, щелкнув каблуками, лихо отрапортовал: «Так точно, гражданин начальник (называть начальника „товарищ" заключенным строго запрещалось), в роте бардак: все в порядке!» Пьяный Головкин очумело посмотрел на Кунста, он чувствовал, что перестал соображать, и сказал: «Все в порядке, говоришь? А ну пройдись по одной половице» (это был его любимый способ выявления пьяниц). Кунст был трезв и быстро прошелся по одной половице. «Петя» Головкин ринулся по камерам (команда «смирно» была дана, двери открыты) и вот в первой же камере нашел Бедрягу, лежащего в той же позе. Мы не успели его даже прикрыть шинелью. Бедрягу водворили в карцер, и начались его допросы: «где взял водку, кто перетащил». Били при всех заключенных в карцере, но Бедряга не сдался. После этого урки на Соловках прониклись великим уважением к Бедряге, да и к Кримкабу, и, не опасаясь, рассказывали нам о своей жизни; эти рассказы записывал я и через записи эти научился владеть письменной речью (в холодной школе в Ленинграде мы сочинений не писали, да и пальцы для письма от холода не гнулись). Бедрягу выручили врачи, определившие его из карцера в больницу, с каким-то якобы «острым» заболеванием. Но в целом надо сказать, что начальство с великим «пониманием» относилось к пьяницам и прощало им такие проступки, за которые трезвым грозил бы в лагере расстрел. Так, например, Бедряге были прощены такие вот проступки. Однажды он в подпитии надел пожарную каску, все пожарное обмундирование, взял в руки пожарный топорик, надел на грудь электрический фонарик (все это он достал потому, что в пожарной команде были тоже любители выпивок) и вошел во время представления в переполненный Солтеатр и зычно возгласил: «Пожар!» Началась паника, но, к счастью, никто не погиб. Дело замяли: начальство хохотало. В другой раз он подобрался к «царскому» колоколу, висевшему в низкой колоколенке в саду перед Преображенским собором, и ударил в него довольно громко. Дело и на сей раз замяли: начальство хохотало. О пьяных проделках А. А. Бедряги можно было бы рассказывать без конца. Жили мы при нем вольно. «Загонять туфту» и изображать, что наш Кримкаб занят серьезным делом, он умел. Его все любили. Умел он и пошутить, хотя человек он был далеко не умный. Грустно, что после А. Н. Колосова мы уже серьезным делом не занимались. Трудколония жила своей жизнью, а потом была вывезена в Большево.

После своего освобождения Бедряга не смог устроиться на работу. Нигде его не брали. Поехал в Дмитровлаг под Москву, и там его устроил к себе домработником Дмитрий Павлович Каллистов. Зарегистрировал, записал. В милиции немало удивлялись. Бедрягу хотели признать тунеядцем, но у него был договор с Каллистовым, который обычно заключали с домработницами, и Каллистов его отстоял: «Разве в нашем прогрессивном трудовом законодательстве сказано, что домработницей может быть только женщина?» Придраться не смогли, и Бедряга продолжал пить, имея легальное местожительство и «положение» домработницы. В конце концов он повесился в сарае у Каллистова. Десятки раз он повторял: «Женюсь на Лизке», но так и не переставал пить. А мать его, верно, знала, за кого сватает, и «Лизка», может быть, его бы и спасла от ужасной смерти. Жалко.

А что стало с помощником начальника Соллагеря «Петей» Головкиным («Петей» его называли заключенные, прощавшие ему все зверства ради его запоев). Он («Петя» Головкин) был переведен в Кемь еще тогда, когда я был на острове. В Кемь из Соловков была переведена и лагерная многотиражка. Однажды весь остров катался со смеху. В Кемской лагерной многотиражке в номере, попавшем на Соловки, заключенные прочли статью П. Головкина о вреде пьянства. Это был шедевр газетного искусства. Головкин писал, что от пьянства человек шатается, делает неверные движения, падает и может сломать ногу или руку, плохо работает, на следующий день у него болит голова и пр. (описывалось его же собственное поведение). Приказав написать Головкину такую статью, высшее лагерное начальство надеялось, что после этого ему будет стыдно пить. А писал эту статью, конечно, не полуграмотный «Петя», а кто-либо из остряков-заключенных.

Михаил Иванович Хачатуров

Нельзя представлять себе Криминологический кабинет как центр только философской серьезной мысли. Иногда, когда не было срочной работы, он был своеобразной гостиной. В своих камерах мы только спали, пили кипяток и были заняты своими делами, тем более что и мигающий свет лампочек тушили рано (в 10 часов). Переходы из роты в роту и из камеры в камеру были запрещены, но в здании Управления лагерей на пристани общение совершалось легко. Больше всего интеллигентных людей привлекал, конечно, Криминологический кабинет.

Наиболее частым посетителем был остроумнейший Михаил Иванович Хачатуров. Михаил Иванович имел счастливую статью за растрату, хотя в моих соловецких записках против его фамилии почему-то написано «теософ». С особым смаком он рассказывал, как он прокутил большие казенные деньги, а потом неудачно попытался перейти из Армении турецкую границу.

В те далекие времена население лагеря делилось на «социально близких» и «каэров» (контрреволюционеров — заключенных, взятых по статье 58; слова «контрик» еще не существовало). Преимущество во всем отдавалось «социально близким». Им можно было селиться за пределами монастырских стен, занимать лучшие должности, их даже брали в охрану. Формально так, но лагерное начальство понимало, что ворам и бандитам особенно доверять нельзя: украдут, убьют, обманут, нарушат дисциплину именно они. Поэтому оставалась не очень большая группа лиц, которые фактически жили лучше. Хотя, конечно, во главе всего был — случай, блат, специальность. К этой группе заключенных, которым скорее доверяли, чем остальным, принадлежали лица, попавшие в лагерь по служебным статьям (например, раскрытые сексоты, которым предъявлялась статья о разглашении «государственной тайны»), валютчики, растратчики и пр. За растрату и попытку бегства за границу был взят и вечно оживленный, остроумный и ловкий Михаил Иванович Хачатуров. В те времена еще не было принято прикрывать политические дела уголовными. Эта манера наступила лишь после войны и создания Декларации прав человека, когда нашему правительству во что бы то ни стало надо было снизить процент политических дел и политических заключенных. Поэтому положение М. И. Хачатурова в лагере было относительно сносным. Как человек оборотистый и грамотный, он получил какую-то выгодную должность и устроил себе вне Кремля (где-то около бани № 2) крошечную комнатку, с печкой и электричеством. Внутри комнатка была вполне благоустроена, но снаружи завалена дровами и всяким хламом. Каждый старался в лагере быть незаметным и не возбуждать, в частности, зависти. Я был у него раза два и каждый раз как бы возвращался у него в нормальную обстановку.

Он часто заходил в Кримкаб, оказывая нам различные мелкие услуги, при этом всегда с новостями, шутками, анекдотами. И мы ему были рады. Он был интеллигентен, многоопытен. Усвоил себе лучшие черты армянина от отца и лихого казака от матери.

Хотя срок у Михаила Ивановича был десять лет, его, как имевшего не политическую статью, вывезли с Соловков году в 1929-м или 1930-м. О его последующей жизни в лагере на материке я узнал из неопубликованных воспоминаний Николая Васильевича Жилова «Летопись моей жизни». Позволю себе сделать большую выписку (мне дорога о Михаиле Ивановиче каждая мелочь). Автор «Летописи» пишет: «Управление отделением (Беломоробалтийского лагеря. — *Д. Л.*) было развернуто на Выгозере в поселке Май-губа, где был поселок, лесопильный завод и опытный заводик (узнаю Михаила Ивановича — с него было достаточно и „заводика". — *Д. Л.*) строительных стружечных плит, которым ведал зек-инженер Хачатуров. Хачатуров по фамилии как будто армянин, по внешнему облику он скорее походил на еврея. Седые, серебряные, гладко причесанные волосы обрамляли высокий благородный лоб. Правильные одухотворенные тонкие черты бритого лица и огромные серые, чуть-чуть навыкате глаза. Он имел вид ученого и чем-то напоминал портреты критика и публициста Н. К. Михайловского. Заводик, который возглавлял Хачатуров, был опытным предприятием. Задачи, которые он решал в примитивных условиях, все еще не решены в широких масштабах. Из стружечных плит завода тут же неподалеку построен небольшой, двухэтажный экспериментальный дом, в котором жил и сам Хачатуров с женой. В то время это был уже не единственный пример, что зеку разрешалось». Далее в «Летописи» описываются удобства квартиры Михаила Ивановича. Все так: именно таким — с удобной квартирой, в окружении блата и друзей — я и привык его видеть. Так как мы в Кримкабе были совершенно не завистливы, то мы его и любили за жизнерадостность.

У Михаила Ивановича многому можно было поучиться в практической жизни, а главное — умению обходиться с начальством, не теряя собственного достоинства. Со стороны глядя, было видно, что он смеется над «начальниками», презирает их.

О М. И. Хачатурове запросил меня С. О. Шмидт. Я написал ему примерно то, что я написал выше, и вот неожиданное письмо от дочери Михаила Ивановича Н. М. Пирумовой: «Примите мою искреннюю благодарность за те строки воспоминаний о моем отце — Михаиле Ивановиче Хачатурове, которые сохранила Ваша память. Для меня это первый голос из неизвестного прошлого. В Соловки он попал, очевидно, в 1924 или 1925 г. Мне было около двух лет, и я, конечно, его не помнила. Вернулся в 1933 г., весной. Вновь арестован был в августе 1935 г. По существу, на свободе пробыл полтора года. Погиб в лагере Усть-Чибью в 1938 г.

В прошлом революционер, в Соловках он обратился к религиозному мировоззрению. Я помню его рассказы о замечательных мыслителях, которых он встречал там, но имен не знаю. Поэтому фамилии, которые Вы называете, очень важны для меня».

Лада Могиляньска

Русско-украинская поэтесса Лидия Михайловна Могилянская, писавшая по-украински и по-русски (по-украински под именем Лада Могиляньска), появилась на Соловках примерно в 1930 г. Была она из Чернигова, из окружения Коцюбинского. В доме последнего собирался кружок молодежи, который, конечно, властям надо было изобразить контрреволюционным заговором. Получила она десять лет, хотя, уверен, интересовалась она только поэзией. Высокая, стройная блондинка, носившая модную тогда прическу «фокстрот» и короткие юбки. Ее содельцы получили меньший срок и остались в основном на материке (в эти годы на Соловки привозили заключенных только с полными сроками — больше десятилетнего был только расстрел). Из молодых украинцев на Соловках были художники Петраш и Вовк. Работала Л. М. Могилянская машинисткой в здании Управления СЛОН, т. е. там же, где помещался Кримкаб. Само Управление СЛОН переехало уже в Кемь, но здание еще оставалось за ним. Оживленная, быстрая, остроумная, увлекавшаяся песнями уголовных, она сразу произвела большое впечатление на нашу молодежь. Распространилась «болезнь», которую мы называли «ладоманией». Кое-что из ее русских стихов, кажется, было напечатано в «Соловецких островах». Я запомнил одну из записанных ею песен — «Стоит фраер на фасоне» (вероятно, «нафасонен») на мотив «Позабыт, позаброшен».

Песню эту я любил напевать, и кто-то из молодежи поместил заметку в «Соловецком листке»: «Сотрудник Криминологического кабинета пишет повесть „Стоит фраер на фасоне“ — из быта воров». Заметка была шуткой. Писать художественную прозу я пытался на Соловках, но ничего не выходило. Расстреляна она была в Дмитровлаге после смерти Горького (сохранились ее стихи на смерть Горького, напечатанные в лагерной газете).

Александр Петрович Сухов

Лагерное начальство было очень падко на устройство различных лекций. Они предполагали этим поддержать миф о том, что в лагере не наказывают, а исправляют. Содержание лекций и количество присутствующих их интересовало меньше. Им была необходима отчетность о «воспитательной работе». Поэтому в фойе театра мы иногда собирались на лекции опытных лекторов — Ананова из Тбилиси и Сухова из Ленинграда.

Помню содержание лекции Александра Петровича Сухова о внушаемости. В Криминологическом кабинете Сухов проверял внушаемость подростков трудколонии. Она была очень высокой, и он связывал это с существовавшим у подростков инстинктом «стайности» или «стадности». Повышенной внушаемостью Александр Петрович объяснял (в завуалированной форме) вызванные инстинктом стадности революционные движения, всякого рода кампании, легкость их проведения в стране, послушание в идеологической сфере и т. п. Помню один из опытов на внушаемость, который он проводил тут же в аудитории. Он предложил присутствующим стучать руками по столу вслед за ним, но только именно после того, как он стукнет, не раньше. Сперва Александр Петрович стучал неравномерно, затем стал стучать через равные промежутки.

Мы втянулись в ритм и, когда он внезапно прекратил хлопать ладонью по столу, многие из нас все же хлопнули, ибо поддались внушению ритма. Меня очень заинтересовала попытка Сухова из особенностей человеческой психологии объяснять события истории.

Естественно возникал вопрос о Сталине. 1929–1930 гг. были первыми годами как-то сразу возникшего культа Сталина. Еще никто не знал, к чему этот культ поведет. Но А. П. Сухов как-то сразу разгадал его бездарность — бездарность самого Сталина и его культа. Захват неограниченной власти он не считал результатом способностей Сталина. Все приемы Сталина, по его мнению, были те же, что и у Ленина. Ленина он считал чрезвычайно ловким и умным захватчиком, быть же вторым после Ленина было совсем не трудно. В Сталине он подчеркивал «вторичность».

Суждения Александра Петровича о людях были всегда удивительно метки. Несколько раз мы с ним гуляли по соловецким дорогам. Он мне рассказывал о различных типах человеческих характеров и, в частности, о связи характера человека с его телосложением, о теории Кречмера и др. Однажды на прогулке он предложил мне произвести такой опыт: соорудить снежную бабу и посмотреть, как будут реагировать на нее проходящие: если это будет человек пикнического склада — он ее не тронет, если астенического — разрушит. Опыт удался. «Но, — объяснил мне Александр Петрович, — проходили мимо снежных баб неинтеллигентные люди». На интеллигентах эту зависимость поведения от телосложения наблюдать труднее... Хотя, хотя... Г. О. Гордон явный пикник... Конечно, я привожу его рассуждения не дословно: прямая речь в воспоминаниях почти всегда придумана мемуаристами.

Заходил к нам в Кримкаб и Владимир Сергеевич Муромцев — сын первого председателя Государственной думы. Очень красивый и представительный господин, но предельно скучный и, как мне казалось, бессодержательный. Им интересовались только из-за отца: но А. П. Сухова он интересовал и как психологический тип.

Трудно понять, как, преодолевая все трудности соловецкой жизни, А. П. Сухов писал роман и читал нам уже готовые главы. Ни стола, ни стула, скорчившись на топчане и накрывшись шубой, он записывал отдельные части своей эпопеи, посвященной русской молодежи нашего возраста. (Достоверно знаю, что главным героем там выступал Володя Раков. Помню, что были в этом романе-эпопее и романтическая любовь, и иподиаконство Володи, и его акварельные альбомы, в которых он давал нам всем другую, вторую жизнь в эпохе Александра I, и трагедия разорения церквей.)

А. П. Сухова освободили раньше, чем нас, и он уехал в свои «минусы», выбрав своим первым городом-ссылкой Барнаул.

Сухов не был единственным, кто пытался преодолеть все ужасы лагеря, подпольно занимаясь творчеством. Это было настоящее сопротивление, но не с оружием в руках, а сопротивление творчеством, которого всех нас хотели лишить.

Хотелось своего творчества и потомственным крестьянам. С какой любовью и профессиональным умением строили они бараки детколонии, возводили сгоревшие шатры на пристенке недалеко от Никольских ворот, ухаживали за коровами. Чекисты делали вид, что приучали заключенных к работе. На самом же деле они отучали от работы, внушали отвращение к труду, заставляли обороняться, сохранять силы, «филонить». «Филонить», «филон», «филонство» — были обычными словами на Соловках среди заключенных, которые постепенно приучались сохранять свои силы, притворяясь работающими. Даже наш «старший» — Иван Михайлович Андреевский придумал работу «по системе Андреевского». На строительстве Филимоновской ветки, где надо было ломать вмерзший грунт ломами, он учил нас: «Воткните лом в землю и делайте вид, что земля не поддается вашим усилиям». Мы так и делали — пыхтели, притворно вытирали пот с лица и т. д.

Целым праздником для нас было однажды, когда нас вывезли в лес собирать чернику. Мы старались ее съесть как можно больше, и добрый крестьянин посоветовал нам «закусывать» ее хлебом. И тогда действительно мы съели ее до боли в животе.

Любопытная деталь, характеризующая А. П. Сухова как человека. Просматривая дела Космической академии, кружка «Воскресение», А. А. Мейера и «Братства Серафима Саровского» в 1992 г. на Литейном, я натолкнулся и на дело А. П. Сухова. Оказывается, Александр Петрович получил свой срок (пять лет) за то, что организовывал помощь (вещами, едой, деньгами) нам после нашего ареста. Он никогда об этом не упоминал, а мы по «законам приличия заключенных» не спрашивали его о причинах ареста.

И о других, взятых по нашему делу, я могу еще добавить, что Валя Морозова, которой было 18 лет, сразу объявила следователю, что ничего не скажет по делу «Братства Серафима Саровского». Люся Суратова, которой было примерно столько же, так же твердо отказывалась давать показания, а Боря Иванов просто молчал. В допросе его сохранились любопытные строки. Следователь пишет ему на листе допроса: «Долго ли вы еще будете молчать?» Против этих слов почерком Бори Иванова написано: «Не знаю».

Такие были люди.

Юрий Алексеевич Казарновский

Среди поэтов на Соловках выделялся тогда еще совсем молодой Ю. А. Казарновский, которого мы все звали просто Юркой — не только по его молодости, но и по простоте, с которой можно было с ним обращаться. У него не было своего поэтического лица, как, скажем, у Володи Кемецкого-Свешникова. Он был поверхностен, но стихи писал с необычайной, поражающей легкостью и остроумием. В одном из номеров «Соловецких островов» можно найти его пародии на Маяковского, Блока, Северянина... В другом его шуточные афоризмы. И все это на темы соловецкого быта. У него была неиссякаемая память на стихи. Он знал чуть ли не всего Гумилева, тогдашнего Мандельштама, Белого. Вкус у него был, настоящую поэзию ценил и постоянно стремился поделиться своими поэтическими радостями. Ни тени зависти. Просили его почитать его стихи, а он читал кого-то другого, понравившегося ему. Жил он одно время в Кеми и поссорился там с морским офицером Николаем Николаевичем Горским — на романтической почве. Чуть не попал в расстрел осени 1929 г. за свою близость с Димкой Шипчинским.

Некоторые из его пародий были напечатаны в «Огоньке», и мне пришлось разъяснять — кому они принадлежат. В виде отклика на мою заметку я получил семь страниц воспоминаний о встречах с ним в 50-х гг. в Алма-Ате, когда он стал уже заядлым наркоманом. Он был, кстати, последним, кто видел О. Э. Мандельштама в лагере в Сучане. Надежда Яковлевна Мандельштам пыталась извлечь из него хоть какие-то сведения о своем покойном муже: тщетно! Юрий Алексеевич не соображал уже ничего...

А присланные мне воспоминания о нем принадлежат старому математику Глебу Казимировичу Васильеву, и написаны они блестяще. Надеюсь, что он сам когда-нибудь опубликует их. Они описывают встречи с Казарновским в Алма-Ате.

Духовенство

Начать надо издалека. Очень трудно вспомнить мне — кто из молодежи и в какой степени был верующим. Все так или иначе причастные к очень небольшому кружку «Братство Серафима Саровского» были верующими. В Космической академии наук из девяти ее членов безусловно неверующими были Толя Тереховко и Петр Павлович Машков. Эдуард Карлович Розенберг (мой друг Федя) перешел из лютеранства в православие. Неполный обряд крещения (только миропомазание) был совершен в церкви на Петровском острове ныне причисленным к лику святых зарубежной церковью отцом Викторином Добронравовым. Брат Эдуарда — Владимир оставался «равнодушным лютеранином», но в общей камере на Шпалерной очень сдружился с отцом Владимиром Пищулиным. Также дружил со священником на Соловках и атеист Толя Тереховко. Отец Александр Филипенко, с которым мы обитали на Соловках в тринадцатой карантинной роте, из всех нас особенно выделял Толю Тереховко и говорил всем нам: «Он сирота». Действительно, отец и мать Тереховки покончили самоубийством, когда он был еще совсем мальчиком. Его сестра покончила самоубийством много позже во время блокады Ленинграда, а сам он, попав в больницу в Боровичах в первые месяцы войны, заморил себя голодом. Отец Александр словно чувствовал в нем какую-то трагичность и, как я уже сказал, любил его, жалел и не пытался уговаривать его верить в Бога. Если бы отец Александр был настойчив в этом, он отдалил бы себя от Толи.

Был и «особый случай». Сын относительно богатых родителей (так о нем говорили) Боря Иванов, притянутый к нашему делу следователем, хотя он в кружках не бывал, впал на Соловках в религиозное помешательство. Его взял в «послушание» какой-то проходимец, объявивший себя монахом и священником, и «учил» Борю «смирению»: снял с него хороший черный полушубок и отдал ему свое тряпье, отнимал лучшее из посылок, которые он получал от родителей, заставлял его себе служить, сморкаться рукой (чему он научиться так и не смог) и т. д.

Когда этапы их разлучили, Боря Иванов пошел санитаром к больным «азиатским тифом», заразился и умер.

Духовенство на Соловках делилось на «сергианское», принявшее декларацию митрополита Сергия о признании церковью советской власти, и «иосифлянское», соглашавшееся с митрополитом Иосифом, не признававшим декларации. Иосифлян было большинство. Вся верующая молодежь была с иосифлянами. И здесь дело не только в обычном радикализме молодежи, но и в том, что во главе иосифлян на Соловках стоял удивительно привлекательный владыка Виктор Вятский (Островидов). Он был очень образован, имел печатные богословские труды, но видом напоминал сельского попика. Встречал всех широкой улыбкой (иным я его и не помню), имел бороду жидкую, щеки румяные, глаза синие. Одет был поверх рясы в вязаную женскую кофту, которую ему прислал кто-то из его паствы. От него исходило какое-то сияние доброты и веселости. Всем стремился помочь и, главное, мог помочь, так как к нему все относились хорошо и его слову верили. Служил он бухгалтером в соловецком совхозе. Они вдвоем с отцом Николаем Пискановским и уговорили А. Н. Колосова взять меня в Криминологический кабинет, а когда зимой 1929 г. я вернулся из сыпнотифозной «команды выздоравливающих», присылал мне через Федю Розенберга понемногу зеленого лука и сметаны. До чего этот лук со сметаной был вкусен! Однажды я встретил владыку (между собой мы звали его «владычкой») каким-то особенно просветленным и радостным. Это было на площади у Преображенского собора. Вышел приказ всех заключенных постричь и запретить ношение длинных одежд. Владыку Виктора, отказавшегося этот приказ выполнить, забрали в карцер, насильно побрили, сильно поранив лицо, и криво обрезали снизу его одежду. Он шел к нам с обмотанным полотенцем лицом и с улыбкой рассказал, как его волокли в карцер стричь, связали, а он требовал, чтобы сперва обрезали длинную «чекистскую» шинель (на манер той, в которой был изображен на Лубянке Дзержинский) у волочившего его в карцер конвоира. Думаю, что сопротивлялся наш «владычка» без озлобления и страдание свое считал милостью Божьей.

Кстати, именно «владычка» взял к себе в сельхоз Михаила Дмитриевича Приселкова, когда, выручённый нами из карантинной роты, он отказался работать в Соловецком музее («за занятие историей меня уже сажали...»).

Умер владыка вскоре после «освобождения» в ссылке в Архангельской области, куда был отправлен после лагеря, в крайней нищете и мучениях.

Другим светлым человеком был отец Николай Пискановский. Его нельзя было назвать веселым, но всегда в самых тяжелых обстоятельствах излучавшим внутреннее спокойствие. Я не помню его смеющимся или улыбающимся, но всегда встреча с ним была какой-то утешительной. И не только для меня. Помню, как он сказал моему другу, год мучившемуся отсутствием писем от родных, чтобы он потерпел немного и что письмо будет скоро, очень скоро. Я не присутствовал при этом и не могу поэтому привести здесь точных слов отца Николая, но письмо пришло на следующий день. Я спросил отца Николая — как он мог знать о письме?

И отец Николай ответил мне, что он и не знал, а так как-то «вымолвилось». Но таких «вымолвилось» было очень много. У отца Николая был антиминс, и он шепотом совершал впоследствии литургию в шестой («священнической») роте. Кладбищенская Онуфриевская церковь принадлежала «спецам»-монахам, заключившим трудовое соглашение с лагерем, и была сергианской. Духовенство из шестой роты в нее не ходило. Рассказы о том, что в монастырской церкви служили чуть ли не двадцать епископов, неверны. Разрешение заключенным посещать за пределами Кремля церковь давалось не чаще двух раз в год по предварительной записи. Не знаю, как было до раскола православной церкви, — может быть, и правила посещения были другими. Отец Николай был измучен предшествующими арестами и ссылками, был немощен и работал некоторое время в сетевязочной мастерской. Изредка приглашал нас, молодежь, к себе в барак, когда получал «рыбку» — знаменитые соловецкие селедки, ради которых и держали в монастыре некоторое количество монахов-рыболовов.

Отец Николай знал, что его жену также арестовали, и очень беспокоился о детях: что, если возьмут в детдом и воспитают атеистами! И вот, когда его вывозили из лагеря, в Кемиерпункте он стоял в мужской очереди за кипятком. С другого конца к тому же крану подходила женская очередь. Когда отец Николай подошел к крану, он увидел у крана свою жену. Их заслонили заключенные (разговаривать мужчинам с женщинами было строго запрещено), и отец Николай узнал радостную для него весть — детей взяли верующие знакомые. Дочь отца Николая жива, живет в Борисоглебске (Тутаеве). Сын умер.

Жизнь отца Николая была сплошным мучением, а может быть, и мученичеством. Недавно я получил от родных батюшки краткое жизнеописание, написанное просто и фактично. Поразительно похоже по сообщаемым фактам и по стилю на «Житие» протопопа Аввакума.

Лагерное начальство не различало иосифлян и сергианцев — всех равно мучили. Несколько иной была судьба католического священства. За них заступались из-за рубежа, и хотя жили они до середины 1929 г. в той же шестой роте, были освобождены от работ и потом жили на Анзере в плохих условиях, но все-таки все вместе, без «урок». Молодежи вокруг них не было.

Николай Николаевич Горский

Заходил в Кримкаб и красавец Николай Николаевич Горский — бывший морской офицер, работавший на кирпичном заводе. В свое время он учился в Морском корпусе вместе с будущими писателями — Колбасьевым и Соболевым. Первого хвалил, второго бранил. За что, точно не помню. Не буду писать, чтобы не усложнять историю советской литературы неточными сведениями, тем более что и сам Николай Николаевич мог ошибаться. По окончании корпуса Николай Николаевич служил на одном из дредноутов — «Петропавловске» или «Севастополе». При наступлении Юденича дредноут Горского стоял на Неве, и был отдан приказ стрелять по расположению войск Юденича, но координаты расположения были даны с опозданием. Юденич, которому в самый решительный момент изменили эстонцы, уже стал отступать, и несколько тяжелых снарядов попали по наступавшим красным. Разумеется, был «открыт» заговор. Часть команды расстреляли, а Н. Н. Горский, не имевший отношения к артиллерии, получил 10 лет. За точность этих сведений не ручаюсь: в лагере не было принято расспрашивать о делах друг друга.

Горский был прекрасно воспитан, а старое воспитание заключалось еще и в том, чтобы уметь вести занимательный разговор и хорошо писать письма. То и другое очень помогало Николаю Николаевичу в жизни. Мы все в Кримкабе охотно принимали Горского и охотно выслушивали его, особенно по темам, в которых сами не разбирались: он был разносторонне образован, интересовался всем.

На своем кирпичном заводе Горский жил семейной жизнью с какой-то, как он ее называл, «воровочкой». Когда десятилетний срок его подходил к концу, он стал пользоваться бóльшим доверием начальства, и ему поручили командовать небольшим суденышком «Пионер». Кстати, его однодельцу Пуаре́ дали большой буксир «Неву», которым он продолжал управлять, уже освободившись, пока его «Нева» не опрокинулась на большой волне и он не погиб вместе со своей огромной любимой собакой, охранявшей его от команды, состоявшей из уголовников.

На своем «Пионере» Горский часто бывал в Кеми и женился там на сестре жены Юрия Михайловича Айзеншток-Камбулова — бывшего секретаря Маклакова в Париже, вернувшегося в Советский Союз. Камбулов — это приставка к его фамилии, когда он женился на Камбуловой, настоящая же его фамилия только Айзеншток. Это был крещеный еврей и, как он уверял, дворянин (единственный случай в своем роде), какой-то необыкновенной красоты. Глядя на него, казалось — такого не бывает. Слушать его рассказы о его любовных похождениях в Париже было совершенно невозможно по причине крайнего их цинизма. Он не заслуживает подробного рассказа, поэтому возвращаюсь к Горскому.

Женившись в Кеми на сестре жены Айзенштока, Горский ушел в рейс и сделал так, что застрял на своем «Пионере» с женой во льдах где-то около Муксалмы. Тем самым он увеличил себе отпуск, полагавшийся по лагерным правилам молодоженам.

После уже он ходил вокруг Кольского полуострова в Мурманск, и команда уголовников подняла против него бунт: донесли на него, что он якобы хочет увести суденышко в Норвегию. Горский оправдался, что было в тех условиях далеко не просто.

Одним словом, поговорить с ним, когда он приходил к нам в Кримкаб, было о чем.

В дальнейшем я с ним постоянно встречался — и до войны, и после. Об этом потом.

Георгий Михайлович Осоргин

Зрительная память хорошо сохранила мне внешность и манеру держаться Георгия Михайловича Осоргина. Среднего роста блондин с бородкой и усами, всегда по-военному державшийся: прекрасная выправка, круглая шапка чуть-чуть набекрень («три пальца от правого уха, два от левого»), всегда бодрый, улыбчивый, остроумный, — таким он запомнился мне на всю жизнь. С ним была связана и распространенная потом в лагере шутка: на вопрос «как вы поживаете?» — он отвечал: «А лагерь ком а лагерь», переиначив известное французское выражение «a la guerre comme a la guerre» («на войне как на войне»). Он работал делопроизводителем санчасти, и я его часто встречал снующим между санчастью и зданием Управления СЛОН на пристани, на дорожке между кремлевской стеной и рвом. Он многое делал, чтобы спасти от общих работ слабосильных интеллигентов: на медицинских комиссиях договаривался с врачами о снижении группы работоспособности, клал многих в лазарет или устраивал лекпомами (лекарскими помощниками, фельдшерами), для чего нужно было иногда знать только латинский алфавит и отличать йод от касторки: медицинского персонала и лекарств в лагере не хватало, — был даже такой случай, когда лекпом, желая получше вылечить одного заключенного, обмазал все его тело йодом и тот умер. Осоргин был глубоко религиозным человеком, записывался на Рождество и на Пасху в ИСЧ (информационно-следственной части) для получения пропуска на богослужение в церкви (записавшихся строем водили в кладбищенскую Онуфриевскую церковь, оставленную для нескольких монахов-рыболовов). Церковь была сергианской, и подавляющее большинство заключенного духовенства в нее не ходило, не записывалось на ее посещение.

Осенью 1929 г. перед известным расстрелом 28 октября его забрали в карцер, но по обычной лагерной неразберихе к нему на свидание приехала жена, и в Кеми это свидание было ей разрешено. А дело было, очевидно, в том, что инициатива ареста Георгия Михайловича принадлежала островному начальству — именно они его ненавидели, их раздражала независимость, бодрость, несломленность. Начальство на Острове не согласовало своего намерения расстрелять Георгия Михайловича с начальством на материке, и свидание в Кеми разрешили.

Все мы в Криминологическом кабинете были крайне взволнованы арестом Георгия Михайловича, и вдруг я встречаю его на дорожке вдоль кремлевской стены под руку с дамой чуть выше его ростом, элегантной брюнеткой, и он представляет ее — жена, урожденная Голицына. Ничто в нем не говорило о том, что он только что выпущен из карцера, — бодрый, веселый, чуть ироничный, как всегда. Оказалось потом, что начальство, смущенное приездом жены на свидание по разрешению более высокого начальства, выпустило Осоргина под честное слово офицера на срок чуть меньший (меньше оставалось дней до назначенного расстрела), чем полагалось для свидания, с условием, что он ничего не скажет жене о готовящейся ему участи. И Георгий Михайлович слово сдержал! Она не знала о том, что он приговорен к смерти островными начальниками. Вернулась в Москву и уехала вскоре в Париж (тогда любому советскому гражданину можно было купить за валюту паспорт).

О расстреле Георгия Михайловича я рассказал его сестре Софии Михайловне в Оксфорде в 1967 г., куда я ездил для получения почетной степени доктора Оксфордского университета. София Михайловна и вдова Георгия Михайловича, вторично вышедшая замуж в Париже, были убеждены, что Георгий Михайлович умер своей смертью.

София Михайловна в Оксфорде дала мне на память копию письма Георгия Михайловича из тюрьмы, написанного родным на Пасху.

Мое свидание с Софией Михайловной в Оксфорде не обошлось без некоторой неловкости. Я говорил Софии Михайловне, что Георгия Михайловича уважали даже уголовники, и рассказал о случае, о котором говорил мне сам Георгий Михайлович. В один из промежутков между своими многочисленными пребываниями в московских тюрьмах он ехал однажды в трамвае и встретил карманника, с которым как-то сидел. Карманник спросил его, как он живет. Георгий Михайлович сказал, что женился. Карманник поздравил его, обнял, а когда Георгий Михайлович вернулся домой, то обнаружил у себя в кармане золотые часы. Зная любовь уголовных ко всякого рода «форсу», я ничуть не удивился рассказу Георгия Михайловича. Но на Софию Михайловну в Оксфорде этот рассказ произвел неприятное впечатление. Она запротестовала: «Этого не могло быть!» Тщетны были мои попытки объяснить, что Георгий Михайлович ничуть не был виноват в случившемся и, наверное, распорядился затем «подарком» с какою-нибудь благотворительной целью.

Александр Елеазарович Македонский

Так называла его вдова, с которой я только год назад познакомился. А мы звали его Александр Лазаревич Македонский или совсем просто Александр Македонский. Это был удивительный человек. Он рассказывал, что был в черных гусарах у Колчака, и этим, а может быть, еще и своей фамилией, вызывавшей к нему сразу же любопытство, он был «ушиблен» на всю жизнь.

Он все время ощущал себя черным гусаром, носил черные галифе и высокие щегольские сапоги. Постоянно смотрел вниз на свои ноги, но не потому, что любовался начищенными голенищами и отлично сшитыми галифе, а из-за того, что был чрезвычайно близорук и боялся споткнуться. Под конец жизни, как рассказывала мне его вдова, он совсем ослеп. Как он мог стать гусаром, непонятно, но все ж таки это был факт. И напевал он себе под нос известную в то время песенку: «Марш вперед, всегда вперед, черные гусары» — и этим поднимал себе настроение, в чем нуждался, ибо был он великий пессимист и всегда видел впереди только худшее из возможного.

Впрочем, он писал стихи и этим утешался. Поэзия была его единственным стимулом к жизни. С ним было просто беседовать. Иногда только в середине разговора прорывалось: «А там, чуть подняв занавеску...» или «Лишь пара голубеньких глаз...». Но нить разговора он не терял. Загадочный человек. И почему он попал к Колчаку? Я стеснялся его об этом спросить. Лошадей он любил, по лошадям скучал.

Эдуард Карлович Розенберг

Моим самым большим и, пожалуй, единственным настоящим другом был Эдуард Карлович Розенберг. Самый жизнерадостный и веселый человек, которого я только знал.

Он был среднего роста с большой головой и большими ступнями ног, на которых помню как характерную деталь остроносые туфли модного в 20-х гг. фасона «джимми». Само собой разумеется, этих туфель не было в лагере, но в чем он там ходил — не помню (я запоминаю только характерное). А на большой голове с большим умным лбом лицо излучало с трудом сдерживаемую улыбку. Он улыбался не только губами, но всем лицом, а губы он, напротив, сдерживал, чтобы унять улыбку, и было такое впечатление, что он улыбается с набитым ртом — набитым смехом, готовым прорваться. Он был великим мистификатором, создателем нашей второй жизни в Космической академии — с гимном, гербами, тросточками, штрипками на брюках, совместными прогулками, культом пушкинского Лицея. Один из наших «конференц-залов» и помещался на Лицейской улице, а обещать друг другу вечную дружбу мы ходили на Парнас в Александровском парке в Царском Селе, где у нас был на самой вершине заветный пень столетнего дуба. Он изучал самостоятельно латынь и греческий (ему помогал Андрюха Миханьков), легко знакомился, легко переносил тяготы своей неустроенной жизни, а тягот у него было много, и наиболее тяжелая — нараставшая глухота. Глухота! — это ему-то с его общительностью!

Сам он был из Петергофа. Отец его был директором императорской аптеки, типичный немец — полный, аккуратный, спокойный, как и многие аптекари. Мать — финка, — сперва лютеранка, потом перешла в православие. Эдуард не был похож на немца — разве только своей необыкновенной, чисто немецкой аккуратностью. Зато его старший брат Вольдемар (Володя) был немцем и по внешности, и по привычкам. Был брат заядлым яхтсменом, что позволило ему стать перед арестом преподавателем парусного дела в каком-то мореходном училище.

Вольдемар был любимцем отца. Федю отец не любил, и когда после 1917 г. аптека из «императорской» стала заурядной, городской и у отца убавилось жалованья, Феде пришлось, еще учась в петергофской гимназии, зарабатывать на жизнь ночными дежурствами на телеграфе. Жизнь осложнялась еще ссорами отца с матерью, которая перешла в православие. Федя (я потом объясню, почему я его называю Федей, а не Эдей) любил отца, но больше любил мать, понимал ее несчастность. По окончании гимназии, ставшей «единой и трудовой» советской школой, Федя нанял с братом две комнаты в Ленинграде на Зверинской улице и стал работать в Финансовом управлении на канале Грибоедова (не знаю точно названия института, помещавшегося в здании б. Государственного банка). В свободное время он ходил на лекции и заседания в Институт истории искусства на Исаакиевской площади. Именно в этот период (примерно в 1926 г.) по его идее и его инициативе стала организовываться Космическая академия наук — шуточный кружок восьми друзей, к которым присоединился я уже в 1927 г. С этого года я начинаю счет нашей дружбы.

Сам он занял в КАНе «скромное» место секретаря византийского государства, хранителя хартий — «хартифилакса».

Не исключено, что в этом он иронически передразнивал государственную и партийную организацию нашего Союза.

До нашего ареста он заходил ко мне редко, так как мы жили в доме Первой государственной типографии (теперь — «Печатный Двор») и вход к нам был связан с оформлением пропусков.

Веселые люди часто бывают поверхностными. Федя не был поверхностным. Он в высшей степени серьезно относился к своей и окружающей жизни, любил помогать. Его касались все мелочи. В частности, когда я стал семейным человеком, он очень хотел, чтобы мы пожили на даче в обстановке немецкого дома, подыскивал нам дачу в немецких домах Старого Петергофа в Луговом парке. Мы с Зиной ездили смотреть одно из таких предложений: большую гостиную комнату, полную вышивок, занавесочек, тарелочек с видами Петергофа и Германии; и столетний попугай, который говорил по-немецки и должен был оставаться жить с нами. Другой раз мы ездили с ним и с Михаилом Ивановичем Стеблин-Каменским в Новгород. Ездили на моторной лодке Фединого приятеля в Новгороде к Николе Липному, в Хутынь, ходили в Волотово, в Юрьев монастырь. У Феди к тому времени был уже фотографический аппарат. Он много снимал, инсценировал сценки нашего «пьянства» (на самом деле в кружках у нас было молоко).

Я все мечтал, чтобы он покатал нас на яхте в Петергофе, но так он и не успел этого сделать.

Ходил он на заседания Хельфернака к Андреевскому, а в дальнейшем и на два-три заседания «Братства Серафима Саровского». Его мать, перешедшая в православие, к этому времени умерла, и он тяжело переживал свое сиротство. На похоронах матери произошла ссора между православным священником и лютеранским пастором — кому отпевать. Формально должен был священник по православному обряду. Так в общем это и было сделано. Естественно, что Федя интересовался вопросами веры, к тому же в период усилившихся гонений на церковь. В 1927 г. Федя решил принять православие. Для этого не надо было креститься вновь, достаточно было совершения чина миропомазания. Ясно помню его в церкви Дома для престарелых артистов на Петровском острове, где служил всеми нами любимый отец Викторин, причисленный к лику святых зарубежной церковью после своей мученической кончины в Сибири. Федя страшно волновался, не мог расшнуровать ботинки, чтобы отец Викторин помазал миром его ноги. Имя Федор ему было дано случайно самим отцом Викторином. Мы звали его тогда Эдей, а отцу Викторину послышалось Федя. Имя Федор необыкновенно подошло к Эдуарду. Не знаю почему. Федя усердно посещал православные службы, знакомые ему с детства. Всегда искренний до предела, он не скрывал своего перехода в православие на службе. Софья Марковна Левина, его сослуживица, охотно перепечатывала для братства все церковные материалы — в частности, и «Послание соловецких епископов», направленное против угоднической политики митрополита Сергия.

На Соловках мы с Федей жили вместе в соловецком Кремле, сперва в одних ротах (13-й, 14-й и 3-й), а потом и в одной камере. Он рано уходил на работу и поздно возвращался. Я тоже много работал. Случалось, что мы не виделись друг с другом по несколько дней. Мы берегли время, чтобы спать. Приходилось переписываться друг с другом, и Федя всегда находил оригинальные способы этой переписки. То он, возмущенный моей неаккуратностью, писал на оставленной немытой моей эмалированной кружке прямо по налету от какого-то плохого чая: «Моется только чаем». То я получал приколотую к одеялу записку в стихах. Начало одного стишка я помню: «Отощавши вовсе животишком, одолжить прошу одним рублишком...» Дальше следовало какое-то шуточное продолжение. Федя работал под началом главного бухгалтера соловецкого сельхоза владыки Виктора Островидова, которого он ласково называл «владычкой» и который отвечал Феде тоже любовью. Иногда «владычке» удавалось выписать Феде зеленого лука или немного сметаны. Федя неизменно делился этим и со мной, и с некоторыми другими обитателями нашей камеры. До сих пор мелко нарезанный зеленый лук со сметаной кажется мне царским блюдом.

Бардыгин

Я не помню ни его имени, ни отчества. Жил он в 4-й роте, которая углом примыкала к моей 7-й. Работал на какой-то канцелярской должности, отнимавшей у него много времени. Вечерами он писал — в людной комнате на своем топчане, служившем ему не только постелью, но и письменным столом. Помню его серое одеяло, его многолистную рукопись. Его философских рассуждений я не понимал, но понимали Мейер, Гордон. Они с глубоким уважением относились к нему, годившемуся им в сыновья. Куда и когда он исчез из четвертой роты, не знаю, не помню. У него было очень бледное лицо и какой-то особенный взгляд. Он совершенно не интересовался политикой, не жаловался, никого не бранил. К происходящему вокруг относился с полным равнодушием. Сейчас, вспоминая Соловки, я прихожу к выводу: среди всех думавших людей он был самым независимым от внешних обстоятельств. Если бы пришлось мне назвать людей, крепче всех сопротивлявшихся не только советской власти, но просто «духу времени», то это был Бардыгин. Все мы в той или иной мере были сломлены — и Мейер, и Андреевский, и Сухов, и Колосов. Мы были сломлены хотя бы потому, что значительную часть своей духовной жизни посвящали отстаиванию своего права мыслить по-своему, — мы возражали, возмущались и т. д. Мы были диссидентами тех времен. Бардыгина же ничто не касалось. Он был целиком погружен в свой философский и религиозный мир. Он не удостаивал своим вниманием ни то, что с ним происходило, ни тех, кто мешал жизни его внутреннего мира.

Всякий борющийся за свою независимость уже тем самым зависим. Для Бардыгина же просто не существовало ничего, что было вне его исканий, и его общение с окружающими его философами и духовными лицами не выходило за рамки его внутреннего мира. Он был непобедим, а поэтому, мне кажется, более всего опасен для властей.

Владимир Юльянович Короленко

В 1931 г. на горизонте Кримкаба появился Владимир Юльянович Короленко. Передо мной стоит лицо — чуть ироническое, готовое к общению, но далеко не полному. Характерный рот, который напоминал мне нос лодочки или горлышко сосуда, готового пролиться каким-нибудь интересным рассказом — рассказом, но не беседой, не задушевными размышлениями. Была в нем какая-то невидимая стена, за которую он не пускал к себе собеседника. В сущности, знали мы о нем только два факта: что приходился он писателю В. Г. Короленко двоюродным братом и что был он по профессии юристом. На левой руке у него не хватало безымянного пальца, и вся кисть левой руки от этого была очень выразительной: клешня? Когда он что-нибудь рассказывал из своего адвокатского опыта и, жестикулируя, опускал левую руку, это означало, что он ставил окончательную точку в своем рассказе. А рассказы его всегда имели заключение: вероятно, подводить заключение — адвокатская привычка. В Кримкабе он чаще всего забегал к Юлии Николаевне Данзас. Эти два скрытных человека находили общие точки общения в какой-то верхней, «светской» части. Ю. Н. Данзас была рада ему, ибо чувствовала себя с ним спокойно — он не растревожит в ней того, к чему ей не хотелось допускать собеседника и куда постоянно пытался по своей невоспитанности вторгнуться Володя Раздольский.

Ко мне Владимир Юльянович питал дружеские чувства. У него тоже, как и у меня, был пропуск «по всему острову», и он часто сговаривался со мной на совместные прогулки. Чаще всего мы ходили с ним по Савватиевской дороге. Зимой он носил серую каракулевую ушанку не совсем обычного фасона. Никто другой, казалось, не мог иметь такой. Она была частью его личности. Странно? Но это так.

Он тоже любил мальчишеские забавы. Я, вспоминая свое детство на Финском заливе, любил «печь блины» плоскими камушками. И мы соревновались с ним — кто больше их выпечет. Не помню — кто из нас побеждал в этом занятии. Ему было лет 50, не меньше, но ловкости в этом занятии было немало. Помню один вечер на Савватиевской дороге. Мы дошли до ближайшего тихого, скрытого от ветра густым лесом озера. Была поздняя осень. Вода покрывалась тонким льдом. Темнело. Ледяная поверхность казалась черной. Если пустить камешек по поверхности льда, он скользил по ней необыкновенно далеко, исчезал бесследно. Мы увлеклись этим занятием, а когда почти совсем стемнело, стали бросать камни вверх. Они падали отвесно вниз, пробивали лед. Подо льдом образовывался белый пузырь воздуха, который начинал уходить от берега, пока не исчезал, достигнув чистой воды. Это было волшебство успокоения. Казалось, что мы освобождаем эти белые существа, образовывавшиеся под черной поверхностью молодого льда. Вернулись мы в Кремль совсем поздно, вопреки всем правилам, предоставлявшимся нам нашими пропусками, но часовой в черных обшлагах рукавов, черном воротнике на шинели и с черным околышем на фуражке оказался к нам милостивым. Счастливая прогулка и закончилась счастливо: нам не пригрозили карцером...

У Владимира Юльяновича приговором был расстрел с заменой десятью годами. Поэтому он не подлежал вывозу с Соловков. Меня же стали требовать друзья в Медвежью Гору как «незаменимого» счетного работника, в которых была большая нужда.

Мы решили увековечить свое пребывание на Соловках. Короленко достал молоток и зубило, и мы отправились в лес по Муксаломской дороге искать подходящий камень, чтобы выбить наши фамилии. Камень нашли направо от дороги. Местность была холмистой. Холмы были длинные, и между длинными холмами тянулось длинное узкое озеро. На самой высокой точке одного из холмов лежал валун. Помнится, в длину метра три-четыре (это очень приблизительно), а в высоту достигавший наших плеч (это уже более точно). Мы стали выбивать наши фамилии. Работа была тяжелой. Были мы там дважды. Успели выбить: «Король» сверху и «Лихач» снизу — величина букв примерно с ладонь.

Когда в последний раз я вернулся в Кремль, я узнал, что меня вызывают на этап. На этот раз удачно: меня вывезли в Кемь. У меня уже был изготовлен «чемодан» — из фанеры, обтянутый краденой простыней и покрашенный в коричневый цвет. Чемодан оказался очень прочным. Он сохранялся у нас и после блокады, служа моей матери.

Очень я жалел, что не удалось нам добить наших фамилий, и просил закончить работу Владимира Юльяновича. Впоследствии он сообщил мне через кого-то на Медвежью Гору, что надпись закончил.

А на Медвежьей Горе мне рассказали, почему у Владимира Юльяновича нет пальца. Он сам отрубил его, раскаиваясь в том, что на следствии кого-то оговорил, или что-то подписал, или как-то иначе вел себя недостойно. Вот почему он был замкнут и часто повторял, что по освобождении будет добиваться службы смотрителем на маяке вдали от людей...

Что бы там с ним ни было, мне его очень жаль, и я благодарю его за то, что в моем обществе он находил некоторое утешение...

Несколько отрывочных воспоминаний

Не подумайте, что Кримкаб, Музей и Солтеатр были единственными местами, где встречались для мировоззренческих разговоров соловецкие заключенные. Познакомился я с молодым человеком (лет 25) Чехувским (забыл его имя и отчество), работавшим на Сортоиспытательной станции (теперь на этом месте аэродром). Он пригласил меня к нему зайти. Было это летом 1929 г. Я поднялся к нему на второй этаж, и за чаем из каких-то листьев он неожиданно спросил меня, как я отношусь к масонству. Я ответил, что знаю о нем очень мало. Он пригласил приходить, чтобы узнать больше, но я, к счастью, отказался.

В разгар создания якобы существовавшего на Соловках заговора «с целью захвата Соловков и последующего свержения советской власти в стране» осенью 1929 г. я встретил между Никольскими и вторыми воротами партию «заговорщиков», которых бегом гнали с допроса в здании УСЛОНа назад в карцер. Конвоиры кричали, щелкали затворами, приказывали всем встречным не двигаться. И вдруг один из гонимых, в котором трудно было узнать еще молодого человека, поздоровался со мною одними глазами. Меня осенило — это Чехувский. Я снял свою студенческую фуражку и низко поклонился ему вслед. Видимо, донесли. Именно этому я приписываю запись на моем деле: «Имел связь с повстанцами на Соловках».

В моих записках, которые я начал делать на Соловках, написано, что где-то около той бухты, у которой меня ловил Дегтярев, находятся могилы «оперированных», т. е., по соловецкой терминологии тех лет, расстрелянных поодиночке. «Операции» происходили днем, жертве сцепляли руки сзади проволокой, быстро два охранника волокли под руки под колокольню (все движение людей на это время во дворе Кремля приостанавливали), две «маслины» (пули) на каждого расстреливаемого, потом приезжала лошадь с ящиком, грузили мертвецов и вызывали женщин мыть лестницу, ведшую вниз, и все остальное. Понурая лошадь везла трупы в сторону Переговорного камня. И все!

Запомнилась фамилия командира особого отряда, производившего одиночные расстрелы шпаны, — Чернявский, с тяжелым голосом и в щегольских сапогах. Им, между прочим, был расстрелян и мальчишка лет тринадцати, с которым не смогли справиться охранники.

В записях у меня еще значится: «Дело „соловецкой промпартии“. Подделка талонов сухопайщиков. Добавка Гессену: расстрел. Мои покупки с Раздольским сухого пайка. Скрывали в роте. Жарили рыбу на постном масле. По жребию тянули, я ходил получать. Интерес в роте. Запах у квасоваренного корпуса затхлой рыбой». Сейчас я уже не могу расшифровать точно все, что здесь, в этой записи, значится, но видно, что мы очень рисковали «попасть в ящик», не зная точно — поддельные наши талоны на сухой паек или настоящие. Но голод вынуждал нас идти на риск. О «запахе» затхлой рыбы могу сказать только, что чаще всего кормили нас испорченной треской. Об этом пелось и в «Соловецком обозрении» Бориса Глубоковского:

> Соблюдая коде́кс трудовой,
> Охраняет нас милый конвой,
> И от нежной, душистой трески
> Соловчане не знают тоски.

Тоска от однообразной и грубой пищи была действительно невыносимой. Случалось, и рвало.

Наряду с православным духовенством в 1928–1929 гг. в шестой роте было довольно много ксендзов. В отличие от православных священников им разрешалось служить в камере, а потом предоставили для службы часовню Германа в лесу. Многие из них работали в прачечной, где они командовали прачками — в основном проститутками. Держались они с большим достоинством, и проститутки их уважали. В 1929 г. им предоставили статус политзаключенных и освободили от работы. По этому статусу жили и анархисты на Большом Муксаломском острове в относительно сносных условиях, а ксендзов отправили жить на «командировку» Троицкая, что на Анзере. На Анзере я был, собирая подростков в трудколонию, и, проходя мимо их обиталища, встретил ксендзов, везших в телеге бочку с водой. Они обслуживали сами себя.

О ксендзах в России, в Сибири и на Соловках довольно много написано в книге, уже упоминавшейся выше, диакона Василия ЧСВ со слов Юлии Николаевны Данзас. Их обособленное существование делает их малоинтересными для моих воспоминаний. Отмечу только то, о чем не говорит Данзас, — положение на Соловках католического духовенства было значительно лучше православного. Считалось, что русское духовенство имело право ходить в монашескую Онуфриевскую церковь по особым спискам, заготовлявшимся заранее в адмчасти. Ходили в Онуфриевскую церковь только те заключенные, которые, не очень разбираясь в церковных делах, просто не могли обходиться без церковной службы. К таким принадлежал, между прочим, и Георгий Михайлович Осоргин, друживший, впрочем, с владыкой Виктором Островидовым...

Даже находясь в относительно сносных условиях в Кремле, в каменных помещениях, оставленных нам монахами, мы постоянно испытывали беспокойство. Информационно-следственная часть (ИСЧ) все время создавала разные дела: политические и уголовные. Людей забирали за лишний кусок хлеба, за «невыход на работу», за отказ спиливать кресты на кладбище под бравурные звуки духового оркестра «музыкантской команды» седьмой роты. Когда я болел (это случалось, слава богу, редко), можно было с ума сойти от полковых маршей, самозабвенно репетировавшихся бывшими офицерами царской армии.

Летом шли этапы — то на материк, то вглубь острова или на другие острова: Муксаломские, Большой Заяцкий, Анзер. Я держал вещи наготове, так как время на сборы не давалось. Кричали «Вылетай пулей с вещишками» и медливших били «дрынами» (палками для битья). На всякий случай научился быстро одеваться, для чего, ложась спать, оставлял кальсоны в брюках, рубашку в толстовке. Главное внимание — портянкам, надо было правильно надеть их без натирающих ноги складок.

Постоянное беспокойство быть вызванным на этап ослабевало только с закрытием навигации. Ослабевали тогда и внутриостровные перемещения.

Отъезд с Соловков

Летом 1931 г. начался вывоз «рабсилы» из Соловков на неофициально начавшееся строительство Беломоробалтийского канала. При отправке учитывалось, сколько осталось до конца срока. С Соловков уехали Владимир Раков, Федя Розенберг и многие другие. Меня не трогали. Не было уже к тому времени ни А. А. Мейера, ни К. А. Половцевой, ни А. П. Сухова. Жизнь стала очень тоскливой. Вывезли даже колонию малолетних преступников. Исчез как-то Иван Яковлевич Комиссаров — король у́рок на Соловках, впоследствии оказавшийся воспитателем в известной колонии для малолетних преступников в Большеве.

Федя на Медвежьей Горе оказался сразу на хорошей счетной должности, так как нужда в квалифицированных бухгалтерах в лагерях всегда была острой. Он слал мне вызов за вызовом как «крупному специалисту-бухгалтеру», чтобы вести главную картотеку Беломорстроя. Меня стали вызывать на этап. Внизу в музыкантской команде вызвали ехать вместе со мной трубача Владимира Владимировича Олохова — бывшего полковника Семеновского полка. Музыканты провожали Олохова торжественно. Произносились речи, сыграли марш «Старые друзья» (так, кажется, назывался марш, который был одним из популярных маршей старой армии, но под другим названием). Единственную на Соловках лошадь, которая возила трупы, запрягли, и она повезла наши пожитки (были и другие отправляемые). Корзины к этому времени у меня уже не было (украли), а приготовлен был фанерный чемодан. Чемодан оказался таким прочным, что он не разбился, когда упал с самой верхушки воза. Нас привели в карантин, раздели, посадили голыми в бане № 2 ждать, когда вернут из вошебойки нашу одежду. Ждали несколько часов. Из музыкантской команды принесли нам еду. К вечеру объявили: «Назад по камерам». Мы прожили две недели (примерно), и снова вызов, снова речи (но уже покороче), и снова марши. Снова баня, и снова команда: «Назад по камерам»: ИСЧ (информационно-следственная часть) нас не пускала.

Я рассказывал уже выше, как мальчик из ИСЧ пригласил меня вечером и показал мне мое дело, поверх которого стояла надпись: «Имел связь с повстанцами на Соловках».

По третьему вызову, на который мы с Владимиром Владимировичем отправились уже без речей и маршей, нас все-таки отпустили на материк. С Владимиром Владимировичем Оловым я впоследствии встретился в Ленинграде на Каменноостровском проспекте. Его вел под руку молодой человек. Владимир Владимирович был совершенно слеп. Жена его умерла, он жил у дочерей. Дочери перед самой войной, когда изменилось отношение к русской армии, вернули хранившееся у них знамя Семеновского полка. Его спас Владимир Владимирович в 1917 г., когда произошел развал армии. Владимир Владимирович обмотал его вокруг себя и вывез с фронта: так он мне рассказывал.

Снова пароход «Глеб Бокий», но уже не загоняли в трюм: народу было сравнительно мало. Передо мной разворачивалась панорама Соловков с Секирной горой. Мы проехали мимо Кузовов, на которые я обычно смотрел, поравнявшись со Сторожевой башней, когда шел на работу. Два или три раза я видел миражи с этими островами: они поднимались над горизонтом и казались ближе, чем были на самом деле.

В Кеми пришлось ночевать на Вегеракше (как объяснили мне, название это означало по-фински «жилище ведьм») — в страшном месте — по чинившимся там беззакониям. Утром нас посадили в классный вагонзак с полками в три этажа. Я залез на самую верхнюю, чтобы спать... Утром через сутки нас привезли в Медгору.

Медвежья Гора встретила нас солнцем, которого мы давно уже (с лета) не видели на Соловках, и чистым, только что выпавшим первым снегом. Я был в счастливейшем настроении. Именно в этот день я пережил ощущение освобождения. Оно не повторилось, когда в 1932 г. 8 августа я был и в самом деле освобожден.

Нас привели в лагерь около Онежского озера, построили на площади среди бараков, и вдруг я услышал приветливый женский голос, который выкликнул: «Дима Лихачев!» Услышать такой вызов из этапа в лагере, я думаю, редко кому удавалось.

Это была подчиненная Феди Розенберга, который позвонил в лагерь из управления строительством и велел отвезти меня в барак. Мне дали верхнюю полку на нарах «усовершенствованной» вагонной системы, но как раз под трубой от времянки; трубу этой времянки в холодные ночи раскаляли так, что она становилась красной, и мне приходилось закрываться от нее своей шубой и не спать от жары. Зато утром я умывался по-царски. На улице стояли железные рукомойники, в которых вода за ночь иногда замерзала. Я раздевался до пояса и наслаждался холодом, воздухом, светом.

Мне был выписан пропуск, по которому я ходил через «вольную» часть Медгоры в здание управления. Там встретил меня Федя, усадивший меня за главную картотеку строительства Беломорканала, — усадивший, но приказавший не работать. Первые дни он делал всю работу за меня, оставаясь на вечерние часы, а затем разрешил кое-что делать и мне при условии не прикасаться к счётам, чтобы во мне не узнали новичка. «Опытный счетный работник на счётах как играет», — сказал мне Федя. Жил Федя в сравнительно приличных для лагеря условиях: недалеко от здания управления был хороший барак с топчанами. Я ходил к нему обедать с Володей Раковым. Раков обычно и готовил. Мы ели на топчане у Феди из общей кастрюльки. Недалеко, помню, был топчан бывшего бухгалтера Михайловского театра в Ленинграде немца Коппе. У него была даже мясорубка. Федя часто обращался за хозяйственными предметами к «Коппочке», как он его называл. В том же бараке я видел певца Ксендзовского, министра Временного правительства Некрасова, скрипача Хейфица. Про последнего говорили, что он брат уехавшего в США пианиста. Я помню его стоящим на крыльце барака. У него был надменный вид. Он был худ и высок ростом.

Был ли он братом знаменитого пианиста на самом деле, я так и не дознался.

На работу я обычно приходил на полчаса раньше времени. В просторных помещениях управления перед началом работы пел чудный тенор. Это так было замечательно: услышать настоящую музыку после нескольких лет военного оркестра, репетировавшего очередной марш как раз под моей камерой в седьмой роте.

Пропуск давал мне возможность уходить в «вольную» часть Медгоры, заходить в книжный ларек, а однажды даже побывать с Федей, Володей Раковым, бывшим воинским начальником Радзиевским в пивной, что потом послужило Феде темой бесконечных шуток. В Медгоре я встретился с Юлией Николаевной Данзас, подружился с Мосоловым (из хорошей дворянской семьи), предлагавшим мне перейти к нему на гидротехническую работу и жить в палатке (я, естественно, не согласился в конце концов, но на нескольких занятиях по гидротехнике побывал). Ю. Н. Данзас показала мне бывшего булочника, который был удивительно похож на Николая II, и даже голосом (у государя, как говорила мне Юлия Николаевна, был удивительно красивый баритон). Взят булочник был только за свое сходство (в тридцатые годы его за это просто расстреляли бы — надежнее).

Впоследствии, когда я приезжал в Медгору со Званки (о ней я расскажу дальше), я видел на «пляже» у Онежского озера «песенника» Алымова, писавшего в лагере стишки, прославлявшие строительство. Его не любили и дразнили: «Канал — аммонал, Сорока (город, переименованный потом в Беломорск) — построим до срока»: рифмы, наиболее расхожие в бодрящей «поэзии» каналоармейцев, как себя называли наиболее «перековавшиеся» заключенные.

Помню тяжелую ночь на 1 января 1932 г. Счета в нашей картотеке не сошлись на 1 рубль. С финансовыми отчетностями было строго. 1 января мы должны были представить отчетность за прошедший год, а рубля в документах нет! Мы его искали до утра и в конце концов нашли.

На Медгору приехали ко мне на свидание родители. Было чрезвычайно трудно найти комнату. В конце концов нашли хозяев, которые согласились, чтобы мы ночевали у них на полу. Медгора была до ужаса переполнена. Брат хозяина, вечно пьяный, приставал к моему отцу: «Ты офицер. Я сразу вижу. Я этих офицеров...» Мы с отцом ночью уходили из комнаты, а он, пьяный, шел за нами и бубнил свое. В общем, положение становилось опасным. Моим родителям пришлось уехать на 2–3 дня раньше окончания срока свидания.

Званка и Тихвин. Освобождение

Вторая половина моего пребывания на Беломоробалтийском канале связана с Дмитрием Павловичем Каллистовым.

Осужден он был по делу КАН на пять лет, хотя мы его в КАН не принимали. Он прочел в КАНе вступительный доклад, но от приглашений посещать заседания мы воздержались. Вместе с нами он был отправлен на Соловки, но пробыл на острове не более недели: с последним пароходом его вывезли в Кемь, где он устроился работать в Управлении соловецких лагерей, а вскоре получил разрешение жить на частной квартире. Это представлялось делом его энергии и ловкости.

Когда я попал на Медвежью Гору, он уже работал диспетчером Белбалтлага на станции Званка рядом с Ленинградом. В обязанности диспетчера входило распределение грузов (но не людей!), шедших в адрес строительства по станциям, которые были указаны в разнарядках с Медвежьей Горы (из Управления строительством). Диспетчер просматривал все документы, сопровождающие товарные поезда, и писал станции назначения на тех из них, где было обозначено лишь в общей форме «Беломоробалтийское строительство». Это были аммонал (сильное взрывчатое вещество), провиант, фураж и — редко — строительные материалы.

Дмитрий Павлович работал на Званке вместе со вторым диспетчером — американским подданным, имевшим 10-летний срок за валютные операции, Оскаром Владимировичем Гилинским.

Со Званки Дмитрий Павлович изредка приезжал в Медгору в управление получать инструкции и разнарядки. Через третьих лиц он узнал у меня, готов ли я переехать работать на Званку. Я не очень точно представлял себе характер работы, но меня соблазняла близость к Ленинграду, к родителям, возможность чаще их видеть и, самое главное, — отсутствие лагерного режима. В те времена чем ближе к окончанию был у заключенного срок, тем менее строги были меры его «охраны». Пребывание на Званке в условиях относительной свободы казалось мне тогда вполне реальным.

Прошло довольно много времени (наверное, не меньше месяца), как вдруг меня разыскали и сказали, что приехал со Званки Каллистов и просит меня как можно скорее собираться с вещами. Я бросился бриться и от волнения порезал себе лицо. Увидев меня в таком виде, Каллистов засмеялся: он был доволен.

На Званке Дмитрий Павлович устроил меня жить там же, где жил и сам: в маленькой избушке у одинокой старушки Матрены Кононовны, недалеко от Волхова. Там у меня была постель с мягкой периной и мягкой подушкой за занавеской в комнате, служившей столовой. Я спал там и днем после ночных дежурств на вокзале. Наш третий диспетчер — О. В. Гилинский — снимал за доллары целую квартиру недалеко от станции. Видел я его редко: он ездил со Званки не только в Ленинград, но и в Москву. Все дежурства на станции несли мы с Дмитрием Павловичем вместе. Беда (для меня) была в том, что и Дмитрий Павлович часто уезжал к жене в Ленинград, и тогда мне приходилось дежурить целыми сутками. А работа была напряженная. Рабочий стол наш находился в одной комнате с маневровым диспетчером. Званка была крупным железнодорожным узлом, где шло переформирование товарных поездов. У маневрового диспетчера было большое табло, на котором были обозначены пути, на которых выставляли условными обозначениями составы поездов. В диспетчерскую в клубах морозного пара беспрерывно вваливались закутанные до глаз «главные кондукторы», ехавшие на открытой площадке последнего вагона. Из тяжелых сумок они выкидывали на стол маневрового диспетчера документы на каждый вагон, и надо было вместе с маневровым, торопившим нас, все пересмотреть и указать соответствующие лагерные разнарядки и адреса. Работа требовала исключительного внимания, а к пяти часам утра внимание обычно ослабевало; я спал не только сидя, но даже стоя. Однажды я пропустил целый поезд с несколькими вагонами, отправленными без адреса. Ошибка могла стоить мне нового срока. Но обошлось...

Не без страха вспоминаю, как я лазал под вагонами, чтобы сократить расстояние до стоявшего где-нибудь на 21-м пути состава, чтобы проверить какую-либо неясность, возникшую в документах. Составы все время двигались в разных направлениях, и эти мои «пробеги» под вагонами были очень опасны, но во мне развилось своеобразное ухарство. Я писал уже, что после пережитого мною по случайности избегнутого расстрела я понял, что «каждый новый день, прожитый мною, — подарок от Бога». Но здесь, на Званке, появилось во мне какое-то безразличие к своей судьбе: «Будь что будет».

Я два раза ездил в Ленинград и один раз был в ложе Мариинского театра на балете. У Александровского сада я встретил своего товарища по университету Дмитрия Львовича Щербу, который, узнав, что я «бежал из лагеря», шарахнулся от меня. Другой раз меня задержал патруль под самым Ленинградом. Я дал номер телефона, по которому патруль мог справиться, что я действительно диспетчер на Званке, имеющий якобы право проезда в Ленинград. Патруль справился, и некий добрый человек на другом конце провода подтвердил сказанное мною (хотя, конечно, это была неправда: ездить в Ленинград без разрешения было нельзя). Кто был этот спасший меня от задержания (и, значит, нового дела) человек, я не знаю, но благодарную память о нем храню.

Мне уже нравилось рисковать. Это был поворот явно не в нужном направлении, и избавился я от этого далеко не сразу.

А работа на Званке становилась все труднее.

Однажды пришло требование выделить в подходившем эшелоне с заключенными счетоводов, чтобы направить их в Медгору. Этапов с людьми нам переадресовывать не полагалось. Шли они без проверки. Очевидно, счетоводов остро не хватало. Такой поворот мог бы спасти от работ «землекопов» несколько человек. Я отправился на отдельный путь, где стояли вагоны, взошел в вагон и с особой остротой ощутил этот воздух горя, которым дышали все лагеря. Мне запомнилось интеллигентное лицо человека моего возраста, ответившего мне на мой вопрос о своей профессии: «Пианист-аккомпаниатор. Знаю немецкий, английский, французский». Я веско сказал ему: «Записываю вас счетоводом. Запомните это!» Этот эпизод мне почему-то часто вспоминался. Кто он был и как сложилась его дальнейшая судьба?

К счастью, больше таких поручений на распределение людей я не получал.

Весной Дмитрий Павлович сказал, что «укрепляют» диспетчерский отдел в Тихвине, так как по ветке, идущей от Тихвина, вагоны уходят от нашего распределения. Я считал этот переезд ненужным и был против него. Тогда он признался, что здесь, на Званке, у него крупные служебные неприятности и он рассчитывает этим переездом избежать их. Мы переехали. Дмитрий Павлович быстро нашел нам комнату в Тихвине через еврейскую общину: с нами вместе должен был переехать диспетчер Бакштейн. Бакштейн неплохо говорил на идиш, а Дмитрий Павлович притворился «гойшером» из Австрии и говорил, нещадно ломая немецкий язык, изображая «австрийский диалект» идиш. Хорошую комнату нам сдавала стрелочница с двумя детьми.

Мы переехали в Тихвин, жизнь в котором замерла тогда совершенно: ни одной новой постройки, бездействующая Тихвинская водная система, жители — в громадном большинстве — старики и старухи. Но Тихвин был красив, как красив бывает лес поздней осенью...

Там мы встретили казначея, знавшего всю семью Римских-Корсаковых, и жителей дома Корсаковых; присутствовали на празднике Тихвинской Божьей Матери и наблюдали возбуждение богомольцев по поводу совершившегося при них чуда исцеления.

На лето ко мне приехали мать и младший брат. Брат чудесно плавал, прыгал в Тихвинку прямо с моста, получив у местных мальчишек прозвище «прыгалки».

Была там и семья бывших «помещиков»: мать и две дочери. Отец у них был расстрелян, а дочери служили конторщицами на станции. Мать старалась сохранить девочкам уровень воспитания, говорила с ними по-немецки (кажется, она и сама была немкой). Дмитрий Павлович, живший в детстве в Вене, мог при встрече сказать им два-три слова (позднее он выучил немецкий прилично).

Грузов в адрес Белбалтстроя не было иногда целый день, и я даже катался на лодке и велосипеде брата. Однажды меня сшибли бегущие дрожки. Я не успел понять, в чем дело, только почувствовал тепло лошади — и через секунду лежал в песке. Песок и спас меня от переломов и синяков. Неосторожную езду я продолжил и в Ленинграде. Как-то раз на большой скорости свернул с Дворцового моста и чуть не попал под машину. Ощущение было настолько страшным, что после этого я на велосипед не садился. Дмитрий Павлович был значительно активнее меня. Летом в Тихвине он предложил мне съездить в Старую Ладогу — посмотреть церкви XII в. и крепость. На станции вместо нас мог подежурить Бакштейн. Надо было доехать до станции Волхов, а от Волхова — на пароходе до Старой Ладоги. Выезжать нужно было очень рано и лучше всего — с товарным поездом, везшим балластный песок.

Как только поезд тронулся, песок пришел в движение, стал осыпаться, слепить глаза, застревать в одежде и в волосах, а главное — мы боялись упасть вместе со «съезжавшим» под нами песком. Однако остановить поезд невозможно, и в таком страхе, засыпанные песком, мы прибыли в Волхов как раз к отходу парохода.

Не стану описывать общих впечатлений от Старой Ладоги...

Устав от прогулок, мы пошли в местную чайную, и, как ни странно, впечатление от нее стало самым сильным за тот день! Это был двухэтажный дом недалеко от Волхова. Внизу были кухня и хозяйственные помещения. Поднявшись по крутой лестнице на второй этаж, мы попали в большое, очень светлое, с четырех сторон освещенное помещение. Стояли столы, накрытые белыми скатертями, на каждом столе — нарезанные горкой черный хлеб и ситник. По двое и по трое сидели за отдельными столиками уставшие от дел люди. Ели, разговаривали. Никакого вина или пива. Все чинно, негромко. Мы выбрали столик у окна с видом на Волхов. Нам принесли на каждого пару чая, т. е. большой чайник с кипятком и маленький со свежезаваренным чаем. Принесли сахарницу с твердыми кусками сахара, позволявшими пить вприкуску, если бы мы захотели. Как часто я думал потом, что такие чайные были у нас когда-то повсюду. И их не случайно разгромили: слишком удобно в них было разговаривать, вернее, беседовать на разные темы. А это было слишком опасно для властей. Работать и молчать, верить всему официальному — ничего более.

Мы вышли из чистой, прекрасной чайной, когда уже стемнело, и неожиданно стали свидетелями необычной рыбной ловли на Волхове. Длинные лодки бесшумно скользили по воде. На них стояли рыбаки: один с веслом — на корме, другой, с острогой, — на носу. На носу же горел факел. Сперва мы не поняли, в чем дело. Лодки уносило по течению, а фигуры людей были совершенно неподвижны. Потом мы поняли, что острогой рыбаки били крупных рыб, подплывавших к лодкам на свет факелов.

К утру мы были в Тихвине, привезя с собой свежую рыбу, которую отдали хозяйке. Сколько потом ни было у меня поездок, но эту я забыть не могу...

Как-то раз, еще на Званке, я вернулся домой днем. Матрена Кононовна, как всегда, покормила меня, затем потушила печь, и я пошел спать за занавеску. Сон был тяжелым, почти беспамятство. Проснулся я от страшного стука в окно у меня в ногах. Разлепив глаза, я увидел круглые от ужаса глаза Дмитрия Павловича. Жестами он приказывал мне открыть дверь, но сил идти у меня не было. Не помню уж как, но Дмитрий Павлович вошел, распахнул все окна, одел меня и потащил на улицу. Он заставлял меня ходить и ходить. Ноги у меня подкашивались, голова раскалывалась от боли, а я все ходил и ходил... Дмитрий Павлович спас меня от угара. Счастье мое, что он пришел вовремя, что сумел достучаться, войти, знал, как бороться с угаром.

Это одна из тех тысяч случайностей, благодаря которым я остался живым.

Когда я находился в Тихвине (напомню — это было летом 1932 г.), коллективизация сельского хозяйства была в полном разгаре. У нас не было газет, не было тесных дружеских связей в Тихвине, и мы плохо были осведомлены, что же происходило. И вот эта осведомленность сама пришла к нам собственной персоной...

Однажды вечером Дмитрий Павлович вернулся домой, т. е. в дом стрелочницы, у которой мы жили, с двумя полными ведрами молока, попросил посуду, чтобы вылить ей молоко для детей, и еще ведра для меня. Многого он не успел объяснить, захватил у хозяйки ведра, и мы понеслись с ним на вокзал. По дороге он сказал мне: «Пришел длиннейший эшелон с коровами; коровы недоеные, сопровождающие коров девушки доят и раздают молоко всем желающим».

Действительно, на станции стоял многовагонный состав. Коровы мычали: требовали, чтобы их подоили. Несколько сопровождавших девушек с ног сбивались, чтобы их подоить. Но доить было не во что, и всех коров не подоить. Молоко они доили в подставляемые служащими и рабочими вокзала ведра и раздавали. Им жалко было коров, жалко молока. Мы вернули кому-то занятые под честное слово ведра и дали свои, в которые тотчас налили нам еще. «Берите сколько хотите».

И тут я понял: разрушают сельское хозяйство; уничтожают крестьянство, коровы обречены. Пустые прилавки магазинов — не случайность.

В самом начале августа я получил распоряжение приехать в Медгору за документами на освобождение. Канал считался законченным, и всем освобождавшимся в тот момент стали давать досрочное освобождение без всяких ограничений. Насколько это распространялось на меня лично и на мой ли срок только — я не знал. Я отправился в Медгору, провел там дня два-три и получил документ, в котором указывалось, что я, как «ударник» строительства, освобожден до срока и с полным правом проживания по всей территории СССР, т. е. я мог вернуться в Ленинград к родителям!

Вместе со мной на полгода раньше срока были освобождены все пятилетники по нашему делу: Толя Тереховко, Федя Розенберг, Володя Раков и др. Итак, я провел девять месяцев на Шпалерной, три года на острове, а остальное время (девять месяцев) — на Беломоробалтийском канале: на Медвежьей Горе, на Званке и в Тихвине.

Жизнь в Тихвине так понравилась моей маме и брату, что они умоляли меня пожить в Тихвине весь август. Я не согласился: мне надо было прописаться в Ленинграде и устроиться на работу. В долгосрочность милостивого освобождения Сталиным я не верил.

В первой половине августа мы уже были в Ленинграде. С пропиской все обошлось благополучно, но с устройством на работу было сложнее. Ленинград был уже не тот, что в двадцатые годы: боялись устраивать на работу не только бывших заключенных, но и их родственников.

Судьба друзей после Соловков

Итак, настоящее оскудение мысли в Ленинграде началось уже после лагерей. Люди рассеялись по стране. Кто умер, кто опустился. Все жили в одиночку, боялись говорить и даже думать. Уходило и здоровье.

Постараюсь вспомнить судьбу всех, кто мыслил, создавал духовные ценности, писал.

Больше всех посчастливилось тем, кто очутился за рубежом. Еще в середине двадцатых годов успел уехать за рубеж активный член мейеровского кружка Георгий Петрович Федотов. Его многочисленные труды по русской культуре, русскому православию хорошо известны, и писать мне о нем нет смысла. Те, кто был постарше и пережил войну, уехав за рубеж, — Сергей Алексеевич Аскольдов-Алексеев, Иван Михайлович Андреевский — выпустили там свои работы. Иван Михайлович печатал преимущественно тексты курсов, которые он читал в духовной семинарии в Джорданвиле: по богословию, русской литературе, психологии, по истории церкви. Он смог рассказать и историю своего кружка, несколько, впрочем, преувеличив свою роль в духовной жизни 20-х гг.

Не прошел бесследно и философский опыт А. А. Мейера: в 1982 г. в Париже, как я уже писал, вышла его книга «Философские сочинения». В ней собраны статьи разного времени, в числе их и те, что он обдумывал при нас в Криминологическом кабинете, и те, что были им написаны в ссылке в каком-то городе на Волге. Их собрала и сохранила Ксения Анатолиевна Половцева, делившая с ним годы ссылки после лагеря и передавшая их в архив.

Удивительно беспорядочны были наши судьбы. В основном те, кто имел срок пять лет, пройдя через Белбалтлаг, получили полное освобождение и вернулись в Ленинград (впрочем, не очень надолго — до паспортизации), а те, кто имел по три года, были освобождены с последующей высылкой. Вернулись в Ленинград Э. К. Розенберг, А. С. Тереховко, Д. П. Каллистов. В. Т. Раков также получил полное освобождение, но ему негде было прописаться, и он уехал работать в Петрозаводск, часто приезжая в Ленинград. В Ленинграде осталась жить на «поруках у отца» Валя Морозова, которой в момент осуждения было 18 лет. Мы встречались, но не регулярно, разумеется. Я безуспешно искал работу. Искали и все остальные. Не принимали меня даже счетоводом мебельной фабрики на Каменноостровском проспекте у реки Карповки. Ощущение себя живущим на шее у не очень богатых родителей было гнетущим. В конце концов меня устроил отец корректором в типографию «Коминтерн». Я сильно болел язвой. Долго лежал в больницах, но это уже не так интересно. Не побоялся меня навестить в больнице только мой университетский товарищ Дмитрий Евгеньевич Максимов, начинавший в то время заниматься литературой начала XX в. Встретился я и с другим моим университетским товарищем Владимиром Александровичем Покровским, разочаровавшимся в литературоведении и ставшим заниматься математикой, хотя ему и удалось за это время выпустить небольшую, но обстоятельную работу о Булгарине.

Когда в 1933 г., доведенный до отчаяния безуспешными попытками устроиться на работу, я поехал по приглашению Дмитрия Павловича Каллистова в Дмитровлаг наниматься на работу вольнонаемным, я зашел в Москве к Владимиру Сергеевичу Раздольскому на Большую Полянку. Он жил в помещении бывшего магазина, разгороженного занавесками на клетушки, в которых стояли кровати. Кровать Володи была отделена простынями, и сидеть нам вдвоем пришлось на его койке, так как для стула не было места. Чтобы избежать назойливого внимания сожителей Володи, мы пошли поговорить в ближайшую пивную. По дороге он мне рассказал, что работает счетоводом, что хозяйка «магазина» хочет его женить на своей дочке, что он давно ни о чем не думает, друзей в Москве не имеет. В пивной я убедился, что он пристрастился к пиву. Он быстро опьянел, мне из моих мизерных денег пришлось платить за его пиво. По дороге из пивной мы встретили вдрызг пьяного соловецкого скульптора Амосова, разговаривать с которым было невозможно, хотя он нас и узнал.

В Дмитрове мне по счастью устроиться не удалось. Да я особенно не старался, так как лагерная обстановка произвела на меня удручающее впечатление, напомнив о худшей стороне Соловков. Но виделся я там с А. А. Мейером, работавшим тоже по счетной части, и, переночевав на стульях у моего знакомого по Медвежьей Горе Игоря Святославича Дельвига, уехал обратно. От Дельвига я узнал, что он увлекается цыганской музыкой, что цыган можно было тогда услышать только у родных художника Серова на их квартире, где он и бывал почти еженедельно. Встретил я и еще кое-кого из своих старых соловчан, все работали как проклятые, и уже никто на общие темы не говорил или не решался заговорить, чтобы не получить новый срок.

Совсем недавно я узнал от человека, занимающегося судьбой различных примечательных лагерников в архивах КГБ, что в том же Дмитровлаге в один из массовых расстрелов погибла Лада Могилянская. Он показал мне и ее последнюю фотографию из того же архива: огрубевшее лицо, неряшливая короткая стрижка. Ничто уже не напоминало ту подтянутую Ладу, создававшую на острове вокруг себя атмосферу «ладомании»...

Печальной была судьба Гаврилы Осиповича Гордона. Он и второй-то раз получил срок из-за своего желания поделиться своим «открытием» с окружающими. Когда началась всеобщая паспортизация, он в издательстве, где издавалась серия «Academia», показал окружающим статью «Паспорт» в «Советской энциклопедии», в которой было сказано, что паспорт — это «орудие классового угнетения» или что-то вроде того.

В пору всеобщего страха он написал мне на Соловки письмо из Свердловска, куда был сослан после первого своего заключения в Соловках. Вернувшись в Москву, он пробыл в ней недолго. При втором десятилетнем сроке он написал мне письмо из лагеря на Волге, в котором писал, что живет «отлично», пишет историю создания какого-то водохранилища, а заодно описывает и свою жизнь. «Отличная» жизнь его окончилась однако смертью в лагере от чистого голода.

В перерыв между его ссылкой в Свердловск и новым арестом в Москве он приезжал ко мне в Ленинград показать город младшей своей дочери Ирине. Он остановился на Лахтинской улице у нас, а дочку устроил к своей тетке, жившей на Петровском острове в Приюте для престарелых артистов имени Савиной — в том самом приюте, где в церкви служил в свое время отец Викторин, объединявший вокруг себя много молодежи. В церкви еще была служба, но отец Викторин был арестован. Гаврила Осипович поразил меня своим знанием церковного богослужения. Но когда я через год встретил Ирину Гавриловну в московском гастрономе на Большой Полянке, она побоялась со мной разговаривать при людях, и вот снова более чем через полвека мы встретились с ней уже в «Узком» в 1989 г. Как долго длятся человеческие связи! Гаврила Осипович в невероятных условиях Дмитровлага написал «Повесть о моей жизни» — примерно 25 авторских листов. Эти воспоминания, по словам его дочери, содержат сотни фамилий людей, с которыми сталкивала его жизнь, и, должно быть, необыкновенно интересны.

В самом конце 1933 г. пришла ко мне и моим родителям на Лахтинскую улицу Ю. Н. Данзас. Бодро поднялась на пятый этаж и рассказала, что работает делопроизводителем в каком-то гараже, ожидая отъезда за границу, но имеет и договор на перевод Рабле с Л. Б. Каменевым, заведывавшим в то время в Москве издательством художественной литературы (не помню — как оно в те времена точно называлось). Она добилась по освобождении из лагеря свидания с Горьким, за которого когда-то хлопотала о его освобождении из Петропавловской крепости. Горький, очевидно, чувствовал себя обязанным принять участие в судьбе Ю. Н. Данзас. Она даже работала у него сразу после Октябрьской революции в Комиссии по улучшению быта ученых (ЦКБУ). Юлия Николаевна рассказала нам, что имела продолжительное свидание с Горьким наедине. Горькому удалось разослать своих секретарей с различными поручениями. Горький обещал ей похлопотать о ее выезде, взяв с нее честное слово, что она не будет рассказывать или писать о своих мытарствах.

Слова своего Ю. Н. Данзас не сдержала. Как рассказывают, ее освободил от выполнения обещания Горькому сам папа римский...

По освобождении я виделся с Н. Н. Горским. Он ездил в экспедиции какого-то океанографического учреждения в Ленинграде. Его жена Камбулова жила недалеко от нас на Петроградской стороне. Когда она пришла к нам на Лахтинскую улицу по поручению мужа, я был совершенно поражен ее красотой. Можно было ущипнуть себя и спросить: «Бывает ли такое?» Но вскоре после ее прихода я узнал ужасное: она получила известие о его новом аресте в экспедиции и в тот же день, идя по Большому проспекту, попала под трамвай. Погибла сразу.

Горский заходил ко мне после освобождения и домой, и в издательство Академии наук. Я устроил ему издание его книжки «Тридцать дней в дрейфующих льдах Каспия». Книжка имела успех, была выгодна издательству и была издана вторично. После войны он работал в Новгороде. Женился там на работавшей у него студентке-практикантке. Был еще раз арестован и попал в Сибирь. Из Сибири я получил письмо. В лесу он построил себе дом из старых шпал. Жил в нем один, страшно нуждался и просил купить и прислать ему машинку и бумагу. Мы жили к тому времени на Басковом переулкс. Недалеко был комиссионный магазин, в котором я смог купить ему крохотную складную машинку. Машинка дошла до него. Он стал печататься и выжил. Одна книга его была о морях, а другая о воде («Вода — чудо природы»). Он даже получил за последнюю какую-то премию. После полной реабилитации он жил в Москве вместе со своей женой, на которой женился в Новгороде. Я через своего старшего брата устраивал его жену на работу. Заходил к нему, но было тяжело: у него был бред преследования; он подозревал жену в том, что она следит за ним (хотя кого мог интересовать девяностолетний старик?). Он умер, его жена исчезла из моего поля зрения. Одно могу сказать: своим долголетием он обязан своей исключительной жизненной энергии. Меня всегда поражало — как блестели его глаза.

Короткое время был в Ленинграде и Александр Петрович Сухов. Как-то я достал два билета на «Лес» в постановке Мейерхольда. Театр его гастролировал в помещении консерватории, где был прекрасный оперный зал (мне кажется, что именно там пела Дельмас в опере «Кармен», когда ею стал увлекаться Блок). Играл Ильинский. Вся постановка была воздушной. Дорога, по которой шли Счастливцев и Несчастливцев, висела в воздухе на тросах. Рыбку Ильинский ловил из воздуха. Объяснение в любви с Гурмыжской происходило на «гигантских шагах». Сухов радовался каждой находке Мейерхольда, и иметь его соседом в театре было сущим удовольствием.

К сожалению, его пребывание в Ленинграде по возвращении из Бийска, где он находился в ссылке, было коротким. Его опять куда-то угнали, и умер он перед самой войной от рака в каком-то маленьком городке.

Особо мне хочется рассказать о судьбе Феди Розенберга.

Когда мы оба вернулись с беломоробалтийской стройки в Ленинград, я оказался в коммунальной квартире на Лахтинской улице (вернее, в трех комнатах), куда переехали мои родители во время моей отсидки. Федя приходил к нам очень часто. Часто приходили Валя Морозова, Володя Раков, сестра Толи Тереховко Зоя, дядя Коля, дядя Вася и многие содельцы. Федя вносил оживление, рассказывал о книжных новинках, читал стихи, флиртовал с Зоей и Валей. Все это мне очень нравилось, но продолжалось это недолго. Началась выдача паспортов. Не дали паспорта Феде, Толе Тереховко, Володе Ракову. Федя уехал в Мурманск, где его устроила на работу Софья Марковна Левина, Толя Тереховко уехал в Боровичи, Володя Раков снова в Петрозаводск. Стало опасным собираться, особенно бывшим однодельцам. Как устроилось со мной, я расскажу в дальнейшем. Вскоре, однако, Федя и Софья Марковна вернулись в Ленинград. Во время блокады у нас уже не было сил навещать друг друга. Мы вынуждены были уехать в Казань в конце июня 1942 г. Мы расстались не простившись. Федю, несмотря на глухоту, забрали в какое-то «латышское» ополчение, откуда его все же вскоре освободили. После войны мы с Зиной сильно нуждались в деньгах и брали всякую работу в издательстве: брали рукописи на «монтировку». Это значило, что мы должны были заклеивать маленькими кусочками бумаги грязные после исправления места, придавать рукописям чистый и удобочитаемый вид. Федя, имевший какое-то отношение к изданиям Финансового института, подкармливал нас, давая возможность прирабатывать на корректуре.

В Феде было редкое сочетание — веселости, доходящей иногда до легкомыслия, и исключительного трудолюбия, чувства долга. Он засиживался иногда на работе допоздна и вместе с тем находил время для шутки. В нем был дух коллекционера. Перед своим арестом, работая в налоговом управлении, он собрал копии сведений об уплате налогов виднейшими ленинградскими писателями. Следователь не мог понять (вернее, не мог определить), в какой мере из этих отобранных у Феди при обыске справок можно состряпать какое-то дополнительное обвинение. С Соловков Федя вывез все номера вышедших при нас журналов «Соловецкие острова», акварели украинских художников Петраша и Вовка, рисунки П. Ф. Смотрицкого, соловецкие денежные квитанции и соловецкие копейки, различные бланки, справедливо полагая, что все это в будущем будет представлять большую ценность. Однако, когда Федю в какие-то годы после войны стали снова высылать и ему пришлось одному уехать в район Луги, они с Софьей Марковной решили уничтожить все эти материалы. Осталась у меня только одна акварель не то Вовка, не то Петраша, изображающая вид из окна Н. Н. Виноградова на Соловках.

На гроши ему удалось построить в Луге дом. Туда к нему приезжали Дмитрий Павлович Каллистов и Аркаша Селиванов («Аркашон», как мы его звали), но я так и не успел, о чем очень жалею. Федя уже не был прежним: он стал очень раздражительным из-за глухоты, да и из-за всего пережитого. Он стал много курить, у него начал развиваться рак легких. Мучился он невероятно, и Софья Марковна умоляла врачей приблизить его смерть...

Хоронили его на Серафимовском кладбище.

Загубленный талантливый и добрый человек!

Репрессии 30-х годов

Сейчас очень часто говорят и пишут, что население страны не знало о размахе того ужаса, который представляла собою деятельность Сталина. Я свидетельствую как житель Ленинграда, не имевший связей, избегавший знакомств, мало разговаривавший с сослуживцами (я сидел над корректурами, работая сдельно), что все-таки знал многое.

Мы действительно не знали деталей, но мы видели, как опустели в начале 1935 г. улицы Ленинграда (после убийства Кирова). Мы знали, что с вокзалов уходили поезда за поездами с высылаемыми и арестованными...

1932 г. голод захлестнул деревни и города. Открылись Торгсины. В них относили все золото, которое только можно было найти в обычной городской семье: часы, сережки, броши, обручальные кольца, серебряные ризы с икон. В Торгсинах не принимали только мелкие драгоценные камни: их должны были возвращать. Помню, как мать жаловалась: оценщик выковыривал рубины, изумруды, мелкие бриллианты и небрежно смахивал их в рядом стоящий ящик. Подозревали (да, наверное, так оно и было), что немало камней оценщики присваивали себе. Много было сдано золота и в нашей семье, особенно когда я лежал в больнице в 1932 г. (осенью) и в 1933 г. (зимой): меня надо было подкармливать после ужасного желудочного кровотечения. Значит, голод был и в городах.

О голоде на селе мы знали по рынкам. Крестьянки (все только женщины) с цеплявшимися за их платья детьми продавали на рынках за бесценок шитые полотенца: самое дорогое, «бабушкино», что смогли захватить с собой, убегая от коллективизации. Беженки!

Я знал, что такое беженцы, по Первой мировой войне и по Гражданской. Но это было несравнимо. О тех заботились... Кто-то из наших купил на рынке (уж очень умоляла купить женщина) два вышитых полотенца. С ними вошло в наш дом чужое горе...

Одна за другой приходили беженки наниматься в прислуги. Нанять прислугу было очень легко и дешево. Лишь бы был у женщины паспорт, чтобы прописать. Но паспорта имели немногие.

Так пришла к нам в дом Тамара Михайлова, вынянчившая наших детей, пережившая с нами блокаду и эвакуацию в Казань, вернувшаяся с нами в Ленинград и помогавшая нам до самой своей смерти. Она бежала из села Сычовка Смоленской губернии вслед за отцом, которому удалось наняться дворником в Ленинграде. Тамара была второй няней наших детей. Первая довольно быстро ушла от нас, выйдя замуж. Но я забежал вперед. Вернусь к первой половине 1930-х — к уничтожению крестьян.

Беженцы из деревень с детьми ночевали зимой 1933 г. на лестницах домов. Вскоре дворникам было велено их не пускать, но они приходили поздно, а утром, идя на работу, любой мог обнаруживать следы их ночевок; я видел, что кто-то живет на верхнем этаже лестницы, где была наша квартира. Большое окно, большая площадка, на ней ночевало несколько семей с детьми. Но вот вышел новый приказ: запирать с вечера все лестницы. Чинили парадные двери и ставили замки, проводили звонки к дворникам, запирали ворота во дворы (сразу опустели театры и концертные залы).

Однажды (вероятно, это была зима 1933–1934 гг.) я возвращался из Филармонии. Стоял сильный мороз. Я с площадки трамвая на Большом проспекте Петроградской стороны увидел дом (№ 44), имевший глубокий подъезд. Дверь, запиравшаяся на ночь, была в глубине (да она и сейчас существует — теперь там вывеска «Детский сад»). С внешней стороны подъезда, ближе к улице, стояли крестьянки и держали на поднятых руках какие-то скатерти или одеяла, создавая нечто вроде закутка для детей, лежавших в глубине, защищая их от морозного ветра... Этой сцены я не могу забыть до сих пор. Проезжая сейчас мимо этого дома, каждый раз упрекаю себя: почему не вернулся, принес бы хоть немного еды!

Не видеть крестьян в городах было просто невозможно.

Однажды наша Тамара, которую мы в это время наняли в няньки к нашим детям, принесла нам купленные за бесценок домотканые льняные полотенца, с красным узором, очевидно украшавшие в избе иконы, по крестьянскому обычаю. Они затем долго были в нашей семье, и я всегда чувствовал в них горе. Мне виделись и полусожженные теплушки, в которых замерзавшие раскулаченные пытались развести огонь и сгорали сами. Я слышал рассказы о том, как выбрасывали из окон товарных вагонов запертые в них люди своих маленьких детей на остановках с записками вроде следующей: «Добрые люди, помилосердствуйте, сохраните младенчика. Звать Марией». В Вологде уже в пятидесятых годах мы с секторянами (сотрудниками Сектора древнерусской литературы), приехавшими на устраиваемые нами «дни древнерусской литературы», видели церковь, служившую в свое время пересыльным пунктом для семей раскулаченных. В ней были фрески, но ни одна из них не была попорчена этими семьями — ни детьми, ни взрослыми. Эти крестьяне были нравственно высокими людьми.

Знаком того, что народ знал о злодеяниях Сталина, были анекдоты. Запишу здесь только один, на котором есть своеобразная «отметка времени». Побывала крестьянка в городе и рассказывает: «Висит огромный, усатый, страшный, и надпись над ним: „Заем пятилетку в четыре года"»! (Слово «заем» крестьянка поняла как «съем». — *Д. Л.*). Действительно, висели плакаты с портретами Сталина и надписью, призывавшей подписываться на заем «Пятилетка в четыре года». Почему надо было призывать — неизвестно. Подписка на заем была принудительной. Систематически записывал политические анекдоты Корней Чуковский. Но когда в самом начале тридцатых годов пошли обыски, он большую книгу с этими анекдотами уничтожил. Об этом рассказывал мне Дмитрий Евгеньевич Максимов, навещавший Чуковского.

О больших арестах знали уже в конце 20-х. Когда меня арестовали, родители получили сто советов — что носить в передачах, что купить на случай высылки, как защититься в тюрьме от вшей, где и как хлопотать. Все в Ленинграде были готовы к неожиданным арестам, ибо в произвольности их не сомневались. Поэтому уверения, что «там разберутся и отпустят», были совершенно пустыми. Чаще всего так успокаивали семьи сами арестовывавшиеся. Делали вид, что верят в это, родные арестованных. Это было чистое притворство с обеих сторон. Только у очень небольшой части тех, кого «брали», была слабая надежда вернуться в семью.

Большие аресты были в издательстве Академии наук, где я работал «ученым корректором». Особенно много было арестовано именно в нашей корректорской, где работали почти сплошь «бывшие». Расскажу такой случай. После убийства Кирова я встретил в коридоре издательства пробегавшую мимо заведующую отделом кадров, молодую особу, которую все запросто звали Роркой. Рорка на ходу бросила мне фразу: «Я составляю список дворян. Я вас записала». Я сразу понял, что попасть в такой список не сулит ничего хорошего, и тут же сказал: «Нет, я не дворянин, вычеркните!» Рорка отвечала, что в своей анкете я сам записал: «сын личного дворянина». Я возразил, что мой отец — «личный», а это означает, что дворянство было дано ему по чину, а к детям не переходит, как у «потомственных». Рорка ответила на это приблизительно так: «Список длинный, фамилии пронумерованы. Подумаешь, забота, — не буду переписывать». Я сказал ей, что сам заплачу за переписку машинистке. Она согласилась. Прошло две или три недели, как-то утром я пришел в корректорскую, начал читать корректуру и примерно через час замечаю — корректорская пуста, сидят только двое-трое. Заведующий корректорской Штурц и технический редактор Лев Александрович Федоров тоже сидят за корректурами. Я подхожу к Федорову и спрашиваю: «Что это никого нет? Может быть, производственное собрание?» Федоров, не поднимая головы и не отрывая глаз от работы, тихо отвечает: «Что вы, не понимаете, что все арестованы!» Я сел на место...

Одна дама в нашем издательстве сказала: «Если завтра не окажется на месте Исаакиевского собора, все сделают вид, что так всегда и было». И это верно! Никто ничего не замечал (вслух, конечно!).

Арестованы были барон Филейзен, барон Типпольд (по прозвищу Два Барона — он был не толст, но очень широк), лицеист Чернявский и многие другие.

Арестованы и высланы были не только дворяне. Я знал, например, что отправили из Ленинграда, и главным образом из его дворцовых пригородов, всех бывших лакеев и служителей дворцов. Некоторые из них продолжали честно служить и при советской власти и были верными хранителями дворцовых вещей и исторических преданий. Высылки и аресты этих людей нанесли потом колоссальный ущерб сохранности дворцового имущества.

Это теперь только отмечают как «особые» 1936 и 1937 гг. Массовые аресты начались с объявлением в 1918 г. «красного террора», а потом, как бы пульсируя, усиливались — усиливались в 1928, 1930, 1934-м и т. д., захватывая не отдельных людей, а целые слои населения, а иногда и районы города, в которых надо было дать квартиры своим «работникам» (например, около Большого дома в Ленинграде).

Как же можно было не знать о терроре? «Незнанием» старались — и стараются — заглушить в себе совесть.

Помню, какое мрачное впечатление на всех произвел приказ снять в подворотнях списки жильцов (раньше в каждом доме были списки с указанием, кто в какой квартире живет). Было столько арестов, что приходилось эти списки менять чуть ли не ежедневно: по ним легко узнавали, кого «взяли» за ночь.

Однажды было даже запрещено обращаться со словом «товарищ» к пассажирам в трамвае, к посетителям в учреждениях, к покупателям в магазинах, к прохожим (для милиционеров). Ко всем надо было обращаться «гражданин»: все оказывались под подозрением — а вдруг назовешь «товарищем» «врага народа»? Кто сейчас помнит об этом приказе!

А сколько развелось доносчиков! Кто доносил из страха, кто по истеричности характера. Многие доносами подчеркивали свою верность режиму. Даже бахвалились этим!..

Издательство Академии наук СССР

Тридцатые годы были для меня тяжелыми годами. Осенью 1932 г. я поступил работать литературным редактором в Соцэкгиз, помещавшийся на Невском в Доме книги. Не успел я немного освоиться с работой, как у меня начались жесточайшие язвенные боли. Я не обращал на них внимания, не соблюдал диету, продолжал ходить на работу. В трамвае мне стало однажды дурно, приняли за пьяного, стали упрекать: такой молодой и уже с утра пьян. Кое-как я доехал до Дома книги, поднялся, сел за свой письменный стол и потерял сознание. У меня хлынула горлом черная кровь. В полубессознательном состоянии меня доставили в Куйбышевскую больницу. В приемный покой вызвали родителей и сказали им прямо: потеря крови чрезвычайно большая, и надежды почти нет. Но меня спас хирург Абрамсон (в блокаду его разорвало на мелкие части снарядом), который тогда стал делать первые опыты переливания крови. Донор стояла со мной рядом, и кровь непосредственно от нее текла мне в вену, которую раскрыли на сгибе правой руки. Помню это как во сне. Помню полублаженное состояние: ничего не хотелось, не было страха смерти, прошли боли. Стараниями Абрамсона меня продержали в больнице больше нужного для выздоровления срока и тем спасли от высылки из Ленинграда. Я пролежал в больнице несколько месяцев, затем лежал в Институте питания (был такой в Ленинграде) и занимался беспорядочным чтением. Чтение, чтение и чтение. Потом снова пошли поиски работы. Отец устроил меня работать в типографию «Коминтерн» корректором по иностранным языкам. Боли возобновились; приходя домой, я валился в постель и заглушал боль чтением. Недостатка в книгах не было. Труд корректоров, считавшийся тогда тяжелым, ограничивался шестью часами. В пять часов я был уже дома и в постели. Благодаря связям отца в типографиях и возможности получать книги из превосходной библиотеки Дома книги, чтение мое приобрело более систематический характер. Я читал книги по искусству, по истории культуры. Иногда посещал библиотеку сам.

Когда в 1934 г. я был переведен на работу в Издательство Академии наук СССР, я получил возможность получать книги из Библиотеки Академии наук. Утомление от корректорского чтения и от вычитки рукописей не мешало мне в моем чтении дома в кровати. Я был вполне доволен своей судьбой. Делал выписки, размышлял и ни с кем почти не общался. Единственным моим другом был мой однокашник по университету М. И. Стеблин-Каменский. В отличие от меня ему не удалось кончить университет, и он сдавал все предметы экстерном, работая в том же издательстве техническим редактором. Среди «ученых корректоров» издательства было много пожилых людей «из бывших». Два бывших барона, лицеист, правовед, странный старичок старообрядец, оказавшийся моим дальним родственником по матери, и два замечательных по своей общей культуре человека — А. В. Суслов, родственник жены Достоевского, и Л. А. Федоров. Общение с ними было великой школой. Как важно выбирать своих знакомых, и главным образом среди людей выше тебя по культурному уровню!

Четырехлетняя работа «ученым корректором» в Ленинградском отделении Издательства Академии наук не была бесполезной. Работа эта создала у меня интерес к проблемам текстологии, и в частности текстологии печатных изданий. Я участвовал вместе с техническим редактором Львом Александровичем Федоровым (умер от истощения во время блокады) и будущим известным скандинавистом М. И. Стеблин-Каменским в создании справочника-инструкции для корректоров Академии наук. Справочник этот вышел ограниченным тиражом в конце 30-х гг. Вообще, моя работа в издательстве по многим пунктам соприкасалась с моим «типографским прошлым». Создание книг меня интересовало чрезвычайно. Я собирал уже случайно попадавшиеся книги по издательскому и типографскому делу, по художественному оформлению книг — особенно обложек (я их предпочитал жестким и грубым переплетам). Продолжалось и общение с типографскими работниками, в частности с замечательным коллекционером книг советского периода И. Г. Галактионовым (куда-то делась его библиотека? неужели после его смерти она была распродана по частям?).

Ю. Г. Оксман как-то напомнил мне, что он предлагал мне перейти в Пушкинский Дом, где он был заместителем директора, но я категорически отказался. И в самом деле, в издательстве мне было хорошо, и если бы не маленькие заработки, то и совсем хорошо. Здесь царила атмосфера общего труда, а во главе стоял М. В. Валерианов — бывший метранпаж «Печатного Двора» (метранпажи — это были наборщики высшей квалификации, одновременно выполнявшие обязанности технических редакторов и умевшие прекрасно делать титульные листы только средствами набора — искусство, ныне утраченное). М. В. Валерианов заботился о деле, а потому и о людях. Он был умен и интеллигентен от природы. Вечная ему память.

В тридцатые годы я был погружен в свое корректорское дело (сперва в типографиях, а потом в Издательстве Академии наук СССР), и литературные события проходили мимо меня.

Попытки писать

В моем школьном образовании был один очень существенный недостаток: мы не писали классных работ и не делали домашних заданий (впрочем, домашние письменные работы все же иногда выполняли, но задавали их редко). Классные работы писать было нельзя. В годы моих последних классов школа не отапливалась зимой, мы сидели в пальто, в варежках сверх перчаток, и учителя время от времени заставляли нас согреваться. Мы вставали, по-кучерски взмахивали руками и били в ладоши. Наступало оживление. А домашние задания тоже было делать трудно, да и проверять их учителям было тяжело. Вечерами преподаватели не сидели дома — прирабатывали лекциями, за которые платилось иногда провизией (слова «продукты» в значении «провизия» тогда еще не было в употреблении).

В общем, когда я появился в университете, я с трудом мог в письменной форме изложить свои мысли. Хотя я и написал две дипломные работы — одну о Шекспире в России в конце XVIII в., а другую о повестях о Никоне, но изложены они были детским языком, беспомощны по композиции. Особенно не удавались мне переходы от предложения к предложению. Было такое впечатление, что каждое предложение жило самостоятельно. Логическое повествование не складывалось. Фразу трудно было прочесть вслух: она была «непроизносима».

И вот сразу же по окончании университета я решил учиться писать, и систему придумал я сам.

Во-первых, чтобы язык мой был богатым, я читал книги, с моей точки зрения хорошо написанные, написанные хорошей прозой — научной, искусствоведческой. Я читал М. Алпатова, Дживилегова, Муратова, И. Грабаря, Н. Н. Врангеля (путеводитель по Русскому музею), Курбатова и делал из их книг выписки — главным образом фразеологические обороты, отдельные слова, выражения, образы и т. д.

Во-вторых, я решил писать каждый день, как классные сочинения, и писать особым образом. Этот особый образ я назвал «без отрыва пера от бумаги», то есть не останавливаясь. Я решил (и решил правильно), что главный источник богатой письменной речи — речь устная. Поэтому я старался записывать свою собственную, внутреннюю устную речь, старался догнать пером внутренний монолог, обращенный к конкретному читателю — адресату письма или просто читателю. И както быстро стало получаться. Я делал это еще и тогда, когда в 1931 г. работал на железной дороге в Званке и Тихвине диспетчером (в перерыве между прибытием товарных составов), и вечерами, приходя со службы, когда работал корректором. Работая корректором, тоже вел записные книжки, куда записывал особенно точно выраженную мысль, точно и кратко.

Впоследствии, когда я поступил в Институт русской литературы (Пушкинский Дом), это было в 1938 г., и Варвара Павловна Адрианова-Перетц поручила мне для «Истории культуры Древней Руси» (т. 2; он вышел только в 1951 г.) написать главу о литературе XI–XIII веков, она мною была написана как стихотворение в прозе. Далось мне это очень нелегко. На даче в Елизаветине я переписывал текст не менее десяти раз от руки. Правил и переписывал, правил и переписывал, а когда уже все казалось хорошо, я все же снова садился переписывать, и в процессе переписки рождались те или иные улучшения. Я читал текст вслух и про себя, отрывками и целиком, проверял кусками и логичность изложения в целом. Когда в ИИМКе (ныне Институт археологии) я читал свой текст, то чтение его имело большой успех, и с этого момента меня охотно стали приглашать участвовать в разных изданиях. К великому моему сожалению, текст моей главы был сильно испорчен в печатном издании правкой редакторов. И все же первую свою Государственную премию я получил за участие в «Истории культуры Древней Руси», в числе очень немногих...

Пока я был безработным, я старался, чтобы время не пропадало даром, — много читал, а также решил написать работу о воровском языке. О воровском языке я писал и тогда, когда уже поступил в издательство Академии наук и когда мне стала доступной Библиотека Академии наук. Идея моей работы о воровском языке была навеяна некоторыми мыслями Леви-Брюля и представляла собой типичный образец «лагерной прозы». Я стремился создать парадоксальную концепцию, оглушить читателя. Впрочем, ее издали в сб. «Язык и мышление» (Л., 1935. Т. 3–4). Я всерьез подумывал о том, чтобы стать лингвистом, и ходил на заседания Института языка и мышления, находившегося в то время в противоположном крыле того же здания, где находилось и издательство. Но посещения этих заседаний вскоре пришлось прекратить. Вот как это произошло.

Предстояли выборы в академию. Кандидатом в академики был назван и Н. М. Каринский, ранее не сдававший своих позиций перед Н. Я. Марром. Но тут он решил кое в чем уступить Марру, что-то у него признать и тем самым повысить свои шансы на избрание. Что уж это был за доклад и в чем он «уступал» Марру, сейчас я забыл, но народу собралось много. Круглый зал был переполнен — яблоку негде было упасть. Я пришел после рабочего дня в издательстве, сильно утомленный, и стал в дверях — все места были заняты. Доклад тянется и тянется, я начинаю засыпать. Голос докладчика то приближается ко мне, то уходит куда-то, и я едва его слышу. Что докладчик говорит — совершенно не соображаю. Наконец монотонный голос меняется, и я слышу, что докладчик внятно и громко спрашивает: «Который час?», затем вопрос повторяется: «Который час?» Все почему-то молчат. Тогда я вынимаю свои карманные серебряные часы и громко отвечаю: «Без четверти восемь».

Боже, что произошло! Нет! Этого невозможно передать. Большой президиум, за длинным столом которого сидел весь цвет академической филологии, буквально лег от смеха. В. М. Жирмунский вытянул руки над столом и уткнулся в них лицом. И. И. Мещанинов не только смеялся, но и радовался (Каринский все-таки мог стать его конкурентом в отделении). Всегда серьезный В. Ф. Шишмарев смеялся в усы. Кто-то вынул платок и делал вид, что сморкается. Зал давился от смеха. Я понял, что совершил что-то ужасное, и ощупью (в глазах потемнело) пошел искать графин в канцелярию. Кто-то пошел за мной. Оказалось, что Каринский приводил примеры вопросительной интонации... Я же своим ясным ответом выразил общее мнение о затянувшемся докладе.

После мнения разделились: одни считали, что я ответил из хулиганства, другие поняли, что я просто не слышал доклада. Я стал своего рода знаменитостью: лингвисты со мной кланялись — и по большей части дружелюбно, с улыбкой, ибо не любили Каринского. Но я посещать заседания не стал, не стал я и лингвистом.

Снятие судимости

Пять лет, по самый 1937 г. включительно, я проработал «ученым корректором» в Издательстве Академии наук СССР на Менделеевской линии, 1. Не скажу, что это была плохая работа. Она мне давала возможность укрыться, не высказываться по «острым вопросам». Я часто хворал, попадал в больницы в острые периоды моей болезни (язва 12-перстной кишки), не слишком болезненно переживая подозрения в раке или еще в чем-либо не менее приятном. Подозрения оказывались напрасными, соседи иногда интересными, книги по большей части увлекательными.

Большая корректорская (один из бывших залов Палеонтологического музея, перевезенного в Москву) была оживлена «бывшими людьми», окончившими Лицей, Училище правоведения, просто университет, с которыми иногда, оторвав голову от корректуры, можно было перекинуться двумя-тремя словами. Корректоры по воскресеньям устраивали поездки за город в дворцовые пригороды. Я не мог с ними ездить из-за своей язвы, и это было самое большое упущение за все время пребывания в издательстве. Ведь знали они пригороды не как читатели и посторонние: либо бывали там сами до революции либо слышали от своих знакомых. Я упустил возможность узнать пригороды Ленинграда как современник их расцвета. Оставаясь по воскресеньям лежать в кровати, я все-таки многое о них слышал и старался читать. Неизменным организатором поездок за город, а летом по старым городам и монастырям России был энциклопедически знавший Россию Лев Александрович Федоров — технический редактор и один из образованнейших людей, которых я встречал. Погиб он в блокаду в бомбоубежище Зимнего дворца от чистого голода.

Я уверен: не случись событий, которые показались мне страшным несчастьем, я бы до конца жизни продолжал работать корректором, вконец испортил бы себе глаза.

В очередной раз я лежал в больнице, когда в Ленинграде началась паспортизация. Период паспортизации был одним из самых страшных периодов в жизни больших городов. Люди Москвы и Ленинграда жили в напряжении, ожидая решения своей судьбы: каково будет решение паспортных комиссий. Строгих инструкций не было. В Ленинграде не давали паспортов дворянам, а в дворцовых пригородах еще и бывшим служащим дворцов. Последнее было ужасно не только для людей, но и для дворцов. Дворцовая обслуга была честной и хранила всякую мелочь. Приходившие ей на смену «кадры» утаивали, воровали, «списывали», ничего не понимая в «вещах» — в предметах искусства. Пропадали ценнейшие сведения, передававшиеся из уст в уста, легенды, предания и даже некоторые традиции. С высылкой же дворянства изменялся культурный облик городов. Улица меняла свое обличие. Другими стали лица прохожих (свои одежды улица сменила давно).

Появилась своя паспортная комиссия и в Академии наук. Заседала она в главном здании академии. Я очень боялся, что меня вызовут и начнут спрашивать о моем деле и выпытывать, как я отношусь к советской власти сейчас. Поэтому, когда я заболел и попал в больницу, я даже как-то не очень стремился выписаться из нее. Выписавшись, я узнал: паспортная комиссия в академии закончила свою работу. Думал — пронесло (была такая скала на Военно-Грузинской дороге, которую называли «Пронеси Господи». Ее часто вспоминал отец). Однако ж не пронесло. Мне объявили, что паспорта мне не дают. Назначили срок выезда из Ленинграда. Не дали паспортов Феде Розенбергу, Толе Тереховко, А. П. Сухову — всем, кто имел судимость. Отец страшно волновался. Искал влиятельных лиц и, знаю, у кого-то плакал (мне говорили). Наконец нашелся кто-то (кажется, секретарь райкома), который обещал помочь, но хотел повидать меня. Жил он на Каменноостровском (тогда называвшемся улицей Красных Зорь) перед домом Лидваля, если идти от Троицкого моста, в надстройке. Помню, что меня угощали чаем. Говорить было не о чем. За столом сидели секретарь и его жена, которая смотрела на меня с жалостью. Кончилось тем, что мне дали отсрочку на «долечивание».

И вот тут на помощь пришла Зина. Мы еще не были женаты: только собирались. Известно было, что «ученый корректор» Екатерина Михайловна Мастыко в молодости веселилась вместе с детьми академика Зернова в одной компании с будущим наркомюстом Н. И. Крыленкой. Зина уговорила ее съездить к Крыленке. Съездить было не просто. Надо было преодолеть пролегшую между ними дистанцию времени, дистанцию общественных положений. Я представляю себе — как нелегко было Екатерине Михайловне показаться ему постаревшей, изменившейся. А потом: на что ехать и в чем? Деньги собрали. Кофточку — Зинину — дали, отправили. Вернулась Екатерина Михайловна довольная и объяснила: надо запастись ходатайством президента академии Александра Петровича Карпинского, а у Крыленки на приеме во всем слушаться секретаря Крыленки. Екатерина Михайловна, помню, сказала: она бывшая рабочая, толковая, хорошая женщина. Я знаю только, что в разговоре с Крыленкой Екатерина Михайловна назвала меня женихом своей дочери Кати, которую я в глаза не видел (она зашла к нам уже лет через десять — после войны).

Хорошая была женщина Екатерина Михайловна. В конце концов: что была для нее Зина и что был для нее я, и стоило ли ей, знавшей все о Крыленке, рисковать, напоминая ему о себе?

Объяснили мне, как получить ходатайство у президента Академии наук Александра Петровича Карпинского.

Я должен был прийти к Карпинским домой в особняк на Пятницкую улицу, встретиться там с дочерью Карпинского Толмачевой, поцеловать (непременно) ей руку и передать письмо от нашего директора издательства Михаила Валериановича Валерианова с просьбой похлопотать обо мне. Я так и сделал, ехал самым дешевым поездом и сразу с вокзала отправился на Пятницкую. Позвонил. По крутой и узкой для такого роскошного особняка лестнице меня провели на второй этаж с большим залом. Как мне и указали, я поцеловал руку, заплетающимся голосом проговорил свою просьбу, которую перед тем затвердил наизусть, и подал письмо. Толмачева не удивилась, сразу пошла в небольшой кабинет за залой и стала кричать на ухо Александру Петровичу: «Пришел молодой человек, воспитанный. Воспитанный! Надо подписать ему просьбу. Подписать!» После этого она села за машинку, и я услышал быстрый стрекот машинки. Молча вынесла и подала мне письмо в роскошном конверте, какого я в Советском Союзе отродясь не видел. Сразу от Толмачевой я направился в Наркомюст.

Приемная у Крыленки была переполнена. Пожилая (или казавшаяся мне тогда пожилой) женщина сразу подошла ко мне, как к знакомому, взяла у меня письмо от Карпинского, которого я даже хорошенько и прочесть не успел, и строго сказала: «Стойте здесь (место она мне обозначила на виду у всех) и, как бы вас ни бранил Николай Васильевич, молчите и ничего не отвечайте и не отрицайте». Я был немного удивлен: ведь остальных Крыленко принимал в кабинете. Вскоре из кабинета выскочил (вернее, выкатился) коренастый, плотный, даже немного полноватый человек со «спортсменскими» движениями и сразу набросился на меня, как мне показалось, с кулаками: «Мы революцию делали! Мы кровь проливали! Судьба человечества решается! А вы дурака валяли! Космическую академию устраивали! Над нами потешались, что ли? Этому безобразию слов нет», и т. д., и т. п. Словоизвержение продолжалось несколько минут. После, держа ходатайство в руках, он с такой же быстротой влетел в свой кабинет, а секретарь, поманив меня рукой к своему столу, стала меня спрашивать: номер бывшего паспорта, домашний адрес, место работы, адрес работы, служебный телефон Валерианова и пр. Велела ждать в Ленинграде и сообщить ей, если меня тронут. Все это тихим голосом и как бы по секрету. В тот же день я вернулся в Ленинград. Я ждал несколько месяцев. Никто и никуда меня не вызывал.

В разгар лета меня позвали на почту и вручили конверт из ЦИКа. Там находилась бумага о снятии с меня судимости.

Полвека я думал: «Ну, все!», — но оказалось (в 1992 г.), что это не реабилитация.

Правда, недоразумения бывали только тогда, когда возникали вопросы о прописке — в Казани сперва, в Ленинграде после...

Сперва мне было непонятно — зачем нужна была вся эта явно разыгранная сцена в приемной? Когда вскоре Крыленко арестовали, я понял. За Крыленкой уже следили, и он боялся явных обвинений в покровительстве «каэрам». Он демонстрировал перед всей толпой в приемной свою полную преданность советской власти. Не скажу, что эта демонстрация была для меня особенно приятна, но своего она достигла, и Екатерине Михайловне Мастыке я до гроба обязан.

«Провал» на экзаменах

Конечно, положение корректора было самым «выгодным», вернее, безопасным в условиях террора 30-х гг. Можно не разговаривать, молча работать. Только не пропуская ошибок! Был единственный неприятный случай. И. П. Павлов решил издавать тоненькие брошюрки трудов своего института. Не помню — как называлась та серия. Ее поручили мне. И в первой же фразе первой брошюры я как-то изменил смысл — то ли запятую поставил не там, то ли исправил ошибку не так. Одним словом, пришел сын Павлова к директору издательства Михаилу Валериановичу Валерианову с претензией. Меня вызвали к Валерианову. Сын молчал, Валерианов в мягкой форме мне выговаривал. Смысл фразы действительно изменился. Я был чрезвычайно расстроен, но через день-два сын Павлова явился снова и сообщил Валерианову, что хотя смысл и изменен, но Иван Петрович не в претензии. Я понял, что эта последняя акция была просто проявлением доброты сына или отца, а вернее всего — обоих. Не случайно сын молча меня разглядывал, когда Валерианов делал мне выговор, — молча и, как мне показалось, даже с сочувствием.

Но это был единственный неприятный случай, непосредственно связанный с работой.

В 1935 г. вышла моя первая серьезная статья в сборнике «Язык и мышление» — «Черты первобытного примитивизма воровской речи». Она вызвала разгромную рецензию Михаила Шахновича «Вредная галиматья» в «Ленинградской правде». Вслед за такими статьями обычно шел арест. Но лингвисты (Абаев, Быховская, Башинджагян и другие) отнеслись к моей работе с интересом. Я решил попробовать счастья и сдавать экзамен в аспирантуру Института речевой культуры. К тому времени мой соделец с одинаковым удостоверением об освобождении из беломоробалтийского лагеря без всяких дальнейших ограничений — Дмитрий Павлович Каллистов — был принят в аспирантуру Ленинградского университета. Чем я хуже его, думалось мне, забывая, что за него хлопотал декан исторического факультета Борис Дмитриевич Греков.

У меня статья. Лингвисты меня знают. Вторую статью я сдал в тот же сборник «Язык и мышление», и корректуру ее уже прочли.

К тому времени мы с моей будущей женой решили пожениться. Что я теряю, если и не примут? Надо попытать счастья.

Но не тут-то было. Заявление от меня приняли. Я приложил удостоверение: ударник Белбалтлага. Это была знаменитая стройка, и милости Сталина к участникам строительства были широко известны и «уважаемы» партийными властями.

Тем не менее, по-видимому, командовавшие всем партийные власти решили меня не принимать. К тому же мнение Шахновича в «Ленинградской правде» было для них важнее мнения ученых лингвистов.

Моя мать в это лето снимала комнату в Новом Дружноселье на станции Сиверская. Я взял отпуск, но времени для подготовки к экзаменам уже не было. Не было и никого, с кем бы я мог посоветоваться...

Первый экзамен был политическим. Как назывался предмет, я уже не помню. На него явился и секретарь парторганизации, и ученый секретарь института. Экзаменатор спросил меня: что я читал по предмету. Я назвал «Азбуку коммунизма» Бухарина, забыв, что я читал и «Диалектику природы» Энгельса, и кое-что Маркса. Последовал какой-то вопрос. Я на него ответил явно неудачно. Спрашивавший меня, скосив лицо улыбкой (лицо экзаменатора я забыл, в памяти осталась только улыбка: как у кота в «Алисе» Льюиса Кэрролла), заявил: «Ну, вот и видно, что вы читали Бухарина». Чрезвычайно довольная, экзаменационная комиссия на этом прекратила допрос (я действительно чувствовал себя на допросе). Второго вопроса не последовало.

Я был готов к такому результату, но решил все же пройти и второй допрос — по специальности. Из любопытства.

Я явился через день или два. Главный экзаменатор был весьма известный лингвист, фамилию которого я называть не хочу. В своих печатных работах мой экзаменатор подлостями не отличался; «не был в них замечен». Со страданием, отчетливо выраженным в голосе и в устремленных в сторону от меня глазах, он спросил меня: у каких лингвистов в университете я занимался. Я назвал первым В. М. Жирмунского, а далее Якубинского, Щербу, Боянуса, Брима, Ларина, Обнорского... Страдальческое выражение лица усилилось.

«Я вам задам очень простой вопрос, школьный вопрос: что такое прилагательное (дайте его определение) и укажите виды прилагательных». Вопрос был «явно на засыпку». Я не стал на него отвечать, извинился за беспокойство, попрощался и ушел. Прощаясь, «экзаменатор» снова подчеркнул: «Я задал вам вопрос, на который мог бы ответить любой школьник».

Теперь, чтобы читатель понял, насколько «прост» был этот вопрос, я позволю себе процитировать «Словарь лингвистических терминов» О. С. Ахмановой (Изд. 2-е. М., 1969. С. 357–359). Прежде всего определение прилагательного: «Часть речи, характеризующаяся категориальным значением признака, грамматическими категориями степеней сравнения, рода, падежа, числа (выражаемых в форме согласования), синтаксическим употреблением в функции определения (атрибутивная функция) и предикативного члена и развитой системой словообразовательных моделей». А вот виды прилагательных: аппозитивные, атрибутивные, бессуффиксные, вещественные, глагольные (глагольные активные и глагольные пассивные), качественные, конкретные, краткие, местоименные, неопределенные, непричастные, обособленные, ограничивающие, описывающие, относительные, отпричастные, перенесенные (конденсированные), заканчивающие перифрастическое определение, полуместоименные, порядковые, предикативные, примыкающие, притяжательные, причастные, распределяющие с разновидностями, сложнопроизводные, страдательные, субстантивированные...», и т. д., и т. д. Одним словом: бедные школьники...

Через несколько месяцев мой экзаменатор пришел в издательство, и меня пригласил технический редактор для согласования каких-то вопросов по его статье, которую я как раз вел. Я не ответил на поклон моего экзаменатора, и ему пришлось скроить недоумевающе-презрительную улыбку. Сколько видов улыбок можно создать на человеческом лице! Не меньше, чем видов прилагательных...

Я уехал на Сиверскую, не очень расстроенный, но с ощущением бессилия человека перед созданной им системой насилия. Если уж можно было заставить выполнять свою волю крупного ученого!

Через некоторое время я встретился с Виктором Максимовичем Жирмунским. Я запомнил первые слова, с которыми он ко мне обратился: «Я слышал — вы безрезультатно стучались в двери нашего института...» Он не сказал, что я «провалился», «не сдал экзаменов», «не прошел испытаний...». Или как-нибудь иначе. «Безрезультатно стучались в двери!..» Через год или два, пройдя через собственный арест, он предложил мне поступить к нему в отдел Института литературы, но я уже был увлечен древней русской литературой.

Уход из Издательства Академии наук

Заведующим корректорской был в начале моей работы Штурц — партийный и очень старавшийся загладить свое немецкое происхождение. Ясно, что его постоянно упрекали на партийных собраниях за «подбор кадров». Все-таки лицеисты, правоведы и два барона, а тут я еще со своим прошлым. Штурц дважды пытался меня уволить, но не давал М. В. Валерианов — директор издательства. Первый раз, когда появилась статья М. Шаховича в «Ленинградской правде» с выразительным названием «Вредная галиматья», Штурц ходил к Валерианову с просьбой уволить Лихачева, «так как он не интересуется работой корректора» (за содержание статьи Шаховича нельзя было уволить, и поэтому Штурц придумал такую формулировку). Второй раз Штурц ходил к Валерианову с предложением меня уволить, так как я опоздал из отпуска на три дня (я сам неправильно вычислил сроки моего летнего отпуска). Валерианов отказал Штурцу, но, памятуя мои месяцы безработицы, мне было не очень приятно сознавать, что мой непосредственный начальник жаждет меня уволить. Впрочем, Штурца сменила Екатерина Михайловна Мастыко, благодаря которой я получил снятие судимости, и мне стало легче. Но вот пришел 1936 г., начались аресты партийцев. После высылки дворян аресты в нашем издательстве коснулись прежде всего редакторов. Арестовали Адонца, главного редактора, знаменитого тем, что после переименования Петрограда в Ленинград он в свое время, в качестве цензора, не пропустил книгу «Петрография», предложив называть ее «Ленинография». В сущности, человек он был добродушный, но очень недалекий. С редакторского кресла была убрана Кузьмина, потом Миша Смирнов, смогший устроиться в другом издательстве, затем арестовывали всех подряд, кто садился в кресло главного редактора. Это кресло я хорошо помню: оно было из конференц-зала Академии наук. Мебель там была создана по рисункам Кваренги. Позднее зал перестраивал К. Росси, и он же спроектировал более пышную мебель, которую, кстати, увезли в Москву в Нескучный дворец, где ее постепенно растащили. А мебель Кваренги еще в начале XIX в. распределили по учреждениям АН. Вот одно такое кресло в стиле «Людовик XVI», очень элегантное и чуждое по духу нашему советскому учреждению, стояло за столом главного редактора и, когда с него стали один за другим исчезать люди (мы их даже не успевали запомнить), оно получило прозвище «гильотина». Вспомнили казнь Людовика XVI, в стиле которого было это редакторское кресло. И вот произошло самое для меня неприятное. Михаил Валерианович Валерианов, которому я был обязан и своим местом «ученого корректора», и последующей защитой от попыток уволить меня, попросил меня временно занять место редактора, чтобы издательство не прекратило своей работы. Я пустил в ход все, что мог и не мог: я не только беспартийный (а должность была сугубо партийная), я сидел, я не имею никакого опыта и т. д. Валерианов просил на два месяца. По предложению главного редактора в Москве моя должность на эти два месяца должна была называться «редактор-организатор». Я должен был привлекать редакторов-партийцев, и те уже должны были подписывать рукописи к печати.

В общем, я не смог отказать настояниям Валерианова. Я занял место в «гильотине» и стал смотреть рукописи, которыми можно было бы заполнить пустоту в академической типографии. Мне пришлось читать их сплошь и изучать все отзывы, поступившие на рукописи. На рукописи, не имевшие издательских отзывов, надо было находить рецензентов (издательство не доверяло отзывам ученых советов). Отзывы были резко отрицательные только на две рукописи: члена-корреспондента Малова «Язык желтых уйгур» и другой книги (фамилию автора забыл), посвященной языкам дагестанских народов. В обеих книгах был общий недостаток: прилагаемые тексты записей устной речи. Записывались не совсем приличные выражения, и явно выражалось отрицательное отношение к русским. За все это могло попасть, хотя составители явно не могли быть на позициях неграмотных скотоводов.

Удалось сделать кое-что доброе. Выписал гонорар Михайлу Дмитриевичу Приселкову за редактирование «Обозрения русских летописных сводов». Издал книжечку Н. Н. Горского (тоже соловецкого знакомого) «30 дней на дрейфующих льдах Каспия» (книга эта вышла потом вторым изданием). Сейчас уже трудно вспомнить — что удалось сделать.

Прошли обещанные два месяца и еще два, а меня все держали, и опасность нарастала. Последний свой разговор с Валериановым помню отчетливо: я сказал, что подаю заявление вообще об уходе. Деваться мне было некуда, но опасность была вполне реальной.

Через несколько дней в издательство райком прислал сразу двух: Даева на должность редактора и Барабанова на должность редактора. Оба даже отдаленного отношения к редакторской и вообще издательской работе не имели. Даев, оказавшийся не только главным редактором, но и главным прохвостом, сел рядом со мной и предложил мне продолжать работу в его присутствии, чтобы немного «подучиться».

И в этом положении я допустил ошибку: я всерьез подумал, что теперь мне уже ничего не грозит. Однако Даев решил на мне «заработать», проявив бдительность. Он доложил в райкоме, что в издательстве потеряна «бдительность», и в качестве примера воспользовался всеми отрицательными рецензиями, по которым рукописи не поступили в производство или были исправлены. Все отрицательные отзывы он выдал за свои. Естественно, в райкоме было предложено меня уволить. Я был вызван в дирекцию издательства, и мне было предложено выйти из штата и работать по договорам. Было лето, мы снимали комнату на Всеволожской, и первое время я чувствовал себя даже хорошо, так как мне не надо было ездить в город ежедневно, как прежде. Но прошел месяц, и я понял, что больше со мной никаких договоров Даев заключать не будет. Тогда я решил устраиваться в Отдел древнерусской литературы Пушкинского Дома к Варваре Павловне. Об этом я расскажу ниже, а сейчас скажу только, что с тенью Даева мне пришлось встретиться после войны. Ко мне обратился тогдашний директор издательства Академии наук с вопросом: стоит ли брать Даева? Мне пришлось рассказать ему историю моего увольнения. Правильно ли я поступил? Директор был хороший, и жаль, что он умер вскоре после своего назначения.

Новгород

В Новгород мы поехали с Зиной отдыхать в мой отпуск по совету В. Л. Комаровича. Это было накануне рождения наших дочерей. Лето 1937 г. Мы наняли комнату у баронессы Тизенгаузен на самой окраине Новгорода. Из окон открывался чудный вид на Красное поле и Нередицу с колокольней на самом горизонте. Именно эту комнату нанимал перед нами Комарович.

Я захватил с собой подзорную трубу и в те часы, когда мы не гуляли, — рано утром или перед заходом солнца — любовался Нередицей. Помню, были видны на белых стенах тени стрижей, мелькавшие во всех направлениях под вечер. Вечером, если не очень уставали от дневных прогулок, мы любили гулять по Красному полю. Было множество гусей, кормившихся на подножном корму в поле, а под вечер возвращавшихся домой, становившихся перед воротами домов на Славне и гоготанием требовавших, чтобы их впустили хозяева. Впрочем, под вечер мы иногда ходили и в Кремль, садились у памятника «Тысячелетия России» и любовались на золотой купол Софии, вызолоченный толстым слоем и отличавшийся зеркальной гладкостью, в которой отражались бегущие по небу облака. На этот купол можно было без конца смотреть, как смотришь на текущую волну. Днем мы совершали длинные прогулки — каждый раз к какому-нибудь новому памятнику. Ходили далеко — и в деревню Волотово с его знаменитой церковью XIV в., и в Хутынь, и в Кириллов монастырь, где на Новокирилловском кладбище похоронена сестра Блока и ее мать — вторая жена отца Блока. Я один ходил на Липну, на Сковородку, где тогда расчищал фрески Олсуфьев с женой. Бывали мы и в Юрьевом монастыре, и на Перыни, в Аркажах. Не были мы только в Колмове, Вязищах — в тех монастырях, где находились тюрьмы ОГПУ с их жертвами.

Если учесть, что Зина тогда была «на сносях», прогулки наши были в своем роде «героическими», если не считать заходов в мороженицу недалеко от церкви Параскевы Пятницы на Ярославовом городище. Такого мороженого мы уже никогда больше не ели... Оно было превосходно.

Возвращались мы пароходом мимо аракчеевских казарм и чудных лесистых местностей (когда я ездил потом с Сенкевичем на катере по этим местам, леса уже нигде не было, деревни разваливались, от церквей кое-где сохранились руины). Гранин, который тогда принимал участие в съемках для «Клуба путешественников», со вздохом сказал: «Как можно жить в таких деревнях, такая тоска!» Но в 1937 г. еще этой «тоски» не было. Мы с Зиной доехали (доплыли) до Чудова и ждали там всю ночь утреннего поезда, чтобы вернуться в Ленинград. Четвертого августа родились дочки.

Перед войной я еще два раза был в Новгороде с Федей Розенбергом. Из этих двух поездок во второй присоединился к нам Михаил Иванович Стеблин-Каменский. У Феди в Новгороде был знакомый бухгалтер, владевший моторной лодкой. На ней мы ездили на Липну, в Перынь, в Юрьев монастырь.

Сохранились у меня две фотографии от последней поездки: на одной мы завтракаем перед Юрьевым монастырем на берегу, на другой мы пьем молоко в деревне Волотове.

Итак, к началу войны я знал Новгород довольно хорошо. Нравился он мне чрезвычайно. Это повлияло и на выбор темы моей кандидатской диссертации: «Новгородские летописные своды XII в.», а в 1945 г. вышла моя книга «Новгород Великий. Очерк истории культуры Новгорода XI–XVII вв.», написанная в основном во время блокады Ленинграда.

Из случайно попавших мне весной 1942 г. номеров «Ленинградской правды» (систематически их получать не было никакой возможности; газета издавалась, мне кажется, только для работников обкома, была маленького формата) я догадался, что линия фронта проходит по ожерелью церквей за Красным полем. Наши артиллерийские позиции располагались у Нередицы, Ковалева, Волотова и подвергались, естественно, немецким обстрелам. Я был чрезвычайно огорчен, что от этих бесценных церквей ничего не останется.

Сейчас в своих воспоминаниях о Новгороде я дошел до главного... В конце войны я жил с семьей в Казани и работал в Институте русской литературы, как и раньше. Началась реэвакуация института в Ленинград. Меня в списки возвращаемых не включали (а может быть, вычеркивали) как неблагонадежного. Милый Виктор Андроникович Мануйлов, командовавший тогда институтом в Ленинграде, вызвал меня в командировку. Немцы еще стояли под Ленинградом. Наш поезд проходил ночью где-то у станции с мрачным названием — Дно или Мга. Я прожил в Ленинграде довольно долго: у меня украли паспорт, деньги, военный билет, карточки — решительно все документы. Надо было все возобновлять, проходить медицинские комиссии и пр. Не помню, в этот приезд или в следующий — в январе-феврале был освобожден Новгород. В мае дорога к Новгороду была восстановлена, и Виктор Андроникович предложил мне поехать в Новгород — посмотреть, что там сохранилось. Поезд шел медленно, неуверенно, и я видел раздутые непохороненные немецкие трупы, лежавшие в неразминированных болотах под Ленинградом. В Чудове была пересадка. Я пошел посмотреть — сохранился ли дом Некрасова. Сохранился! Это было чудо. Сохранился и какой-то кирпичный дом советской постройки, в котором при немцах находился госпиталь. У самых стен госпиталя немцами было устроено кладбище. На каждой могиле — какой-то пластмассовый венок, а на некоторых могилах нарукавная красная повязка с белым кругом, на котором была изображена черная свастика. На некоторых могилах было накакано...

В Новгород я приехал утром. Поезд остановился в поле. Поле это и был Новгород. Потом я разглядел Софию и некоторые церкви. Рядом с нами на соседних путях стояли поезда, из которых выгружали колхозные семьи. Их тут же разбирали к себе представители колхозов, соблазняя разными благами: наличием отдельных изб, существованием магазина и т. п. При мне прибыл состав с другими семьями. Это были семьи бывших новгородцев. Боже, какой поднялся плач, когда люди увидели, что долго мечтаемый ими Новгород не существует. Это был плач, который надо было записать: «Новгород ты наш распрекрасный, что же с тобой сделали? Что же от тебя осталося...» и т. п. Плакал весь поезд красных товарных вагонов, плакали дети, женщины ничком бросались на землю...

Я взял свой портфель и направился искать пристанища. Земляной вал на Софийской стороне был весь изрыт траншеями и немецкими блиндажами. Люди жили в них. Кое-где курился дымок, показывались женщины с ведрами, шедшие за водой на Волхов. Были протянуты веревки, на которых сушилось белье. Улиц не было заметно. Они были булыжные и поросли травой, довольно высокой для мая месяца. Когда потом я оказался на Торговой стороне, там просто приходилось ногой нащупывать — где мостовая, а где мягкая земля. Никаких признаков бывшей улицы не было, и можно было угодить в какой-нибудь люк, колодезную дыру. Я шел как слепой.

Но в первый день мне повезло: я нашел «Дом крестьянина». Он помещался в здании, кажется, дворянского собрания (если смотреть на Кремль со стороны главного входа, то здание это находилось справа). Полдома начала XIX в. отсутствовало, на остальной половине сохранилась крыша и были поставлены топчаны для командировочных почти вплотную друг к другу. Я спал там не раздеваясь.

Что же я увидел в Новгороде? Кремль сравнительно со всем остальным был почти цел. Памятник «Тысячелетия России» был разобран, отдельные фигуры были помечены белыми номерами: ясно, что его хотели увезти и где-то собрать. Куполов на барабанах Софии не было. Походив вокруг храма по траве, я нашел золоченый шар из-под креста одного из небольших куполов. Я подобрал его. Ясно была видна сравнительно толстая, основательная позолота. За Софией на одном из домов была надпись: «Эль вива Саламанка» — здесь стояли испанцы. Видимо, испанская армия имела территориальные подразделения. Евфимиевская колокольня была без ее деревянного завершения, так к ней шедшего. Но музей уже начинал «работать»: прежний директор музея Тамара Константинова подбирала в развалинах новгородских домов для своего кабинета мебель красного дерева. Я отдал ей шар и пожалел: ее это не интересовало. Как я через несколько месяцев, приехав в Новгород второй раз, выяснил, ее не интересовал не только шар из-под креста Софии, но и пропавший Китоврас. Дело в том, что пионерам был отдан приказ собирать металлолом[1], и они, дружно навалившись, отломали в Сигтунских вратах Китовраса. Через некоторое время инженер в Ленинграде подобрал в металлоломе Китовраса и прислал в музей просьбу запросить этого Китовраса официальной бумагой. Без нее он не мог его спасти, так как весил он изрядно. Но бумага из музея так и не пошла. Музей не хотел ее

[1] По причине сбора металлолома погибло огромное количество художественного чугунного литья в аракчеевском Грузине. Об этом мне рассказывал новгородский реставратор Чернышев (его статья о паникадиле в Софии напечатана в «Трудах ОДРЛ»).

писать, так как это бы означало, что он отвечает за храм Софии, а брать на себя Софию Константиновой не хотелось. Она требовала, чтобы бумагу отослало Архитектурное управление. Тем тоже не хотелось признавать Софию своей. Китоврас так и пропал, а может быть, находится в частной коллекции. Кончилось дело тем, что Китовраса скопировали с копии, находившейся в Москве в Историческом музее, и водрузили на место копию с копии. Но произошло это уже через несколько лет.

Я зашел в некоторые дома Кремля. Все было закидано пакетами из-под химических грелок, которыми обогревались немецкие солдаты, и еще какими-то пакетами — не то от вшей, не то от клопов.

На берегу Волхова валялись на боку колокола с Софийской звонницы, вытащенные из воды танком, впрочем, при вытаскивании самого большого колокола, звон которого так любили новгородские жители, уши у него были оборваны.

В Грановитой палате при немцах был офицерский клуб и еще сохранялись какие-то немецкие надписи. Наши войска не обстреливали Кремль, но чувствовать себя в безопасности было, конечно, приятно: стены Грановитой палаты были достаточно толсты. Камнем от одной из церквей была вымощена на Софийской стороне улица: немцы разобрали ее на строительство не только дороги, но и для своих укреплений.

Я пошел в Юрьев монастырь. На Синичьей горе церковь была цела, но самые дорогие памятники (а кладбище на Сильнище считалось самым богатым) были увезены. Я их увидел в Юрьевом монастыре. Испанцы не довольствовались для своих убитых скромными могилами, как немцы, а воздвигали могилы из украденных камней. Кладбище было там, где находился считавшийся священным источник под дорогой сенью. В Юрьевом монастыре были сделаны конюшни: стояла Эстонская кавалерийская часть. Раздувшийся труп лошади лежал поперек дороги. Мне пришлось через него перелезать. За Георгиевским собором было сооружено место для орудия.

От него шли телефонные провода на лестничную клетку собора. На верхней площадке были остатки костров и стены были сильно закопчены. На стенах лестницы охочие до искусства испанцы рисовали голых баб: прямо по остаткам фресок XII века.

Но страшнее всего была церковь, выходившая углом к Волхову и имевшая синие купола с золотыми звездами. Она была главным оборонительным пунктом нацистов. Пол в ней был завален минами и патронами для пулеметов. Немцам удалось именно в этом месте отразить одно из наших наступлений, стоившее нам многих жертв. Тысячи советских солдат ушли под лед.

Ходил я и к любимому ожерелью по Красному полю. Всюду виднелись наши окопы: у Нередицы (пройти сюда было особенно опасно, так как местность здесь еще не была разминирована; шел я, выбирая каждое местечко — куда бы можно было ступить), в Ковалеве на кладбище и на Липне, где был один из наших сильных опорных пунктов. Всюду храмы были оборудованы под наблюдательные вышки. Именно поэтому они и были так сильно разрушены артиллерией врага. Окопы вокруг Ковалева шли между могил, уходили в склепы, защищены могильными камнями. Один такой камень «матери Марии» я снял. Был ли в Ковалеве женский монастырь?

Помню страшную рану в западной стороне церкви Спаса-на-Ильине от нашего снаряда. Дело в том, что наша артиллерия не обстреливала новгородские церкви (был дан специальный приказ). Немцы пользовались этим и устраивали в верхних точках исторических памятников наблюдательные и корректировочные пункты. В церкви Спаса-на-Ильине наблюдательный пункт был особенно опасен для наших войск, наступавших с востока. Был выпущен по наблюдательному пункту один-единственный снаряд, но, увы, он повредил в месте попадания фрески Феофана Грека. Конечно, это не бомбардировка Милана американской авиацией, когда был разрушен монастырь Санта-Мария делле Грацие и «Тайная вечеря» Леонардо да Винчи сохранилась только каким-то чудом. Но все же горько сознавать потерю. Церковь в Волотове, которую я очень люблю, была разбита до высоты человеческого роста, там еще сохранялись ценнейшие куски фресок. Если бы приняться за Волотово вовремя, то многое еще можно было бы спасти. Но Грековы, реставрировавшие Ковалево, не создали школу своих учеников и не принялись за Волотово. Видеть гору обломков на месте, где была такая великолепная церковь, видеть разрушенный Сковородский монастырь с незапечатленными на фотографиях фресками, расчищенными Олсуфьевыми, видеть Ковалево в развалинах — все это было ужасно. В Хутыни еще стояли каркасы куполов, но туда я добраться не смог.

Перед отъездом из Новгорода я пошел на то место, где стоял дом Тизенгаузен. Вспомнилась жизнь там, отпуск, чудная уха, которую нам варила Тизенгаузен (она была поповной, а ее муж-барон до своего ареста работал мелким служащим Новгородского отделения Госбанка).

Вспомнилось и то, как клала Тизенгаузен подушку на подоконник в своей спальне (а дом выходил прямо на тротуар), ложилась на эту подушку и разговаривала с проходящими — все были знакомы со всеми.

Тихая провинциальная жизнь, которую не могли нарушить даже начавшиеся в 1936 г. повальные аресты, — где она?

Блокада

> ...существует только то, чего уже нет.
> Будущее может не быть;
> настоящее может и должно перемениться;
> одно прошедшее не подвержено изменяемости:
> воспоминание бережет его...
>
> *Жуковский*

Я верю, что ничто не исчезает, все остается и вне поля нашего сознания. Времени в наших формах его восприятия нет.

Эта тетрадь — для наших детей — моих.

В среду 26 июня 1957 г. мы с мамой решили поехать из Зеленогорска в город не обычным путем (поездом или автобусом), а теплоходом с Золотого пляжа. Теплоходы из Зеленогорска в Ленинград только что начали ходить, и хотелось посмотреть на Финский залив с самого залива. Я живу на берегу Финского залива с детства, но в море бывал только на лодке (и то очень редко) или на пароходе — из Ленинграда в Петергоф (раза два-три). Вот мы и отправились на Золотой пляж к пристани и прошли как раз мимо тех дач, в одной из которых ранней весной (или, вернее, поздней зимой, так как лежал еще снег) 1941 г. на втором этаже мы собирались снять на лето комнату. Собирались, но не сняли... Сняла П. Ширяева. Мы с мамой и спросили друг друга: «А что, если бы мы эту дачу сняли, — остались бы мы живы?» Так возникла у нас мысль записать для наших детей по возможности все то, что сохранила нам память о событиях 1941–1942 гг.

Будем записывать, не претендуя ни на систематичность, ни на особую литературность. Если я что-нибудь забуду — поправит мама. У нашей мамы память лучше и точнее моей — особенно на числа.

Суббота, 29 июня 1957 г.

Итак, в 1941 г. мы не сняли дачу в Териоках. Мы сняли дачу в Вырице. Идти к нашей даче надо было по прямой и широкой улице прямо от вокзала. Эту улицу пересекали под прямыми углами другие улицы с названиями в память русских писателей. Одним из этих писателей был И. А. Крылов, приютивший нас на своей улице с молодыми соснами, в новом доме, не очень далеко от речки Оредеж.

Говорят, дача сохранилась.

Дача была дешевая. В этом-то все и дело, так как я служил младшим научным сотрудником в Пушкинском Доме и получал мало. Правда, мы брали еще в издательстве рукописи на монтировку и даже внесли в это дело кое-какие усовершенствования (вместо того чтобы заклеивать маленькими кусочками бумажки вычеркнутые буквы и отрывки, мы стали их замазывать гуашью, что убыстрило работу), но заработок все же оставался очень маленьким. Помню, что в нашей дешевой даче была комната и балкон. В том же доме, только что выстроенном, жили и еще какие-то дачники. 11 июня я защитил диссертацию, но в старшие научные сотрудники меня перевели только в августе — и тогда резко увеличилась моя зарплата. Няней у нас была Тамара Михайлова. Я ездил на дачу часто и иногда даже оставался там на день-два, беря туда часть работы.

Лето было хорошее. Мы ходили на реку и там, выбрав место с небольшим «пляжем», на котором могла поместиться только наша семья, загорали и купались. Берег был крутой, и над нашим крохотным пляжем проходила тропинка. Вот однажды мы услышали на нашем пляже отрывки страшного разговора. По тропинке торопливо шли какие-то дачники и говорили о бомбардировке Кронштадта, о каких-то самолетах. Мы сперва подумали: не вспоминают ли они Финскую кампанию 1939 г., но их взволнованные голоса встревожили и нас. Когда мы вернулись на свою дачу, нам рассказали: началась война. К вечеру в саду дома отдыха мы слушали радио. Громкоговоритель висел где-то высоко на столбе, и на площадке перед ним стояло много народу. Люди были очень мрачны и молчаливы. Наутро я уехал в город. Дома мама и Юра услышали о войне по радио. Юра, рассказывала мама, побелел. В городе меня поразила та же мрачность и молчание. После молниеносных успехов Гитлера в Европе никто не ожидал ничего хорошего. Всех удивляло то, что буквально за несколько дней до войны в Финляндию было отправлено очень много хлеба, о чем сообщалось в газетах. Более разговорчивы были люди в Пушкинском Доме, но с оглядкой. Говорил больше А. И. Грушкин: строил всякие фантастические предположения, но все «патриотические».

Что было в течение первых дней войны, я не помню. Потом пошли «установки»: научные учреждения АН должны быть законсервированы, начались сокращения, продолжавшиеся до весны 1943 г., сотрудников записывали в добровольцы, ходили слухи об эвакуации. Слухи о том, куда будут эвакуировать Пушкинский Дом, менялись несколько раз в неделю.

Газеты неясно сообщали о положении на фронтах, и люди жили слухами. Слухи передавались повсюду: в буфете, на улицах, но им плохо верили — слишком они были мрачны. Потом слухи оправдались.

Пугали слухи об эвакуации детей. Были действительно отданы приказы об эвакуации детей. Набирали женщин, которые должны были сопровождать детей. Так как выезд из города по личной инициативе был запрещен, то к детским эшелонам пристраивались все, кто хотел бежать... Мы решили детей не отправлять и не разлучаться с ними. Было ясно, что отправка детей совершается в полнейшем беспорядке. И действительно, позднее мы узнали, что множество детей было отправлено под Новгород — навстречу немцам. Рассказывали, как в Любани сопровождавшие «дамы», похватав своих собственных детей, бежали, покинув детей чужих. Дети бродили голодные, плакали. Маленькие дети не могли назвать своих фамилий, когда их кое-как собрали, и навеки потеряли родителей. Впоследствии, в 1945 г., многие несчастные родители открыто требовали судить эвакуаторов — в их числе и «отцов города».

«Эвакуация» была насильственной, и мы скрывались в Вырице, решив жить там до последней возможности. Рядом с нами в Вырице жил и М. П. Барманский с семьями своих сыновей. Мы советовались с ним и вместе скрывали своих детей от эвакуации: мы — дочерей, а он — внуков.

Но немцы наступали быстро. Над городом поднялись десятки аэростатов воздушного заграждения. На башне Пушкинского Дома мы несли круглосуточное дежурство, и ездить на дачу становилось труднее. Последний раз я уезжал с Вырицы в поезде из одних мягких вагонов (состав откуда-то был «пригнан»). Стекла в поезде были выбиты: немецкие самолеты бомбардировали его около самой Вырицы. В Вырице слышны были оглушительные бомбардировки Сиверского аэродрома. Раза два совсем низко пролетели над дачей немецкие «мессершмитты». Они внезапно появлялись над самыми деревьями, страшно ревели моторами и так же внезапно исчезали.

Однажды после ночного дежурства в Пушкинском Доме я вернулся домой на Лахтинскую улицу и застал дома Зину и детей. Оказывается, их перевез с дачи М. П. Барманский. Он решил, что жить в Вырице «хватит», перевез сначала своих, а потом специально поехал за моими и перевез их со всеми вещами: на даче остались только ходики, корыто, детские кроватки, шезлонг и еще что-то.

Только в России существовало такое количество чудаков и оригиналов. К их числу относился и Михаил Петрович Барманский, сыгравший такую большую роль в жизни нашей семьи.

В Первую мировую войну он был офицером и сохранил от того времени военную выправку, усы, требовательность к себе и подчиненным. Ходил он одетый как чернорабочий: ватник, кирзовые сапоги, а потом — и старая солдатская шинель сына, погибшего на Великой Отечественной. Когда-то был рыжим, но я его помню только совершенно седым. Он считал недопустимым ублажать свой «мешок с костями», ел сырые овощи или каши, ходил пешком в своих порыжевших сапогах. Приходил даже к нам на дачу, охотно ел у нас что-нибудь вегетарианское и, задав два-три «принципиальных» мировоззренческих вопроса, уходил.

Умер он уже на пенсии, ему было далеко за восемьдесят, и в последние годы говорил: «Хочу прожить еще: досмотреть кинематограф». Под «кинематографом» он подразумевал историю современной ему России. Очень интересовало его все происходящее, и никак он не мог понять — «чем же это все кончится?».

Работал он много, зарабатывал немало, но на себя тратил как можно меньше: это было его правилом. Помогал родным, бедным, давал в долг своим подчиненным (в последние годы он заведовал корректорской в издательстве Академии наук) и никогда не требовал назад.

Глядел он на людей сурово и часто исподлобья, но когда улыбался, то так искренне и приятно, что люди, удостоившиеся его улыбки, надолго оставались с ощущением какой-то глубокой радости в душе.

В 1941 г., когда мы жили на даче в Вырице, он узнал, что немцы совсем близко (а в газетах сообщали, что «бои идут в районе Пскова»), приехал в Вырицу (а я ничего не подозревал и был в городе), вывез всю мою семью — Зинаиду Александровну, детей и домработницу Тамару. Он не стал терять времени, чтобы разыскать меня (телефоны были выключены), а сделал все сам. Вот образец действенной доброты.

Умер он так же, как и жил: никого не утруждая.

А В. Л. Комарович с семьей остались на Сиверской и переехали оттуда недели через полторы. Немцы уже были совсем близко от Сиверской. Эти полторы недели стали роковыми для Комаровичей: они не успели ничем запастись...

Ко времени нашего возвращения из Вырицы в Ленинград существовала уже карточная система. Магазины постепенно пустели. Продуктов, продававшихся по карточкам, становилось все меньше: исчезали консервы, дорогая еда. Но хлеба первое время по карточкам выдавали много. Мы его не съедали весь, так как дети ели хлеба совсем мало. Зина хотела даже не выкупать весь хлеб, но я настаивал: становилось ясно, что будет голод. Неразбериха все усиливалась. Поэтому мы сушили хлеб на подоконниках на солнце. К осени у нас оказалась большая наволочка черных сухарей. Мы ее подвесили на стенку от мышей. Впоследствии, зимой, мыши вымерли с голоду. В мороз, утром в тишине, когда мы уже по большей части лежали в своих постелях, мы слышали, как умиравшая мышь конвульсивно скакала где-то у окна и потом подыхала: ни одной крошки не могла она найти в нашей комнате. Пока же, в июле и августе, я твердил: будет голод, будет голод! И мы делали все, чтобы собрать небольшие запасы на зиму. Зина стояла в очередях у темных магазинов, перед окнами которых вырастали заслоны из досок, сколоченных высокими ящиками, в которые насыпалась земля.

Что мы успели купить в эти первые недели? Помню, что у нас был кофе, было очень немного печенья. Как я вспоминал потом эти недели, когда мы делали свои запасы! Зимой, лежа в постели и мучимый страшным внутренним раздражением, я до головной боли думал все одно и то же: ведь вот, на полках магазинов еще были рыбные консервы — почему я не купил их! Почему я купил в апреле только 11 бутылок рыбьего жира и постеснялся зайти в аптеку в пятый раз, чтобы взять еще три! Почему я не купил еще несколько плиток глюкозы с витамином C! Эти «почему» были страшно мучительны. Я думал о каждой недоеденной тарелке супа, о каждой выброшенной корке хлеба или о картофельной шелухе — с таким раскаянием, с таким отчаянием, точно я был убийцей своих детей. Но все-таки мы сделали максимум того, что могли сделать, не веря ни в какие успокаивающие заявления по радио.

Передаю перо Зине

К тому, что написал папа, я дополню. В тот год мы поздно выехали на дачу, так как папа 11 июня 1941 г. защищал кандидатскую диссертацию. На дачу мы поехали 19 июня. Наняли грузотакси и на нем перевезли все вещи. У нас была хорошая комната и веранда: все маленьких размеров, но квадратные. Тамара спала наверху, около чердака. Погода была прекрасная, и дети быстро стали поправляться. Мы благополучно прожили всего девять дней: ходили купаться на речку, гуляли в лесу и лежали на траве в нашем дворе около веранды. Когда мы купались, то девочки ложились мне на спину и я плавала. После объявления войны я осталась без Тамары, так как она поступила на завод, но оставалась в нашей квартире на Лахтинской улице (дом 9, квартира 12).

Мы жили на Вырице до 18 июля. К нам приехала на несколько дней бабушка. Нас перевез М. П. Барманский. Это было в воскресенье под вечер. Он помог мне собрать вещи, и мы приехали с детьми в город. Вот не помню, как мы все перевезли. Помню, что как-то раньше я привезла в город два тяжелых чемодана, возможно, что помогала Тамара. На даче остались детские кроватки, посуда, шезлонг. Всю блокаду девочки спали уже на кроватях взрослых. Одну кровать дала Нина Урвачева. В городе было трудно достать молоко. Я вставала очень рано и стояла в толпе перед воротами рынка. Наконец ворота открывались, и все бросались к молочным ларькам. Сначала я доставала два литра, а потом все меньше и меньше. Часть этого молока я отдавала бабушке, которая оставалась с детьми. Мне приходилось стоять в очередях и с детьми, так как до введения карточек на них давали продукты: лишний килограмм крупы. Карточки ввели, и мы стали сушить хлеб и булки в чудо-печке, на керосинке. Только потому, что Митя советовал выкупать весь хлеб и булки, сушить их, так как впереди нас ждет голод, мы имели запас сухарей. Этот запас нас спас тогда, когда стали давать норму хлеба на человека в 250 и 125 граммов. Когда ввели карточки, то норма была 600 граммов для служащих и 400 граммов для иждивенцев и детей. Я помню, у нас был запас картошки и сливочного масла. Мы хранили картошку в кухне, а масло за дверью. Я стала замечать, что эти запасы понемногу уменьшаются, хотя мы их не трогали. Мы решили, что в этом виноваты наши соседи Кесаревы, и стали все продукты хранить у себя в комнате. У нас был запас в несколько бутылок рыбьего жира. Это было важно для детей.

Продолжаю писать

11 стограммовых бутылочек рыбьего жира я купил в аптеке на углу Большого и Введенской улицы — тогда она помещалась в старом двухэтажном здании.

Жизнь постепенно приобретала фантастические формы.

Эвакуация постепенно сошла на нет. Нам не приходилось скрывать своих детей. Начались бомбардировки. Только о них и были разговоры. Каждый день они начинались в один и тот же час, но так как враг был настолько близок, что предупредить о приближении самолетов было нельзя, то сигналы воздушной тревоги слышались только тогда, когда бомбы уже падали на город.

Я помню один из первых ночных налетов. Бомбы со свистом пролетали над нашим пятым этажом. Мы лежали в постелях. Вслед за воем бомб наш дом содрогнулся, что-то заскрипело на чердаке, и мы услышали разрыв. На следующий день оказалось, что бомбы упали на перекрестке Гейслеровской и Рыбацкой — не так уж близко от нас. Был убит постовой милиционер. Бомба снесла целый угол здания, где когда-то помещался ресторанчик, в котором бывал Блок. Бомба засыпала подвальное бомбоубежище, порвала водопровод, и людей, спасавшихся в нем, затопило. После этого мы окончательно решили не спускаться в наши подвалы. Во-первых, это было бесполезно, во-вторых, хождение на пятый этаж и с пятого этажа отнимало много сил. Первый перестал ходить дедушка (мой папа). Он продолжал лежать в постели, упорно ходили в бомбоубежище Кесаревы, каждый раз таская с собой какие-то чемоданы (Кесаревы — это наши соседи по квартире — муж и жена). Но все же мы присмотрели комнату на первом этаже с окнами во двор и ходили туда некоторое время ночевать. Хозяйка ее — одинокая женщина — служила в Кронштадте и любезно дала нам ключ от своей комнаты. Так нам казалось безопаснее. Как только могли, мы старались вести обычный образ жизни. Даже гуляли в Ботаническом саду. Сохранились снимки — мы с детьми в Ботаническом саду. Снимал мой брат Юра. Через несколько минут после того, как мы сфотографировались, началась воздушная тревога. Но в саду мы чувствовали себя вполне спокойно даже во время бомбежки. Я снят в сером пальто. Из-за этого серого пальто меня чуть было не приняли за шпиона, так как светлые тона одежды не были у нас в стране еще приняты и служили признаком иностранца. Это было на Витебском вокзале, когда я собирался ехать на дачу в Вырицу. Следили за мной мальчишки и пошли кому-то сказать обо мне. К счастью, поезд быстро отошел, а то бы мне пришлось изрядно опоздать к своим. Кстати, о шпионах. Шпиономания в городе достигла невероятных размеров. Шпионов искали всюду. Стоило человеку пойти с чемоданчиком в баню, как его задерживали и начинали «проверять». Так было, например, с М. А. Панченко (нашим ученым секретарем). Ходило много рассказов о шпионах. Рассказывали о сигналах, которые передавались с крыш немецким самолетам. Были какие-то якобы автоматические маяки, которые начинали сигнализировать как раз в часы налетов. Такие маяки, по слухам, находились в трубах домов (их было видно только сверху), на Марсовом поле и т. д. Какая-то доля истины в этих случаях, может быть, и была: немцы действительно знали все, что происходит в городе.

Восьмого сентября мы шли из нашей поликлиники на Каменноостровском. Был вечер, и над городом поднялось замечательной красоты облако. Оно было белое-белое, поднималось густыми, какими-то особенно «крепкими» клубами, как хорошо взбитые сливки. Оно росло, постепенно розовело в лучах заката и наконец приобрело гигантские, зловещие размеры. Впоследствии мы узнали: в один из первых же налетов немцы разбомбили Бадаевские продовольственные склады. Облако это было дымом горевшего масла. Немцы усиленно бомбили все продовольственные склады. Уже тогда они готовились к блокаде. А между тем из Ленинграда ускоренно вывозилось продовольствие и не делалось никаких попыток его рассредоточить, как это сделали англичане в Лондоне. Немцы готовились к блокаде города, а мы — к его сдаче немцам. Эвакуация продовольствия из Ленинграда прекратилась только тогда, когда немцы перерезали все железные дороги; это было в конце августа.

Ленинград готовили к сдаче и по-другому: жгли архивы. По улицам летал пепел. Бумажный пепел как-то особенно легок. Однажды, когда в ясный осенний день я шел из Пушкинского Дома, на Большом меня застал целый дождь бумажного пепла. На этот раз горели книги: немцы разбомбили книжный склад «Печатного Двора». Пепел заслонял солнце, стало пасмурно. И этот пепел, как и белый дым, поднявшийся зловещим облаком над городом, казались знамениями грядущих бедствий.

Город между тем наполнялся людьми: в него бежали жители пригородов, бежали крестьяне. Ленинград был окружен кольцом из крестьянских телег. Их не пускали в Ленинград. Крестьяне стояли таборами со скотом, плачущими детьми, начинавшими мерзнуть в холодные ночи. Первое время к ним ездили из Ленинграда за молоком и мясом: скот резали. К концу 1941 г. все эти крестьянские обозы вымерзли. Вымерзли и те беженцы, которых рассовали по школам и другим общественным зданиям. Помню одно такое переполненное людьми здание на Лиговке. Наверное, сейчас никто из работающих в нем не знает, сколько людей погибло здесь. Наконец, в первую очередь вымирали и те, которые подвергались «внутренней эвакуации» из южных районов города: они тоже были без вещей, без запасов. Глядя на них, становились ясными все ужасы эвакуации. Вот как это было.

В нашем доме в оставленных квартирах расселили семьи путиловских рабочих. Однажды, возвращаясь из Пушкинского Дома, я заметил на Лахтинской улице несколько автобусов. Из них выходили женщины, редко мужчины. Было очень много детей. Оказалось, что немцы внезапно подошли к Путиловскому заводу. Обстреливали район из минометов. Жителей срочно перевезли. Впоследствии эти семьи, эвакуированные из южных районов Ленинграда, все вымерли. Они рано начали голодать. Об одной такой вымершей семье, жившей рядом с нами на площадке в квартире, — Колосовских — я расскажу после. Когда «фронт» стабилизировался у Путиловского, в ту сторону стали ездить ленинградцы — собирать овощи с огородов под пулями немцев. Ездили и Комаровичи за капустными кочерыжками. Это дало им возможность немного запастись продовольствием.

В. Л. Комарович был единственным, кто заходил к нам в Ленинграде из знакомых. Тогда приходили только родные.

Заходил дядя Вася, рано начавший голодать. Мы давали и Комаровичу и дяде Васе черные сухари. Дядя Вася принес девочкам куклы, купленные им по дорогой цене. Куклы купить было можно, но еды — ни за какие деньги. Дядя Вася рассказывал нам, что он так голодал, что пошел к своему племяннику Шуре Кудрявцеву и стал перед ним на колени, прося его хоть немножко еды, Шура не дал, хотя у него были запасы. Впоследствии погиб и дядя Вася, и Шура Кудрявцев — последний не от голода, но смертью не менее страшной. Я об этом еще расскажу.

Комарович все строил прогнозы. Он любил думать о грядущих судьбах мира. Рассуждал он очень интересно. Помню его еще до войны на Кронверкском проспекте: он читал вывешенную газету с сообщениями о потоплении какого-то английского линкора. Все были тогда уверены, что Германия победит, но В. Л. перед газетой сказал: «Британский лев старый и опытный. Его не так-то легко взять. Думаю, что в конце концов победит Англия». Мне эти слова запомнились, потому что я и сам начал с тех пор думать так же. Заходил к нам и панически настроенный Петя Обновленский: он все время рассуждал о том, как достать еды. Их дом разбомбило. Во время бомбежки его семья спустилась в бомбоубежище, а он сам встал под лестницей. Бомба попала как раз в лестничную клетку. Ступеньки стали на него валиться, но он чудом спасся: ступеньки, падая, образовали над ним свод. Ему только сильно придавило грудную клетку. Его откопали. Откопали и семью в бомбоубежище. Те были целы, а Петю отвезли в больницу и через несколько дней выпустили. Но благодаря этому случаю все они остались живы, и вот как. Петя «догадался»: он заявил властям, что у него при бомбежке погибли паспорта. В новом доме, где их прописали, им выдали новые паспорта. Он стал получать карточки и по старым паспортам, и по новым. Таких случаев было в городе очень много. Люди получали карточки на эвакуированных, на мобилизованных, на убитых и умерших от голода. Последних становилось все больше.

Помню — я был зачем-то в платной поликлинике на Большом проспекте Петроградской стороны. В регистратуре лежало на полу несколько человек, подобранных на улице. Им ставили на руки и на ноги грелки. А между тем их попросту надо было накормить, но накормить было нечем. Я спросил: что же с ними будет дальше? Мне ответили: «Они умрут». — «Но разве нельзя отвезти их в больницу?» — «Не на чем, да и кормить их там все равно нечем. Кормить же их нужно много, так как у них сильная степень истощения». Санитарки стаскивали трупы умерших в подвал. Помню — один был еще совсем молодой. Лицо у него было черное: лица голодающих сильно темнели. Санитарка мне объяснила, что стаскивать трупы вниз надо, пока они еще теплые. Когда труп похолодеет, выползают вши. Город был заражен вшами: голодающим было не до «гигиены».

То, что я увидел в поликлинике на Большом проспекте, — это были первые пароксизмы голода. Голодали те, кто не мог получать карточек: бежавшие из пригородов и других городов. Они-то и умирали первыми, они жили вповалку на полу вокзалов и школ. Итак, один с двумя карточками, другие без карточек. Этих беженцев без карточек было неисчислимое количество, но и людей с несколькими карточками было немало.

Особенно много карточек оказывалось у дворников; дворники забирали карточки у умирающих, получали их на эвакуированных, подбирали вещи в опустевших квартирах и меняли их, пока еще можно было, на еду. Мама меняла свои платья на дуранду. Дуранда (жмыхи) выручала Ленинград во второй раз. Первый раз ее ели петроградцы в 1918–1920-х гг., когда Петроград голодал. Но разве можно было сравнить тот голод с тем, который готовился наступить!

Трамваи еще ходили в городе. Однажды в августе или начале сентября я видел, как перевозили войска в трамваях — с юга Ленинграда на север: финны прорвали фронт и полным ходом наступали к Ленинграду, никем не задерживаемые. Но они остановились на своей старой границе и дальше не пошли. Впоследствии с финской стороны не было сделано по Ленинграду ни одного выстрела. С той стороны не летало и самолетов. Но Поле Ширяевой со своими детьми пришлось бежать из Териок в первый же день войны. Детей ей пришлось отправить одних, и они выехали с академическим эшелоном в Тетюши — под Казань. Так же пришлось бы нам расстаться с детьми, если бы сняли дачу в Териоках.

Теперь расскажу о том, что происходило в Пушкинском Доме. Там в августе и сентябре работали буфет и академическая столовая. Эти два места были центрами притяжения, центрами встреч, разговоров. Отсюда распространялись новости, здесь люди встречали друг друга и... переставали встречать.

Уже в июле началась запись в добровольцы. Записались все мужчины. Их поочередно приглашали в директорский кабинет, и здесь Л. А. Плоткин с секретарем парторганизации А. И. Перепеч «наседали». Помню, М. А. Панченко вышел бледный с дрожащими губами из кабинета: он отказался. Он сказал, что в добровольцы не пойдет, что будет призван и хочет сражаться в регулярной армии. Он сидел потом в канцелярии и сказал: «Я чувствую, что буду убит». Я это слышал. Его объявили трусом, клеймили позором. Но через несколько недель его призвали, как он и говорил. Он сражался партизаном и был убит где-то в лесах Калининской области. А Л. А. Плоткин, записывавший всех, добился своего освобождения по состоянию здоровья и зимой бежал из Ленинграда на самолете, зачислив за несколько часов до своего выезда в штат института свою «хорошую знакомую» — преподавательницу английского языка и устроив ее также в свой самолет по броне института.

Нас, «белобилетников», зачислили в институтские отряды самообороны, раздали нам охотничьи двустволки и заставили обучаться строю перед историческим факультетом. Помню среди маршировавших Б. П. Городецкого и В. В. Гиппиуса. Последний как-то смешно ходил на носках, подаваясь всем корпусом вперед. И обучавший нас, и все мы потихоньку смеялись, глядя на старательную фигуру В. В. Гиппиуса, шагавшего на цыпочках. А В. В. Гиппиус, над которым мы смеялись, был уже обречен...

Во дворе Физиологического института отчаянно лаяли голодные собаки (впоследствии их съели, и они спасли жизнь многим физиологам). В Библиотечном институте срочно устроили нары для всех нас, чтобы перевести на казарменное положение. Нам с В. В. Гиппиусом показали даже наши места на нарах. Мы пошли, посмотрели и... ушли. Была полнейшая неразбериха, и было ясно, что оставаться ночевать на нарах бессмысленно. Вскоре и обучение прекратилось: люди уставали, не приходили на занятия и начинали умирать «необученными». Часть сотрудников ездила под Ленинград строить оборонительные рубежи. Здесь были более осмысленные занятия. Обнаруживались таланты: В. Ф. Покровская лечила травами и спасла от смерти О. Д. Балухатого. М. О. Скрипиль был коком на всю артель. От проходящих со своим скотом крестьян добыли телку. Кто-то смог ее зарезать. Но за город ездили и для других целей. Т. П. Ден ездила с группой женщин срезать на полях, где перед тем росла капуста, кочерыжки. Перекапывали по второму разу картофельные поля и добывали разную съедобную мелочь в лесах.

Самое страшное было постепенное увольнение сотрудников. По приказу Президиума по подсказке нашего директора — П. И. Лебедева-Полянского, жившего в Москве и совсем не представлявшего, что делается в Ленинграде, происходило «сокращение штатов». Каждую неделю вывешивались приказы об увольнении. В нашем секторе уволили В. Ф. Покровскую, затем М. О. Скрипиля. Уволили всех канцеляристок, и меня перевели в канцелярию. Увольнение было страшно, оно было равносильно смертному приговору: увольняемый лишался карточек, поступить на работу было нельзя. В. Ф. Покровская спаслась тем, что пошла в медицинские сестры. Скрипиль уехал из города в середине зимы.

Впоследствии в Казани мы слышали об этих увольнениях и записях в добровольцы. Многие научные сотрудники бессмысленно погибли в Кировской добровольной дивизии, необученной и безоружной. Еще больше погибло от бессмысленных увольнений. На уволенных карточек не давали. Вымерли все этнографы. Сильно пострадали библиотекари, умерло много математиков — молодых и талантливых. Но зоологи сохранились: многие умели охотиться.

Но «на предлежащее возвратимся». В буфете собирались «пожарники», «связисты», вооруженные охотничьими двустволками, пили кипяток, получали порцию супа с зелеными капустными листами (не кочанными, а верхними — жесткими) и без конца разговаривали. Особенно много говорил Г. А. Гуковский. Тут выяснилось, что он по матери русский (из Новосадских), что он православный, что он из Одессы, бывал в Венеции. Гуковский был в панике. В панике был и Александр Израилевич Грушкин. В день, когда немцы подошли вплотную к Ленинграду, он явился в буфет в фуражке, надетой набекрень, в рубахе, подпоясанной кавказским ремешком, и, здороваясь, отдавал честь. По секрету он сообщил, что, когда придут немцы, будет выдавать себя за армянина.

Директор Пушкинского Дома не спускался вниз. Его семья эвакуировалась, он переехал жить в институт и то и дело требовал к себе в кабинет то тарелку супа, то порцию каши. В конце концов он захворал желудком, расспрашивал у меня о признаках язвы и попросил вызвать доктора. Доктор пришел из университетской поликлиники, вошел в комнату, где он лежал с раздутым животом, потянул носом отвратительный воздух в комнате и поморщился; уходя, доктор возмущался и бранился: голодающий врач был вызван к пережравшемуся директору!

Университетскую поликлинику я помню хорошо: я получал там справки на белый хлеб. Это нас поддерживало. В сентябре у меня начались язвенные болезни, но они быстро прошли. Окна в поликлинике были уже заложены, и врачи принимали в ней при электрическом свете. Потом приемы прекратились, электричество перестало гореть. Заложены были окна и в академической столовой около Музея антропологии и этнографии АН. В этой столовой кормили по специальным карточкам. Многие сотрудники карточек не получали и приходили... лизать тарелки. Лизал тарелки и милый старик, переводчик с французского и на французский Яков Максимович Каплан. Он официально нигде не работал, брал переводы в издательстве, и карточки ему не давали. Первое время добился карточки в академическую столовую В. Л. Комарович, но потом ему отказали (в октябре). Он уже опух от голода к тому времени. Помню, как он, получив отказ, подошел ко мне (я ел за столиком, где горела коптилка) и почти закричал на меня со страшным раздражением: «Дмитрий Сергеевич, дайте мне хлеба — я не дойду до дому!» Я дал свою порцию. Потом я к нему пришел на квартиру (на Кировском) и принес плитку глюкозы с порошком шиповника (удалось купить перед тем в аптеке). Дома он вел раздражительный разговор с женой. Жена (Евгения Константиновна) пришла из Литфонда, где им также отказали в столовой, как не членам Союза писателей. Жена упрекала Василия Леонидовича, что он не смог раньше вступить в члены Союза писателей. Василий Леонидович надевал пальто, чтобы идти в столовую самому, но ослабевшие пальцы не слушались, и он не мог застегнуть пуговицы. Первыми отмирали те мускулы, которые не работали или работали меньше. Поэтому ноги переставали служить последними. Если же человек начинал лежать, то уже не мог встать. Я приходил к В. Л. Комаровичу и раньше, помогал ему пилить дрова. Надо ведь было думать и о топливе. Дрова же не были подвезены к городу.

Хотя бомбежки и прекратились, люди к ним готовились. Готовили фанеру для окон, заклеивали окна бумагой крест-накрест. Несколько листов фанеры, вырезанной по размерам наших стекол, принес и я домой. Они нам пригодились в 1945 г. Стекла же я заклеил не бумагой, а бинтами: говорили, так лучше. Фотографический клей был такой прочный, что потом, в 1945 г., мы с трудом смогли его отмыть.

Мне часто приходилось ночевать в институте. Мы дежурили: спали одетыми на «мемориальных» диванах (помню, что я чаще всего спал на удобных больших зеленых плюшевых диванах И. С. Тургенева из Спасского-Лутовинова). Вместе с нами дежурили и «словарники» (картотека древнерусского словаря помещалась над нами в Пушкинском Доме и была перенесена для сохранности к нам вниз). Помню Гейерманса, Лаврова, Филиппова и др. Однажды утром, войдя в комнату, где спал Филиппов, я увидел, что он молится. Он страшно смутился и сделал вид, что упражняется в гимнастике.

Дежурить в институте было особенно неприятно в те минуты, когда немцы бомбили Петроградскую сторону. Телефоны были выключены чуть ли не в июле 1941 г., и справиться — живы ли мои — было нельзя. Надо было ждать конца дежурства. Каждая же падавшая бомба, казалось, падала именно на наш дом. Только завернув на Лахтинскую улицу и увидев, что наш дом цел, я успокаивался, но надо было дойти до дому, подняться на пятый этаж и тогда узнать, как прошли сутки, казавшиеся бесконечно длинными.

А ходить становилось все труднее. Я состоял «связистом», и иногда надо было идти на квартиру к служащим, чтобы вызвать их для какой-нибудь экстренной работы. У меня был ночной пропуск, который достал мне брат Юра, переехавший от нас с женой в комнату, которую он добыл на Кировском проспекте в квартире начальника «Скорой помощи» Месселя. Я видел город и днем, и ночью, и рано утром, и вечером, во время воздушной тревоги, в ночной темноте, почти без людей, стремившихся и не выходить из своих квартир.

Отец еще продолжал ходить на службу. Он работал в типографии «Коминтерн» на Красной улице, дом 1. Он тушил пожары в соседнем архиве, дежурил, плохо ел. Дома колол дрова на плите для наших буржуек (пригодился опыт первого петроградского голода 1918–1919 гг.).

Однажды я встретил отца около Адмиралтейства. Мы с ним вместе пошли домой (трамваев не было). Когда переходили Дворцовый мост, начался обстрел. Снаряды рвались совсем близко с оглушительным треском. Отец шел не оглядываясь и не ускоряя шаги. Мы только крепче взяли друг друга под руку. Следы разрывов «тех» снарядов еще и сейчас есть на гранитной набережной около Дворцового моста. Я всегда знал, что отец не трус, но тут я убедился, каким выдержанным мог быть он — самый невыдержанный и самый раздражительный человек из всех, кого я только знал.

Передаю перо Зине

Все домашние хозяйки дежурили на улице, сидя у парадной двери. Вечером нужно было следить, хорошо ли затемнены окна. Все в доме перезнакомились во время дежурств и все разговаривали о том, где достать продуктов. На дежурстве я познакомилась с женщиной, которая мне предложила спать с детьми в комнате первого этажа окнами во двор. Это было в конце сентября. Я помню этот страшный взрыв на Гейслеровской, о котором пишет папа. Я спала на складной кровати посредине комнаты. Когда пронеслась эта бомба, было такое чувство, что лежишь в воздухе и вокруг пустота. Мы не спускались в бомбоубежище, и за всю войну я там ни разу не была. Недели три ходили на первый этаж, а потом перестали и это делать. Помню, как я старалась «отоварить» карточки. Карточки выдавали, но продуктов было мало, вот и приходилось стоять часами, днями под бомбежкой, чтобы получить продукты. Я получала их для всей семьи и для бабушки с дедушкой. В конце октября я, получив все продукты, счастливая вернулась домой. Вместо масла получила голландский сыр. Сергей Михайлович поцеловал мне руку, поблагодарил и сказал, что если бы не я, то он не получил бы продуктов. Так я отоваривала все карточки, кроме декабрьских. По ним мы не получили масла. Я вставала в два часа ночи, когда все спали. Ходила в папиных валенках и в большом платке (белом, он и сейчас цел, я его купил в Пятигорске. — *Д. Л.*), в рукавицах, которые кроил папа. Сверху сукно, а внизу детское шерстяное платье. Михаил Иванович и Ольга Сергеевна обещали нам достать дуранду по большой цене, а у нас не было денег.

Деньги я взяла у своего папы, но дуранду нам так и не достали. Мы меняли вещи. О том, что нужно непременно менять и ничего не жалеть, нам сказал Василий Леонидович Комарович. Он пришел к нам, мы его угощали чаем с хлебом. Он сказал: «Теперь хлеб как пряник». Мы с папой были в тяжелом настроении. Он старался нас подбодрить и говорил: «Не унывайте, Дмитрий Сергеевич, мы еще с вами большие дела сделаем». А потом сам вскоре заболел и в феврале умер. В. Л. Комарович советовал менять прежде всего женские вещи. Я пошла на Ситный рынок, где была барахолка. Взяла свои платья. Голубое крепдешиновое я променяла на один килограмм хлеба. Это было плохо, а вот серое платье променяла на килограмм 200 грамм дуранды. Это было лучше. Дуранду мы томили, мололи в мясорубке, а потом пекли лепешки.

Как мы варили суп? Получали 300 граммов мяса. Папа мелко нарезал это мясо, кости толкли в ступке и варили большую кастрюлю супа.

Зима началась очень рано и была очень холодная. Дрова у нас были благодаря стараниям Сергея Михайловича. Дворник отказался носить и посоветовал нам все дрова перенести домой.

Продолжаю писать вместо Зины

Я тоже помню, как Василий Леонидович посоветовал нам менять женские вещи. Он сказал: «Жура наконец поняла, какое положение: она разрешила променять свои модельные туфли». Жура — это его дочь, она училась уже в Театральном институте. Василий Леонидович иногда жаловался на ее эгоизм (помню его фразу: «Вы не знаете, что значит иметь в доме кончающую гимназистку!»). Модные женские вещи — единственное, что можно было обменять: продукты были только у подавальщиц, продавщиц, поварих.

А что такое дуранда — зайдите как-нибудь в фуражный магазин, где продают корм для скота. Дуранда спасала ленинградцев в оба голода.

Впрочем, мы ели не только дуранду. Ели столярный клей. Варили его, добавляли пахучих специй и делали студень. Дедушке (моему отцу) этот студень очень нравился. Столярный клей я достал в институте — восемь плиток. Одну плитку я держал про запас: так мы ее и не съели. Пока варили клей, запах был ужасающий.

Передаю перо Зине

В клей клали сухие коренья и ели с уксусом и горчицей. Тогда можно было как-то проглотить. Удивительно, я варила клей, как студень, и разливала в блюда, где он застывал. Еще мы ели кашу из манной крупы. Этой манкой мы чистили детские шубки белого цвета. Манная крупа была с шерстинками от шубы, имела густо-серый цвет от грязи, но все были счастливы, что у нас оказалась такая крупа. В начале войны мы купили несколько бутылок уксуса и несколько пачек горчицы. Интересно, что когда мы эвакуировались и продавали вещи, то бутылки с уксусом продали по 150 рублей. Они ценились так же, как письменный прибор.

Как мы отапливались? Сергей Михайлович еще весной купил дрова, но распилить и расколоть не успели, а когда началась война, дворник отказался это делать. Дрова стали растаскивать, поэтому мы решили их поднять на пятый этаж. Я помню, таскали их Сергей Михайлович, я, Юра и Тамара. Сложили их в кухне под окном. Потом мы в кухне их пилили, а Сергей Михайлович мелко колол для буржуйки, на которой готовили пищу. Вначале мы топили в комнате изразцовую печку. На наше несчастье, она испортилась, и нам пришлось звать печника и платить ему вином, которое выдавали по карточкам и которое мы могли бы обменять на хлеб. Когда Юра с Ниночкой эвакуировались, они отдали нам свою замечательную буржуйку. Мы ее поставили в комнату и уже готовили в комнате и обогревались. У Ниночкиного знакомого Роньки мы обменяли мои золотые часы на 750 грамм риса. Часы были золотые, заграничные, плоские, но не шли. Бабушка выменяла на золотой браслет три килограмма сливочного масла и один килограмм дала нам украдкой от дедушки (у дедушки началась патологическая жадность — следствие дистрофии).

Итак, я продолжаю писать

Наш рассказ похож на детскую игру: каждый следующий пишет продолжение, не зная, что написал предыдущий; получается ерунда, которую потом весело читать. Но в том, что мы пишем, веселого нет. Это был такой ужас, который сейчас трудно вспомнить, так как память, обороняясь, выбрасывает самое страшное.

Помню, как к нам пришли два спекулянта. Я лежал, дети тоже. В комнате было темно. Она освещалась электрическими батарейками с лампочками от карманного фонаря. Два молодых человека вошли и быстрой скороговоркой стали спрашивать: «Баккара, готовальни, фотоаппараты есть?» Спрашивали и еще что-то. В конце концов что-то у нас купили. Это было уже в феврале или марте. Они были страшны, как могильные черви. Мы еще шевелились в нашем темном склепе, а они уже приготовились нас жрать.

А перед тем — осенью — приходил Дмитрий Павлович Каллистов. Шутя спрашивал, не продадим ли мы «собачки», нет ли у нас знакомых, которые хотели бы передать собачек «в надежные руки». Каллистовы уже ели собак, солили их мясо впрок. Резал Дмитрий Павлович не сам — ему это делали в Физиологическом институте. Впрочем, к тому времени, когда Д. П. приходил к нам, в городе не оставалось ни собак, ни кошек, ни голубей, ни воробьев. На Лахтинской улице было раньше много голубей. Мы видели, как их ловили. Павловские собаки в Физиологическом институте были тоже все съедены. Доставал их мясо и Дмитрий Павлович. Помню, как я его встретил: он нес собачку из Физиологического института. Шел быстро: собачье мясо, говорили, очень богато белками.

Одно время мне удалось добыть карточки в диетстоловую. Диетстоловая помещалась за Введенской, кажется — на

Павловской улице, недалеко от Большого. В столовой была темнота; окна были «зафанерены». На некоторых столах горели коптилки. К столу с коптилкой собирались «обедающие» и вырезали необходимые талоны. Развилась кража: коптилку внезапно тушили, и воры хватали со стола отрезанные талончики и карточки. Раз украли и у меня талончики. Сцены бывали ужасные. Некоторые голодающие буквально приползали к столовой, других втаскивали по лестнице на второй этаж, где помещалась столовая, так как они сами подняться уже не могли. Третьи не могли закрыть рта, и из открытого рта у них сбегала слюна на одежду. Лица были у одних опухшие, налитые какой-то синеватой водой, бледные, у других — страшно худые и темные. А одежды! Голодающих не столько мучил голод, как холод — холод, шедший откуда-то изнутри, непреодолимый, невероятно мучительный. Поэтому кутались как только могли. Женщины ходили в брюках своих умерших мужей, сыновей, братьев (мужчины умирали первыми), обвязывались платками поверх пальто. Еду женщины брали с собой — в столовых не ели. Несли ее детям или тем, кто уже не мог ходить. Через плечо на веревке вешали бидон и в этот бидон клали все: и первое, и второе. Ложки две каши, суп — одна вода. Считалось все же выгодным брать еду по продуктовым карточкам в столовой, так как «отоварить» их иным способом было почти невозможно.

Уходя из этой столовой, я видел однажды страшную картину. На углу Большого и Введенской помещалась спецшкола, военная, для молодежи. Учащиеся там голодали, как и всюду. И умирали. Наконец школу решили распустить. И вот кто мог — уходил. Некоторых вели под руки матери и сестры, шатались, путались в шинелях, висевших на них, как на вешалках, падали, их волокли. Лежал уже снег, который, конечно, никто не убирал, стоял страшный холод. А внизу, под спецшколой, был гастроном. Выдавали хлеб. Получавшие всегда просили «довесочки». Эти «довесочки» тут же съедали. Ревниво следили при свете коптилок за весами (в магазинах было особенно темно: перед витринами были воздвигнуты из досок и земли заслоны). Развилось и своеобразное блокадное воровство. Мальчишки, особенно страдавшие от голода (подросткам нужно больше пищи), бросались на хлеб и сразу начинали его есть. Они не пытались убежать: только бы съесть побольше, пока не отняли. Они заранее поднимали воротники, ожидая побоев, ложились на хлеб и ели, ели, ели. А на лестницах домов ожидали другие воры и у ослабевших отнимали продукты, карточки, паспорта. Особенно трудно было пожилым. Те, у которых были отняты карточки, не могли их восстановить. Достаточно было таким ослабевшим не поесть день или два, как они не могли ходить, а когда переставали действовать ноги — наступал конец. Обычно семьи умирали не сразу. Пока в семье был хоть один, кто мог ходить и выкупать хлеб, остальные, лежавшие, были еще живы. Но достаточно было этому последнему перестать ходить или свалиться где-нибудь на улице, на лестнице (особенно тяжело было тем, кто жил на высоких этажах), как наступал конец всей семье.

По улицам лежали трупы. Их никто не подбирал. Кто были умершие? Может быть, у той женщины еще жив ребенок, который ее ждет в пустой, холодной и темной квартире? Было очень много женщин, которые кормили своих детей, отнимая у себя необходимый им кусок. Матери эти умирали первыми, а ребенок оставался один. Так умерла наша сослуживица по издательству — О. Г. Давидович. Она все отдавала ребенку. Ее нашли мертвой в своей комнате. Она лежала на постели. Ребенок был с ней под одеялом, теребил мать за нос, пытаясь ее «разбудить». А через несколько дней в комнату Давидович пришли ее «богатые» родственники, чтобы взять... но не ребенка, а несколько оставшихся от нее колец и брошек. Ребенок умер позже в детском саду.

У валявшихся на улицах трупов обрезали мягкие части. Началось людоедство! Сперва трупы раздевали, потом обрезали до костей, мяса на них почти не было, обрезанные и голые трупы были страшны.

Людоедство это нельзя осуждать огульно. По большей части оно не было сознательным. Тот, кто обрезал труп, — редко ел это мясо сам. Он либо продавал это мясо, обманывая покупателей, либо кормил им своих близких, чтобы сохранить им жизнь. Ведь самое важное в еде белки́. Добыть эти белки было неоткуда. Когда умирает ребенок и знаешь, что его может спасти только мясо, — отрежешь у трупа...

Но были и такие мерзавцы, которые убивали людей, чтобы добыть их мясо для продажи. В огромном красном доме бывшего Человеколюбивого общества (угол Зелениной и Гейслеровского) обнаружили следующее. Кто-то якобы торговал картошкой. Покупателю предлагали заглянуть под диван, где лежала картошка, и, когда он наклонялся, следовал удар топором в затылок. Преступление было обнаружено каким-то покупателем, который заметил на полу несмытую кровь. Были найдены кости многих людей.

Так съели одну из служащих Издательства АН СССР — Вавилову. Она пошла за мясом (ей сказали адрес, где можно было выменять вещи на мясо) и не вернулась. Погибла где-то около Ситного рынка. Она сравнительно хорошо выглядела. Мы боялись выводить детей на улицу даже днем.

Не было ни света, ни воды, ни газет (первая газета стала расклеиваться на заборах только весной — небольшой листок, кажется, раз в две недели), ни телефонов, ни радио! Но все-таки общение между людьми сохранилось. Люди ждали какого-то генерала Кулика, который якобы идет на выручку Ленинграда. С тайной надеждой все повторяли: «Кулик идет».

Улицы были завалены снегом, только посередине оставались тропки. Все были раздражительны до невероятности. Помню, раз я шел по середине Лахтинской улицы, впереди меня характерная блокадная фигура: поверх пальто платок или одеяло, из-под пальто торчат брюки. Идет эта фигура (мужчина или женщина — не разберешь) медленно, волоча ноги (поднять их кверху трудно, а волочить еще можно). Я иду сзади в зеленых бурках, в овчинном «романовском» полушубке, оставшемся у меня еще от Соловков. Иду медленно, с палкой, которую мне добыл С. Д. Балухатый из коллекции А. С. Орлова (Орлов любил делать палки из можжевельника, а Балухатый по отъезде Орлова жил в его квартире и раздавал «нуждающимся» его палки). Вдруг фигура впереди меня останавливается, оборачивается и истошно кричит (крик больше похож на сиплое шипение): «Да проходите же, наконец!» Фигуру раздражало, что я ее не обгоняю, а как ее обгонишь, когда тропка узка и кругом сугробы.

Несмотря на отсутствие света, воды, радио, газет, государственная власть «наблюдала». Был арестован Г. А. Гуковский. Под арестом его заставили что-то подписать[1], а потом посадили Б. И. Коплана, А. И. Никифорова. Арестовали

---

[1] Мне неоднократно приходилось говорить: под следствием людей заставляли подписывать или то, что они не говорили, не писали, не утверждали, или то, что они считали совершенными пустяками. В то время когда власти готовили Ленинград к сдаче, простой разговор двух людей о том, что им придется делать, как скрываться, если Ленинград займут немцы, считался чуть ли не изменой родине. Поэтому мне и в голову не приходило обвинять в чем-либо Григория Александровича, как и многих других, подписавших под «крепким» принуждением то, что нужно было следователю-палачу. Я мог им только сочувствовать. Григорий Александрович был арестован в первый раз и, по-видимому, не знал, что на вопросы следователя нужно либо отказываться отвечать, либо говорить как можно меньше. Воображаю следующий разговор со следователем. *Следователь.* Известно ли вам, что Б. И. Коплан ждет немцев? *Гуковский.* Какая чушь, он их смертельно боится. *Следователь* (притворяясь наивным). Почему? *Гуковский.* Он же еврей. *Следователь.* Но он православный. *Гуковский.* Если бы у гестаповцев была голова на плечах, они бы понимали, что он не может быть сионистом. *Следователь.* Благодарю вас, что вы защитили товарища. Подпишите протокол. *Гуковский.* Протокол неточен. Я не говорил, что у гестаповцев «голова на плечах». Я сказал — «если...». *Следователь.* Не будем же мы ссориться из-за четырех букв. Важно, что вы защитили товарища от клеветы. *Гуковский* подписывает, и его уводят, довольного, что он защитил товарища.

А в протоколе три пункта для обвинения. Против Коплана два: паникер и готов идеологически предаться врагам: предать идеологию советского человека и политически опереться на религию. Против Гуковского: признает «голову на плечах» у гестаповцев, возможность этой «головы», во всяком случае.

Я не анекдот придумал: так именно и строились допросы, такие обвинения и предъявлялись.

и В. М. Жирмунского. Жирмунского и Буковского вскоре выпустили, и они вылетели на самолете. А Коплан умер в тюрьме от голода. Дома умерла его жена — дочь А. А. Шахматова. А. И. Никифорова выпустили, но он был так истощен, что умер вскоре дома (а был он богатырь, русский молодец кровь с молоком, купался всегда зимой в проруби против Биржи на Стрелке). Умер В. В. Гиппиус. Умер Н. П. Андреев, З. В. Эвальд, Я. И. Ясинский (сын писателя), М. Г. Успенская (дочь писателя) — все это были сотрудники Пушкинского Дома. Всех и не перечислишь.

Помню смерть Я. И. Ясинского. Это был высокий, худой и очень красивый старик, похожий на Дон Кихота. Он жил в библиотеке Пушкинского Дома. За стеллажами книг у него стояла походная кровать — раскладушка. Дома у него никого не было, и домой идти он не мог. Он лежал за своими книгами и изредка выходил в вестибюль. Рот у него не закрывался, изо рта текла слюна, лицо было черное, волосы совсем поседели, отросли и создавали жуткий контраст черному цвету лица. Кожа обтянула кости. Особенно страшна была эта кожа у рта. Она становилась тонкой-тонкой и не прикрывала зубов, которые торчали и придавали голове сходство с черепом. Раз он вышел из-за своих стеллажей с одеялом на плечах, волоча ноги, и спросил: «Который час?» Ему ответили. Он переспросил (голос у дистрофиков становился глухим, так как и мускулы голосовых связок атрофировались): «День или ночь?» Он спрашивал в вестибюле, но ведь стекол не было, окна были «зафанерены», и ему не было видно: светло или темно на улице. Через день или два наш заместитель директора по хозяйственной части Канайлов выгнал его из Пушкинского Дома. Канайлов (фамилия-то какая!) выгонял всех, кто пытался пристроиться и умереть в Пушкинском Доме: чтобы не надо было выносить труп. У нас умирали некоторые рабочие, дворники и уборщицы, которых перевели на казарменное положение, оторвали от семьи, а теперь, когда многие не могли дойти до дому, их вышвыривали умирать на тридцатиградусный мороз. Канайлов бдительно следил за всеми, кто ослабевал. Ни один человек не умер в Пушкинском Доме.

Раз я присутствовал при такой сцене. Одна из уборщиц была еще довольно сильна, и она отнимала карточки у умирающих для себя и Канайлова. Я был в кабинете у Канайлова. Входит умирающий рабочий (Канайлов и уборщица думали, что он не сможет уже подняться с постели), вид у него был страшный (изо рта бежала слюна, глаза вылезли, вылезли и зубы). Он появился в дверях кабинета Канайлова как привидение, как полуразложившийся труп и глухо говорил только одно слово: «Карточки, карточки!» Канайлов не сразу разобрал, что тот говорит, но когда понял, что он просит отдать ему карточки, страшно рассвирепел, ругал его и толкнул. Тот упал. Что произошло дальше, не помню. Должно быть, и его вытолкали на улицу.

Фольклорист Н. П. Андреев умирал так. Сперва он дежурил в институте и за себя, и за М. К. Азадовского. Азадовский очень плохо себя чувствовал и просил его за себя дежурить. Н. П. Андреев пришел на помощь товарищу (тем более что у М. К. Азадовского только что родился сын, прямо в бомбоубежище) и стал дежурить. Двойные дежурства очень истощили Н. П. Андреева, а дочь его ушла в госпиталь работать сестрой (это тоже был один из способов выжить) и отцу не помогала. Однажды Н. П. Андреев пришел в Пушкинский Дом по дороге домой из Герценовского института и попросил кого-нибудь проводить его: он не мог дойти до дому. Жил он на Введенской улице в доме, где когда-то жил Б. М. Кустодиев. Проводить его пошла А. М. Астахова. Они шли бесконечно долго, по пути они два раза заходили в чужие квартиры отдохнуть. В одной квартире Н. П. Андреева накормили сахаром. Это дало ему силы дойти до дому. Были еще люди, способные скрывать от себя и от своей семьи куски сахару — куски жизни. Удивительное действие оказывала еда: стоило съесть маленький кусочек сахару, как ясно чувствовал в себе прилив сил. Еда пьянила и бодрила. Это было почти чудо! Через несколько дней я пошел к Н. П. Андрееву отнести ему билет на самолет. В институте кто-то не полетел (из лиц, удостоенных благоволением начальства), и надо было доставить билет Андрееву за несколько часов до отлета самолета. Я пошел к нему ночью. Помню, шел по совершенно пустым улицам, по середине мостовой по тропке в своем романовском полушубке и с орловской палкой. На Большой Пушкарской я упал и очень расшиб колени, но поднялся (сильно истощенные подняться не могли — они могли только идти). Я дошел до него и даже достучался (это было трудно), но отлететь он уже не смог. Через некоторое время он умер. А после смерти пришла к нему жена со Старо-Невского (его молодая жена жила отдельно от него) и искала сберкнижку, на которой у него было довольно много денег...

Как-то мистически, страшно умер литературовед Б. М. Энгельгардт. Помню, что я много раз рассказывал в Казани историю его смерти, но сейчас я уже ее забыл (память, как я уже сказал, выбрасывает, очищает сама себя от слишком ужасных воспоминаний).

Трупы на улице лежали против Института литературы — ближе к Биржевому мосту (месяца два лежал там труп женщины), в сгоревшем здании Мытнинского общежития университета (помню, на первом этаже лежали трупы двух детей), на Кронверкском — против Народного дома, где весной был устроен морг и туда в начале марта мы свезли на детских саночках труп моего отца.

В институте в это время я ел дрожжевой суп. Этого дрожжевого супа мы ждали более месяца. Слухи о нем подбадривали ленинградцев всю осень. Это было изобретение, и в самом деле поддержавшее многих и многих. Делался он так: заставляли бродить массу воды с опилками. Получалась вонючая жидкость, но в ней были белки, спасительные для людей. Можно было съесть даже две тарелки этой вонючей жидкости. Две тарелки! Этой еды совсем не жалели. У нас еще оставались черные сухари. Помню, что я подарил коробку черных сухарей библиотекарше — Софье Емельяновне. У нее умер от истощения муж и умирали дети (двое). Софья Емельяновна и сейчас работает в институте в библиотеке, а один из ее сыновей стал уже инженером.

Вскоре я перестал ходить. Приходил только за жалованьем и за карточками. Однажды зашел за моими карточками отец. Он ходил пешком в свою типографию за карточками для себя и зашел за моими по пути. Как я раскаивался потом, что пустил его идти! Каждое такое «путешествие» отнимало очень много сил, приближало смерть.

Всю нашу семью спасала Зина. Она стояла с двух часов ночи в подъезде нашего дома, чтобы «отоварить» наши продуктовые карточки (только очень немногие могли получить в магазинах то, что им полагалось по карточкам), она ездила с санками за водой на Неву. Мы попробовали добывать воды из снега с крыши, но надо было истратить слишком много топлива, чтобы получить совсем мало воды. Походы за водой были такие. На детские саночки ставили детскую ванну. В ванну клали палки. Эти палки нужны были для того, чтобы вода не очень плескалась. Палки плавали в ванне и не давали воде ходить волнами. Ездили за водой Зина и Тамара Михайлова (она жила у нас на кухне на антресолях). Воду брали у Крестовского моста. «Трасса», по которой ленинградцы ездили за водой, вся обледенела: расплескивавшаяся вода тотчас замерзала на тридцатиградусном морозе. Санки скатывались с середины дороги набок, и многие теряли всю воду. У всех были те же ванны и палки или ведра с палками: палки было изобретение тех лет! Но труднее всего было зачерпнуть воду и потом подняться от Невы на набережную. Люди карабкались на четвереньках, цеплялись за скользкий лед. Сил прорубить ступеньки ни у кого не было. В феврале, впрочем, появилось несколько пунктов, где можно было получить воду: на Большом проспекте у пожарной команды, например. Там открыли люк с водой. Вокруг люка тоже нарос лед. Люди плашмя ползли в ледяную гору и опускали ведра как в колодец. Потом скатывались вниз, держа ведро в обнимку.

В декабре (если не ошибаюсь) появились какие-то возможности эвакуации на машинах через Ладожское озеро. Эту ледовую дорогу называли дорогой смерти (а вовсе не Дорогой жизни, как сусально назвали ее наши писатели впоследствии). Немцы ее обстреливали, дорогу заносило снегом, машины часто проваливались в полыньи (ведь ехали ночью). Рассказывали, что одна мать сошла с ума: она ехала во второй машине, а в первой ехали ее дети, и эта первая машина на ее глазах провалилась под лед. Ее машина быстро объехала полынью, где дети корчились под водой, и помчалась дальше, не останавливаясь. Сколько людей умерло от истощения, было убито, провалилось под лед, замерзло или пропало без вести на этой дороге! Один Бог ведает! У А. Н. Лозановой (фольклористки) погиб на этой дороге муж. Она везла его на детских саночках, так как он уже не мог ходить. По ту сторону Ладоги она оставила его на саночках вместе с чемоданами и пошла получать хлеб. Когда она вернулась с хлебом, ни саней, ни мужа, ни чемоданов не было. Людей грабили, отнимали чемоданы у истощенных, а самих их спускали под лед. Грабежей было очень много. На каждом шагу — подлость и благородство, самопожертвование и крайний эгоизм, воровство и честность.

По этой дороге уехал и наш мерзавец Канайлов. Он принял в штат института несколько еще здоровых мужчин и предложил им эвакуироваться вместе с ним, но поставил условие, чтобы они никаких своих вещей не брали, а везли его чемоданы. Чемоданы были, впрочем, не его, а онегинские — из онегинского имущества, которое поступило к нам по завещанию Онегина (незаконного сына Александра III — ценителя Пушкина и коллекционера). Онегинские чемоданы были кожаные, желтые. В эти чемоданы были погружены антикварные вещи Пушкинского Дома, в тюки увязаны замечательные ковры (например, был у нас французский ковер конца XVIII века — голубой). Поехал Канайлов вместе со своим помощником — Ехаловым. Это тоже первостепенный мерзавец. Был он сперва профсоюзным работником (профсоюзным вождем), выступал на собраниях, призывал, произносил «зажигательные» речи. Потом был у нас завхозом и крал. Вся компания благополучно перевалила через Ладожское озеро.

А там на каком-то железнодорожном перекрестке Ехалов, подговорив рабочих, сел вместе с ними и всеми коврами на другой поезд (не на тот, на котором собирался ехать Канайлов) и, помахав ручкой Канайлову, уехал. Тот ничего не мог сделать. Теперь Канайлов работает в Саратове, кажется, член горсовета, вообще — «занимает должность». А в Ленинград не решается вернуться. Но Ехалов решился. Он даже решился сразу после войны предложить свои услуги в Пушкинском Доме, но его вызвали в ЛАХУ и сказали, что его разыскивает уголовный розыск. Он исчез из академии, но все-таки устроился раздавать квартиры, где-то на Васильевском острове. В качестве начальника по квартирам он получил себе несколько квартир, брал взятки и в конце концов был арестован. Явился он перед тем и в Казань; ходил в военной форме (в армии он никогда не служил), с палкой и изображал из себя инвалида войны.

После отъезда Канайлова институтом стал ведать М. М. Калаушин. Увольнение прекратилось. Напротив, было принято несколько человек — в том числе и наша Тамара Михайлова. М. М. Калаушин сам был уволен перед тем из института одним из первых. Он работал санитаром, и, когда пришел перед отъездом Канайлова наниматься к нам на работу в институт, я едва его узнал. Лицо его отекло, покрылось пятнами и было совершенно деформировано. В институте он что-то организовал с карточками, принял В. М. Глинку, приблизил В. А. Мануйлова, а впоследствии взял и М. И. Стеблина-Каменского. Эти четыре человека спасали институт до 1945 г. Впрочем, Калаушин уехал, оставив главным В. А. Мануйлова.

Когда бы я ни заходил в кабинет Калаушина, он ел. Ел хлеб, обмакивая его в растительное масло. Очевидно, оставались карточки от тех, кто улетал или уезжал по дороге смерти.

Еще до отъезда Канайлова с Ехаловым в институт были впущены моряки с подводных лодок, которые стояли на Малой Неве прямо против нашего института. Дело в том, что остатки нашего флота, ледоколы, турбоэлектроход «Вячеслав Молотов» — все были введены в Неву и стояли у берега с левой стороны под защитой окружающих зданий. «Вячеслав Молотов» стоял под защитой Адмиралтейства, ледокол «Ермак» — под защитой Эрмитажа и т. д. Для ценнейших зданий города это соседство не было безопасным. Наши подводные лодки тоже не были приятными соседями, но не только тем, что они могли приманивать к нам немецкие бомбардировщики.

Команды кораблей были пущены к нам в музей и дали обещание давать нашему начальству по тарелке супа. Ради этого их комнаты были обставлены всей лучшей мебелью. Диван Тургенева, кресло Батюшкова, часы Чаадаева и пр. — все отдавалось морякам ради чечевичной похлебки. Чечевица была действительно тогда в ходу и казалась необыкновенно вкусной. Кроме того, морякам было разрешено пользоваться библиотекой и пр. Моряки не остались в долгу. Они провели кабель с подводных лодок и дали себе и нашему начальству настоящий электрический свет! И вот началось... Ночами какие-то тени бродили по музею, взламывали шкафы, искали сокровища. Собрание дворянских альбомов очень пострадало. Пострадали и многие шкафы в библиотеке. А весной, когда вскрылась Нева, моряки без предупреждения в один прекрасный день ушли из института, унеся с собою все, что только было можно. После их ухода я нашел на полу позолоченную дощечку: «Часы Чаадаева». Самих часов не было. На каком дне они лежат сейчас?

Дистрофия развивала клептоманию и у сотрудников института. Канцелярская служащая (Валентина... отчество и фамилию я забыл) сняла в институте даже стенные часы, суконную скатерть со стола заседаний и еще что-то. Она ушла потом работать в госпиталь, и больше я ее в институте не видел. Это была канайловская знакомая.

Зимой одолевали пожары. Дома горели неделями. Их нечем было тушить. Обессиленные люди не могли уследить за своими буржуйками. В каждом доме были истощенные, которые не могли двигаться, и они сгорали живыми. Ужасный случай был в большом новом доме на Суворовском (дом этот и сейчас стоит — против окон Ахматовой). В него попала бомба, а дом этот был превращен в госпиталь. Бомба была комбинированная — фугасно-зажигательная. Она пробила все этажи, уничтожив лестницу. Пожар начался снизу, и выйти из здания было нельзя. Раненые выбрасывались из окон: лучше разбиться насмерть, чем сгореть.

В Ботаническом саду вымерзли тысячелетние папоротники, вымерзли знаменитые пальмы (помните рассказ Гаршина о пальме, выдавившей стекла оранжереи, вырвавшейся на свободу и замерзшей?).

В нашем доме вымерли семьи путиловских рабочих. Наш дворник Трофим Кондратьевич получал на них карточки и ходил вначале здоровым. На одной с нами площадке, в квартире Колосовских, как мы впоследствии узнали, произошел следующий случай. Женщина (Зина ее знала) забирала к себе в комнату детей умерших путиловских рабочих (я писал уже, что дети часто умирали позднее родителей, так как родители отдавали им свой хлеб), получала на них карточки, но... не кормила. Детей она запирала. Обессиленные дети не могли встать с постели; они лежали тихо и тихо умирали. Трупы их оставались тут же до начала следующего месяца, пока можно было на них получать еще карточки. Весной эта женщина уехала в Архангельск. Это была тоже форма людоедства, но людоедства самого страшного.

Трупы умерших от истощения почти не портились: они были такие сухие, что могли лежать долго. Семьи умерших не хоронили своих: они получали на них карточки. Страха перед трупами не было, родных не оплакивали — слез тоже не было. В квартирах не запирались двери: на дорогах накапливался лед, как и по всей лестнице (ведь воду носили в ведрах, вода расплескивалась, ее часто проливали обессиленные люди, и вода тотчас замерзала). Холод гулял по квартирам. Так умер фольклорист Калецкий. Он жил где-то около Кировского проспекта. Когда к нему пришли, дверь его квартиры была полуоткрыта. Видно было, что последние жильцы пытались сколоть лед, чтобы ее закрыть, но не смогли. В холодных комнатах, под одеялами, шубами, коврами лежали трупы: сухие, не разложившиеся. Когда умерли эти люди?

На Большом проспекте около Гатчинской улицы разгромили хлебный магазин. Как это могли сделать? Ведь любая продавщица (среди них не было сильно истощенных) могла справиться с целой толпой истощенных людей. Но власть в городе приободрилась: вместо старых истощенных милиционеров по дороге смерти прислали новых — здоровых. Говорили — из Вологодской области.

В очередях люди все надеялись: после Кулика ждали и еще кого-то, кто уже идет к Ленинграду. Что делалось вне Ленинграда, мы не знали. Знали только, что немцы не всюду. Есть Россия. Туда, в Россию, уходила дорога смерти, туда летели самолеты, но оттуда почти не поступало еды, во всяком случае для нас. Юра с Ниночкой (своей второй женой) уехали по дороге смерти в машине, которая специально была оборудована и как жилье. Перед отъездом Юра обещал прислать еды. Отец ждал этой еды со страшным нетерпением; все время думал о том, что Юра пришлет копченой колбасы. Он все время говорил о еде, вспоминал об обедах на волжских теплоходах, и когда ел суп (вернее, то, что мы называли супом), то очень сопел. Меня, захваченного уже раздражительностью дистрофии, сердило и это сопение (я не понимал, что виновато сердце), и эта копченая колбаса, которую он так ждал...

Расскажу теперь о том, как мы жили в своей квартире на Лахтинской. Мы старались как можно больше лежать в постелях. Накидывали на себя побольше всего теплого. К счастью, у нас были целы стекла. Стекла были прикрыты фанерами (некоторые), заклеены крест-накрест бинтами. Но днем все же было светло. Ложились в постель часов в шесть вечера. Немного читали при свете электрических батареек и коптилок (я вспомнил, как делал коптилки в 1919 и 1920-м гг. — тот опыт пригодился). Но спать было очень трудно. Холод был какой-то внутренний. Он пронизывал всего насквозь. Тело вырабатывало слишком мало тепла. Холод был ужаснее голода. Он вызывал внутреннее раздражение. Как будто бы тебя щекотали изнутри. Щекотка охватывала все тело, заставляла ворочаться с боку на бок. Думалось только о еде. Мысли были при этом самые глупые: вот если бы раньше я мог знать, что наступит голод! Вот если бы я запасся консервами, мукой, сахаром, копченой колбасой!

Мы подсчитали с Зиной, сколько дней еще сможем прожить на наших запасах. Если расходовать через день по плитке столярного клея, то хватит на столько-то дней, а если расходовать по плитке через два дня — то на столько-то. И тут же сетовали: почему я не доел своей порции тогда-то? Вот она бы пригодилась сейчас! Почему я не купил в июле в магазине печенья? Я ведь уже знал, что наступит голод. Почему купил всего 11 бутылок рыбьего жира? Надо было зайти в аптеку еще раз, послать Зину. И все в таком же роде, без конца, со страшным раздражением на самого себя, и опять внутренняя щекотка, и опять ворочаешься с боку на бок.

Утром растапливали буржуйку. Топили книгами. В ход шли объемистые тома протоколов заседаний Государственной думы. Я сжег их все, кроме корректур последних заседаний: это было чрезвычайной редкостью. Книгу нельзя было запихнуть в печку: она бы не горела. Приходилось вырывать по листику и по листику подбрасывать в печурку. При этом надо было листок смять и время от времени выгребать золу: в бумаге было слишком много мела. Утром мы молились, дети тоже. С детьми мы разучивали стихи. Учили наизусть сон Татьяны, бал у Лариных, учили стихи Плещеева: «Из школы дети воротились, как разрумянил их мороз...», учили стихи Ахматовой: «Мне от бабушки татарки...» и др. Детям было четыре года, они уже много знали. Еды они не просили. Только когда садились за стол, ревниво следили, чтобы всем всего было поровну. Садились дети за стол за час, за полтора — как только мама начинала готовить. Я толок в ступке кости. Кости мы варили по многу раз. Кашу делали совсем жидкой, жиже нормального супа, и в нее для густоты подбалтывали картофельную муку, крахмал, найденный нами вместе с «отработанной» манной крупой, которой чистили беленькие кроличьи шубки детей. Дети сами накрывали на стол и молча усаживались. Сидели смирно и следили за тем, как готовилась «еда». Ни разу они не заплакали, ни разу не попросили еще: ведь все делилось поровну.

От разгоревшейся печурки в комнате сразу становилось тепло. Иногда печурка накалялась докрасна. Как было хорошо!

Все люди ходили грязные, но мы умывались, тратили на это стакана два воды и воду не выливали — мыли в ней руки до тех пор, пока вода не становилась черной. Уборная не действовала. Первое время можно было сливать, но потом где-то внизу замерзло. Мы ходили через кухню на чердак. Другие заворачивали сделанное в бумагу и выбрасывали на улицу. Поэтому около домов было опасно ходить. Но тропки все равно были протоптаны по середине мостовой. К счастью, по серьезным делам мы ходили раз в неделю, даже раз в десять дней. И это было понятно: тело переваривало все, да и перевариваемого было слишком мало. Хорошо все-таки, что у нас был пятый этаж и ход на чердак такой удобный... Весной, когда потеплело, на потолке в коридоре (мы ходили в определенные места) появились коричневые пятна.

От топки бумагой засорилась печка. Об этом Зина уже писала. К счастью, мы нашли печника, который пробил кладку в печи, соединил каналы дымохода, и снова можно было топить.

В моем писании получился перерыв недели на три. Сейчас у нас на даче в Зеленогорске (Лиственная, 16, дача 132) наступила жара, отвлекшая от мыслей о блокаде. Солнце, купание, счастливый воздух сытой жизни!

Нет! Голод несовместим ни с какой действительностью, ни с какой сытой жизнью. Они не могут существовать рядом. Одно из двух должно быть миражом: либо голод, либо сытая жизнь. Я думаю, что подлинная жизнь — это голод, все остальное мираж. В голод люди показали себя, обнажились, освободились от всяческой мишуры: одни оказались замечательные, беспримерные герои, другие — злодеи, мерзавцы, убийцы, людоеды. Середины не было. Все было настоящее. Разверзлись небеса, и в небесах был виден Бог. Его ясно видели хорошие. Совершались чудеса.

Бог произнес: «Поелику ты не холоден и не горяч, изблюю тебя из уст моих» (кажется, так в Апокалипсисе).

Человеческий мозг умирал последним. Когда переставали действовать руки и ноги, пальцы не застегивали пуговицы, не было сил закрыть рот, кожа темнела и обтягивала зубы и на лице ясно проступал череп с обнажающимися, смеющимися зубами, мозг продолжал работать. Люди писали дневники, философские сочинения, научные работы, искренне, «от души» мыслили, проявляли необыкновенную твердость, не уступая давлению, не поддаваясь суете и тщеславию.

Художник Чупятов и его жена умерли от голода. Умирая, он рисовал, писал картины. Когда не хватило холста, он писал на фанере и на картоне. Он был «левый» художник, из старинной аристократической семьи, его знали Аничковы. Аничковы передали нам два его наброска, написанные перед смертью: красноликий апокалипсический ангел, полный спокойного гнева на мерзость злых, и Спаситель — в его облике что-то от ленинградских большелобых дистрофиков. Лучшая его картина осталась у Аничковых: темный ленинградский двор колодцем, вниз уходят темные окна, ни единого огня в них нет; смерть там победила жизнь; хотя жизнь, возможно, и жива еще, но у нее нет силы зажечь коптилку. Над двором на фоне темного ночного неба — покров Богоматери. Богоматерь наклонила голову, с ужасом смотрит вниз, как бы видя все, что происходит в темных ленинградских квартирах, и распростерла ризы; на ризах — изображение древнерусского храма (может быть, храма Покрова-на-Нерли — первого Покровского храма).

Надо, чтобы эта картина не пропала. Душа блокады в ней отражена больше, чем где бы то ни было.

Умер В. Л. Комарович. В его смерть трудно было поверить. В сентябре он приходил к нам такой бодрый и деятельный, учил нас менять вещи на провизию, делал утешительные прогнозы.

О смерти В. Л. Комаровича рассказывала мне Т. Н. Крюкова (его ученица по Нижегородскому университету) и И. Н. Томашевская. Вот как это было. В. Л. уже лежал, а Театральный институт решили эвакуировать. Решили ехать Жура (дочка Василия Леонидовича, которая училась в этом Театральном институте) и Евгения Константиновна (жена Василия Леонидовича). Отца они решили бросить: он бы не смог доехать. Его хотели оставить в вот-вот открывающемся стационаре для дистрофиков Союза писателей. В Ленинграде положение немного начинало улучшаться, и для писателей и ученых, умирающих от голода, начинают открываться «стационары», где их «в отрыве от семьи» (всех не накормишь!) немножко подкармливали. В Доме писателя готовили уже помещение для умиравших писателей. Диетической сестрой там должна была быть И. Н. Томашевская. Открытие стационара откладывалось, а эшелон должен был уже отправляться дорогой смерти. И вот Жура (дочь) и Евгения Константиновна (жена) вынесли Василия Леонидовича из квартиры, привязали к сидению финских санок и повезли через Неву на улицу Воинова. В стационаре они встретили И. Н. Томашевскую и умоляли ее взять Василия Леонидовича. Она решительно отказалась: стационар должен был открыться через несколько дней, а чем кормить его эти несколько дней? И вот тогда жена и дочь подбросили Василия Леонидовича. Они оставили его внизу — в полуподвале, где сейчас гардероб, а сами ушли.

Потом вернулись, украдкой смотрели на него, подглядывали за ним — брошенным на смерть. Что пережили они и что пережил он! Когда в открывшемся стационаре Василия Леонидовича навестила Таня Крюкова, он говорил ей: «Понимаешь, Таня, эти мерзавки подглядывали за мной, они прятались от меня!» Василия Леонидовича нашла Ирина Николаевна Томашевская. Она отрывала хлеб от своего мужа и сына, чтобы подкормить Василия Леонидовича, а когда в стационаре организовалось питание, делала все, чтобы спасти его жизнь, но у него была необратимая стадия дистрофии. Необратимая стадия — эта та стадия голодания, когда человеку уже не хочется есть, он и не может есть: его организм ест самого себя, съедает себя. Человек умирает от истощения, сколько бы его ни кормили. Василий Леонидович умер, когда ему уже было что есть. Таня к нему заходила: он походил на глубокого старика, голос его был глух, он был совершенно сед. Но мозг умирает последним: он работал. Он работал над своей докторской диссертацией! С собой у него был портфель с черновиками. Одну из его глав (главу о Николе Заразском) я напечатал потом в «Трудах Отдела древнерусской литературы» (в V томе в 1947 г.). Эта глава вполне «нормальная», никто не поверил бы, что она написана умирающим, у которого едва хватило сил держать в пальцах карандаш, умирающим от голода! Но он чувствовал смерть: каждая его заметка имеет дату! Он считал дни. И он видел Бога: его заметки отмечены не только числами, но и христианскими праздниками. Сейчас его бумаги в архиве Пушкинского Дома. Я передал их туда после того, как их передала мне Т. Н. Крюкова, и я извлек из них главу о Николе Заразском. Т. Н. Крюкова приносила ему два раза мясо — мясо, которого так не хватало и ей самой, и ее мужу. Муж ее тоже умер впоследствии. Но февраль, в который умер Василий Леонидович и ее муж, был еще месяцем, в котором умирали мужчины. Женщины стали больше всего умирать в марте. И в феврале она осталась жива, а в марте уехала.

Что стало затем с Журой и с Евгенией Константиновной? Могли ли они жить после всего этого? Сперва они приехали не то в Самару, не то в Саратов. Они обе были в театре и в театре встретили Б. М. Эйхенбаума, который успел выехать из Ленинграда позднее их на несколько недель. Они бросились к нему (в театре!) и спрашивали: «Что с Василием Леонидовичем?» Больше он их не видел, он не мог им ничего сказать. Говорят, они были на Северном Кавказе (не то в Пятигорске, не то в Кисловодске). Их захватили немцы, и с немцами они уехали. Я был уверен, что их нет в живых[1].

Таких случаев, как с Василием Леонидовичем, было много. Модзалевские уехали из Ленинграда, бросив умиравшую дочурку в больнице. Этим они спасли жизнь других своих детей. Салтыковы весной, уезжая из Ленинграда, оставили на перроне Финляндского вокзала свою мать привязанной к саночкам, так как ее не пропустил саннадзор. Оставляли умирающих: матерей, отцов, жен, детей; переставали кормить тех, кого «бесполезно» было кормить; выбирали, кого из детей спасти; покидали в стационарах, в больницах, на перроне, в промерзших квартирах, чтобы спастись самим; обирали умерших — искали у них золотые вещи; выдирали золотые зубы; отрезали пальцы, чтобы снять обручальные кольца у умерших — мужа или жены; раздевали трупы на улице, чтобы забрать у них теплые вещи для живых; отрезали остатки иссохшей кожи на трупах, чтобы сварить из нее суп для детей; готовы были отрезать мясо у себя для детей; покидаемые — оставались безмолвно, писали дневники и записки, чтобы после хоть кто-нибудь узнал о том, как умирали миллионы. Разве страшны были вновь начинавшиеся обстрелы и налеты немецкой авиации? Кого они могли напугать? Сытых ведь не было. Только умирающий от голода живет настоящей жизнью,

---

[1] Нет, они оказались живы. Они живут в Нью-Йорке. Жура замужем за богачом, ездит по Европе, поет песни собственного сочинения под фамилией Комаро (русская фамилия Комарович ее стесняла). Угрызения совести, должно быть, незначительны. (Примеч. 1958 г. — *Д. Л.*)

может совершить величайшую подлость и величайшее самопожертвование, не боясь смерти. И мозг умирает последним: тогда, когда умерла совесть, страх, способность двигаться, чувствовать у одних и когда умер эгоизм, чувство самосохранения, трусость, боль — у других.

Правда о ленинградской блокаде никогда не будет напечатана. Из ленинградской блокады делают «сюсюк». «Пулковский меридиан» Веры Инбер — одесский сюсюк. Что-то похожее на правду есть в записках заведующего прозекторской больницы Эрисмана, напечатанных в «Звезде» (в 1944 или 1945 г.). Что-то похожее на правду есть и в немногих «закрытых» медицинских статьях о дистрофии. Совсем немного и совсем все «прилично»...

Виктор Карамзин в статье «Кто сочтет... (Ленинград. Блокада. Дети)» (ж. «Наш современник». 1986. № 8. С. 170) утверждает: «Умерло в блокаду 632 253 ленинградца». Какая чушь! Сосчитать до одного человека! На основании каких документов и кто считал?

Вот уж воистину «Кто сочтет...» — кто сочтет провалившихся под лед, подобранных на улицах и сразу отвезенных в морги и траншеи кладбищ? Кто сочтет сбежавшихся в Ленинград жителей пригородов, деревень Ленинградской области? А сколько было искавших спасения из Псковской, Новгородской областей? А всех прочих — бежавших часто без документов и погибавших без карточек в неотапливаемых помещениях, которые им были выделены, — в школах, высших учебных заведениях, техникумах, кинотеатрах?

Зачем преуменьшать, и явно — в таких гигантских размерах — в три, четыре раза. Г. Жуков в первом издании своих «Воспоминаний» указывал около миллиона умерших от голода, а в последующих изданиях эту цифру исключили под влиянием бешеных требований бывшего начальника снабжения Ленинграда.

А в августе 1942 г. во время совещания в горисполкоме, по словам профессора Н. Н. Петрова, присутствовавшего на нем, было сказано, что только по ***документам*** (принятым при регистрации) к августу 1942-го погибло около 1 миллиона 200 тысяч...

Об этом у меня есть записи на книге этого мерзавца-снабженца.

В феврале и в марте смертность достигла апогея, хотя выдачи хлеба чуть-чуть увеличились. Я на работу не ходил, изредка выходил за хлебом. Продукты и хлеб приносила Зина, выстаивая страшные очереди. Хлеб был двух сортов: более черный и более белый. Я читал, что надо брать более белый. Мы так и делали. А он был с бумажной массой! Очень хотелось горбушек. Жадно смотрели на довесочки. Многие просили продавцов сделать довески: их съедали по дороге. Отец, когда Зина приносила ему порцию хлеба, ревниво следил, есть ли довески. Он боялся, не съела ли их Зина по дороге. Но, как всегда, Зина стремилась взять себе меньше всех. Стеблины-Каменские по дороге до дому съедали половину того, что получали. Люди сжевывали крупу, ели сырое мясо, так как не могли дотерпеть до дому. Каждую крошку ловили на столе пальцами. Появилось специфическое движение пальцев, по которому ленинградцы узнавали друг друга в эвакуации: хлебные крошки на столе придавливали пальцами, чтобы они прилипли к ним, и отправляли эти частицы пищи в рот. Просто немыслимо было оставлять хлебные крошки. Тарелки вылизывались, хотя «суп», который из них ели, был совершенно жидкий и без жира: боялись, что останется жиринка («жиринка» — это ленинградское слово тех лет, как и «довесочек»). Тогда-то у нас на подоконнике и умерла от истощения мышь...

Папа в феврале уже лежал, опух и вставал только к еде. Его печурку топила Зина или я. В комнате его стало холодно — внизу не топили. От промерзших окон во время топки текли длинные лужи. Он думал о ресторанах на волжских пароходах (несколько раз он проводил свой отпуск один на Волге) и о колбасе, которую пришлет Юра. Сердце начало сдавать.

В конце февраля в левом плече и в сердце у него появились страшные боли. Нам удалось уговорить прийти к нам старика-врача, жившего в доме напротив. Уговорили за продукты. Старик едва поднялся к нам на пятый этаж. Но отец отказался допустить себя осматривать (отец не любил лечиться, не любил врачей). Старик-врач ушел, не взяв хлеба, который мы ему совали в руки. Вскоре умер и этот врач, и его жена. Он посоветовал все же греть воду и опускать руки отца в горячую воду. Несколько раз мы так и делали. Лекарств не было: их некому было готовить, но аптеки (некоторые) все же были открыты, и в них была душистая туалетная вода (одеколон весь выпили). Мы ходили в аптеку на Гейслеровском против Лахтинской и купили несколько флаконов туалетной воды. А отец лежал и стонал от боли. Впрочем, стонал он мало, он был очень терпелив. Умер он первого марта утром, около восьми часов. Он лежал на диване в маминой комнате (в последние дни он боялся оставаться один, боялся марта месяца), и ему было совсем плохо, когда я к нему пришел рано утром. Рядом с ним в темноте горел маленький электрический фонарик — горел от звонковых батарей. Отец время от времени поднимался, опускал руку на батареи, и огонь крохотной лампочки то тух, то вновь загорался. Потом я ушел допить свой кофе. Он постучал в стенку. Когда я вернулся, ему было совсем плохо. Тем не менее он поднялся, чтобы пойти в уборную, и я не мог уговорить его лежать. Он едва дошел и едва вернулся. Сходить в банку он не хотел. Он только повторял: «Царица Небесная!» Дети в соседней комнате не понимали, что дедушка их умирает. Он вздохнул в последний раз. Я закрыл ему глаза старыми большими рублями XVIII века — единственной памятью от его матери (Прасковии Алексеевны — она умерла, когда отцу было пять лет). Из груди трупа вырвался вздох: это выходил воздух из легких.

Страшное продолжалось и потом. Как хоронить? Надо было отдать несколько буханок хлеба за могилу. Гробы не делали вообще, а могилами торговали. В промерзшей земле трудно было копать могилы для новых и новых трупов тысяч умиравших. И могильщики торговали могилами уже «использованными», хоронили в могиле, потом вырывали из нее покойника и хоронили второго, потом третьего, четвертого и т. д., а первых выбрасывали в общую могилу. Так похоронили дядю Васю (брата моего отца), а весною не нашли и той ямы, в которой он на день или на два нашел себе «вечное успокоение». Отдать хлеб казалось нам страшным. Мы сделали так же, как и все. Омыли отца туалетной водой, зашили в простыни, обвязали белыми веревками (не пеньковые, а какие-то другие) и стали хлопотать о свидетельстве о смерти. В нашей поликлинике на углу Каменноостровского и реки Карповки внизу стояли столики, за ними сидели женщины, отбирали паспорта умерших и выдавали свидетельства о смерти. К столикам были длинные очереди. Диагноз «от голода» они не записывали, а придумывали что-нибудь другое. Таков был им приказ! Отцу тоже записали какую-то болезнь и, не видев его, выдали свидетельство. Очередь подвигалась быстро, тем не менее она не уменьшалась...

Я, Зина, Тамара вынесли труп отца с пятого этажа, положили на двое детских саночек, соединенных куском фанеры, привязали отца к санкам белыми веревками и повезли к Народному дому. Здесь в саду Народного дома на месте летней эстрады, где любил бывать летом отец, его положили среди тысяч других трупов, тоже зашитых в простыни или вовсе не зашитых, одетых и голых. Это был морг. Отпевали мы отца перед тем во Владимирском соборе. Горсть земли всыпали в простыню — одну за него, другую по просьбе какой-то женщины, отпевавшей своего умершего неизвестно где сына. Так мы его предали земле. В морг время от времени приезжали машины, грузили трупы штабелями и везли на Новодеревенское кладбище. Так в общей могиле он лежит, в какой — не знаем.

Свидетельство о смерти отца от 2 марта. «Хоронили» мы его числа третьего-четвертого марта.

Помню, как подъехала к моргу машина в то время, когда мы привезли отца. Мы просили, чтобы отца погрузили на машину сразу же, но рабочие просили денег, которых у нас в этот момент не было. Мы боялись, что, пока отец лежит, его разденут, простыни срежут, золотые зубы выломают. Машина не взяла отца...

Впоследствии я несколько раз видел, как проезжали по улицам машины с умершими. Эти машины, но уже с хлебом и пайковыми продуктами, были единственными машинами, которые ходили по нашему притихшему городу. Трупы грузили на машины «с верхом». Чтобы больше могло уместиться трупов, часть из них у бортов ставили стоймя: так грузили когда-то непиленые дрова. Машина, которую я запомнил, была нагружена трупами, оледеневшими в самых фантастических положениях. Они, казалось, застыли, когда ораторствовали, кричали, гримасничали, скакали. Поднятые руки, открытые стеклянные глаза. Некоторые из трупов голые. Мне запомнился труп женщины, она была голая, коричневая, худая, стояла стояком в машине, поддерживая другие трупы, не давая им скатиться с машины. Машина неслась полным ходом, и волосы женщины развевались на ветру, а трупы за ее спиной скакали, подпрыгивали на ухабах. Женщина ораторствовала, призывала, размахивала руками: ужасный, оскверненный труп с остекленевшими открытыми глазами!

Я не плакал об отце. Люди тогда вообще не плакали. Но пока был жив отец, как бы он слаб ни был, я всегда чувствовал в нем какую-то защиту. Он мне всегда был отец, даже тогда, когда ссорился с ним, был на него сердит, я всегда чувствовал в нем человека более сильного. Со смертью отца я почувствовал страх перед жизнью. Что будет с нами? Хотя отец ничего уже давно не мог сделать, не мог даже придумать выхода из положения, я чувствовал себя всегда вторым после него. Теперь я почувствовал себя первым, ответственным за жизнь семьи в еще большей мере, чем раньше: Зины, детей, мамы. Комната отца стояла пустая, пуст был его маленький красный диван, на котором он спал. Осиротела мебель, которую он заботливо покупал когда-то для семьи.

Еще за два, за три года до смерти он отложил деньги на поминки для своих сослуживцев. Он говорил мне, чтобы непременно повеселились после его смерти его приятели, и вспоминал веселые похороны кого-то из своих типографских друзей. Отца любили за его темпераментное веселье, за горячий нрав. О нем ходило много рассказов, многие из которых я услышал уже после войны. А здесь он умер — и никто не знал о его смерти, кроме нас да нескольких равнодушных измученных людей, отобравших его паспорт, выдавших свидетельство о смерти, и рабочих, отказавшихся поднять его труп в машину.

Потом уже, когда мы переехали в Казань, мне часто казалось, что я вижу спину отца или его фуражку на ком-либо из прохожих. Он и до сих пор часто снится мне, особенно перед неприятностями. Он меня жалеет, мне до слез жаль его. Во сне я о нем плачу, обнимаю его и прижимаю к себе. В марте я еще имел обледенелое сердце, оно оттаяло в Казани, где я особенно часто думал об отце и понял его...

Снова перерыв в моих писаниях. Как-то тяжело приниматься за описание новых и новых смертей.

Умер Александр Алексеевич Макаров, Зинин отец. Раза два Зина добиралась до него пешком, когда он еще был жив. В последний раз она была у него, когда его уже не было в живых. Соседи сказали, что в последние дни он не хотел и перестал есть. В буфете у него нашлась плитка шоколада и еще что-то из еды. Видно, берег до последнего...

Умер мой дядя Вася. В его семье все перессорились и ели по своим карточкам. Ему не хватало, ходить получать хлеб он уже не мог. Он умер в одной комнате с дочерью и женой. Те остались живы, он был с ними в ссоре. Говорят, перед смертью он плохо понимал, что происходит, бранился. Могилы его нет, как нет и других могил.

В марте стал действовать стационар для дистрофиков в Доме ученых. Преимущество этого стационара было то, что туда брали без продуктовых карточек. Карточки оставались для семьи. Мне дали туда отношение из Института литературы Калаушин и Мануйлов. Зина провожала меня с санками. На санках была постель: подушки, одеяло, уходить было страшно: начались обстрелы, бомбежки, очень усилились пожары, не было еще телефонов. Хотя уйти надо было только на две недели, но всякое могло случиться. Вдруг эта разлука навсегда? В Доме ученых комнаты для дистрофиков немного отапливались, но все равно холодно было очень. Комнаты помещались наверху, а ходить есть надо было вниз в столовую, и это движение вверх и вниз по темной лестнице очень утомляло. Ели в темной столовой при коптилках. Что было налито в тарелках, мы не видели. Смутно видели только тарелки и что-то в них налитое или положенное. Еда была питательная. Только в Доме ученых я понял, что значит, когда хочется есть. Есть хотелось так, как никогда: это оживало тело! И особенно хотелось есть после еды. В перерыве между едой лежал в кровати под одеялами и мучительно ждал новой еды, шел, ел и снова начинал ждать еды.

Несколько раз были обстрелы. Снаряды рвались на Неве, на льду. Из окон стационара хорошо была видна Нева, так как зеркальные окна были целы. Удивительно, что большие цельные зеркальные стекла разбивались при обстреле не так легко, как простые стекла. Однажды мне пришлось переходить Неву, чтобы попасть за чем-то в Пушкинский Дом. Я видел убитую при обстреле женщину. Она лежала тут же, у тропинки, полузанесенная снегом, с рассыпавшимися волосами. Лежала она уже несколько дней, и кровь ее была черная. Несколько человек в стационаре умирали: у них была необратимая стадия дистрофии. Они не хотели есть, лежали черные, губы тонкие, как бумага, обтягивали и обнажали зубы. Некоторые ученые крали или подделывали талончики, по которым нам отпускали завтрак, обед и ужин. Подделать эти талончики было не так уж трудно. На этом «деле» поймали доктора наук — кажется, астронома или химика.

Наконец короткий срок пребывания в стационаре кончился. Зина пришла за мной с санками. Мы везли их по лужам: наступала весна.

Дома я начал не только собирать материал по средневековой поэтике (тетради у меня сохранились), но и писать. Дело в том, что М. А. Тиханову вызывали в Смольный и предложили ей организовать бригаду для скорейшего написания книги об обороне русских городов. М. А. Тиханова предложила меня в компаньоны. С ней вместе мы отправились в Смольный (это путешествие было для меня нелегким). От площади Смольного до главного здания все было закрыто маскировочной сеткой. В Смольном густо пахло столовой. Люди имели сытый вид. Нас приняла женщина (я забыл ее фамилию). Она была полной, здоровой. А у меня дрожали ноги от подъема по лестнице. Книгу она заказала нам с каким-то феноменально быстрым сроком. Сказала, что писатели пишут на ту же тему, но у них работа идет медленно, а ей (!) хочется, чтобы она была сделана быстро. Мы согласились. И в мае наша книжка «Оборона древнерусских городов» была готова. Она вышла осенью 1942 г. Я писал в ней главы «Азов — город крепкий», «Псков» и еще что-то. Больше половины глав — мои. У М. А. Тихановой там написана глава о Троице-Сергиевой лавре, введение и заключение. Сдавали мы рукопись в Госполитиздат — Петерсону (впоследствии умер под арестом — по «Ленинградскому делу»). Писалось, помню, хорошо — дистрофия на работе мозга не сказывалась.

Весной стала выходить газета (не каждый день) «Ленинградская правда» — в уменьшенном формате. Газеты добывались только случайно. Из газет я узнал о гибели Павловского дворца и Волотовской церкви. Гибель обоих памятников была описана, хотя сами они не были названы. Павловск был разбит нашей авиабомбой (там был немецкий штаб), а в Волотове находился наш артиллерийский наблюдательный пункт, и церковь снесла немецкая артиллерия. Впоследствии, когда я в 1944 г. был в Новгороде, я заметил, что гибель Николы Липного была такой же — там находились наши войска. В книге

«Памятники русской культуры, разрушенные фашистами» — эта книга есть у нас дома (она потом была почему-то запрещена) — у Николы Липного ясно видны окопы: это наши. Гибель ленинградских дворцов (в частности, Елагина, который сгорел на наших глазах от времянок квартировавших там частей), Новгорода, Пскова подействовала на меня угнетающе.

Дома стало заметно лучше. Мама (бабушка) и Зина ходили к спекулянту Роньке, у которого за золото получали масло, рис и еще что-то. Масло нас очень поддержало. Бабушка давала нам часть вымененных продуктов, подкармливала детей. Мы с детьми разучивали стихи — «Что пирует царь великий в Петербурге городке» (Пушкина). Дети тараторили их с удовольствием, а мне в них очень нравилось прощение врагов Петром. И войны были другие, и государственные деятели были другие.

Пошли слухи, что немцы заняли Тихвин. Толпа на Большом проспекте разгромила хлебный магазин. Появились новые милиционеры: сытые, откуда-то из Вологды и других мест.

Я встретил Колю Гурьева, он помогал доставлять хлеб в хлебный магазин, и за это ему давали хлеб сверх карточек. Вскоре он выехал из Ленинграда дорогой смерти и погиб с тысячами других. Говорят, он вышел из поезда и пропал. Когда умерла его мать, братья, жена — не знаю.

Тамара Михайлова отправилась на рытье окопов около местечка Пери. Она была там долго. По учреждениям стали выдавать семена для огородов. Помню, нам выдали капельку семян редиски. Мы устроили огород в квартире, перевернули обеденный стол вверх ножками, ножки отвинтили, насыпали земли из сквера на Лахтинской, поставили у окна и посадили редиску. Потом ели траву этой редиски как салат, для витаминов. В мае мы уже ели лебеду и удивлялись, какая это вкусная трава. Лебеду испокон веку ела русская голодающая деревня, а наше положение было значительно хуже. Потому, видно, и лебеда нам нравилась. Люди выкапывали в скверах корни одуванчиков, сдирали дубовую кору, чтобы остановить кровь из десен (сколько погибло дубов в Ленинграде!), ели почки листьев, варили месиво из травы. Чего только не делали! Но удивительно — эпидемий весной не было. Были только дистрофические поносы, потрепавшие почти всех (мы убереглись).

Мне выдали талоны на усиленное питание. Это усиленное питание давалось в академической столовой (она была там же, где и сейчас, — рядом с Институтом этнографии). Два раза надо было ходить есть. Многие так и не уходили, сидели тут же на набережной, в столовой, чтобы не тратить сил. Помню, что давали глюкозу в кусках. После того как ее съешь, сил сразу прибывало. Это было удивительно, почти чудо. К тому времени стали ходить некоторые трамваи. Топливо для электростанций бралось из разбираемых деревянных домов (так была разобрана Новая Деревня). Трамвай ходил по Большому проспекту Петроградской стороны, по 1-й линии, по Университетской набережной, через Дворцовый мост и по Невскому. Другие линии еще не действовали. Однажды, садясь в трамвай, я страшно разбился. Я уже заносил ногу, чтобы стать на подножку, когда трамвай тронулся. Сесть мне было трудно, так как трамваи ходили очень редко, но хотелось. Я не выпускал из рук поручня, а трамвай набирал скорость. Наконец я сделал попытку вскочить на ходу, но сил у меня не было, я упал, и трамвай меня поволочил. Сразу наступила страшная слабость, и я долго (несколько недель) с трудом мог передвигать ноги: колени дрожали.

В столовой я, встречая знакомые лица, каждый раз думал: «Этот жив». Люди в столовой встречались со словами: «Вы живы! Как я рад!» С тревогой узнавали друг у друга: такой-то умер, такой-то уехал. Люди пересчитывали друг друга, считали оставшихся, как на поверке в лагере.

Но тут случилось непредвиденное: меня вызвали в милицию, в военный стол, но не по военным делам. Начались допросы, требования: блокадный Ленинград перекликался с северными Соловками. Меня вызывали несколько раз на Старо-Невский, туда, где когда-то помещался Сиротский дом. Когда угрозы не помогли (а они были серьезные), меня вызвали в милицию на Петрозаводской улице, перечеркнули тушью ленинградскую прописку и предложили со всей семьей выехать в несколько дней. Следователь провожал меня на площадке милиции, смотрел, как я ухожу, и угрожающе кричал: «Так не согласны?» Не буду описывать всех этих допросов, угроз, «заманчивых» предложений и обещаний и пр.

Вряд ли кто-нибудь из читателей «Обороны древнерусских городов» предполагал, в каком положении находится их автор. И вряд ли думал о различии в положении осажденных. Мы были осажденными вдвойне: двойным кольцом — внутри и снаружи. А читали нашу книгу в окопах под Ленинградом. Об этом мне рассказывал Аркаша Селиванов, находившийся на «Ораниенбаумском пятачке».

Помню особенно неприятное «посещение». Я выходил из квартиры со связкой книжек (книги можно было уже продавать в Доме книги: мы тогда стали продавать все, что могли) и встретил следователя; он вызвал меня на Старо-Невский, так как по повесткам я не являлся. Добирался я до Старо-Невского долго. Провел там целый день, и дома очень тревожились. Это был сильный, решительный нажим на меня. Тогда следователь разыграл сцену, будто я арестован: вызвал красноармейца, и тот повел меня в подвал. К счастью, я не верил угрозам и решения своего не менял. Тому, кто пережил ужасы блокады, ничего уже не было страшно. Запугать нас было трудно.

Мы начали спешно продавать все, что могли. Я решил: мы должны жить, а все остальное наживем. Мы прикрепляли объявления о продаже вещей к заборам. К нам беспрерывно ходили покупатели. Покупали по дешевке люстры, ковры, бронзовый письменный прибор, малахитовые шкатулки, кожаные кресла, диван, отцовское зимнее пальто и шапку, плохонькие картины, половую лампу со столешницей из оникса, книги, открытки с видами городов — все-все, что было накоплено еще до революции отцом и матерью. Только часть книг (полное собрание русских летописей — отдельные тома и еще некоторые) я отвез в Пушкинский Дом на хранение. Наняли для этого дворника из дома напротив — «дядю Ваню». Он за буханку хлеба отвез книги на тележке.

Из-за кожаных кресел произошел даже скандал на парадной лестнице. Купила их за 600 рублей какая-то незнакомая партийная дама и оставила нам задаток, а потом пришел покупатель, который дал подороже. Мы продали второму покупателю, а партийной даме решили вернуть задаток. Но партийная дама пришла как раз тогда, когда кресла выносили. Она подняла такой крик и визг, что и новый покупатель, и мы отступились. Мы встречали эту партийную даму потом, когда вернулись в Ленинград. Мы могли бы отобрать у нее кресла, вернув деньги, так как тогда (в 1944–1945 гг.) вышел декрет, по которому купленное в блокаду по грабительским ценам должно было возвращаться. Но... зная ее визгливый характер, мы не стали требовать назад наших памятных кресел (в них очень любил сидеть мой отец).

Картину «Зима», написанную итальянским художником, кажется Массена, я видел затем в 1944 г. в комиссионном магазине на Садовой около Публичной библиотеки. Рама была подновлена, сама картина подлакирована, и на ней выведена огромная размашистая подпись: «Кржицкий». Говорят, в блокаду существовала целая артель, которая подновляла старые картины, ставила на них подписи знаменитых художников и снова пускала в продажу. На пустых желудках ленинградцев составлялись целые состояния. Наш юрист и замдиректора в институте Шаргородский советовал мне тогда забрать картину назад через суд, но и в этом случае я не стал этого делать. Хотя картина была мне памятна с детства, я устал, мне не хотелось судиться. На картине был изображен закат зимой. Санный путь уходит до синего горизонта, полузакрытого снежными тучами. На переднем плане изба с бочкой над дверью — это кабак, у кабака несколько саней со впряженными лошадьми: ожидают мужиков, ушедших в кабак. В картине есть настроение, довольно пессимистическое...

В. С. Лихачева (Коняева) и С. М. Лихачев. 1900 г.

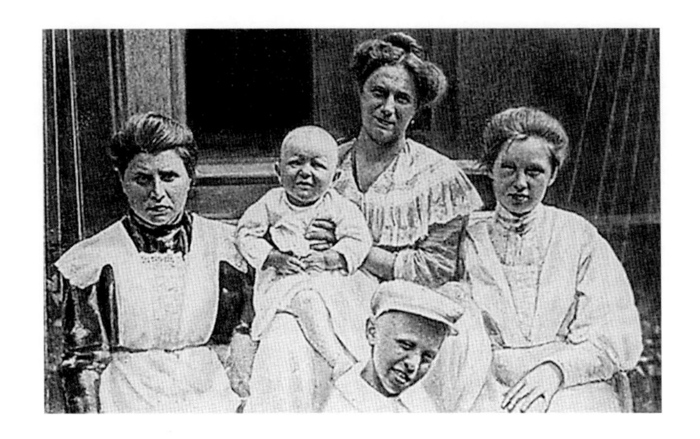

Первое лето в Куоккале. 1906 г. В центре: Митя Лихачев на руках у матери, внизу: Миша Лихачев

Куоккала. Обед в саду. 1909 г.

С. М. Лихачев с сыновьями. Мисхор. 1912 г.

Л. В. Георг,
преподаватель словесности
в школе Лентовской. 1920 г.

Школа имени Л. Лентовской, ныне школа № 47 имени Д. С. Лихачева

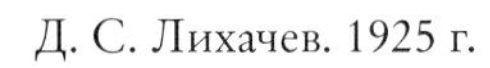

Д. С. Лихачев. 1925 г.

Знаменитый
университетский коридор.
Слева у окон — скамьи,
справа — книжные шкафы.
1920-е гг.

Д. И. Абрамович, член-корреспондент АН СССР. Конец 1940-х гг.

С. А. Алексеев-Аскольдов, известный философ, преподаватель в школе Лентовской. Фотография 1930-х гг.

И. М. Андреевский (Андреев). 1950-е гг.

Д. С. Лихачев. Весна 1932 г.

Свидание с родителями. Соловки. 1929 г.

Дверь, ведущая в камеру, где расстреливали поодиночке выстрелом в затылок

Отец Николай Пискановский перед арестом. Фотография 1920-х гг.

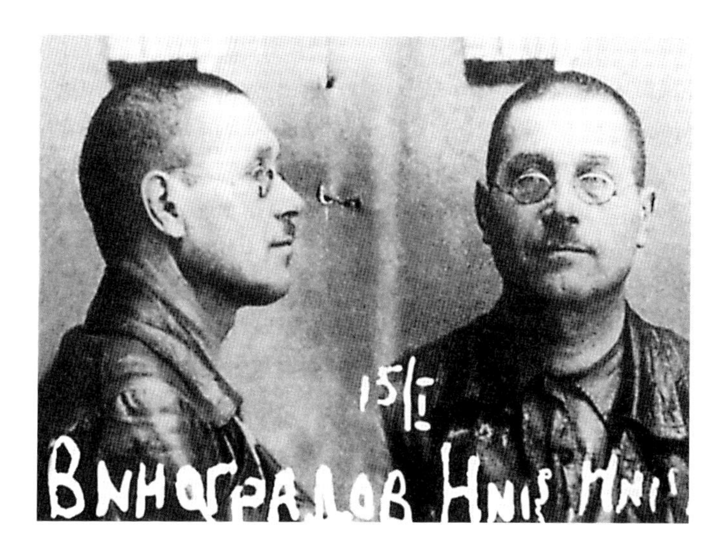

Н. Н. Виноградов. Снимок из дела

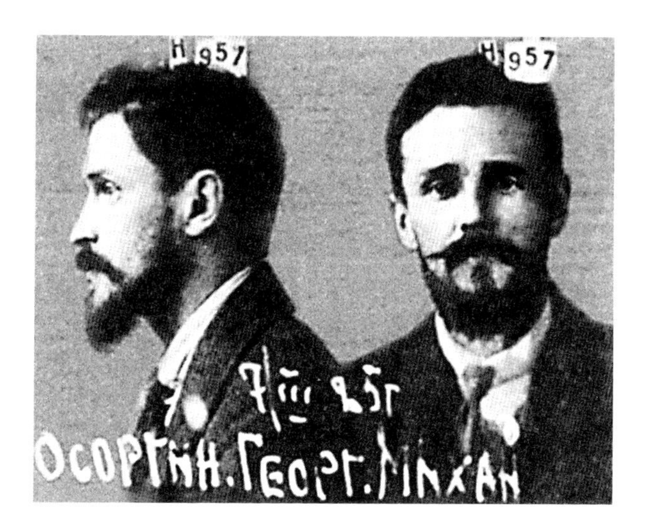

Г. М. Осоргин. Снимок из дела

Соловки. Бухта Благополучия. 1928 г.

Д. С. Лихачев. 1931 г.

В. С. Лихачева и Д. С. Лихачев с Милой и Верой в Ботаническом саду. Осень 1941 г.

М. П. Барманский, спасший семью Д. С. Лихачева (вывез из Вырицы в 1941 г.)

Ленинград в дни блокады во время Великой Отечественной войны. Бойцы противовоздушной обороны ранним утром на одной из улиц города.
Фото Бориса Кудоярова. 17.10.1942. © РИА «Новости»

У колонки (на углу Гороховой ул. и Загородного пр.)

Похороны в блокадном Ленинграде

Д. С. Лихачев. 2 мая 1944 г.

В. П. Адрианова-Перетц.
Начало 1940-х гг.

Сотрудники сектора древнерусской литературы и А. П. Евгеньева у В. П. Адриановой-Перетц. Слева направо, верхний ряд: Д. С. Лихачев, Я. С. Лурье, О. В. Творогов; средний ряд: Н. Ф. Дробленкова, Л. А. Дмитриев, А. М. Панченко, О. А. Белоброва; нижний ряд: А. П. Евгеньева, В. П. Адрианова-Перетц, М. А. Салмина, Р. П. Дмитриева. 1967 г.

Д. С. Лихачев. 1956 г.

Вера Семеновна Лихачева. Ушково. 1953 г.

Д. С. Лихачев с внучкой Верой. Комарово. Август 1976 г.

Д. С. Лихачев. 1967 г.

Д. С. Лихачев с дочерьми Верой (справа) и Людмилой (слева).
Комарово. Август 1976 г.

Д. С. Лихачев и З. А. Лихачева. Узкое. Зима 1978 г.

Д. С. Лихачев у Покрова на Нерли. Май 1979 г.

Пушкинский Дом

Вечер в Политехническом музее. К. Д. Муратова, С. А. Фомичев, Г. М. Фридлендер, Д. С. Лихачев. Москва. Май 1974 г.

Д. С. Лихачев, Аксиния Джурова, Джордже Трифунович. Велико-Тырново. 1976 г.

Слева направо: Д. С. Лихачев, О. В. Творогов, Л. А. Дмитриев, Л. М. Зуб, Л. А. Костерина, Е. Я. Османкина. Ярославль. 1983 г.

Л. Д. Лихачева и Д. С. Лихачев. В Японии. 1993 г.

Три брата Лихачевых.
Юрий Сергеевич, Дмитрий Сергеевич и Михаил Сергеевич.
Москва. 1956 г.

Три поколения Лихачевых с визитом у академика Д. С. Лихачева
и его супруги. 1978 г.

Д. С. Лихачев. 1980-е гг.

Д. С. Лихачев в кабинете за работой. 1980-е гг.

Когда мы решили ехать, — а без денег ехать нельзя, — стали продавать вещи. Было такое чувство, что мы в Ленинград уже никогда не вернемся и все пропадет, а поэтому нужно продать все, хоть бы за бесценок. Мы давали объявления (развешивали на заборах) о продаже вещей, и к нам ходили люди и покупали вещи, как в магазине. Если в городе был обстрел, то к нам никто не приходил. Как-то пришел молодой человек и купил у меня письменный бронзовый прибор за 150 рублей, и тут же стояли две бутылки уксуса, и он их купил тоже за 150 рублей. Так ценились продукты, даже уксус! Я купила несколько бутылок уксуса в начале блокады. Магазины были пустые, можно было купить только горчицу, уксус, соду — вот я и купила. Уксус и горчица нам помогли есть студень из столярного клея. Для вкуса при варке я в него клала траву сельдерей, которая у меня сушилась для зимы, так как коренья раньше зимой не продавали. Я помню некоторые цены, по которым продали наши вещи, или, вернее, отца и матери Мити. Шифоньер ореховый зеркальный — 1000 рублей. Туалет — тоже за столько же. Это очень хорошо, а остальные вещи продали гораздо хуже. У дедушки в комнате была хорошенькая ковровая кушетка. Ее продали за продукты, причем микроскопические: вроде 300 граммов конфет соевых, килограмм риса, полкило сахара и т. д. Два кабинетных кресла вроде того, что у папы в кабинете (только лучше — мягче), мы продали за 600 рублей пара, то есть по 300 рублей. Кушетку плюшевую — за 450 рублей, а потом купили хуже за 1700 рублей. В общем как будто мы выручили от продажи имущества тысяч девять-десять. Когда приехали в Казань, этих денег хватило месяца на три. На часть денег мы купили картошку у знакомого Митиного брата Басевича. Он нам продал шесть мешков картошки, и мы заплатили 2000 рублей. Когда мы уезжали, то взяли только мягкие вещи, которые зашили в тюки и сверху в клеенку. Клеенку сняли со столов — удивительно, как не пропали наши тюки. Мы с Тамарой разыскивали их среди других подобных тюков, сваленных в поле на противоположном берегу Ладожского озера. Как мы их таскали и грузили в товарные вагоны, в которых отправлялись в Казань!

Оставил место Зине и продолжаю писать

Связь с Большой землей постепенно возобновилась, возобновилась и связь друг с другом. Пришел запрос от Миши — живы ли мы. Он действовал через какое-то свое учреждение. Пришел оттуда человек и обещал дать машину для того, чтобы перевезти вещи на вокзал. Это было большое дело! Мише сообщили о смерти дедушки. В главном зале Академии наук шла запись на эвакуацию. Там встретился я с Дмитрием Павловичем Каллистовым: он тоже собирался ехать. Мы записались все, записали и Тамару Сергеевну Михайлову (няню). Она тогда уже работала в Институте литературы (ее взял М. М. Калаушин препаратором). Вещей можно было брать ограниченное количество (забыл, сколько килограммов) и только в мягкой таре, то есть в мешках. Людей отправляли с Финляндского вокзала до станции Борисова Грива, а оттуда Ладожским озером на пароходах и барках. Город постепенно пустел больше и больше. Милиция нас торопила, а эшелон откладывался. Подгоняемый милицией, я ходил к прокурору и доказывал незаконность высылки. Прокурор помещался на Пантелеймоновской. Все это взвинчивало нервы страшно. К тому же мы встретили на Большом проспекте Любочку, жену моего двоюродного брата Шуры (Александра Петровича) Кудрявцева. Шура был уже доктором технических наук — специалистом по какой-то редкой морской специальности (по образованию он был инженер-электрик). Блокаду они кое-как прожили (Шура был жаден, предусмотрителен и запаслив), а весной он стал ходить обедать в Дом ученых, и там в столовой «разговорился»: говорил о том, что ученые деквалифицируются. Его вызывали, как и меня, запугивали этим разговором о деквалификации и предложили «служить». Кажется, он смалодушествовал, согласился, а затем явился в свою старую квартиру, поврежденную бомбой, в которой они уже не жили, и там повесился. Следователь, запугавший его, очень испугался сам, так как Шура был специалист военный и, следовательно, человек нужный, приходил к Любочке на дом, уговаривал ее не говорить и пр. Вот как ценилась жизнь защитников города.

Перед отъездом, в мае и в июне, очень усилились обстрелы. Однажды вся наша квартира сотряслась, а затем раздался грохот, и мы слышали, как на улице посыпались стекла. Звук падающих стекол — очень характерный звук ленинградских обстрелов. Улицы сплошь были засыпаны мелким стеклом, и в галошах ходить было совершенно невозможно: резались. В этот раз разрыв был очень сильный. Бабушка с криком собрала детей и бросилась с ними в коридор. Но было ясно, что раз разрыв был слышен, значит в нас уже не попало. Потом бабушка побежала вниз по лестнице, второго разрыва не было, но этот единственный тяжелый снаряд наделал-таки бед. Он попал на Большом проспекте в двухэтажный домик на углу улицы Ленина. Этого дома сейчас нет. Внизу была булочная. Снаряд прошиб весь дом сверху вниз и взорвался в булочной.

Погибло несколько десятков людей. Все было залито кровью.

Когда мы ходили по улице, то обычно выбирали ту сторону, которая была со стороны обстрела — западную, но во время обстрела не прятались. Ясно был слышен немецкий выстрел, а затем на счете 11 — разрыв. Когда я слышал разрыв, я всегда считал и, сосчитав до 11, молился за тех, кто погиб от разрыва. Жене заведующего столовой Сергейчука снесло голову: она ехала в трамвае. В трамваях ездить было особенно опасно. Ленинградские старые трамвайные вагоны были со скамейками вдоль окон. Разрывом выбивало стекла и обезглавливало сидящих. Когда я впоследствии вернулся в Ленинград (приехал из Казани в командировку в 1944 г.), я много слышал рассказов о таких трамвайных трагедиях. А против Биржи труда еще в 1945 г. стоял трамвай с начисто выбитыми стеклами. Снаряд попал в рельсы под него, рельсы вздыбились, трамвай покосился. Так он стоял довольно долго.

Ленинградские обстрелы хорошо описаны в воспоминаниях художницы А. П. Остроумовой-Лебедевой.

Ко времени отъезда мы почти все уже продали. Остались непроданными некоторые книги и детские игрушки. Зина сшила черненькие заплечные мешки для девочек. В эти мешки мы должны были положить им их куклы (самые любимые), а остальные куклы отдать в детский сад (открылся внизу нашего дома). Что за трагедия была, когда к нам пришла заведующая детским садом и стала выносить куклы! Дети плакали, бросались на колени, бежали по лестнице за этой женщиной и долго не могли успокоиться.

Приходил Вася Макаров (брат Зины), принес нам однажды черный творог из складов на Кушелевке. Эти склады сгорели еще в 1939 г. во время Финской кампании (говорят, их поджег финский самолет). Склады были продовольственные, и вот народ весной 1942 г. стал раскапывать завалы и извлекать из-под угольев остатки провизии. Творог Вася купил за 200 рублей: это была черная лоснящаяся земля, пахнувшая землей и замазывающая до боли горло. После него болел живот (единственный раз, когда у меня во время войны болел живот). Вася купил у нас кабинет (остатки — без мягких кресел) и еще что-то. Мы просили его продать остатки книг.

Броню на квартиру я сдал в ЖАКТ, но печати на квартиру наложить не удалось: не было времени. Нельзя было задерживать машину. Мягкие наши тюки мы отправили на машине на вокзал — принимали багаж на Московском вокзале. Затем мы переночевали в пустой квартире и на следующий день с самыми небольшими заплечными мешками отправились на Финляндский вокзал, погода была хорошая. Это было 24 июня. Мы покидали нашу квартиру с таким чувством, точно никогда уже в нее не вернемся, казалось невозможным вернуться в город, в котором мы видели кругом столько ужасов. Может быть, потому мы даже и не опечатали квартиру, не очень об этом заботились. Вася нас провожал. Дети шли в сереньких пальтишках (они сняты в них в Ботаническом саду осенью 1941 г.) с заплечными мешками. Тамара купила перед тем швейную машину у бабушки Обновленской, несла ее завернутой в одеяло, но без крышки (твердая тара запрещена!). Мы ехали в трамвае и в последний раз смотрели на многострадальный город.

На Финляндском вокзале нас в первый раз сытно накормили пшенной кашей с большим куском колбасы. Нас подкрепляли к дороге. Дорога предстояла тяжелая, и слабые ленинградцы погибали на ней тысячами. Мы поели на воздухе, затем нас стали сажать в дачные вагоны. Тесно было страшно. Вместе с нами очутился и Стратановский. Он потерял жену (она умерла сравнительно рано, зимой) и был один. С растерянным видом он упрашивал нас пустить его к нам в вагон. Поезд шел убийственно медленно, долго стоял на станциях, часть людей сидела, часть стояла спрессованная, тамбуры были все забиты.

Ночью, в белую ночь, мы приехали в Борисову Гриву. Нам выдали похлебку: она была жирная, и ее было много. Мы жадно ели эту настоящую пищу. Нас кусали комары, как живых, мы видели природу. Это было прекрасно. Не спали. Мы разговаривали с гебраистом Борисовым, умершим потом в дороге от дистрофического поноса. Дмитрий Павлович Каллистов, Олимпиада Васильевна, сестра Олимпиады Васильевны Ляля и Бобик оказались в том же поезде, что и мы. Дмитрий Павлович шутил: «Хотел бы я видеть того Бориса, у которого такая грива». Мы решили держаться все вместе.

В Борисову Гриву доставили наш багаж. Мы сами разыскивали по приметам наши тюки и складывали их вместе под открытым небом. Затем началась погрузка на пароход. На пароход пропускали только один раз, после проверки паспорта, но что можно было захватить за один раз нашими ослабевшими руками?

Мы с Дмитрием Павловичем, Зина и Тамара едва уговорили стражников, проверявших наши документы, пропустить нас еще раз и ходили раза по три, таскали наши тюки по молу до парохода. Когда мы вернулись на пароход с последними тюками, пароход уже отходил, а на нем были дети, бабушка,

Зина, Тамара. Мы с Дмитрием Павловичем прыгнули, рискуя упасть в воду, но благополучно оказались на борту перегруженного до крайности парохода. Если бы прошла еще минута, мы бы остались на берегу. Бог знает когда бы тогда снова нашли друг друга! Как волновалась Зина — я передать не могу.

День был ясный, и мы бы плыли на самом виду у самолетов, если бы они появились, но, слава богу, их не было. Только пристав к тому берегу, мы почувствовали себя в относительной безопасности, но тут началась воздушная тревога. Мигом опустела пристань, но это были только разведчики: немцы не бомбили.

Нам отвели избу, в которой мы должны были ночевать. Но не спали мы и вторую ночь, в избе жили крестьяне, один из мальчишек хозяев страшно кашлял, захлебывался. По-видимому, у него был коклюш. Бабушка не велела ему подходить, он обиделся, указывал пальцем на бабушку и говорил: «Она говорит, что у меня „кашлюш"!»

Нам дали хлеба на несколько дней, мы снова ели из наших алюминиевых плошек, и опять много, хотя чувство голода не проходило ни на минуту.

Помню, как мы снова искали наши тюки. Весь багаж был сложен на песке плотно друг к другу. Мы все (сотни пассажиров) ходили вокруг этих сложенных вещей и разыскивали свои тюки с бирками, на которых были написаны наши фамилии и название учреждения. Мы искали очень долго, так как тюков у всех было много, но ничего не пропало.

Затем нас стали грузить в товарные вагоны с нарами. Досок для нар не хватало, и надо было их достать. Доски мы с Дмитрием Павловичем и Стратановским достали, но все же их не хватало; в нарах были большие щели, спать в пути было очень неудобно. Мы спали наверху, внизу Тамара и Стратановский. С другой стороны теплушки наверху спали Каллистовы. Тюки наши сложены под нары и посреди теплушки. Эшелон тронулся. Первая большая остановка была в Тихвине. Мы снова ели там кашу с большим количеством масла и успели даже сходить осмотреть город, в котором жили с Дмитрием Павловичем в 1932 г. Город пострадал отчаянно. В нем не было жителей, но странно, что статуя Ленина против Гостиного Двора на площади была немцами не тронута.

По дороге мы покупали у жителей дикий лук, на станциях ходили за кипятком, за пайком. Всюду нас обильно кормили, а мы ели, ели и не могли насытиться.

В пути было много трудного, о чем уж не стану рассказывать. И в Казани было нелегко. Но все это — другой рассказ и другая «эпоха». О ней следует рассказать особо.

Были ли ленинградцы героями? Не только ими: они были мучениками...

Два письма о ленинградской блокаде

Только в 1992 году мне были присланы копии с двух писем, написанных мною из Казани, где я и моя семья находились осенью 1942 года в эвакуации, моему содельцу Валентине Галактионовне Морозовой-Келлер по делу Космической академии и кружку И. М. Андреевского (об этом деле, по которому я получил 5 лет концлагеря на Соловках, а Валя Морозова, еще подросток, была отпущена на поруки отцу, см. в моей «Книге беспокойств». М., 1991. С. 89 и след.).

Письма написаны под свежим впечатлением от пережитого в блокаде.

Первое письмо

29.XII.42 года

Дорогая Валя! Опишу Вам, как мы жили это время. Летом 41 г. мы жили на даче в Вырицах. Я только что защитил диссертацию. У нас были деньги, и я предполагал хорошенько отдохнуть. Ездил раз в неделю в город, а остальное время проводил, купаясь в Оредежи. Дача у нас была отличная. Об объявлении войны я узнал на пляже на берегу Оредежи. Сразу защемило сердце. Поехал в город. В институте тревога, предполагаемый отъезд в Томск, дежурства на крыше, потом окопы (отправки на их рытье. — *Д. Л. Примеч. 1992 г.*), добровольческие отряды. Мои еще жили на даче, когда немцы уже бомбили Сиверскую и расстреливали из пулеметов с воздуха дачные поезда. Все как-то не хотелось брать своих в тревожную атмосферу города, из которого эвакуировали детей отдельно от родителей, где стояли уже очереди за продуктами и т. д. Мы переехали с дачи в последний момент. В конце августа немцы перерезали все дороги на Л-д, взяли пригороды и подходили к Средней Рогатке (прорывались мотоциклисты с хлопушками на площадь в Автове, но, сделав круг, умчались. — *Д. Л. Примеч. 1992 г.*). Здесь остановили, но сразу стало ясно, что начинается осада. Мы вместе с другими делали отчаянные усилия, чтобы что-нибудь запасти. Нам удалось купить кг 10 картошки, кг 12 круп и макарон, 1 кг масла и насушить два больших мешка сухарей. В одной из аптек, проведя там целый вечер, я купил для детей 17 бут. рыбьего жира (по 100 грамм. — *Д. Л. Примеч. 1992 г.*), а в другой — 10 витаминов с глюкозой (10 плиток размером с кусок мыла для рук каждая. — *Д. Л. Примеч. 1992 г.*). Вот с этими запасами началась наша зима. Я по-прежнему через день проводил ночь на крыше института, дежуря, а все хозяйство лежало на Зине (моя жена. — *Д. Л. Примеч. 1992 г.*). 9 ноября резко уменьшили выдачу хлеба. Хлеб стал черный, как (неразб.), и мокрый, как глина, от дуранды (жмыхи. — *Д. Л. Примеч. 1992 г.*). Начались бомбардировки. Мы ночевали в первом этаже в маленькой комнате (нам уступили свою комнату в нашем же доме; мы считали, что внизу безопаснее. — *Д. Л. Примеч. 1992 г.*), дети и Зина на чужой кровати, я на полу. Первое время было очень страшно. Бомбардировки бывали каждый вечер, они начинались ровно в одно и то же время. А днем немецкие разведчики чертили дымовые линии на небе, обозначая места будущих бомбардировок (ошибка ленинградцев, никогда не видевших, что на большой высоте самолет оставляет за собой белый след. — *Д. Л. Примеч. 1992 г.*). Жутко было ожидать вечера, если перед этим над нашим районом бывал поставлен крест. Однажды «немец» сбросил сразу 4 бомбы на трамвайный перекресток около Вас (Валя до отъезда в Москву жила недалеко от угла Зелениной и Гейслеровского. — *Д. Л. Примеч. 1992 г.*). Свистящие бомбы пролетали как раз над нашей крышей, а когда рвались, наш дом «танцевал» и дверцы шкафов раскрывались сами. Постепенно мы привыкли и не тратили больше сил на то, чтобы спускаться вниз, особенно после того, как несколько подвалов засыпало с людьми и залило водой из разбитых труб. Петю Обновленского под лестницей засыпало (неразб. — *Д. Л. Примеч. 1992 г.*). К счастью, ступеньки упали так, что его только стиснуло и переломало ребра. Вскоре к бомбежкам присоединились обстрелы. Снаряды попали к папе на службу. Он тушил пожар (пожар охватил типографию бывшего Синода и Центральный архив на Английской набережной. — *Д. Л. Примеч. 1992 г.*). Почему-то очень часто попадали (снаряды. — *Д. Л. Примеч. 1992 г.*) в трамваи (на Невском), и бывало много жертв от стекол. Немцы стреляли в вечерние часы, когда улицы бывали полны народом, возвращавшимся со службы. Стреляли по площадям (Труда), мостам (Дворцовый), перекресткам (угол Введенской и Большого). Бывали случаи, когда снаряды попадали в очереди (их было много), в магазины, в прогуливающийся детский сад. Как на грех, мне постоянно надо было бывать вне дома (на дежурстве), обучаться маршировке или дожидаться в очереди в столовой. День и ночь в институте бывало много народу. Люди спали в сапогах на диване Пушкина, на диване Аксакова, на котором когда-то сидел Гоголь, на диване Тургенева, на кровати, на которой умер А. Блок.

Город кишел слухами, пришлым народом из пригородов и... шпионами, которых ловили. Постепенно лихорадка спадала. Остановились трамваи, многие уже не могли ходить на работу, некоторые улетели на самолетах. Самым большим «начальством» у нас остался завхоз. С голоду он нервничал, кричал на сотрудников, сокращал штаты. Остаться без работы, без карточки было бы ужасно, но никто не мог его утихомирить. Так прошел ноябрь. Нас выручали сухари. Но в декабре и мы почувствовали голод. На службе невыносимый холод. Замерз водопровод, не действовали уборные. Я не смог уже больше ходить. Взял бюллетень (освобождение по болезни. —

Д. Л. Примеч. 1992 г.). Его выдавали не глядя, не осматривая — всем подряд.

Потухло электричество. Не стало керосина. Хорошо, что у нас был запас дров и буржуйка (железная печка. — *Д. Л. Примеч. 1992 г.*). Мы распределили наши остатки. Ели 4 раза в день «суп» — почти воду. Ложились спать в 6 часов вечера, лежали до 9–10 часов утра. Зина с вечера другой раз становилась в очередь. Днем часа 2 тоже стояла в очереди за хлебом. Зина ездила (везла санки) на Неву к Крестовскому острову за водой вместе с Тамарой (наша помощница по хозяйству. — *Д. Л. Примеч. 1992 г.*). Пробовали топить снег, но вся улица перед нашим домом была залита нечистотами. Раз на шатающихся ногах к нам зашел Федя (Розенберг, мой друг и одноделец по Соловкам. — *Д. Л. Примеч. 1992 г.*), раз Каллистов (профессор. — *Д. Л. Примеч. 1992 г.*), ища кошек или собак. Заходил дядя Вася (В. М. Лихачев. — *Д. Л. Примеч. 1992 г.*), чтобы съесть тарелку супа. Вид его был ужасен. Заходил Комарович (виднейший специалист по Достоевскому. — *Д. Л. Примеч. 1992 г.*) в надежде, что мы угостим его сухарями. Но беда ждет нас еще впереди.

Второе письмо

Дорогая Валя! Это письмо — продолжение.

Итак, самый тяжелый месяц был январь. Не помню, были ли в январе обстрелы или бомбежки: нам было не до того. Никто не обращал на это никакого внимания. Никто не сходил в бомбоубежище, которое превратили в морг. Один за другим умирали наши знакомые и родные. Тяжело умирал Зинин отец. Он умер один. Зина его навещала, меняла на улице его вещи, выкупала ему продукты. Но было поздно: ему уже не хотелось есть. А когда проходит желание есть — это конец. Он умер, имея хлеб в буфете.

На рынке мы меняли усиленно вещи: самовар за 100 грамм дуранды, несколько платьев за 200 грамм гороха и т. д. Мы не жалели ничего и этим остались живы.

В январе уехал Юра (мой брат. — *Д. Л. Примеч. 1992 г.*); стал хворать сердцем мой отец, но мы не могли найти врача. Наконец пригласили жившего неподалеку детского врача за 200 грамм гороха. Он осмотрел, но лекарств мы не достали: аптеки не работали. Я уже ходил с палкой, волоча ноги. На лестнице у нас лежал труп, перед домом — другой. Ночами мы не спали от дистрофии. Все тело ныло, зудело: это организм съедал свои нервы. В комнате в темноте ночью металась мышь: она не находила крошек и умирала с голода. Я ходил в диетстоловую, в которой раз встретил Вашего отца. Там я производил «операцию»: уступал талончик на обед за крупяной талон и этот крупяной талон использовал для обеда на следующий день. Так нам удавалось иногда иметь суп, не затрачивая карточки. Эти часы в столовой были ужасны. Окна были выбиты и заделаны фанерой. В тесноте люди ели, вырывали друг у друга хлеб, карточки, талоны. Раз я тащил в столовую какого-то умирающего по лестнице и очень ослаб после этого. Вообще, стоило сделать лишнее физическое усилие, и заметно слабел; стоило же съесть кусок хлеба, как заметно прибавлялось сил. Было трудно надеть пальто, особенно застегнуть пуговицы: не слушались пальцы — они были «деревянными» и «чужими». Ночью немела и отнималась та сторона тела, на которой спал.

В феврале снабжение несколько улучшилось, забил коегде на мостовых водопровод. Зина с Тамарой ездили за водой уже не на Неву, а на Пушкарскую улицу. Дети выходили гулять минут на 10 по черному ходу, а не по парадной, где лежали мертвые. Они вели себя героями. Мы ввели порядок: не говорить о еде, и они слушались! За столом они никогда не просили есть, не капризничали, стали до жути взрослыми, малоподвижными, серьезными, жались у буржуйки, грея ручки (нас всех пронизывал какой-то внутренний холод).

Зима казалась невероятно длинной. Мы загадывали на каждую будущую неделю: проживем или нет! 1 марта в страшных мучениях умер мой отец. Мы не могли его хоронить: завезли его на детских саночках до морга в саду Народного дома и оставили среди трупов. Воспоминание об этой поездке и об этом морге до сих пор разъедает мой мозг. В конце месяца я заходил в институт за карточками. Денег я уже там не получал, так как бухгалтерии не стало (умерли). Здание было до жути пусто, только у титана, греясь, умирал старик-швейцар. Многие потом умирали без вести, уйдя из института и не придя домой. Однажды и я свалился на улице и едва добрел до дому.

В марте я слег в стационар для дистрофиков в Доме ученых. Там давали немного больше еды, но это только увеличивало желание есть. Месяц, который я там провел, я не переставал (день и ночь) думать о еде. Мы спали там не раздеваясь и ели в столовой при температуре –5°. За окном на Неве уже были видны разрывы новых, весенних обстрелов. Таял лед. Оставшиеся в живых ленинградцы начали расчищать улицы, убирая нечистоты, а руки еще не могли держать лопаты. Стали выдавать больше мяса.

В апреле пошел № 12 трамвая, семерка, тройка, а затем и № 36.

Открылись бани. Тут я увидел себя в первый раз и ужаснулся, как и Ваш батюшка, увидев меня.

В мае я уже писал статьи, ходил по столовым, «отоваривая» этим способом карточки, хотя основное делала Зина. Дети немного отошли. Тамара с окопных работ приносила нам лебеду, листья одуванчиков, крапиву.

Так мы прожили зиму, но описать всего нельзя.

Привет Вашим.

Д. Л.

«Проработки»

Задача этой главы моих воспоминаний не восстановить историю «проработок», охватившую три десятилетия, имеющую предысторию и постисторию. Это потребовало бы обращения к документам (может быть, сохранившимся стенограммам и другим материалам), газетам и журналам того времени. В мою задачу не может входить и выяснение смысла «проработок», их идеологической основы: по-моему, в них было много бессмыслицы, вызванной исключительно стремлением партийных организаций показать свою власть, твердость и готовность руководить тем, чего они, по существу, не понимали.

В этой главе я коснусь в основном техники «проработок», их психологического воздействия на «неорганизованную массу» ученых и неученых, учеников и учителей. «Проработки» являлись гласным доносительством, давали свободу озлобленности и зависти. Это был шабаш зла, торжество всяческой гнусности, когда люди (по крайней мере, часть из них) даже стремились прослыть мерзавцами, ища упоения в ужасе, внушаемом ими окружающим. Это было своего рода массовое душевное заболевание, постепенно охватившее всю страну. Люди не стыдились быть стукачами. Даже намекали на свою особую власть.

«Проработки» 30–60-х гг. входили в определенную систему уничтожения Добра, были — в какой-то мере — тенью показательных процессов конца 30-х гг. и учитывали их «опыт». Они были видом расправы с учеными, писателями, художниками, реставраторами, театральными работниками и прочей интеллигенцией.

Во что бы то ни стало надо было «выбить» у жертв «проработок» признание ими своей вины — хотя бы частичное. Никаких доказательств после признания (как и после признания подсудимых на процессах во время большого террора) уже не требовалось, а чем и как достигались эти признания, было не важно. Это было «юридическое» открытие «академика» Вышинского. Поэтому и на показательных «проработках» интеллигенции надо было деморализовать истязуемого, довести его до такого состояния, когда ему было уже все безразлично и хотелось только побыстрей сойти со сцены, от всего отказавшись.

Поэтому присутствие толпы народа в зале или аудитории, где проходила «проработка», было на руку палачам. Даже если толпа была на стороне истязуемого, была не согласна с обвинениями, негодовала, сочувствовала — все равно становиться «объектом» зрелища было крайне тяжело. «Проработки» собирали сотни студентов, просто любопытных: ведь будут «сечь» известных людей, авторов многих трудов, привыкших к благодарности слушателей и читателей. Если кто-то из выступавших стремился смягчить обвинения, ограничивался словами, которые уже звучали, — было уже неважно. Уже самим фактом своего участия они деморализовали обвиняемых.

Я помню такой случай. Прорабатывали известного знатока русского фольклора и этнографии Марка Константиновича Азадовского в Пушкинском Доме. Сидевшая рядом со мною известная фольклористка негодовала. Выступал известный проработчик — доцент ЛГУ И. П. Лапицкий, читавший частное письмо М. К. Азадовского, перехваченное и распечатанное ученицей Азадовского П. Г. Ширяевой. Моя соседка возмущалась: «Какой мерзавец! Какой мерзавец!» Председательствующий после Лапицкого вызвал мою соседку. Она энергично идет на кафедру и... ушам своим не верю! — обвиняет Азадовского. Затем возвращается на свое место и спрашивает меня: «Ну, как?» Я говорю: «Я думал, вы станете защищать Марка Константиновича!» Она с негодованием отвечает: «Защищать бесполезно — все уже обречены. Но ведь я не сказала ничего нового, я повторяла только то, что уже говорили».

Проработчикам это и нужно было: пусть говорят что хотят, но пусть хоть чуть-чуть поддержат обвинение. Это «глас народа», своего рода античный хор греческой трагедии.

Делалось все, чтобы на процессах выступали именно близкие обвиняемому люди: друзья, ученики, аспиранты, студенты, это было больнее всего для прорабатываемого. Присутствующие перешептывались: «Как, и этот?», «Неужели же и он тоже?» и пр. А залы были переполнены стукачами. Одной из задач публичных «проработок» было стремление сломить непокорных в массе. Почти так, как это делалось в лагерях при приемке этапов.

Редко кто из обвиняемых выдерживал напор. Если не к победе, то хотя бы к краху обвинений и стыду обвинителей могло привести только решительное неприятие обвинений. Поэтому организаторы «проработок» очень боялись, что обвиняемый не признает обвинений. Часто с тем, кого назначали быть обвиняемым, вели переговоры в партбюро: просили «самокритично» отнестись к своим трудам и лекциям, чтобы не ставить под удар обкома свое учреждение. Еще никто толком не знал, в чем будет состоять суть обвинений, а уже упрашивали сознаться, обещая «милость падшему». Трудность защиты заключалась в том, что защитникам реально угрожала судьба «жертвы». Разгром шел не просто отдельных личностей, посмевших как-то выделиться из общей массы, но и всей «школы», всего направления (пусть даже самого узкого и строго специального).

Я уже тогда из своего личного опыта, из общения с «каэрами» конца 20-х гг. знал, что означает такое признание своей вины. В сущности, в своей теории самодостаточности публичного признания своей вины А. Я. Вышинский ничего нового не изобрел: он только обосновал теоретически то, что существовало на практике. Проработчики также выбивали признание из людей умственного труда, как это (с применением других средств) делали следователи ЧК, ОГПУ, НКВД.

Если жертва «проработки» отказывалась признать себя космополитом (антипатриотом, формалистом, последователем буржуазных методов в науке и пр.), его предлагали считать «злостным противником линии партии», и только в счастливом случае — просто несамокритичным. Но даже если жертва и признавала свою вину хотя бы частично (полностью признать ее было просто невозможно: это было бы равносильно признанию в измене Родине), то на ней оставалось обвинение в «несамокритичности» и доля вины оставалась, но не настолько, чтобы изгнать со всех служб и перестать печатать.

Б. М. Эйхенбаум, который на «обсуждение» своих работ просто не явился, был уволен и вынужден жить на доброхотные пожертвования своих друзей. Друзья приходили к нему в гости, а заодно приносили большой пирог, торт и еще какие-либо закуски и тем подкармливали Бориса Михайловича.

Остракизм А. Ахматовой затянулся, и ей просто регулярно приносили еду Томашевские — даже суп в бидоне из-под молока.

Но обратимся к самой процедуре (вернее, ритуалу) «проработок».

Приемы обвинителей в космополитизме (индоевропеизме, потом в марризме и т. п.) были однообразны даже в выражениях. Как и в следственных делах ОГПУ, выхватывался один факт, одна цитата, и они толковались таким образом, как это было нужно обвинителю. Доказательств, разумеется, не требовалось никаких, ибо не было и тех «вин», которые приписывались ученым. Формулировались обвинения, как правило, так: «Не случайно утверждает, что...»; «NN договорился до того, что...»; «Понятно, что для NN...»; «NN проговаривается, что...»; «NN не может скрыть своей...». Редко кто из присутствовавших требовал привести полностью выхваченные из контекста слова, учесть обстоятельства, тему, время. Это было равносильно подтверждению солидарности с обвиняемым. Часто обвинители приводили слова из цитат, с которыми сам NN спорил, и приписывали их NN. Для «точности» зато указывались страницы статьи или книги.

Во взвинченной атмосфере зала обвиняемому трудно было запомнить все сказанное и проверить. Обычно ему предоставляли слово после всех выступлений, не давая права ответа на каждое выступление отдельно. Обвиняемого стремились сбить выкриками с мест, шумом «возмущения» и т. п. Председательствующий останавливал только обвиняемого. И когда обвиняемый в конце концов что-то признавал за собой (но не всё), чтобы смягчить своих палачей, то это частичное признание считалось полным, и председательствующий в своем заключительном слове заявлял, что NN «признал», «признался», «согласился», «сознался» и пр., повторяя все, сказанное другими, зачитывая то, что было заранее подготовлено на собраниях «ячеек», «бюро», «комиссий» и т. д.

Чтобы обвинения «проработок» не забывались, выпускались особые стенгазеты. Значение этой «стенной литературы» было очень велико. Содержание статей в них контролировалось парторганизациями. Здесь проработчикам можно было разгуляться даже шире, чем на собрании или чем в печати областной или центральной. Жертвы «проработок» подвергались оскорбительным издевательствам. Помещались карикатуры и лозунги через всю газету: «До конца искоренить!»; «Покончить с!..», «Вырвать с корнем!» и т. п. В них особенно доставалось ученикам, друзьям, просто честным ученым, попытавшимся вступиться за гонимых.

Как-то мы с Б. В. Томашевским подошли к нашей институтской стенгазете, в которой большими буквами был написан очередной призыв «До конца искореним формализм» (или что-то в этом роде). Скользнув взглядом своих близоруких глаз по содержанию заметок и лозунгу, Борис Викторович, вздохнув, громко произнес: «Раньше проще было: „Бей жидов, спасай Россию!“» У стенгазеты (сразу после ее выхода) вертелись стукачи: следили за реакцией читателей, и Борис Викторович это, разумеется, знал...

Каждого выпуска стенгазеты ждали: определялось направление, в котором должен дальше идти «охотничий гон».

Одними из главных «проработчиков» в Пушкинском Доме были Л. А. Плоткин и Б. С. Мейлах, П. Ширяева, доцент ЛГУ И. П. Лапицкий, известные за его пределами.

Так, Плоткин разразился в «Ленинградской правде» статьей против М. М. Зощенко, после которой Михаил Михайлович напряженно ждал, что его арестуют. Он собрал портфель с нужнейшими вещами и выходил к большим воротам своего дома после 12 часов ночи, чтобы быть арестованным не при жене...

Б. С. Мейлах поместил в стенгазете Пушкинского Дома огромную погромную статью против Б. М. Эйхенбаума, в которой муссировалась одна и та же фраза из «Моего временника», в которой он косвенно признавал себя евреем (не хочется сейчас возобновлять ее в памяти). Стенгазета с этой статьей висела в коридоре второго этажа Пушкинского Дома, когда Б. М. Эйхенбаум внезапно умер в Доме писателей во время чествований А. Мариенгофа, и гроб с его телом поставили в Союзе писателей. Никто и не подумал снять эту стенгазету, и этот факт стал известен всему миру благодаря некрологу, написанному Р. О. Якобсоном. Правда, последний ошибся, утверждая, что стенгазета висела в том же помещении, где стоял гроб Эйхенбаума. В Пушкинском Доме даже и гроб бы не приняли: там было почище, чем в Союзе писателей...

А как вели себя обычно в зале при «проработках»? Расположение участников было, как правило, такое: за столом президиума «празднично» сидели «почтенные» ученые, партийные и общественные руководители местного масштаба с глубокомысленными лицами. Первые ряды зала занимали те из «ученых», которым надлежало выражать одобрение или выступать с обвинениями. Дальше — остальная часть зала, которая в ужасе ожидала, сочувствовала несчастным, тихо — а иногда и громко — возмущалась. «Стукачи» повсюду бодрствовали.

Решались ли люди на выступления, противоречившие партийным установкам? Да, и такое было. Чаще всего люди выступали, смягчая обвинения. Но были и решительные опровержения обвинений. На памяти у всех было, например, выступление Н. И. Мордовченко в защиту Г. А. Гуковского в Ленинградском университете. Мордовченко заявил, что не может поверить злонамеренности Гуковского и решительно отказывается его осудить. Немедленных кар не последовало. Просто Н. Ф. Бельчиков не утверждал его докторскую защиту более года. Мордовченко был очень подавлен: студентам не объяснишь, почему Высшая аттестационная комиссия (ВАК) отказывается присудить ему докторскую степень. Я и сам не очень понимаю, в какой степени это было актом личной мести Н. Ф. Бельчикова, всесильного в ВАКе по филологическим наукам, а в какой — результатом распоряжения партийной организации. Ходили и слухи о скором аресте. В результате подавленного состояния Н. И. Мордовченко заболел раком. Положили его в онкологическую клинику на Березовой аллее Каменного острова. Вместе с П. Н. Берковым мы находились тогда в желудочном санатории недалеко от онкологической клиники. Я не решался приходить к Николаю Ивановичу на свидания (там постоянно дежурила у постели его жена — Елена Дмитриевна), но ежедневно заходил спросить о его состоянии в справочное бюро. Однажды утром вместо обычного утешительного ответа меня оглушили встречным вопросом: «А вы кем ему приходитесь?» Я понял значение этого вопроса и спросил: «Умер?» Ответ был утвердительным...

Защита Г. А. Гуковского стоила Н. И. Мордовченко жизни. А сам Гуковский после «проработки», проходившей в его отсутствие (он был в отпуске), был арестован и расстрелян (по официальной версии, «скончался»).

Приходилось выступать в защиту истязуемых и мне. А дело было так. Директором Пушкинского Дома был Н. Ф. Бельчиков, наделенный особыми полномочиями: очистить институт от космополитов. Обычно он приезжал из Москвы, где жил постоянно, на два-три дня, останавливался в комнате, которая была у него во дворе главного здания Академии наук, в том корпусе, где ныне — зубоврачебное отделение поликлиники Академии наук. Туда к нему для «конфиденциальных» разговоров стекалась вся институтская мразь... Мотался он между Москвой и Ленинградом и занимался главным образом бдительной охраной литературоведения и опорочиванием ученых-литературоведов. Усугублялось все его патологической склонностью к выдумкам. Прямой и вспыльчивый П. Н. Берков возьми и скажи ему все, что он думал (а думал он то, что и большинство сотрудников Пушкинского Дома). Наиболее злая и краткая характеристика Бельчикова принадлежит, бесспорно, Б. В. Томашевскому: «Единственное, что есть у Н. Ф. Бельчикова прямое, — это прямая кишка. И то ее вырезали!» (У Н. Ф. действительно был оперирован рак прямой кишки). Конечно, остроту эту П. Н. Берков в глаза Бельчикову не повторил, но о его «научных заслугах» сказал в глаза прямо. Выслушал Бельчиков все сказанное ему Павлом Наумовичем тихо и немедленной «проработки» организовать не решился: был он все-таки трус. Бельчиков (или, как его называл Б. М. Эйхенбаум, — «Бельчичиков») возненавидел П. Н. Беркова и, хотя распоряжений обкома не было, организовал против ученого большую статью в «Ленинградской правде», принадлежавшую перу двух парнишек с филфака ЛГУ — Елкина и второго, фамилию которого забыл, так как, приближая ее к известной русской поговорке, называл всегда «Палкиным».

После появления этой гнусной статьи было назначено обсуждение ее в Пушкинском Доме (так полагалось), и Бельчиков вроде как оставался «чистым». Было собрано заседание ученого совета. Мы с Б. В. Томашевским решили защищать П. Н. Беркова и разработали тактику: я должен был выступить перед концом заседания, а Б. В. Томашевский — последним (роль последнего выступающего всегда была очень важна). Так и сделали. Когда уже должны были предоставить слово П. Н. Беркову для «покаяния», потребовал слова я и подробно доказал, что в статье «Елкина-Палкина» Ленину приписано как раз обратное тому, что он писал, и что обвинение П. Н. Беркова в «библиографическом методе» безграмотно, так как библиография — наука, а не метод. Мое выступление вряд ли могло что-либо изменить, если бы не содержавшиеся в нем ссылки на Ленина. Я это знал и потому выступал очень решительно. Н. Ф. Бельчиков заявил, что заседание, ввиду его важности, не может быть закончено, и предложил перенести его на следующую неделю. Второе заседание я помню плохо, хотя на нем «под занавес» с очень сильными аргументами (и, как всегда, — блестяще) выступил Б. В. Томашевский. Н. Ф. Бельчиков вынужден был назначить третье заседание ученого совета. На что Бельчиков надеялся — я не знаю. Авторы статьи не выступали: были они слишком неавторитетны для открытых доносов (таких авторов, как они, только «принимали во внимание» в письмах и статьях).

Помню, что, встретив меня в грязной, как обычно, уборной института на первом этаже, Б. В. Томашевский сказал: «Вот единственное место в Пушкинском Доме, где легко дышится!»

Итак, третье заседание по обсуждению работ П. Н. Беркова... То ли нервы у Павла Наумовича не выдержали, то ли кто-то из «доброхотов» уговорил, но, не предупредив ни меня, ни Томашевского, П. Н. Берков выступил с полупризнанием своих ошибок. Томашевский вскипел и, когда весь переполненный зал, ожидавший победы правды, разочарованно расходился, громко сказал мне через головы выходивших: «Дмитрий Сергеевич, а что же мы с вами старались?!» Слова эти я запомнил точно.

Н. Ф. Бельчиков возненавидел меня еще сильнее и стал, в свою очередь, «стараться», но уже иными приемами.

Н. Ф. Бельчиков пылал патологической страстью ссорить людей. В Москве он уверял Н. К. Гудзия, что Лихачев его ненавидит, в чем-то обвиняет, а в Ленинграде говорил мне, что таким же образом по отношению уже ко мне ведет себя Николай Калинникович. По счастью, я очень хорошо знал Гудзия, а Гудзий — меня, чтобы это имело последствия, ожидаемые Бельчиковым. Я знал, что Н. К. Гудзий очень прямой человек и никогда не станет лицемерить. Поэтому, когда Н. Ф. Бельчиков, приехав из Москвы, стал уверять меня, что Гудзий меня бранит и что-то против меня затевает, я сразу сказал, что этого не может быть. Аналогичным образом реагировал в Москве и Н. К. Гудзий.

Желая возбудить против меня в институте партийных, Н. Ф. Бельчиков стал говорить им: «Лихачев — сын известного в Петербурге домовладельца-миллионера. Вот какие люди у нас работают!» Встретив после этого Бельчикова, я сказал ему: «О том, кто мой отец, вы можете прочесть в моем деле, а подтверждением этому — справочник „Весь Петербург“». Н. Ф. Бельчиков лишь сказал: «А я думал...»

Работать становилось все тяжелее. И мы с М. П. Алексеевым решили наконец поставить вопрос об отстранении Бельчикова от руководства Пушкинским Домом перед академиком-секретарем Отделения литературы и языка В. В. Виноградовым: когда все воюют со всеми, работа не ведется. Решили ехать к В. В. Виноградову в Москву. Командировать нас Бельчиков отказался. Мы все же достали билеты (хотя это было нелегко) и отправились в «самовольную отлучку». В. В. Виноградова я предупредил о нашем приезде по телефону.

Со временем память о некоторых деталях стерлась, и я не могу припомнить, был ли М. П. Алексеев со мною в Москве в Отделении литературы и языка. Или я ездил в Москву два раза: один — с М. П. Алексеевым, другой — один (но чем тогда закончился первый разговор? Провал памяти!).

Во всяком случае, прихожу я в отделение и узнаю, что в кабинете Виктора Владимировича уже сидит... Н. Ф. Бельчиков. Значит, обогнал меня. Я попросил принять меня. Виктор Владимирович говорит: «А у меня здесь Николай Федорович». Я отвечаю: «Очень хорошо! Иначе мне было бы затруднительно излагать свои претензии к нему заглазно». Виктор Владимирович: «Да, сейчас у нас в отделении и секретарь парторганизации — Бархударов». Я отвечаю: «Совсем хорошо: все вопросы мы сможем решить сразу». Усаживаемся, и я при всех троих, в присутствии Н. Ф. Бельчикова, рассказываю о том, как он «организует» работу института, ссорит сотрудников (привожу конкретные примеры). В. В. Виноградов при нас звонит в отдел кадров Президиума Академии наук и говорит: «Ко мне приехал Д. С. Лихачев и в присутствии директора института объяснил, почему он не может с ним работать. По-моему, он прав!» Одним словом, вопрос о Бельчикове был решен почти немедленно: он был отстранен от директорства. В институте на время было установлено коллективное правление, в которое в качестве заместителя директора вошла и В. П. Адрианова-Перетц.

Меня самого «прорабатывали» неоднократно. Я никогда не был ни формалистом, ни антипатриотом, ни космополитом, не принадлежал ни к каким «прорабатываемым» течениям. Найти в моих работах что-либо антисоветское было трудно. И все-таки я был явно не «свой»: Сталина и Ленина почти не цитировал. На это обратили особое внимание, когда вышла моя книга «Возникновение русской литературы». Заставили написать введение и заключение с соответствующим цитированием «корифея всех наук». После принятия в сотрудники Сектора Якова Соломоновича Лурье придирки начались самые невероятные. Главным обвинителем неизменно выступал преподаватель филфака университета И. П. Лапицкий, а по историческому факультету, где я преподавал (на филологический меня просто не допускали), — Степанищев, Уродков и Карнатовский.

Расскажу о некоторых «проработках», где обвиняемым пришлось быть мне самому.

Весной 1952-го или 1953-го в институте было назначено специальное обсуждение «Посланий Ивана Грозного». Напомню, что книга представляет собою простое издание текстов Грозного, а завершалась моей статьей о Грозном как о писателе и комментариями Я. С. Лурье.

Перед обсуждением — примерно за неделю — произошло событие, которое должно было спутать карты всех моих недоброжелателей: я получил Сталинскую премию второй степени за участие в создании «Истории культуры Древней Руси». По всем партийным правилам это делало меня, во всяком случае на некоторое время, «неприкасаемым». Но в моем случае обсуждение книги с повестки дня снято не было.

Наш Пушкинский Дом курировала в обкоме инструктор Воробьева-Смирнова (впоследствии — редактор Ленинградского отделения издательства «Художественная литература») — ученица М. О. Скрипиля, к которой этот почтенного возраста человек ходил доносить на меня. Воробьева-Смирнова не только приказала проводить обсуждение, но и сама первая на нем выступила (вопреки правилам: работники обкома не выступали на «проработках»), обвинив книгу в «объективизме» и еще в чем-то. Партorganизация провела соответствующую «работу» среди ученых, и несколько солидных (или считавшихся солидными) коллег были готовы поддержать обвинения. Малый зал Пушкинского Дома был набит народом, многие стояли. Оригинальность поздравления с получением Сталинской премии была такова, что многие пришли из любопытства.

Началось как обычно. Председательствующий, сделав несколько комплиментарных отзывов в мой адрес (Лурье не был упомянут), призвал присутствующих «не поддаваться на обаяние заслуг» и тем более критично выступить, чем более работы Лихачева воздействуют на читателя. То есть все — в интересах моих же работ! Гвоздем проработки было выступление М. О. Скрипиля. Вопреки своим привычкам он его читал, читал мягким и вкрадчивым, даже ласковым голосом. Среди обвинений прозвучало и такое, произнесенное скороговоркой: «Не случайно Дмитрий Сергеевич сочувствует изменнику Родины — князю Андрею Курбскому». Огласив свои обвинения, М. О. Скрипиль передал текст выступления стенографистке. В тогдашней обстановке результатом такого выступления вполне мог стать арест. Я понял, что выступление было конспектом разговоров Скрипиля с Воробьевой-Смирновой в обкоме и что именно на нем мне необходимо сосредоточиться в ответе. Я так и сделал. Подробно изложил, как трактуется мною бегство Курбского, и заодно показал, что «уход в текстологию от насущных политических задач современности» является чистейшей выдумкой, тем более странной, что вопросы текстологии глубоко интересуют самого М. О. Скрипиля. Обсуждение закончилось ничем, и даже Я. С. Лурье остался в тени и не был уволен из института (я просил его не выступать ни в Союзе писателей, ни в Пушкинском Доме).

В сентябре или октябре 1950 г. я болел: у меня было язвенное кровотечение, и я должен был лежать. В Доме писателей происходило массовое публичное «сечение» писателей. Я был только что принят в союз по рекомендации В. М. Жирмунского и В. Н. Орлова и никак не мог подумать, что «проработка» коснется и меня. Но коснулась! В своем огромном и погромном выступлении И. П. Лапицкий подверг «критике» мои работы. Я решил ответить и явился на продолжение писательского собрания, происходившего в большом зале при массовом стечении народа. Я хорошо подготовился.

Лапицкий выступал вторично, уже в моем присутствии, причем «громил» и Я. С. Лурье. В перерыве, перед вторым выступлением Лапицкого (в котором он вновь подверг нападкам нас обоих за издание в «Литературных памятниках» «Посланий Ивана Грозного»), Я. С. Лурье ходил за мной, повторяя: «Все пропало, все пропало!» Позади Якова Соломоновича ходил и слушал небезызвестный «громила» Комсар Григорьян. В конце концов, не желая, чтобы наш «разговор» стал известен Лапицкому, я пошел, чтобы скрыться, в уборную, но туда за мною устремился и Лурье, а за ним, не отставая, — и Григорьян...

После перерыва я выступил и, как мне представляется, хорошо ответил Лапицкому по всем пунктам, указав на ошибочность его цитирований не только нас с Лурье, но и «классиков марксизма». Дело, казалось, было ясным, и меня поздравляли с победой, но председательствовавший обкомовский работник сформулировал заключение приблизительно так: «Дело специальное, надо разобраться, не может быть, чтобы в обвинениях Лапицкого не содержалось совсем никаких правильных положений». Я выкрикнул с места: «Никаких!» — и заседание было закрыто.

Конечно, отношение ко мне институтского начальства и обкома отнюдь не изменилось (да и не могло измениться), но теперь главные нападки на меня стали звучать на историческом факультете университета и длились там довольно долго — пока я преподавал. На каждом заседании кафедры истории СССР против меня кто-нибудь выступал, заседания стал посещать И. П. Лапицкий, никак формально с нею не связанный; посещал с единственной целью — уязвлять меня чем-либо. Я перестал ходить на заседания кафедры...

Однажды, придя в кассу университета, я обратил внимание на то, что зарплату получаю какую-то необычно малую. Спросил об этом у кассира, а та мне ответила: «Обычная ставка ассистента» (я к тому времени был уже членом-корреспондентом АН). Следовательно, меня перевели в ассистенты, даже не поставив в известность об этом. Совершенно явно меня «выталкивали» с исторического факультета. Получать ассистентские деньги я отказался и, не сообщив в свою очередь на кафедре, прекратил преподавание на факультете...

«Вдогонку» мне в «Вестнике ЛГУ» была напечатана статья И. Лапицкого, в которой я обвинялся во всех смертных грехах: я и монархист, и эсер, и троцкист, и еще не упомню кто. Мой телефонный разговор с тогдашним ректором университета А. Д. Александровым не привел ни к чему. Александров отстаивал право Лапицкого «на свое мнение»...

Весной 1994 г. я был на заседании памяти И. П. Еремина на филологическом факультете университета. В гардеробе В. Холшевников напомнил мне, как в том же помещении кафедры русской литературы прорабатывали меня вместе с И. П. Ереминым некая Рождественская, Лапицкий и Ф. А. Абрамов, еще не успевший разобраться в делах «государственной идеологии». Впоследствии, когда мы плыли с ним на Соловки из Архангельска на пароходе «Татария», он подошел ко мне и в середине разговора о красотах Севера неожиданно сказал мне: «А я думал, вы со мной разговаривать не станете» — и сам напомнил мне о своем проработочном выступлении в университете. А я уже было и забыл про его выступление — настолько обычными были тогда такие «порки». Кстати, я тогда пришел на обсуждение наших работ исключительно из солидарности. Мог бы не приходить, так как на филологическом факультете я не преподавал: не пускали.

Особенно отвратительна была во время проработки Рождественская. Это была чрезвычайно худая (от злости?) и некрасивая, неряшливо одетая девица. Она прорабатывала всех, но сама она так ничего и не защитила. Свою речь, как напомнил мне В. Е. Холшевников, она начала так: «Я целых три недели изучала древнюю русскую литературу и пришла к убеждению, что ни Лихачев, ни Еремин ничего так в ней и не поняли...» Может быть, В. Е. Холшевников «сгустил» немного, но смысл выступления он передал верно.

Выступление Рождественской никого не удивило. Все привыкли, как и к издевкам мучительно извивавшегося во время своих выступлений Лапицкого.

В «романовские» времена «проработки» получили другие формы. В октябре 1975 г. было назначено мое выступление в актовом зале филфака о «Слове о полку Игореве». Когда за час до выступления я вышел из дверей моей квартиры, на площадке лестницы на меня напал человек среднего роста с явно наклеенными большими черными усами («ложная примета») и кулаком ударил меня в солнечное сплетение. Но на мне было новое двубортное пальто из толстого драпа, и удар не возымел надлежащего действия. Тогда неизвестный ударил меня в сердце, но в боковом кармане в папке находился мой доклад (мое сердце защищало «Слово о полку Игореве»), и удар опять оказался неэффективным. Я бросился назад в квартиру и стал звонить в милицию. Потом спустился вниз, где меня поджидал шофер (явно из той же организации), и я сам бросился искать нападавшего по ближайшим улицам и закоулкам. Но он, конечно, уже сменил свою спортивную шапочку и содрал наклеенные усы. Я поехал делать доклад...

Мое обращение к следователю в милиции имело тот же результат, что и обращение о нападении на мою квартиру в 1976 г.

Это время — 1976 г. — было в Ленинграде временем поджогов квартир диссидентов и левых художников. На майские праздники мы отправились на дачу. Вернувшись, застали в своей квартире разгуливавшего милиционера. Окна балконной двери были выбиты. Милиционер просил нас не беспокоиться: он дожидался нашего прихода. Оказалось, что около трех часов ночи накануне сработала звуковая сигнализация: дом был разбужен ревуном. На лестницу же выскочил только один человек — научный работник, живший под нами, остальные побоялись. Поджигатели (а это были именно они) повесили бак с горючей жидкостью на входную дверь и пытались через резиновый шланг закачать ее в квартиру. Но жидкость не шла: щель была слишком узкой. Тогда они стали ломиком расширять ее и раскачали входную дверь. Звуковая охрана, о которой они ничего не знали (она была поставлена на фамилию мужа дочери), стала дико выть, и поджигатели бежали, оставив перед дверью и канистру с жидкостью, и жгуты из пластика, которыми пытались залепить щели, чтобы жидкость не вытекала назад, и другие «технические мелочи».

Следствие велось своеобразно: канистра с жидкостью была уничтожена, состав этой жидкости определен не был (мой младший брат-инженер сказал, что по запаху — это смесь керосина и ацетона), отпечатки пальцев (поджигатели убегали, вытирая руки о крашеные стены лестницы) смыли. Дело передавалось из рук в руки, пока наконец женщина-следователь благожелательно не сказала: «И не ищите!»

Впрочем, кулаки и поджог были не только последними аргументами в попытках моей «проработки», но и местью за Сахарова и Солженицына.

Нападение на площадке квартиры произошло как раз в тот день, когда М. Б. Храпченко, не совсем честным путем сменивший на посту академика-секретаря В. В. Виноградова, позвонил мне из Москвы и предложил подписать вместе с членами Президиума АН знаменитое письмо академиков, осуждавшее А. Д. Сахарова. «Этим с вас снимутся все обвинения и недовольство». Я ответил, что не хочу подписывать, да еще и не читая. Храпченко заключил: «Ну, на нет и суда нет!» Он оказался неправ: суд все же нашелся — вернее, «самосуд». Что касается майского поджога, то здесь, вероятно, сыграло роль мое участие в написании черновика главы о Соловках в «Архипелаге ГУЛАГе». Не буду рассказывать всего того, что мне довелось пережить, защищая от сноса Путевой дворец на Средней Рогатке, церковь на Сенной, церковь в Мурине, от вырубок парки Царского Села, от «реконструкций» Невский проспект, от нечистот Финский залив, и т. д., и т. п. Достаточно посмотреть список моих газетных и журнальных статей, чтобы понять, как много сил и времени отнимала у меня от науки борьба в защиту русской культуры.

Александр Сергеевич Орлов и Варвара Павловна Адрианова-Перетц

До революции А. С. Орлов был модным приват-доцентом Московского университета и славился своей красивой внешностью. У меня сохранилась его фотография того времени: правильные черты лица, внешность благородная и в высшей степени интеллигентная. Женат он был, как говорили, на первой красавице Москвы. Впоследствии я встречал его жену у него в доме перед самой войной и после: Мария Митрофановна сохранила свою красоту и женственность до глубокой старости, которую она провела уже без него в большом одиночестве. Всю свою жизнь она посвятила только ему, своему мужу и кумиру, и имела мало знакомых.

Но в двадцатые годы с А. С. Орловым произошли события, раздвоившие его натуру. Он лишился своих уже взрослых детей. Два сына умерли, а дочь уехала с мужем за границу, и он потерял ее из виду. Сам он стал безобразен. Он говорил про себя, что его пугаются дети, а одна девочка будто бы в его присутствии спросила мать: «Это дяденька или нарочно?» Рассказ этот я, впрочем, слышал и в применении к поэту Апухтину, отличавшемуся чрезвычайной тучностью. Это, по-видимому, бродячий сюжет, к которым сам А. С. Орлов питал большое пристрастие. Свою красивую внешность А. С. Орлов потерял при следующих обстоятельствах. В 20-е гг., как он мне рассказывал, он каждую неделю ездил преподавать в Тверь. Поезда были переполнены. Он приходил на вокзал заранее, чтобы занять сидячее место. Однажды в дороге в набитом людьми вагоне против него стояла женщина, держащая на руках сравнительно большую девочку. А. С. Орлов осведомился, что с девочкой. Женщина ответила: больна. «Ну вот что, тетка, — сказал А. С., — тебе я своего места не уступлю, а девочку свою дай: я ее подержу на руках». Так и ехали. А. С. Орлов чувствовал, что девочка вся горит. В Твери к концу своего пребывания А. С. сам почувствовал себя плохо. Сел в поезд, чтобы вернуться в Москву. Но в поезде А. С. Орлов потерял сознание и очнулся много дней спустя в одной из московских больниц. Над собой он услышал голос врача: «Видеть он будет». У него, как оказалось, была черная оспа. Оспа обезобразила его лицо и особенно нос, который увеличился в размерах и на котором постоянно образовывались страшно безобразившие его наросты. Дважды ему делали пластические операции носа. Один раз в Ленинграде проф. Джанелидзе, другой раз какой-то знаменитый хирург в Париже. Выйдя из парижской больницы, он ни на минуту не остался в Париже, даже для того, чтобы посетить Национальную библиотеку: все иностранное он ненавидел, а Европу неизменно называл «Европией». Для него не было худшего ругательства, чем обозвать человека «эвропейцем». Произносил он это слово с глубочайшим презрением. Впрочем, так же точно он не любил Ленинград и все ленинградское. О Ленинграде он говорил: «Какие-то пять углов». Про Анну Ахматову, которую ощущал как типичную представительницу Петербурга, он говорил: «Анна Мохнатая» — и при этом голосом и жестом показывал «излом» и «изысканность» светской дамы, что было, конечно, совершенно неверно.

В Ленинград он переехал в 1931 г., только повинуясь старой традиции: когда-то избиравшиеся в Академию наук должны были жить в Петербурге[1]. Почему же все-таки, не любя Петербурга — Ленинграда, А. С. покинул Москву и Замоскворечье обожаемого им. В. О. Ключевского? Да потому, что он чрезвычайно ценил свое звание академика и относился к соб-

---

[1] Различие между академиками и членами-корреспондентами состояло в старое время именно в том, что академики жили в Петербурге, а члены-корреспонденты по другим городам, оттого они и были «корреспондентами»; различие, которое, кстати, имеет место и сейчас в Британской академии.

ственному официальному положению с необыкновенным и, я бы сказал, артистическим пиететом.

Когда его избрали в академики, он не скрывал своей детской радости и гордости. Он пришел в издательство Академии наук, помещавшееся тогда на Таможенном переулке в помещении бывшего Азиатского музея, и говорил всем здоровавшимся с ним: «Можете меня поздравить...» — и был в отличнейшем настроении.

Весь стиль своего поведения он всецело подчинил своему новому, столь льстившему ему званию. За образец он избрал поведение своего свойственника (по жене) академика А. Н. Крылова, языку которого, между прочим, посвятил одну из своих последних статей в «Вестнике АН СССР»[1]. Но у академика А. Н. Крылова многое было воспитано не только его академическим званием, но и корабельной палубой, в частности — любовь к крепким выражениям. Не знаю, как обстояло дело с крепкими выражениями у А. С. в молодости, но в пору своего пребывания в академии он был «великий ругатель». Особенно любил он стать на площадке второго этажа Пушкинского Дома так, что его было слышно всюду и по второму и по первому этажу, и балагурить, давая острые характеристики всем «старшим»[2]. Младших, молодых и рядовых работников института он никогда не трогал, относясь к ним с подчеркнутым уважением. И это была у него замечательная черта: он не обижал беззащитных. Любил и детей на улицах, хотя боялся их напугать своей внешностью, но издали подолгу и с грустью наблюдал за их играми.

Этой черте А. С. Орлова — хорошо относиться к молодежи, к младшим по своему служебному положению — обязан и я своим появлением в Пушкинском Доме. Расскажу об этом

---

[1] *Орлов А. С.* Академик А. Н. Крылов — знаток и любитель русской речи // Вестник АН СССР. 1946. № 1. С. 78–83.

[2] Многие из прозвищ, которые он давал почтенным литературоведам, до сих пор памятны старожилам Пушкинского Дома. Не буду их повторять, ибо при всей меткости они были несправедливы и иногда очень оскорбительны.

не потому, что оно касается меня, но потому, что здесь с большой характерностью проявился Александр Сергеевич.

Я работал в издательстве Академии наук с 1934 г. ученым корректором. Это было старое название должности — на самом деле «ученые корректоры» в мое время уже были самыми обычными издательскими корректорами. Когда-то работа издательства Академии наук велась так. Академик приносил своему ученому корректору в издательство рукопись, часто написанную от руки, и в дальнейшем имел дело только с этим ученым корректором. Ученый корректор читал, приводил рукопись в порядок, отдавал в переписку на машинку, считывал, отдавал в академическую типографию, где метранпаж размечал шрифты, а затем автору давались гранки (по несколько раз), верстка и проч., сколько потребуется. Ни вычитчиков, ни редакторов, ни технических редакторов не существовало; не существовало ни планов, ни РИСО, и сам директор издательства назывался «управляющим»: он не имел права перечить академикам и точно выполнял их требования. Само собой разумеется, и корректуры давались в любом числе. В мое время — в 30-е гг. порядок в издательстве Академии наук существовал уже современный, но кое в чем работа ученого корректора была связана традицией: ученый корректор был и вычитчиком, и вел все корректуры издания; он целиком отвечал за книгу. Поэтому фамилия ученого корректора всегда красовалась на обороте титула на почетном месте.

Довелось и мне вести в 1937 г. книгу А. С. Орлова — курс его лекций по древнерусской литературе. Не могу сказать, что манера писать А. С. Орлова мне нравилась. Мне всегда казалось, что он хочет выразиться не просто, а с некоторой претензией на сложность мысли и на художественную изысканность. В этих своих претензиях А. С. иногда был удачлив, а иногда запутывался в сложных оборотах. Сразу же при вычитке рукописи у меня возникло множество вопросов к автору и много предложений к исправлению. Все эти свои замечания я перепечатал на машинке, и директор издательства отослал их А. С., не указав моей фамилии. А. С. пришел в издательство разъяренный, подошел к моему столу и, делая вид, что не знает, кто написал рассердившие его замечания по рукописи, громогласно заявил: «Здесь какой-то нахал пишет...» и т. д. Помню, что я не стал скрываться и сразу же сказал, что писал эти замечания я и что он, если он хочет, может их не читать. А. С. замолчал, внимательно поглядел на меня и почему-то возымел ко мне симпатию. С этих пор, приходя в издательство, он садился в обширном помещении канцелярии и требовал: «Позовите мне этого Лихачева, поразговаривать». «Разговор» почти всегда был односторонний: он говорил, а я слушал. О чем он говорил, я уже не помню, помню только, что я не скучал, а положение мое в издательстве, благодаря такой явной симпатии ко мне академика, сильно укрепилось.

Когда в 1937 г. я уходил из издательства, хорошее отношение ко мне А. С. Орлова сильно помогло. А. С. пришел в дирекцию (он был заместителем директора Пушкинского Дома, но в дирекционных делах принимал участие лишь спорадически и в директорском кабинете не сидел, предпочитая ему, как я уже сказал, площадку на лестнице второго этажа, где и вел разговоры со всем институтом) и безапелляционным тоном заявил: «Лихачева надо принять». Сразу появилась ставка, и меня приняли сперва в издательскую группу (не помню, как точно она называлась), а через несколько месяцев и в Отдел древнерусской литературы. Находясь в издательской группе Пушкинского Дома, я посещал все заседания Отдела древнерусской литературы. По корректорской привычке внимательно относиться к тексту рукописей при обсуждении главы, написанной М. О. Скрипилем для десятитомной «Истории русской литературы», я сделал свои «корректорские» замечания. М. О. Скрипиль возмутился и стал говорить на ту тему, что он не намерен выслушивать замечания лиц, ничем еще себя не проявивших в науке, но осмеливающихся его учить. Я молча ушел с заседания и решил на заседания отдела вообще не ходить. Но А. С. Орлов не начал очередного заседания без меня, пошел в помещение издательской группы (комната, в которой находится сейчас редакция журнала «Русская литература»), взял меня за руку и привел на заседание, а после заседания отправился в дирекцию и приказал перевести меня в Отдел древнерусской литературы. С тех пор я и работаю в этом отделе (теперь Секторе) — уже пятьдесят семь лет. Так просто и властно, взяв меня за руку, определил А. С. мою судьбу.

А. С. Орлов, как я уже сказал, был натурой артистической. Он не только был академиком, но он и играл в академика, искусно создавая свой образ — не просто даже академика, а русского академика, балагура, шутника, ругателя и добряка одновременно. Он гордился тем, что по матери он был потомком писателя Лаже́чникова, называя его Ло́жечниковым. Гордился он и своим учителем — Семеном Осиповичем Долговым, гордился своей былой службой в Синодальной библиотеке, своим «русизмом» (это его словцо), но никогда не был националистом, всегда любил представителей малых народов Союза ССР в Пушкинском Доме и во время войны, очутившись в Казахстане, сразу принялся за казахский язык и написал книгу о казахском эпосе. Несмотря на то, что он не пожелал осмотреть Париж, находясь в нем, он любил для души читать Жюля Верна (в «Жуле Берне», я думаю, он любил чувствительную сторону его романов) и переводил Мюссе. Глядя на него, на его грозную наружность и слушая его балагурство, никак нельзя было сказать, что он любил Фета и мастерски, с выражением читал его стихи.

В жизни он постоянно играл, приспосабливал свое поведение к своей изуродованной внешности и к своему положению знаменитости. Его чисто внешняя грубость шла от внутренней застенчивости. В сущности, он был добряком и очень печальным человеком.

Он писал мучительно и мало, но знал чрезвычайно много и о многом рассказывал на заседаниях Отдела древнерусской литературы по любому поводу. Жаль, что не сохранилось записей его выступлений. Вела протоколы В. П. Адрианова-Перетц, но болезнь мешала ей подробно записывать и тем более поспевать за ходом мысли А. С. Орлова. В молодости он много работал в рукописных хранилищах Москвы, и его выступления на заседаниях отдела были, в сущности, «воспоминаниями о рукописях». К занятиям рукописями он постоянно побуждал всех участников заседаний и неоднократно говорил: «Нам надо закрыть отдел и разойтись по рукописным хранилищам».

Находчив на слова А. С. Орлов был чрезвычайно. Он умел поставить на место «самомнеющего» оратора вовремя поданной репликой или неожиданным и всегда остроумным вопросом, который порой был не столько вопросом, сколько насмешкой над оратором, показать легковесность, а иногда и невежество выступающего. Его боялись, при нем опасались халтурить, безответственно относиться к сказанному; его присутствие в науке было чрезвычайно важно и служило надежным заслоном от необоснованных гипотез или того, что он называл «пошлостью». Даже тогда, когда, после войны вернувшись из Казахстана, он почти не выходил из квартиры, постоянные его посетители (а он был очень гостеприимен и любил, когда его навещали) разносили по Пушкинскому Дому его высказывания, его суждения, сказанные им остроты и каламбуры. Слова его были всегда метки, и сотрудники боялись попасться ему на язык. Его находчивость особенно проявилась во время его юбилея. Он отвечал каждому приветствовавшему его коротко, остроумно, с блеском, показывая несбыточность пожеланий и преувеличенность похвал.

Был он остро наблюдателен — к языку, к стилю, к душевным движениям своих собеседников. В нем сочетались два человека: один постоянно игравший академика, а другой чуткий и внимательный, не терпевший неискренности, пошлости и лжи, со своеобразными, но несколько старомодными литературными вкусами.

Часто он давал «маленькие представления» — чтобы не было скучно, чтобы было что рассказать и вообще потому, что он любил играть, а потом весело рассказывал о своем озорстве.

Вот один из его рассказов о себе (передаю его в общих чертах, так как не помню всех выражений А. О, всегда артистически точных). Шел А. С. из своего дома в Пушкинский Дом мимо Академии художеств. Кончились какие-то занятия, и студенты гурьбой высыпали из главного подъезда. Увидев проходящую величественную фигуру Орлова в шубе и высокой шапке, студенты замедлили свой шаг, пошли сзади, перешептываясь: «Кто это идет?» А. С. «спиной почувствовал», что они им интересуются, приостановился и торжественно высморкался на обе стороны «по-русски», без платка. «Ну и что же?» — спросил я А. С. в конце рассказа. «Будет им что потом рассказать», — ответил А. С.

В другой раз А. С. вышел для прогулки на свою 7-ю линию. Перед ларьком собралась небольшая очередь за черносливом. А. С. встал за какой-то дамой. Дама обернулась к нему и спросила: «Не знаете, чернослив хороший?» А. С. приподнял учтиво шляпу и на старомодный манер ответил: «Отменный! его попробовал вчера на ночь, и меня знатно пронесло утром!» Я спросил: «Зачем вы сказали так?» А. С. ответил: «Не люблю таких вот старых барынь».

Шоферов, которые его возили, он часто приглашал к себе обедать и любил с ними поговорить. Любил он и общество старика-столяра, который обучал его столярному делу: у А. С. в кабинете стоял верстак. Он делал полки, шкатулки и прогулочные палки, любил их полировать, о столярном же деле говорил, что в нем нужна не только сноровка, но и ум. Он мне подробно объяснил, в чем состоит ум столяра, какие задачи нужно столяру решать. В общем, умом в столярном деле он называл то, что я бы скорее назвал сноровкой и добросовестностью в их сочетании. Он особенно красочно объяснил мне, как быть с сучками и сучочками, когда делаешь палочку для гуляния.

Балагур, говорун и шутник в бытовой обстановке (не исключая своих лекций перед студентами, ученых советов или частных разговоров в институте от библиотеки и до дирекции), А. С. преображался на заседаниях отдела. Здесь он был серьезен, внимателен, а иногда и грозен научной своей требовательностью, своими огромными познаниями, которыми, как полка́ми, двигал против докладчиков или за них — все равно. После этих сражений докладчикам всегда приходилось дорабатывать свои доклады, даже при самых благоприятных отзывах о них А. С.

Мастер он был и в определении почерков. Сняв очки и приблизив рукопись на 2–3 сантиметра к одному глазу, он называл не только время почерка, но иногда указывал и схожие почерка в других рукописях, которые знал досконально.

О том, как относились штатные и внештатные участники заседаний Отдела древнерусской литературы к своему участию в работе отдела, покажет следующий мой разговор с В. Л. Комаровичем. Последний аккуратно посещал все доклады в отделе. Однажды он не пришел. Я спросил: почему? В. Л. Комарович ответил мне, что он не успел подготовиться по теме доклада, хотя доклад был вовсе не его. К любым заседаниям присутствующие готовились, возобновляли в памяти и памятник, о котором докладывалось, и литературу вопроса. А. С. требовал, чтобы выступали все (присутствующих бывало немного), и выступали основательно. Получить возможность сделать доклад в отделе считалось большой честью, но было делом рискованным. А. С. мог спокойно прервать докладчика, заставить его уточнить свою мысль, повторить сказанное. Не помню, чтобы он в отделе острил или особенно отвлекался; обсуждение докладов в отделе было делом святым[1].

Заседания отдела происходили в Малом конференц-зале. Там вдоль зала торцом к окну стоял длинный стол, покрытый зеленым сукном. Присутствующие садились за этот стол. На одном его конце председательствовал А. С., на другом вела

---

[1] Об А. С. Орлове см.: Академик А. С. Орлов: Библиография его произведений и литературы о нем / Сост. Н. Асафьева. М., 1947; *Адрианова-Перетц В. П.* Академик А. С. Орлов // Орлов А. С. Язык русских писателей. М.; Л., 1948; *Берков П. Н.* Библиографический указатель научных печатных трудов А. С. Орлова и литературы о нем // Труды Отдела древнерусской литературы. М.; Л., 1947. Т. 5.

протокол В. П. Адрианова-Перетц. Оба — А. С. и В. П. — не только сидели в разных концах стола, но в каком-то отношении были противоположностью друг другу — противоположностью хорошей, ибо они взаимно дополняли один другого.

Обсуждение докладов происходило как бы между двумя полюсами. Полюс А. С. Орлова был полюсом повышенной требовательности, при котором Александром Сергеевичем не учитывались ни реальные возможности докладчика и выступавших (которых он порой не менее жестко критиковал, чем докладчика), ни условия опубликования докладов в ТОДРЛ или в томах десятитомной «Истории русской литературы». Полюс Варвары Павловны был полюсом дипломатического и очень умелого сглаживания всех резкостей А. С. Орлова и практического применения всех сделанных на заседании замечаний к исправлению докладов. Варвара Павловна искала и находила выходы из положения и часто уже за рамками заседания решала одна, как поступить с докладом, давала советы докладчикам, редактировала, а порой и дописывала за докладчиков главы, статьи и книги. Естественно, что вся тяжесть черной работы в отделе лежала на Варваре Павловне. При этом В. П. уже тогда была очень больным человеком — выходить из дому ей было очень трудно. Она приезжала на заседания, сразу уезжала, а все переговоры с авторами и докладчиками велись ею уже дома на улице Маяковского, 27, в ее огромном и уютном кабинете, обставленном с чисто женским изяществом и вместе с тем простотой.

Варвара Павловна была, как я уже сказал, полной противоположностью А. С. Орлову. В своей жизни она пережила не меньше, чем А. С. Орлов, но в ней не было ни тайной грусти, которая была в Орлове, ни психологических комплексов. Совершенно ровная со всеми, деловая без всякой суетливости и торопливости, столь часто портящих поведение «деловых людей», она поражала очень объективной оценкой ученых, трезвым учетом их научных возможностей. Она умела объединить вокруг отдела специалистов, привлечь новых, помочь им советами, а иногда и книгами из своей долгие годы собиравшейся, а поэтому и ценнейшей библиотеки по древнерусской и древнеукраинской литературе. В ее кабинете происходили своего рода «теневые» заседания отдела, велось руководство аспирантами и молодыми сотрудниками.

Дома она всегда была готова к приему нежданных посетителей: прекрасно и изящно одета, собранна, душевно подтянута и приветлива. Парикмахер приходил к ней на дом, чтобы уложить волосы, в которых эффектно выделялась поднимавшаяся ото лба совершенно белая седая прядь. Никто не смог бы застать ее в дурном расположении духа.

Она выписывала большинство толстых литературных журналов, была в курсе всех новинок советской литературы. Она читала удивительно много и разнообразно. При этом умела читать: умела выбирать то, что нужно было прочесть серьезно и внимательно, и то, что можно было только просмотреть, чтобы «быть в курсе дела».

Пишущая машинка у нее всегда была раскрыта с каким-либо листком для очередной своей работы или, чаще, для исправлений в работах других. Хотя она и была занята сверх меры, она никогда не жаловалась на перегрузку, на усталость. А была она больна серьезно, и самые простые для других вещи ей приходилось делать с трудом: под конец жизни у нее сильно дрожали руки, и не только подписаться она не могла, но трудно было даже чашку поднести ко рту не расплескав. Поэтому, принимая своих многочисленных посетителей и угощая их великолепно заваренным чаем, она держала перед собой, не прикасаясь, налитую для вежливости чашечку.

Была у нее и сильная потребность в дружбе. Она дружила и с приходившими к ней медицинскими сестрами, и с молодыми сотрудниками отдела, приветливо встречала почтальона, расспрашивая ее о семейных делах. Ни о чем особенно она сама не рассказывала, но зато любила послушать рассказы других.

Щедрость ее была изумительной. Подарить единственную и очень дорогую книгу из своей библиотеки было ей так легко и просто, как и раздаривать возможные темы научных изысканий, мысли и обобщения. В окружении доброжелательства ей было увереннее себя чувствовать, жить. Надо было очень в чем-то провиниться, чтобы не заслужить ее расположения. Главной провинностью в ее глазах была недобросовестность в науке.

Скромность ее выражалась и в том, что она неизменно отказывалась от выдвижения ее в академики: «Наука от этого ничего не выиграет: писать лучше и больше я не смогу, а принимать более активное участие в работе отделения мне не под силу».

В одном она была в особенности верна себе, но редко кто по-настоящему понимал ее в этом отношении: она была верна себе в верности памяти своего покойного мужа — академика Владимира Николаевича Перетца. Его большая фотография всегда стояла у нее на мраморном камине, который часто зажигался, когда к ней приходили гости. Она всегда была уверена, что именно он был идеалом ученого, знал единственно верный путь в науке. Воспоминания о занятиях в его киевском семинаре, о совместных путешествиях этого семинара по описанию рукописей в различных городах России и Украины были, как чувствовалось, лучшими воспоминаниями ее жизни. Она всегда выделяла в среде своих друзей, сверстников и отчасти младших соучеников — участников перетцевского семинара: С. Д. Балухатого, С. И. Маслова, Н. К. Гудзия, А. П. Баранникова, А. А. Назаревского, И. П. Еремина и Г. А. Бялого.

В трудных условиях жизни в эвакуации в Казани она приняла на себя заведование отделом и усиленно работала над двумя полутомами десятитомной «Истории русской литературы». Закончить это издание, несмотря на войну, она считала своим долгом. На заседания отдела в Казани она ходила издалека (сотрудники Пушкинского Дома в своем большинстве жили тогда в канцелярских помещениях Дворца профсоюзов на улице Комлева, а единственная служебная комната Пушкинского Дома помещалась в одном из флигелей Казанского университета). Ходила она из-за развившейся на почве ее болезни «боязни пространства» низко опустив голову в шляпе с большими полями, шла медленно-медленно, но заседания проводила регулярно и дома еще усерднее и тщательнее исправляла главы для «Истории русской литературы». В самые тяжелые моменты войны она всегда была такой же подтянутой и бодрой, какой мы ее привыкли видеть в мирной ленинградской обстановке ее уютной и светлой квартиры.

В больнице перед смертью в жесточайшей слабости она смогла сказать только несколько слов: «Хочу на Комаровском, где все наши». Так просто и спокойно думала она о предстоящей смерти. Под «нашими» В. П. разумела своих товарищей по научной работе: А. П. Баранникова, В. Ф. Шишмарева, П. Н. Беркова[1].

В течение многих лет Варвара Павловна была главой и организатором изучения древней русской литературы. С момента образования Отдела древнерусской литературы в Пушкинском Доме (1934 г.) она была фактически его руководителем, ведя на правах секретаря всю организационную работу при заведующем — академике А. С. Орлове, привлекая докладчиков, выполняя техническую работу по созыву совещаний, по составлению и редактированию «Трудов Отдела древнерусской литературы».

---

[1] Подробнее о В. П. Адриановой-Перетц и ее научном пути см.: *Лихачев Д. С.* 1) Варвара Павловна Адрианова-Перетц (к 70-летию со дня рождения) // Известия АН СССР. Отд-ние литературы и языка, 1958. Т. 176. Вып. 3. С. 263–266; 2) Варвара Павловна Адрианова-Перетц // Известия АН СССР. Отд-ние литературы и языка, 1973. Т. 32. Вып. 1. С. 100–103; 3) Варвара Павловна Адрианова-Перетц — организатор исследовательской работы // Труды Отдела древнерусской литературы. Л., 1974. Т. 29. С. 3–5; Краткий очерк научно-исследовательской и преподавательской деятельности В. П. Адриановой-Перетц // Варвара Павловна Адрианова-Перетц / Библиография составлена Р. И. Горячевой. М., 1963 (серия «Материалы к библиографии ученых СССР»).

Быть организатором не означало для Варвары Павловны только «возглавлять». Как организатор она прежде всего принимала на себя всю черновую работу. Она сама вела переписку с будущими участниками коллективных трудов, обсуждая в своих письмах во всех деталях направление, характер будущей работы, ее основные идеи и т. д. При этом Варвара Павловна указывала на недостатки прежних работ будущего сотрудника, умела заставить его отказаться от прежних, не всегда правильных взглядов, иногда выраженных в книгах и солидных исследованиях. Так было, например, перед самой войной с главой о «Задонщине» и «Сказании о Мамаевом побоище», заказанной ею С. К. Шамбинаго — автору солидного исследования «Повести о Мамаевом побоище»[1]. Варвара Павловна сумела переубедить его в некоторых положениях, развивавшихся им в его исследовании. В результате раздел С. К. Шамбинаго о «Задонщине» и «Сказании...» в 1-й части второго тома «Истории русской литературы» оказался иным, более точным сравнительно с его прежними исследованиями по этим памятникам.

Получив рукописи, Варвара Павловна занималась не только генеральным, но и их детальным редактированием, проверяя библиографические сноски, фактические данные, исправляя стиль и, главное, соединяя их с остальными частями коллективного труда, создавая единство концепции, а подчас и объединяя их стилистически. Нередко при этом присланные авторами материалы сокращались ею наполовину и больше. Так было, например, с интереснейшей статьей — вернее, исследованием — В. Л. Комаровича о Лаврентьевской летописи. Исследование это вошло в «Историю русской литературы» только в той его части, в которой оно могло быть согласовано с самим типом изложения в этом издании.

С самого начала отдел стал центром изучения древнерусской литературы, в работе которого на общественных началах принимали участие все ленинградские и московские специа-

[1] *Шамбинаго С. К.* Повести о Мамаевом побоище. СПб., 1906.

листы. На заседания отдела приходили не только его сотрудники (А. С. Орлов, В. П. Адрианова-Перетц, И. П. Еремин, М. О. Скрипиль, В. Ф. Покровская и Д. С. Лихачев), но и все, кого интересовала древняя русская литература, начиная от студентов и кончая академиками (отметим акад. Е. Н. Павловского, собиравшего древнерусские рукописные лечебники, лингвиста акад. В. М. Ляпунова, члена-корр. Е. С. Истрину, проф. Б. А. Романова, проф. Б. А. Ларина, проф. В. Е. Вальденберга, В. Л. Комаровича, В. Г Геймана, проф. П. Н. Беркова, проф. В. Г Чернобаева, Н. Н. Зарубина, Е. А. Рыдзевскую, В. В. Данилова, М. А. Яковлева).

После смерти А. С. Орлова (1946) В. П. становится заведующим Отделом древнерусской литературы, вскоре переименованным в Сектор древнерусской литературы. С этого момента происходит быстрое увеличение числа штатных сотрудников отдела. В сектор были приняты В. И. Малышев, Л. А. Дмитриев, Н. Ф. Дробленкова, А. П. Евгеньева (вскоре затем перешедшая в Институт языкознания АН СССР).

Приглашая в Сектор древнерусской литературы сотрудников, Варвара Павловна (в основном состав сектора сложился при ней) уделяла главное внимание моральному облику будущих его членов. Особенно опасалась она принять карьеристов, справедливо придавая большое значение общей дружеской атмосфере, которая должна царить в научном коллективе. Она также считала, что честность в отношениях между научными работниками — показатель честности в самой научной работе. Воспитанная в дружеской атмосфере перетцевского семинара, Варвара Павловна стремилась установить такие же дружеские отношения со всеми членами сектора: она приглашала их к себе, пока это ей позволяло здоровье, давала на прочтение и дарила книги из собственной библиотеки, всегда помнила и поздравляла с семейными праздниками каждого. Было очень жаль, что при своих исключительных общительности, доброжелательности и интересе к людям, к общественной жизни она не могла последние годы выходить из дому и должна была довольствоваться телефоном, почтой и редкими приглашениями к себе.

Вспоминая отношение, которое существовало в семинарии В. Н. Перетца к своему учителю, Варвара Павловна придавала особенное значение тому, как относится молодежь к своему руководителю, и никогда не прощала измен своим руководителям, хотя бы и мелких.

С выходом в 1954 г. на пенсию Варвара Павловна продолжала быть «игуменьей» секторского «монастыря», как шутливо, но и с уважением называли ее сотрудники сектора. Она уже не могла часто посещать Пушкинский Дом, а вскоре совершенно прекратила свои выезды в институт, но интересовалась его жизнью, руководила рядом исследований, редактировала труды, занималась с молодежью и незаметно, но настойчиво оказывала влияние на все дела и работу сектора.

Варвара Павловна придавала большое значение способности ученого к обобщениям, но одновременно не любила «чистюль» — исследователей, не умеющих делать черновую работу: править рукописи, уметь подводить варианты, устанавливать историю текста и т. д. Поэтому, рекомендуя молодым научным работникам темы для их кандидатских диссертаций, она всегда обращала их внимание на необходимость всесторонне исследовать памятник, начиная с собирания списков и кончая заключительными выводами. Кандидатская работа над памятником должна была, по мысли Варвары Павловны, научить молодого ученого всем видам филологической и литературоведческой работы. Не всякий исследователь, говорила Варвара Павловна, имеет право на широкие обобщения. Это право дается только долгими годами черновой работы над рукописями. И если мы обратим внимание на собственный научный путь Варвары Павловны, то заметим, что к широким обобщениям она обратилась только в пожилые годы. Вначале она занималась только конкретными исследованиями. Она не пренебрегала ни описаниями рукописей, ни библиографией, ни отчетами о работе семинария Перетца. Хотя если просмотреть темы этих конкретных исследований, то мы увидим, что уже в самом выборе их было видно направление ее мысли: в центре ее внимания находились памятники демократической литературы, взаимоотношения литературы и фольклора, народная книга, пословицы, загадки, фацеции, пародийная литература, различного рода хождения.

К ее выдающимся способностям организатора науки следует отнести и ее умение ценить новое в исследованиях, а также умение отделять ценные результаты от мнимых, рассчитанных только на внешний эффект.

Как ученый со специфическим складом ума — умением мыслить конкретно, — Варвара Павловна хорошо знала цену живой связи наук, посвященных одному объекту — Древней Руси. Поэтому она охотно приглашала во все коллективные труды не только литературоведов-медиевистов, но и историков, искусствоведов, лингвистов, источниковедов и т. д. Так, в тринадцатитомной «Истории русской литературы» — в тома, посвященные древнерусской литературе, — она пригласила участвовать наиболее замечательных из живших тогда русских историков — М. Д. Приселкова и Б. А. Романова, лучших специалистов по древнерусскому искусству — Д. В. Айналова и Н. Н. Воронина, крупного источниковеда Б. М. Боровского.

В «Трудах Отдела древнерусской литературы», в первых томах, которые собирались и готовились к печати также Варварой Павловной, она печатала исследования специалистов по западным литературам — М. П. Алексеева, по фольклору и истории русского языка — А. П. Евгеньевой и др.

Широкая связь с представителями разных других специальностей стала важной особенностью работы Сектора древнерусской литературы. Особенность эта может быть прослежена во всех его изданиях, к которым зачастую привлекались не только отечественные ученые, но и иностранные — по преимуществу из славянских стран.

Связь с историками была особенно важной в методологическом отношении. Эта связь позволила поставить изучение древней русской литературы на прочную историческую базу. Так, когда понадобилось перед войной выработать более детальную, чем было до того принято, периодизацию истории древнерусской литературы, историческая периодизация, положенная в основу литературной, сыграла свою существенную и положительную роль. Начинать с нее было во всяком случае необходимо. И действительно, движение истории, лежащее в основе историко-литературных перемен, хотя и не исчерпывало собой последних, тем не менее являлось также основой периодизации. Сейчас к этой периодизации нужны только поправки, учитывающие литературную специфику, специфику историко-литературного процесса.

Нельзя не упомянуть и о выступлениях Варвары Павловны в секторе и на заседаниях ученого совета института. Эти выступления не были многословны и «красноречивы». Она говорила просто, удивительно ясно по мысли. Ее речи были всегда хорошо построены, логичны и деловиты. Она усвоила старые академические традиции — говорить коротко и для определенного конкретного решения, не стремясь произвести впечатление на аудиторию и ни в коем случае не «ораторствовать», что считала дурным тоном.

Личность Варвары Павловны как ученого отразилась и отражается в работе ее сектора — Сектора древнерусской литературы.

* * *

История ученичества в науке, в ремесле, в художественном мастерстве делится на два больших периода. Первый период, преимущественно средневековый, — когда ученик учился, помогая своему учителю в его работе. Второй период, в Новое время, — когда учитель учит своего ученика, помогая ему написать свою квалифицированную работу.

Какая из этих двух систем лучше — пусть судят методисты. Я не берусь судить об этом во всех аспектах. Очевидно, что некоторые положительные и отрицательные моменты есть и у той и у другой системы. Для меня как для историка культуры важно, что обе системы были связаны с совершенно различными укладами жизни ученых, их «научным бытом».

Определяя тот и другой период, следует сказать, что первый период расцвел по преимуществу в цеховой организации мастерства, в эпоху феодализма, в России продолжался весь XIX в. и дожил до эпохи трех революций. Второй период начался тогда, когда наука не смогла уже развиваться в кустарных условиях и стала предметом государственной организации в самых широких масштабах и решительно утратила свой камерный характер.

Каким был быт ученого в XIX в.? Ученая и учебная работа сосредоточивалась по преимуществу дома, в семейной обстановке, у ученого. Ученики переписывали для ученого необходимые ему документы в архивах (для Ключевского, для С. Б. Веселовского и др.), выполняли различные поручения и систематически приходили к нему домой. Все вместе собирались на квартире ученого в назначенные дни, разбирали и читали работы друг друга за чаем.

У Срезневского даже знакомые, приходившие в фиксированные дни, делали выписки для его словаря. Семья учителя выезжала иногда с учениками на прогулки за город (на лодках по Днепру у Владимира Николаевича Перетца), в экспедиции для описаний рукописей какого-либо рукописного хранилища, библиотеки, архива.

Учитель строго следил за бытом ученика. В. Н. Перетц запрещал, например, своим ученикам жениться «слишком рано», предполагая, что женитьба помешает ученику в его научных занятиях. С женитьбой ученика В. Н. Перетца — С. Д. Балухатого была целая трагикомическая эпопея. С. Д. Балухатый, чтобы жениться, бежал даже от В. Н. Перетца в Тверь.

Ученики жили с руководителями на даче, принимали участие во всех семейных событиях, но... попасть в ученики было очень трудно.

Я помню, как на первом курсе я искал семинарий В. Н. Перетца по всем аудиториям, не нашел, а когда узнал, что семинарий собирается на дому, не нашел — кто бы меня туда мог рекомендовать. В конце концов я пошел на занятия члена-корреспондента Дмитрия Ивановича Абрамовича и этим был очень доволен.

Варвара Павловна взяла все самое лучшее от старой системы и все лучшее от новой. Вернее, она приняла новую систему аспирантуры — с ее планами, сроками, отчетами, экзаменами, но вложила в эту программу свою человечность, заботливость, глубоко личное отношение к ученикам и требовала от аспирантов верности, преданности науке, честности.

Важны следующие черты в преподавательской деятельности Варвары Павловны.

Она интересовалась не только выполнением плановой аспирантской работы, но всеми работами, которые вел аспирант, — его лекциями или уроками, его популярными статьями, различными другими заработками.

Она следила за тем, что может быть названо «вкусом» в работе аспиранта и даже в его одежде, за его общественными убеждениями, его отношением к изучаемому им предмету и т. д. Она была не только «руководителем» аспиранта, но в широком смысле и его воспитателем.

Однажды, узнав, что ее аспирант пишет работу на «заезженную», истрепанную, но выгодную тему, она отвернулась в сторону и сказала при всех: «Какая пошлость!» — о теме. Охота заниматься «заработками» на таких темах у аспиранта была отбита раз и навсегда.

Когда в одном вопросе другой ее ученик переметнулся на другую точку зрения, чтобы стать популярным, — она не простила ему до конца жизни.

В научной работе Варвара Павловна любила не эффектность выводов, а основательность, эрудированность, т. е. красоту доказательств. Она стремилась внушать это и своим ученикам. Предпочтение обоснованности выводов их эффектности отличает настоящего ученого от легкомысленного. Варвара Павловна очень это умела различать в научных работниках и никогда не прощала легкомысленности в научных работах, погони за дешевым успехом.

Науку она ставила очень высоко. И это ее собственное отношение к науке больше всего помогало ей быть подлинным организатором науки. В своем руководстве молодыми учеными она соединяла «оба полы сего времени» — лучшее из прошлого и огромные перспективы настоящего.

Она стремилась установить мост между прошлым и будущим, не растерять лучшее в традициях прошлого, соединить в своем лице две формации ученых и передать прошлое в заботливые руки будущего.

Николай Николаевич Воронин

Мы учились с Николаем Николаевичем Ворониным на факультете общественных наук Ленинградского университета одновременно — в 1923–1928 гг., но на разных отделениях: я на этнолого-лингвистическом, а он на общественно-педагогическом. Мы не были знакомы. Познакомились много лет спустя.

В конце тридцатых годов началась работа над «Историей культуры Древней Руси». Возглавлял эту работу фактически один Николай Николаевич в Институте археологии Академии наук. Не помню, как этот институт точно назывался: придумывали тогда названия довольно вычурные.

Однажды в Отделе древнерусской литературы Пушкинского Дома я заметил разговаривающего с Варварой Павловной Адриановой-Перетц крупного и красивого человека в шубе с бобровым воротником (не могу вспомнить, почему он был в шубе в помещении. Может быть, испортилось отопление?). Оказалось, что он пришел предложить Варваре Павловне написать главу о русской литературе домонгольского периода для первого тома. Варвара Павловна отказалась и предложила меня. Уговорила Николая Николаевича, а меня и не надо было уговаривать. Предложение было для меня большой честью. У меня и работ еще не было, и не был я известен никому.

Трудился над этой главой я с большим усердием. Отделывал стиль: понимал, что эта глава поможет мне занять положение в науке.

Я читал свою главу в Отделе древнерусской литературы, а потом на заседании, посвященном «Истории культуры Древней Руси» в Институте археологии. Встречена моя глава была очень хорошо. Принята была без поправок. И меня стали приглашать на заседания отдела, в котором работал Н. Н. Воронин. А когда весной 1942 г. меня стали высылать из Ленинграда вместе с семьей (из блокированного Ленинграда!), мне дали в дорогу справку, что я работаю в Институте археологии — на всякий случай. Н. Н. Воронин ушел тогда добровольцем в армию, подорвался на мине около Стрельны, лишился нескольких пальцев на ноге и был вывезен вместе с другими ранеными в Москву.

Когда я приезжал из Казани, куда был эвакуирован, в Москву, я всегда заходил к нему на Серпов переулок, где он обитал у своей новой жены Екатерины Ивановны. Комнатка была малюсенькая и вся заставленная книгами, а впоследствии она стала еще меньше, когда пришлось встроить ванну частично в комнату Н. Н. Нас особенно сближало общее горе всей страны — уничтожение памятников русской культуры: с одной стороны, немцами, с другой — нашими же властями. Николаю Николаевичу первому удалось тогда напечатать статью с большим перечислением памятников, уничтоженных в Москве за годы советской власти. Нам казалось это большим успехом, но за успехом последовало запрещение такого рода статей в прессе... Помню, что в начале 50-х гг. Н. Н. приезжал в Ленинград и перевозил книги в Москву. Его большая ленинградская комната, которую он должен был отдать, помещалась в здании Министерства двора рядом с Эрмитажным театром и имела большие окна с зеркальным стеклом, выходившие на Неву. Вид был умопомрачительный по красоте. У Николая Николаевича была замечательная подборка книг, брошюр, проспектов, открыток по древнерусским памятникам. Эту часть библиотеки я взялся переправлять почтой. К великому несчастью и огорчению нас обоих, часть этой литературы, отправляемой мной бандеролями по почте, пропала. Что было делать: кто-то на почте, видимо, тоже интересовался этой литературой.

Потом мы вместе с Николаем Николаевичем много занимались открытием Музея древнерусского искусства имени Андрея Рублева. Писали обращения, статьи, всячески поддерживали Наталию Алексеевну Демину, Ирину Александровну Васильеву (в замужестве Иванову) и, конечно, Давида Ильича Арсенишвили. Время было хлопотливое, наши статьи в защиту памятников то отказывались печатать, то сокращали в самых важных местах, то печатали с опозданием, когда памятник оказывался уже взорван. Помню, что много мы писали по поводу Пятницкой церкви в Чернигове, других памятников на Украине, в России, в Белоруссии. Беспокоились, огорчались. Помню такой случай. Н. Н. Воронину предложили поехать вместе с группой архитекторов и искусствоведов в Италию. Тогда посещения Италии были чрезвычайной редкостью. Н. Н. отказался. Он сказал: я не смогу смотреть на ухоженные памятники, видеть заботу о них, когда наши памятники в таком загоне. Как я его ни уговаривал — он не согласился.

А потом я уже возлагал венок на его могилу почетного гражданина Владимира в его родном городе, смотрел дом, в котором прошло его детство, вспоминал его рассказы. В нем была кавказская кровь, в нем была кавказская привязанность к своим родным местам, кавказская верность своим друзьям. Я лишился своего большого друга. Он писал стихи, любил птиц, был очень красив и прямодушен.

Поездка на Соловки в 1966 году

Пребывание на Соловках было для меня самым значительным периодом жизни. Естественно, что меня постоянно интересовала судьба людей, с которыми я там встречался, да и судьба самих Соловков. Я мечтал когда-нибудь снова туда поехать и предаться воспоминаниям.

После смерти Сталина это стало возможным, но надо было получать пропуск и ехать через Архангельск, что было трудно во многих отношениях, к тому же я часто хворал. Меня не отпускала язва двенадцатиперстной кишки. В 1966 г. возможность побывать на Соловках представилась. Меня пригласили на конференцию в Архангельск, посвященную «Памятникам культуры Русского Севера» с последующими экскурсиями. Одна из них была на пароходе «Татария» на Соловки. Я решил поехать на конференцию и затем остаться на некоторое время на Соловках, где к тому времени начал организовываться музей. В Архангельске я был только один раз — сразу после ухода англичан в 1921 г. со школьной экскурсией. Зрительная память сохраняла удивительную колокольню, замыкавшую перспективу главной улицы, и грандиозный Гостиный Двор. Два символа архангелогородского возвышения на Севере — духовного и экономического.

Со мною вместе летел в Архангельск В. И. Малышев. Из Москвы приехал А. А. Зимин, с которым после нескольких лет дружбы и моих попыток побудить Академию наук напечатать его работу о «Слове о полку Игореве» у меня начался холодок в отношениях.

Конференция вызвала очень большой интерес в Архангельске, тем более что в это время шла организация первого в нашей стране музея деревянного зодчества под открытым небом — «Новые Корелы». Конференция проходила в самом большом зале Архангельска. Была середина лета и отличная погода. На моем докладе зал был полон: я был единственным человеком, пережившим соловецкое заключение. Пришли посмотреть на «старого соловчанина».

Мой доклад назывался «Задачи изучения Соловецкого историко-культурного комплекса». Он не мог быть неинтересен историкам русского Средневековья. А. А. Зимин сел в первом ряду с края у среднего прохода, демонстративно раскрыл газету, выставив ее в проход, и погрузился в чтение. Это была демонстрация, неприличная особенно в связи с тем, что люди пришли отчасти и для того, чтобы приветствовать соловецкого заключенного.

Я не обиделся, понимая, что у Александра Александровича Зимина в те годы все интересы вертелись вокруг его идеи позднего происхождения «Слова о полку».

На следующий день я встретил Александра Александровича Зимина в окружении его друзей. Я поздоровался, — они прошли мимо. Естественно, что затем на пароходе «Татария» и на самих Соловках я к ним не подходил, и они лишили себя возможности узнать что-нибудь сверх того, что им рассказывал архангелогородский экскурсовод. Было много мальчишеского в Александре Александровиче.

На Соловках встречала меня окончившая вместе с моей дочерью Верой Академию художеств Светлана Вереш (по отцу Невская). Судьба Светланы была тяжелой. Она вышла замуж за венгра из Румынии. Уехала вместе с ним в Бухарест. У них уже был сын, но вскоре она поняла, что сын их как полурусский-полувенгр в Румынии не сможет жить, и решила вернуться в Советский Союз. Но где жить? Единственное место с квартирой было заведование Историко-культурным музеем-заповедником на Соловках. На Соловках уже начались реставрационные работы, летом приезжали добровольцы — главным образом студенты. Командовала реставрациями дама из Москвы, как и многие реставраторы считавшая, что реставрацию надо производить «на определенный момент в жизни памятника». Часто это губило памятник. Гораздо правильнее, как мне кажется, была точка зрения Грабаря на реставрацию как на продление жизни памятника и сохранение в нем всего самого ценного.

Комнату мне уступила одна из сотрудниц музея. Это была бывшая камера четвертой роты на шестерых. Я просил предоставить меня самому себе и много ходил в одиночестве, вспоминая места, удивляясь переменам, которые произошли за годы преобразования СЛОНа в СТОН (Соловецкая тюрьма особого назначения). Следы СТОНа были гораздо страшнее следов СЛОНа: решетки были даже на окнах таких зданий, которые считались при СЛОНе непригодными для обитания: например, на бойницах Никольской башни. В лагере помещение этой башни использовалось как склад, в тюрьме же это была громадная общая камера без уборной, без настоящего отопления. Решетки появились и на помещениях лазарета. Онуфриевская церковь сгорела. Сгорели (во второй раз) кровли основных церквей, кроме Благовещенской. Святые ворота были пока еще целы. Целы были несколько бараков трудколонии. В полном порядке были помещения Криминологического кабинета.

Я ездил на гребной лодке на Большой Заяцкий остров, где я не бывал в годы моего соловецкого заключения, когда тут помещался страшный женский карцер. Ходил я пешком на Муксалму, где видел бараки, в которых содержали «нумерованных детей» — детей «врагов народа», которых лишали имен и фамилий, а клеили на спинки номера, по которым стражники их знали и звали в случае необходимости. Один из таких «нумерованных» впоследствии оказался в Свердловске, съездил на Соловки и узнал в Муксалме место, где он был в заключении в детстве. Ужасные были годы, о преступлениях которых не следует забывать.

С группой музейных работников я был и на Анзере, где почти все памятники подверглись страшным разрушениям. Особенно жалко мне было Голгофы и Троицкого скита. Поразили меня карандашные надписи на стенах. Людям так хотелось оставить по себе хоть какую-нибудь память... То же самое увидел я на Секирке. Рассматривал я и разрушения, нанесенные памятникам во время войны находившейся здесь Школой юнг.

Главное мое расхождение с реставраторами заключалось в концепции завершения Преображенского собора. Дело в том, что перед пожаром 1921 г. Преображенский собор имел огромную луковицу с очень сильно вспученными боками. Ясно, что такая луковица не могла быть создана раньше конца XVII в. Кроме того, форма барабана с окнами под луковицей была очень странной — резко сокращавшейся кверху. Именно поэтому луковица и должна была иметь сильно вспученные бока — более широкие, чем основание барабана. Еще Назимов, под начальством которого я работал несколько дней на общих работах в конце 1928 г., предположил, что это не барабан, а нижняя каменная часть шатра. Наличие высокого, как бы двусоставного шатра, снизу каменного, а вверху деревянного, подтверждалось некоторыми изображениями Соловецкого монастыря в миниатюрах и иконах XVII в. Такой шатер нужен был, чтобы сильно увеличить высоту храма, который должен был служить ориентиром для судов, направлявшихся к монастырю. И действительно, Светлана Васильевна Вереш после моего отъезда обследовала «барабан» и нашла важнейшую деталь: глубокие гнезда для стоймя стоящих бревен второй, деревянной части шатра. Однако реставратор категорически, не приводя развернутой аргументации, отказывалась восстанавливать шатер и восстановила нелепую луковицу (нелепую, разумеется, для данного храма). Вопрос о сносе Святых ворот — их парадной наружной части — тогда еще не возникал. Я добился успеха только в одном: убедил не счищать красивейший красный лишайник с огромных валунов, из которых были построены монастырские стены. Почему-то реставраторы думали, что лишайник разрушает камень...

Еще одна идея относительно Соловков владела мною тогда и не оставляет меня и сейчас. В сущности, монастырь построен на плотине — частично насыпной из песка, частично каменной. Это позволило в XVI в. сильно поднять уровень Святого озера и воспользоваться водой озера для различных технических целей: вода промывала канализацию, бежала по водопроводам, двигала различные механизмы на портомойне, в хлебопекарне и т. д. Строители монастырских сооружений учитывали зыбкость насыпного грунта и делали широкие основания для стен соборов, создававшие своеобразие соловецких зданий, покатость стен, становившихся более тонкими кверху. Наклон в сторону моря всего монастырского участка особенно заметен на площади у Преображенского собора. Это вызвало и то, что верх собора поставлен с резким сдвигом к востоку, к озеру, и опирается на массивную алтарную стену и два столба, т. е. конструкция собора учитывает наклон всего участка монастыря в сторону моря.

Одним словом, весь монастырь построен как гигантское гидротехническое сооружение, при этом «многофункциональное». Так вот, идея моя состояла в том, чтобы сохранить монастырь в неприкосновенности как памятник не только религиозный и историко-природный, но и как единственный в нашей стране музей русской техники XVI–XVII вв. К этому можно было присоединить монастырскую кузню, кирпичный завод, сельскохозяйственные сооружения, и т. д., и т. д.

Приехал я на Соловки, когда остров окутывал густой туман. «Татария» гудела через равные промежутки времени, чтобы не наткнуться на какое-либо судно. Только вплотную подойдя к пристани, стало видно здание Управления Соловецкого лагеря особого назначения. Уезжал же я с Соловков в чудную солнечную погоду. Остров был виден во всю его длину. Не стану описывать чувств, которые переполняли меня, когда я осознал грандиозность этой общей могилы — не только людей, каждый из которых имел свой душевный мир, но и русской культуры — последних представителей русского Серебряного века и лучших представителей Русской церкви. Сколько людей не оставило по себе никаких следов, ибо кто их и помнил — умер. И не умчались соловчане на юг, как пелось в соловецкой песне, а по большей части погибли либо здесь же на островах Соловецкого архипелага, либо на Севере в опустевших деревнях Архангельской области и Сибири.

Последний раз на Соловках

Последний раз я ездил на Соловки со съемочной группой телевидения Владислава Борисовича Виноградова для съемок фильма обо мне «Я вспоминаю».

Все было удачно. Милая дружная съемочная группа молодежи, чудная летняя погода, удачные, как я считаю, съемки. Но Соловки оставили во мне тяжелое впечатление. Святые ворота Соловецкого кремля были снесены, оранжево-красного лишайника стало меньше — верный признак того, что воздух стал хуже (появились машины), на месте Онуфриевского кладбища выросли дома, в том числе и голубой дом на месте расстрелов 1929 г. Дорога к Переговорному камню стала слишком широкой, в каких-то местах ее появились карьеры для забора песка. На Большом Заяцком острове Петровская церковь лишилась своей обшивки, содранной для топлива. Чрезвычайные разрушения произошли с памятниками на Анзере, в Муксалме, в Савватиеве...

Реставрация подвигалась. Различные по размерам, но совершенно одинаковые по форме луковицы, крытые лемехом, не подходившим к монументальным соловецким церквам, появились на всех барабанах оставшихся церквей. И это делало монастырь каким-то безличным, нивелированным. Соловки-монастырь, Соловки-лагерь, Соловки-тюрьма еще более отступили в царство забвения. Один памятник для всех сотен могил, рвов, ям, в которых были засыпаны тысячи трупов, открытый уже после моего последнего посещения Соловков, должен, как мне представляется, еще более подчеркивать обезличивание, забвение, стертость прошлого. Увы, тут уже ничего не сделаешь. Надо призвать свою память, ибо помнить прошлое Соловков стало уже больше некому.

Послесловие

Как заметил читатель, я прежде всего пишу о людях. Люди — самое важное в моих воспоминаниях. Стремясь восстановить их индивидуальность, я выполнял свой долг — сохранить о них память. Сколько же их было? Как они были разнообразны и как интересны! Какую ценность представляет человеческая личность! Мне надо было бы систематически вести записи, ибо ради этих встреч стоит жить. И в основном люди — хорошие. Встречи в детстве, встречи в школьные и университетские годы, а затем время, проведенное мною на Соловках, подарили мне огромное богатство. Его не удалось удержать в памяти все целиком. И это самая большая неудача в жизни. Остается надеяться, что мои воспоминания о них — не единственные. Но когда подумаешь о том, сколько же хороших, душевно богатых людей не оставило о себе никакой памяти, становится страшно.

Письма о добром

Письма к молодым читателям

Каждая беседа пожилого человека с молодыми оборачивается поучением. Положение всегда было таким и, вероятно, всегда таким и останется. Постараюсь быть кратким и сказать лишь о самом для себя главном — как оно мне представляется, поделиться опытом прожитой жизни.

Для своих бесед с читателем я избрал форму писем. Это, конечно, условная форма. В читателях моих писем я представляю себе друзей. Письма к друзьям позволяют мне писать просто.

Почему я расположил свои письма именно так? Сперва я пишу в своих письмах о цели и смысле жизни, о красоте поведения, а потом перехожу к красоте окружающего нас мира, к красоте, открывающейся нам в произведениях искусства. Я делаю это потому, что для восприятия красоты окружающего человек сам должен быть душевно красив, глубок, стоять на правильных жизненных позициях. Попробуйте держать бинокль в дрожащих руках — ничего не увидите.

Письмо первое

Большое в малом

В материальном мире большое не уместишь в малом. В сфере же духовных ценностей не так: в малом может уместиться гораздо большее, а если в большом попытаться уместить малое, то большое просто перестанет существовать.

Если есть у человека великая цель, то она должна проявляться во всем — в самом, казалось бы, незначительном. Надо быть честным в незаметном и случайном, тогда только будешь честным и в выполнении своего большого долга. Большая цель охватывает всего человека, сказывается в каждом его поступке, и нельзя думать, что дурными средствами можно достигнуть доброй цели.

Поговорка «цель оправдывает средства» губительна и безнравственна. Это хорошо показал Достоевский в «Преступлении и наказании». Главное действующее лицо этого произведения — Родион Раскольников думал, что, убив отвратительную старушонку-ростовщицу, он добудет деньги, на которые сможет затем достигнуть великих целей и облагодетельствовать человечество, но терпит внутреннее крушение. Цель далека и несбыточна, а преступление реально; оно ужасно и ничем не может быть оправдано. Стремиться к высокой цели низкими средствами нельзя. Надо быть одинаково честным как в большом, так и в малом.

Общее правило: блюсти большое в малом — нужно, в частности, и в науке. Научная истина дороже всего, и ей надо следовать во всех деталях научного исследования и в жизни ученого. Если же стремиться в науке к «мелким» целям — к доказательству «силой», вопреки фактам, к эффектности результатов или к любым формам самопродвижения, — то ученый неизбежно терпит крах. Может быть, не сразу, но в конечном счете! Когда начинаются преувеличения полученных результатов исследования или даже мелкие подтасовки фактов и научная истина оттесняется на второй план, наука перестает существовать, и сам ученый рано или поздно перестает быть ученым.

Соблюдать большое в малом надо во всем решительно. Тогда все легко и просто.

Письмо второе

Молодость — вся жизнь

Когда я учился в школе, а потом в университете, мне казалось, что моя «взрослая жизнь» будет в какой-то совершенно иной обстановке, как бы в ином мире, и меня будут окружать совсем другие люди. От настоящего не останется ничего... А на самом деле оказалось все иначе. Мои сверстники остались со мной. Не все, конечно: многих унесла смерть. И все же друзья молодости оказались самыми верными, всегдашними. Круг знакомых возрос необычайно, но настоящие друзья — старые. Подлинные друзья приобретаются в молодости. Я помню, что и у моей матери настоящими друзьями остались только ее подруги по гимназии. У отца друзья были его сокурсники по институту. И сколько я ни наблюдал, открытость к дружбе постепенно снижается с возрастом. Молодость — это время сближения. И об этом следует помнить и друзей беречь, ибо настоящая дружба очень помогает и в горе и в радости. В радости ведь тоже нужна помощь — помощь, чтобы ощутить счастье до глубины души, ощутить и поделиться им. Неразделенная радость — не радость. Человека портит счастье, если он переживает его один. Когда же наступит пора несчастий, пора утрат — опять-таки нельзя быть одному. Горе человеку, если он один.

Поэтому берегите молодость до глубокой старости. Цените все хорошее, что приобрели в молодые годы, не растрачивайте богатств молодости. Ничто из приобретенного в молодости не проходит бесследно. Привычки, воспитанные в молодости, сохраняются на всю жизнь. Навыки в труде — тоже. Привык к работе — и работа вечно будет доставлять радость. А как это важно для человеческого счастья! Нет несчастнее человека ленивого, вечно избегающего труда, усилий...

Как в молодости, так и в старости. Хорошие навыки молодости облегчат жизнь, дурные — усложнят ее и затруднят.

И еще. Есть русская пословица: «Береги честь смолоду». В памяти остаются все поступки, совершенные в молодости. Хорошие будут радовать, дурные — не давать спать!

Письмо третье
Самое большое

А в чем самая большая цель жизни? Я думаю: увеличивать добро в окружающем нас. А добро — это прежде всего счастье всех людей. Оно слагается из многого, и каждый раз жизнь ставит перед человеком задачу, которую важно уметь решать. Можно и в мелочи сделать добро человеку, можно и о крупном думать, но мелочь и крупное нельзя разделять. Многое, как я уже говорил, начинается с мелочей, зарождается в детстве и среди близких.

Ребенок любит свою мать и своего отца, братьев и сестер, свою семью, свой дом. Постепенно расширяясь, его привязанности распространяются на школу, село, город, всю страну. А это уже совсем большое и глубокое чувство, хотя и на этом нельзя останавливаться и надо любить в человеке человека.

Надо быть патриотом, а не националистом. Нельзя, нет необходимости ненавидеть чужую семью, потому что любишь свою. Нет необходимости ненавидеть другие народы, потому что ты патриот. Между патриотизмом и национализмом глубокое различие. В первом — любовь к своей стране, во втором — ненависть ко всем другим.

Большая цель добра начинается с малого — с желания добра своим близким, но, расширяясь, она захватывает все более широкий круг вопросов.

Это как круги на воде. Но круги на воде, расширяясь, становятся все слабее. Любовь же и дружба, разрастаясь и распространяясь на многое, обретают новые силы, становятся все выше, а человек, их центр, — мудрее.

Любовь не должна быть безотчетной, она должна быть умной. Это значит, что она должна быть соединена с умением замечать недостатки, бороться с недостатками — как в любимом человеке, так и в окружающих людях. Она должна быть соединена с мудростью, с умением отделять необходимое от пустого и ложного. Она не должна быть слепой. Слепой восторг (его даже не назовешь любовью) может привести к ужасным последствиям. Мать, всем восторгающаяся и поощряющая во всем своего ребенка, может воспитать нравственного урода.

Мудрость — это ум, соединенный с добротой. Ум без доброты — хитрость. Хитрость же непременно рано или поздно оборачивается против самого хитреца. Поэтому хитрость вынуждена скрываться. Мудрость же открыта и надежна. Она не обманывает других, и прежде всего самого мудрого человека. Мудрость приносит мудрецу доброе имя и прочное счастье, приносит счастье надежное, долголетнее и ту спокойную совесть, которая ценнее всего в старости.

Как выразить то общее, что есть между моими тремя положениями: «Большое в малом», «Молодость — вся жизнь» и «Самое большое»? Его можно выразить одним словом, которое может стать девизом: «Верность». Верность тем большим принципам, которыми должен руководствоваться человек в большом и малом, верность своей безупречной молодости, своей родине в широком и в узком смысле этого понятия, верность семье, друзьям, городу, стране, народу. В конечном счете верность есть верность правде — правде-истине и правде-справедливости.

Письмо четвертое

Самая большая ценность — жизнь

«Вдох — выдох, выдох!» Я слышу голос инструктора гимнастики: «Чтобы вдохнуть полной грудью, надо хорошенько выдохнуть. Учитесь прежде всего выдыхать, избавляться от „отработанного“ воздуха».

Жизнь — это прежде всего дыхание. «Душа», «дух»! А умер — прежде всего — «перестал дышать». Так думали исстари. «Дух вон!» — это значит «умер».

Душно бывает в доме, «душно» и в нравственной жизни. Следует хорошенько «выдохнуть» все мелочные заботы, всю суету будничной жизни, избавиться, стряхнуть все, что стесняет движение мысли, что давит душу, не позволяет человеку принимать жизнь, ее ценности, ее красоту.

Человек всегда должен думать о самом важном для себя и для других, сбрасывая с себя все пустые заботы.

Надо быть открытым людям, терпимым к людям, искать в них прежде всего лучшее. Умение искать и находить лучшее, просто хорошее, «заслоненную красоту» обогащает человека духовно.

Заметить красоту в природе, в поселке, городе, не говоря уже — в человеке, сквозь все заслоны мелочей — это значит расширить сферу жизни, сферу того жизненного простора, в которой живет человек.

Я долго искал это слово — «сфера». Сперва я сказал себе: «Надо расширять границы жизни», но жизнь не имеет границ! Это не земельный участок, огороженный забором — границами. «Расширять пределы жизни» — не годится для выражения моей мысли по той же причине. «Расширять горизонты жизни» — это уже лучше, но все же что-то не то. Максимилиан Волошин любил хорошее слово — «окоём». Это все то, что вмещает глаз, что он может охватить. Но и тут мешает ограниченность нашего бытового знания. Жизнь не может быть сведена к бытовым впечатлениям. Надо уметь чувствовать и даже замечать то, что за пределами нашего восприятия, иметь как бы «предчувствие» открывающегося или могущего нам открыться нового. Самая большая ценность в мире — жизнь: чужая, своя, жизнь животного мира и растений, жизнь культуры, жизнь на всем ее протяжении — и в прошлом, и в настоящем, и в будущем... А жизнь бесконечно глубока. Мы всегда встречаемся с чем-то, чего не замечали раньше, что поражает нас своей красотой, неожиданной мудростью, неповторимостью.

Письмо пятое

В чем смысл жизни

Можно по-разному определять цель своего существования, но цель должна быть — иначе будет не жизнь, а прозябание.

Надо иметь и принципы в жизни. Хорошо их даже изложить в дневнике, но чтобы дневник был «настоящим», его никому нельзя показывать — писать для себя только.

Одно правило в жизни должно быть у каждого человека, в его цели жизни, в его принципах жизни, в его поведении: надо прожить жизнь с достоинством, чтобы не стыдно было вспомнить.

Достоинство требует доброты, великодушия, умения не быть узким эгоистом, быть правдивым, хорошим другом, находить радость в помощи другим.

Ради достоинства жизни надо уметь отказываться от мелких удовольствий и немалых тоже... Уметь извиняться, признавать перед другими ошибку — лучше, чем юлить и врать.

Обманывая, человек прежде всего обманывает самого себя, ибо он думает, что успешно соврал, а люди поняли и из деликатности промолчали. Вранье всегда видно. Людям особое чувство подсказывает, врут им или говорят правду. Но иногда нет доказательств, а чаще — не хочется связываться...

Природа создавала человека много миллионов лет, и вот эту творческую, созидательную деятельность природы нужно, я думаю, уважать, нужно прожить жизнь с достоинством, и прожить так, чтобы природа, работавшая над нашим созданием, не была обижена. Мы должны в нашей жизни поддерживать эту созидательную тенденцию, творчество природы и ни в коем случае не поддерживать всего разрушительного, что есть в жизни. Как это понимать, как прилагать к своей жизни — на это должен отвечать каждый человек индивидуально, применительно к своим способностям, своим интересам и т. д. Но жить нужно созидая, поддерживать созидательность в жизни. Жизнь разнообразна, а следовательно, и созидание разнообразно, и наши устремления к созидательности в жизни должны быть тоже разнообразны по мере наших способностей и склонностей. Как вы считаете?

В жизни есть какой-то уровень счастья, от которого мы ведем отсчет, как ведем отсчет высоты от уровня моря.

Точка отсчета. Так вот, задача каждого человека и в крупном и в малом — повышать этот уровень счастья. И личное счастье тоже не остается вне этих забот. Но главным образом — окружающих, тех, кто ближе к вам, чей уровень счастья можно повысить просто, легко, без забот. А кроме того, это значит повышать уровень счастья своей страны и всего человечества, в конце концов.

Способы различные, но для каждого что-то доступно. Если недоступно решение государственных вопросов, что повышает всегда уровень счастья, если они мудро решаются, то повысить этот уровень счастья можно в пределах своего рабочего окружения, в пределах своей школы, в кругу своих друзей и товарищей. У каждого есть такая возможность.

Жизнь — прежде всего творчество, но это не значит, что каждый человек, чтобы жить, должен родиться художником, балериной или ученым. Творчество тоже можно творить. Можно творить просто добрую атмосферу вокруг себя, как сейчас выражаются, ауру добра вокруг себя. Вот, например, в общество человек может принести с собой атмосферу подозрительности, какого-то тягостного молчания, а может внести сразу радость, свет. Вот это и есть творчество. Творчество — оно беспрерывно. Так что жизнь — это и есть вечное созидание. Человек рождается и оставляет по себе память. Какую он оставит по себе память? Об этом нужно заботиться уже не только с определенного возраста, но, я думаю, с самого начала, так как человек может уйти из жизни в любой момент и в любой миг. И очень важно, какую память он о себе оставляет.

Письмо шестое

Цель и самооценка

Когда человек сознательно или интуитивно выбирает себе в жизни какую-то цель, жизненную задачу, он вместе с тем невольно дает себе оценку. По тому, ради чего человек живет, можно судить и о его самооценке — низкой или высокой.

Если человек ставит перед собой задачу приобрести все элементарные материальные блага, он и оценивает себя на уровне этих материальных благ: как владельца машины последней марки, как хозяина роскошной дачи, как часть своего мебельного гарнитура...

Если человек живет, чтобы приносить людям добро, облегчать их страдания при болезнях, давать людям радость, то он оценивает себя на уровне этой своей человечности. Он ставит себе цель, достойную человека.

Только жизненно необходимая цель позволяет человеку прожить свою жизнь с достоинством и получить настоящую радость. Да, радость! Подумайте: если человек ставит себе задачей увеличивать в жизни добро, приносить людям счастье, какие неудачи могут его постигнуть? Не тому помочь, кому следовало бы? Но много ли людей не нуждаются в помощи? Если ты врач, то, может быть, поставил больному неправильный диагноз? Такое бывает у самых лучших врачей. Но в сумме ты все-таки помог больше, чем не помог. От ошибок никто не застрахован. Но самая главная ошибка, ошибка роковая — неправильно выбранная главная задача в жизни. Не повысили в должности — огорчение. Не успел купить марку для своей коллекции — огорчение. У кого-то лучшая, чем у тебя, мебель или лучшая машина — опять огорчение, и еще какое!

Ставя себе задачей карьеру или приобретательство, человек испытывает в сумме гораздо больше огорчений, чем радостей, и рискует потерять все. А что может потерять человек, который радовался каждому своему доброму делу? Важно только, чтобы добро, которое человек делает, было его внутренней потребностью, шло от умного сердца, а не только от головы, не было бы одним только «принципом».

Поэтому главной жизненной задачей должна быть обязательно задача шире, чем просто личностная, она не должна быть замкнута только на собственных удачах и неудачах. Она должна диктоваться добротой к людям, любовью к семье, к своему городу, к своему народу, стране, ко всей Вселенной.

Означает ли это, что человек должен жить как аскет, не заботиться о себе, ничего не приобретать и не радоваться простому повышению в должности? Отнюдь нет! Человек, который совсем не думает о себе, — явление ненормальное и мне лично неприятное: в этом есть какой-то надлом, какое-то показное преувеличение своей доброты, бескорыстия, значительности, в этом есть какое-то своеобразное презрение к остальным людям, стремление выделиться.

Поэтому я говорю лишь о главной жизненной задаче. А эту главную жизненную задачу не надо подчеркивать в глазах остальных людей. И одеваться надо хорошо (это уважение к окружающим), но не обязательно «лучше других». И библиотеку себе надо составлять, но не обязательно большую, чем у соседа. И машину хорошо приобрести для себя и семьи — это удобно. Только не надо превращать второстепенное в первостепенное и не надо, чтобы главная цель жизни изнуряла тебя там, где это не нужно. Когда это понадобится — другое дело. Там посмотрим, кто и к чему способен.

Письмо седьмое

Что объединяет людей

Этажи заботы. Забота скрепляет отношения между людьми. Скрепляет семью, скрепляет дружбу, скрепляет односельчан, жителей одного города, одной страны.

Проследите жизнь человека.

Человек рождается, и первая забота о нем — матери; постепенно (уже через несколько дней) вступает в непосредственную связь с ребенком забота о нем отца (до рождения ребенка забота о нем уже была, но была до известной степени «абстрактной» — к появлению ребенка родители готовились, мечтали о нем).

Чувство заботы о другом появляется очень рано, особенно у девочек. Девочка еще не говорит, но уже пытается заботиться о кукле, нянчит ее. Мальчики, совсем маленькие, любят собирать грибы, ловить рыбу. Ягоды, грибы любят собирать и девочки. И ведь собирают они не только для себя, а на всю семью. Несут домой, заготавливают на зиму.

Постепенно дети становятся объектами все более высокой заботы и сами начинают проявлять заботу настоящую и широкую — не только о семье, но и о школе, о своем селе, городе и стране...

Забота ширится и становится все более альтруистичной. За заботу о себе дети платят заботой о стариках-родителях, когда они уже ничем не могут отплатить за заботу детей. И эта забота о стариках, а потом и о памяти скончавшихся родителей как бы сливается с заботой об исторической памяти семьи и родины в целом.

Если забота направлена только на себя, то вырастает эгоист.

Забота объединяет людей, крепит память о прошлом и направлена целиком на будущее. Это не само чувство — это конкретное проявление чувства любви, дружбы, патриотизма. Человек должен быть заботлив. Незаботливый или беззаботный человек, скорее всего, человек недобрый и не любящий никого.

Нравственности в высшей степени свойственно чувство сострадания. В сострадании есть сознание своего единства с человечеством и миром (не только людьми, народами, но и с животными, растениями, природой и т. д.). Чувство сострадания (или что-то близкое ему) заставляет нас бороться за памятники культуры, за их сохранение, за природу, отдельные пейзажи, за уважение к памяти. В сострадании есть сознание своего единства с другими людьми, с нацией, народом, страной, Вселенной. Именно поэтому забытое понятие сострадания требует своего полного возрождения и развития.

Удивительно правильная мысль: «Небольшой шаг для человека, большой шаг для человечества». Можно привести тысячи примеров тому: быть добрым одному человеку ничего не стоит, но стать добрым человечеству невероятно трудно. Исправить человечество нельзя, исправить себя — просто. Накормить ребенка, перевести через дорогу старика, уступить место в трамвае, хорошо работать, быть вежливым и обходительным и т. д. и т. п. — все это просто для человека, но невероятно трудно для всех сразу. Вот почему нужно начинать с себя.

Добро не может быть глупо. Добрый поступок никогда не глуп, ибо он бескорыстен и не преследует цели выгоды и «умного результата». Назвать добрый поступок «глупым» можно только тогда, когда он явно не мог достигнуть цели или был «лжедобрым», ошибочно добрым, то есть не добрым. Повторяю: истинно добрый поступок не может быть глуп, он вне оценок с точки зрения ума или не ума. Тем добро и хорошо.

Письмо восьмое

Быть веселым, но не быть смешным

Говорят, что содержание определяет форму. Это верно, но верно и противоположное, что от формы зависит содержание. Известный американский психолог начала этого века Д. Джеймс писал: «Мы плачем оттого, что нам грустно, но и грустно нам оттого, что мы плачем». Поэтому поговорим о форме нашего поведения, о том, что должно войти в нашу привычку и что тоже должно стать нашим внутренним содержанием.

Когда-то считалось неприличным показывать всем своим видом, что с вами произошло несчастье, что у вас горе. Человек не должен был навязывать свое подавленное состояние другим. Надо было и в горе сохранять достоинство, быть ровным со всеми, не погружаться в себя и оставаться по возможности приветливым и даже веселым. Умение сохранять достоинство, не навязываться другим со своими огорчениями, не портить другим настроение, быть всегда ровным в обращении с людьми, быть всегда приветливым и веселым — это большое и настоящее искусство, которое помогает жить в обществе и самому обществу.

Но каким веселым надо быть? Шумное и навязчивое веселье утомительно для окружающих. Вечно сыплющий остротами молодой человек перестает восприниматься как достойно ведущий себя. Он становится шутом. А это худшее, что может случиться с человеком в обществе, и это означает в конечном счете потерю чувства юмора.

Не будьте смешными.

Не быть смешным — это не только умение себя вести, но и признак ума.

Смешным можно быть во всем, даже в манере одеваться. Если мужчина чересчур тщательно подбирает галстук к рубашке, рубашку к костюму — он смешон. Излишняя забота о своей наружности сразу видна. Надо заботиться о том, чтобы одеваться прилично, но эта забота у мужчин не должна переходить известных границ. Чрезмерно заботящийся о своей наружности мужчина неприятен. Женщина — другое дело. У мужчин же в одежде должен быть только намек на моду. Идеально чистая рубашка, чистая обувь и свежий, но не очень яркий галстук — этого достаточно. Костюм может быть старый, он только не должен быть неопрятен.

В разговоре с другими умейте слушать, умейте помолчать, умейте пошутить, но редко и вовремя. Занимайте собой как можно меньше места. Поэтому за обедом не кладите локти на стол, стесняя соседа. Не старайтесь чрезмерно быть «душой общества». Во всем соблюдайте меру, не будьте навязчивыми даже со своими дружескими чувствами.

Не мучайтесь из-за своих недостатков, если они у вас есть. Если вы заикаетесь, не думайте, что это уж очень плохо. Заики бывают превосходными ораторами, обдумывая каждое свое слово. Лучший лектор славившегося красноречивыми профессорами Московского университета историк В. О. Ключевский заикался. Небольшое косоглазие может придавать значительность лицу, хромота — движениям. И если вы застенчивы, то не бойтесь этого. Не стесняйтесь своей застенчивости: застенчивость очень мила и совсем не смешна. Она становится смешной, только если вы слишком стараетесь ее преодолеть и стесняетесь ее. Будьте просты и снисходительны к своим недостаткам. Не страдайте от них. Хуже нет, когда в человеке развивается «комплекс неполноценности», а вместе с ним озлобленность, недоброжелательность к другим лицам, зависть. Человек теряет то, что в нем самое хорошее, — доброту.

Нет лучшей музыки, чем тишина, тишина в горах, тишина в лесу. Нет лучшей «музыки в человеке», чем скромность и умение помолчать, не выдвигаться на первое место. Нет ничего более неприятного и глупого в облике и поведении человека, чем важность или шумливость; нет ничего более смешного в мужчине, чем чрезмерная забота о своем костюме и прическе, расчитанность движений и «фонтан острот» и анекдотов, особенно если они повторяются.

В поведении бойтесь быть смешным и старайтесь быть скромным, тихим.

Никогда не распускайтесь, всегда будьте ровными с людьми, уважайте людей, которые вас окружают.

Не бойтесь своих физических недостатков. Держитесь с достоинством, и вы будете элегантны.

У меня есть знакомая девушка, чуть горбатая. Честное слово, я не устаю восхищаться ее изяществом в тех редких случаях, когда встречаю ее в музеях на вернисажах (там все встречаются — потому-то они и праздники культуры).

И еще одно, и самое, может быть, важное: будьте правдивы. Стремящийся обмануть других прежде всего обманывается сам. Он наивно думает, что ему поверили, а окружающие на самом деле были просто вежливы. Но ложь всегда выдает себя, ложь всегда «чувствуется», и вы не только становитесь противны, хуже — вы смешны.

Не будьте смешны! Правдивость же красива, даже если вы признаетесь, что обманули перед тем по какому-либо случаю, и объясните, почему это сделали. Этим вы исправите положение. Вас будут уважать, и вы покажете свой ум.

Простота и «тишина» в человеке, правдивость, отсутствие претензий в одежде и поведении — вот самая привлекательная «форма» в человеке, которая становится и его самым элегантным «содержанием».

Письмо девятое

Когда следует обижаться?

Обижаться следует только тогда, когда хотят вас обидеть. Если не хотят, а повод для обиды — случайность, то зачем же обижаться?

Не сердясь, выясните недоразумение — и все.

Ну а если хотят обидеть? Прежде чем отвечать на обиду обидой, стоит подумать: следует ли опускаться до обиды? Ведь обида обычно лежит где-то низко, и до нее следует наклониться, чтобы ее поднять.

Если решили все же обидеться, то прежде произведите некое математическое действие — вычитание, деление и пр. Допустим, вас оскорбили за то, в чем вы только отчасти виноваты. Вычитайте из вашего чувства обиды все, что к вам не относится. Допустим, что вас обидели из побуждений благородных, — произведите деление вашего чувства на побуждения благородные, вызвавшие оскорбительное замечание, и т. д. Произведя в уме некую нужную математическую операцию, вы сможете ответить на обиду с большим достоинством, которое будет тем благороднее, чем меньше значения вы придаете обиде. До известных пределов, конечно.

В общем-то, излишняя обидчивость — признак недостатка ума или какой-то закомплексованности. Будьте умны.

Есть хорошее английское правило: обижаться только тогда, когда вас *хотят* обидеть, *намеренно* обижают. На простую невнимательность, забывчивость (иногда свойственную данному человеку по возрасту, по темпераменту) обижаться не надо. Напротив, проявите к такому «забывчивому» человеку особую внимательность — это будет красиво и благородно.

Это если «обижают» вас, а как быть, когда вы сами можете обидеть другого? В отношении обидчивых людей надо быть особенно внимательными. Обидчивость ведь очень мучительная черта характера.

Письмо десятое

Честь истинная и ложная

Я не люблю определений и часто не готов к ним. Но я могу указать на некоторые различия между совестью и честью.

Между совестью и честью есть одно существенное различие. Совесть всегда исходит из глубины души, и совестью в той или иной мере очищаются. Совесть «грызет». Совесть не бывает ложной. Она бывает приглушенной или преувеличенной (крайне редко). Но представления о чести бывают совершенно ложными, и эти ложные представления наносят колоссальный ущерб обществу. Я имею в виду то, что называется «честью мундира». У нас исчезло такое несвойственное нашему обществу явление, как понятие дворянской чести, но «честь мундира» остается тяжелым грузом. Точно человек умер, а остался только мундир, с которого сняты ордена. И внутри которого уже не бьется совестливое сердце.

«Честь мундира» заставляет руководителей отстаивать ложные или порочные проекты, настаивать на продолжении явно неудачных строек, бороться с охраняющими памятники обществами («наша стройка важнее») и т. д. Примеров подобного отстаивания «чести мундира» можно привести много.

Честь истинная — всегда в соответствии с совестью. Честь ложная — мираж в пустыне, в нравственной пустыне человеческой (вернее, «чиновничьей») души.

Письмо одиннадцатое
Про карьеризм

Человек с первого дня жизни развивается. Он устремлен в будущее. Он учится, научается ставить себе новые задачи, даже не понимая этого. И как быстро он овладевает своим положением в жизни! Уже и ложку умеет держать, и первые слова произносить.

Потом, отроком и юношей, он тоже учится.

И уже приходит время применять свои знания, достичь того, к чему стремился. Зрелость. Надо жить настоящим...

Но разгон сохраняется, и вот вместо учения наступает для многих время овладения положением в жизни. Движение идет по инерции. Человек все время устремлен к будущему, а будущее уже не в реальных знаниях, не в овладении мастерством, а в «устройстве себя» в выгодном положении. Содержание, подлинное содержание утрачено. Настоящее время не наступает, все еще остается пустая устремленность в будущее. Это и есть карьеризм. Внутреннее беспокойство, делающее человека несчастным лично и нестерпимым для окружающих.

Письмо двенадцатое

Человек должен быть интеллигентен

Человек должен быть интеллигентен! А если у него профессия не требует интеллигентности? А если он не смог получить образования? Так сложились обстоятельства. А если окружающая среда не позволяет? А если интеллигентность сделает его «белой вороной» среди его сослуживцев, друзей, родных, будет просто мешать его сближению с другими людьми?

Нет, нет и нет! Интеллигентность нужна при всех обстоятельствах. Она нужна и для окружающих, и для самого человека.

Это очень, очень важно, и прежде всего для того, чтобы жить счастливо и долго — да, долго! Ибо интеллигентность равна нравственному здоровью, а здоровье нужно, чтобы жить долго — не только физически, но и умственно. В одной старой книге сказано: «Чти отца своего и матерь свою, и долголетен будешь на земле». Это относится и к целому народу, и к отдельному человеку. Это мудро.

Но прежде всего определим, что такое интеллигентность, а потом — почему она связана с «заповедью долголетия».

Многие думают: интеллигентный человек — это тот, который много читал, получил хорошее образование (и даже по преимуществу гуманитарное), много путешествовал, знает несколько языков.

А между тем можно иметь все это и быть неинтеллигентным и можно ничем этим не обладать в большой степени, а быть все-таки внутренне интеллигентным человеком.

Образованность нельзя смешивать с интеллигентностью. Образованность живет старым содержанием, интеллигентность — созданием нового и осознанием старого как нового.

Больше того... Лишите подлинно интеллигентного человека всех его знаний, образованности, лишите его самой памяти. Пусть он забыл все на свете, не будет знать классиков литературы, не будет помнить величайшие произведения искусства, забудет важнейшие исторические события, но если при всем этом он сохранит восприимчивость к интеллектуальным ценностям, любовь к приобретению знаний, интерес к истории, эстетическое чутье, сможет отличить настоящее произведение искусства от грубой «штуковины», сделанной, только чтобы удивить, если он сможет восхититься красотой природы, понять характер и индивидуальность другого человека, войти в его положение, а поняв другого человека, помочь ему, не проявит грубости, равнодушия, злорадства, зависти, а оценит другого по достоинству, если он проявит уважение к культуре прошлого, навыки воспитанного человека, ответственность в решении нравственных вопросов, богатство и точность своего языка — разговорного и письменного, — вот это и будет интеллигентный человек.

Интеллигентность не только в знаниях, а и в способностях к пониманию другого. Она проявляется в тысяче мелочей: в умении уважительно спорить, вести себя скромно за столом, в умении незаметно (именно незаметно) помочь другому, беречь природу, не мусорить вокруг себя — не мусорить окурками или руганью, дурными идеями (это тоже мусор, и еще какой!).

Я знал на Русском Севере крестьян, которые были по-настоящему интеллигентны. Они соблюдали удивительную чистоту в своих домах, умели ценить хорошие песни, умели рассказывать «бывальщину» (то есть то, что произошло с ними или другими), жили упорядоченным бытом, были гостеприимны и приветливы, с пониманием относились и к чужому горю, и к чужой радости.

Интеллигентность — это способность к пониманию, к восприятию, это терпимое отношение к миру и к людям.

Интеллигентность надо в себе развивать, тренировать — тренировать душевные силы, как тренируют и физические. А тренировка возможна и необходима в любых условиях.

Что тренировка физических сил способствует долголетию — это понятно. Гораздо меньше понимают, что для долголетия необходима и тренировка духовных и душевных сил.

Дело в том, что злобная и злая реакция на окружающее, грубость и непонимание других — это признак душевной и духовной слабости, человеческой неспособности жить... Толкается в переполненном автобусе слабый и нервный человек, измотанный, неправильно на все реагирующий. Ссорится с соседями человек, не умеющий жить, глухой душевно. Эстетически невосприимчивый — тоже человек несчастный. Не умеющий понять другого человека, приписывающий ему только злые намерения, вечно обижающийся на других — это тоже человек, обедняющий свою жизнь и мешающий жить другим. Душевная слабость ведет к физической слабости. Я не врач, но я в этом убежден. Долголетний опыт меня в этом убедил.

Приветливость и доброта делают человека не только физически здоровым, но и красивым. Да, именно красивым.

Лицо человека, искажающееся злобой, становится безобразным, а движения злого человека лишены изящества — не нарочитого изящества, а природного, которое гораздо дороже.

Социальный долг человека — быть интеллигентным. Это долг и перед самим собой. Это залог его личного счастья и «ауры доброжелательности» вокруг него и к нему (то есть обращенной к нему).

Все, о чем я разговариваю с молодыми читателями в этой книге, — призыв к интеллигентности, к физическому и нравственному здоровью, к красоте здоровья. Будем долголетними как люди и как народ! А почитание отца и матери следует понимать широко — как почитание всего нашего лучшего в прошлом, в прошлом, которое является отцом и матерью нашей современности, великой современности, принадлежать к которой — великое счастье.

Письмо тринадцатое

О воспитанности

Получить хорошее воспитание можно не только в своей семье или в школе, но и... у самого себя.

Надо только знать, что такое настоящая воспитанность.

Я не берусь давать «рецепты» воспитанности, так как сам себя вовсе не считаю образцово воспитанным. Но кое-какими мыслями я хотел бы поделиться с читателями.

Я убежден, например, что настоящая воспитанность проявляется прежде всего у себя дома, в своей семье, в отношениях со своими родными.

Если мужчина на улице пропускает вперед себя незнакомую женщину (даже в автобусе!) и даже открывает ей дверь, а дома не поможет усталой жене вымыть посуду — он невоспитанный человек.

Если со знакомыми он вежлив, а с домашними раздражается по каждому поводу — он невоспитанный человек.

Если он не считается с характером, психологией, привычками и желаниями своих близких — он невоспитанный человек.

Если, уже будучи взрослым, он как должное принимает помощь родителей и не замечает, что они сами уже нуждаются в помощи, — он невоспитанный человек.

Если он громко заводит радио и телевизор или просто громко разговаривает, когда кто-то дома готовит уроки или читает (пусть это будут даже его маленькие дети), — он невоспитанный человек и никогда не сделает воспитанными своих детей.

Если он любит трунить (шутить) над женой или детьми, не щадя их самолюбия, особенно при посторонних, то тут уже он (извините меня!) просто глуп.

Воспитанный человек — это тот, кто хочет и умеет считаться с другими, это тот, кому собственная вежливость не только привычна и легка, но и приятна. Это тот, кто в равной степени вежлив и со старшим и с младшим годами и по положению.

Воспитанный человек во всех отношениях не ведет себя «громко», экономит время других («Точность — вежливость королей», — гласит поговорка), строго выполняет данные другим обещания, не важничает, не «задирает нос» и всегда один и тот же — дома, в школе, в институте, на работе, в магазине и в автобусе.

Читатель заметил, вероятно, что я обращаюсь главным образом к мужчине, к главе семьи. Это потому, что женщине действительно нужно уступать дорогу... не только в дверях.

Но умная женщина легко поймет, что именно надо делать, чтобы, всегда и с признательностью принимая от мужчины данное ей природой право, как можно меньше заставлять мужчину уступать ей первенство. А это гораздо труднее! Поэтому-то природа позаботилась, чтобы женщины (я не говорю об исключениях) были наделены бóльшим чувством такта и большей природной вежливостью, чем мужчины...

Есть много книг о хороших манерах. Эти книги объясняют, как держать себя в обществе, в гостях и дома, в театре, на работе, со старшими и младшими, как говорить, не оскорбляя слуха, и одеваться, не оскорбляя зрения окружающих. Но люди, к сожалению, мало черпают из этих книг. Происходит это, я думаю, потому, что в книгах о хороших манерах редко объясняется, зачем нужны хорошие манеры. Кажется: иметь хорошие манеры фальшиво, скучно, ненужно. Человек хорошими манерами и в самом деле может прикрыть дурные поступки.

Да, хорошие манеры могут быть очень внешними, но в целом хорошие манеры созданы опытом множества поколений и знаменуют многовековое стремление людей быть лучше, жить удобнее и красивее.

В чем же дело? Что лежит в основе руководства для приобретения хороших манер? Простое ли это собрание правил, «рецептов» поведения, наставлений, которые трудно запомнить все?

В основе всех хороших манер лежит забота — забота о том, чтобы человек не мешал человеку, чтобы все вместе чувствовали себя хорошо.

Надо уметь не мешать друг другу. Поэтому не надо шуметь. От шума не заткнешь уши — вряд ли это во всех случаях и возможно. Например, за столом во время еды. Поэтому не надо чавкать, не надо звонко класть вилку на тарелку, с шумом втягивать в себя суп, громко говорить за обедом или говорить с набитым ртом. И не надо класть локти на стол — опять-таки чтобы не мешать соседу. Быть опрятно одетым надо потому, что в этом сказывается уважение к другим — к гостям, к хозяевам или просто к прохожим: на вас не должно быть противно смотреть. Не надо утомлять соседей беспрерывными шутками, остротами и анекдотами, особенно такими, которые уже были кем-то рассказаны вашим слушателям. Этим вы ставите слушателей в неловкое положение. Старайтесь не только сами развлекать других, но и дайте возможность другим что-то рассказать. Манеры, одежда, походка, все поведение должно быть сдержанным и... красивым. Ибо любая красота не утомляет. Она «социальна». И в так называемых хороших манерах есть всегда глубокий смысл. Не думайте, что хорошие манеры — это только манеры, то есть нечто поверхностное. Своим поведением вы выявляете свою суть. Воспитывать в себе нужно не столько манеры, сколько то, что выражается в манерах, — бережное отношение к миру: к обществу, к природе, к животным и птицам, к растениям, к красоте местности, к прошлому тех мест, где живешь, и т. д.

Надо не запоминать сотни правил, а запомнить одно — необходимость уважительного отношения к другим. А если у вас будет это и еще немного находчивости, то манеры сами придут к вам, или, лучше сказать, придет память на правила хорошего поведения, желание и умение их применить.

Письмо четырнадцатое

О дурных и хороших влияниях

В жизни каждого человека есть любопытное явление: сторонние влияния. Эти сторонние влияния обычно бывают чрезвычайно сильными, когда юноша или девушка начинают становиться взрослыми — на переломе. Потом сила этих влияний ослабевает. Но о влияниях — их «патологии», а иногда и нормальности — надо помнить юношам и девушкам.

Может быть, тут и нет особой «патологии»: просто подрастающему человеку, мальчику или девочке, хочется поскорее стать взрослым, самостоятельным. Но, становясь самостоятельными, они стремятся освободиться прежде всего от влияния своей семьи. Со своей семьей связаны представления об их «детскости». Отчасти в этом виновата бывает и сама семья, которая не замечает, что их «ребенок» если не стал, то хочет быть взрослым. Но привычка слушаться еще не прошла, и вот он «слушается» того, кто признал его взрослым, — иногда человека, самого еще не ставшего взрослым и по-настоящему самостоятельным.

Влияния бывают и хорошие и плохие. Помните об этом. Но плохих влияний следует опасаться. Потому что человек с волей не поддается дурному влиянию, он сам выбирает себе путь, человек же безвольный поддается дурным влияниям. Бойтесь безотчетных влияний, особенно если вы еще не умеете точно, четко отличить хорошее от плохого, если вам нравятся похвалы и одобрения своих товарищей, какими бы эти похвалы и одобрения ни были: лишь бы хвалили.

Письмо пятнадцатое

Про зависть

Если тяжеловес ставит новый мировой рекорд в поднятии тяжестей, вы ему завидуете? А если гимнастка? А если рекордсмен по прыжкам с вышки в воду?

Начните перечислять все, что вы знаете и чему можно позавидовать: вы заметите, что чем ближе к вашей работе, специальности, жизни, тем сильнее близость зависти. Это как в игре — холодно, тепло, еще теплее, горячо, обжегся!

На последнем слове вы нашли с завязанными глазами запрятанную другими игроками вещь. Вот то же и с завистью. Чем ближе достижения другого к вашей специальности, к вашим интересам, тем больше возрастает обжигающая опасность зависти.

Ужасное чувство, от которого страдает прежде всего тот, кто завидует.

Теперь вы поймете, как избавиться от крайне болезненного чувства зависти: развивайте в себе свои собственные индивидуальные склонности, свою собственную неповторимость в окружающем вас мире, будьте самим собой, и вы никогда не будете завидовать.

Зависть развивается прежде всего там, где вы сам себе чужой.

Зависть развивается прежде всего там, где вы не отличаете себя от других.

Завидуете — значит, не нашли себя.

Письмо шестнадцатое

О жадности

Меня не удовлетворяют словарные определения слова «жадность». «Стремление удовлетворить чрезмерное, ненасытное желание чего-либо» или «скупость, корыстолюбие» (это из одного из лучших словарей русского языка — четырехтомного, первый том его вышел в 1957 году). В принципе, это определение четырехтомного словаря верно, но оно не передает того чувства отвращения, которое меня охватывает, когда я наблюдаю проявления жадности в человеке. Жадность — это забвение собственного достоинства, это попытка поставить свои материальные интересы превыше всего, это душевная кособокость, жуткая направленность ума, крайне его ограничивающая, жухлость умственная, жалкость, желтушный взгляд на мир, желчность к себе и другим, забвение товарищества. Жадность в человеке даже не смешна, она унизительна. Она враждебна себе и окружающим.

Иное дело — разумная бережливость; жадность — ее искажение, ее болезнь. Бережливостью владеет ум, жадность овладевает умом.

Письмо семнадцатое
Уметь спорить с достоинством

В жизни приходится очень много спорить, возражать, опровергать мнение других, не соглашаться.

Лучше всего проявляет свою воспитанность человек, когда он ведет дискуссию, спорит, отстаивая свои убеждения.

В споре сразу же обнаруживается интеллигентность, логичность мышления, вежливость, умение уважать людей и... самоуважение.

Если в споре человек заботится не столько об истине, сколько о победе над своим противником, не умеет выслушать своего противника, стремится противника перекричать, испугать обвинениями — это пустой человек, и спор его пустой.

Как же ведет спор умный и вежливый спорщик?

Прежде всего он внимательно выслушивает своего противника — человека, который не согласен с его мнением. Больше того, если ему что-либо неясно в позициях его противника, он задает ему дополнительные вопросы. И еще: если даже все позиции противника ясны, он выберет самые слабые пункты в утверждениях противника и переспросит, это ли утверждает его противник.

Внимательно выслушивая своего противника и переспрашивая, спорящий достигает трех целей: 1) противник не сможет возразить тем, что его «неправильно поняли», что он «этого не утверждал»; 2) спорящий своим внимательным отношением к мнению противника сразу завоевывает себе симпатии среди тех, кто наблюдает за спором; 3) спорящий, слушая и переспрашивая, выигрывает время для того, чтобы обдумать свои собственные возражения (а это тоже немаловажно), уточнить свои позиции в споре.

В дальнейшем, возражая, никогда не следует прибегать к недозволенным приемам спора, а придерживаться надо следующих правил: 1) возражать, но не обвинять; 2) не «читать в сердце», не пытаться проникнуть в мотивы убеждений противника («вы стоите на этой точке зрения, потому что она вам выгодна», «вы так говорите, потому что вы сам такой» и т. п.); 3) не отклоняться в сторону от темы спора; спор нужно уметь доводить до конца, то есть либо до опровержения тезиса противника, либо до признания правоты противника.

На последнем своем утверждении я хочу остановиться особо.

Если вы с самого начала ведете спор вежливо и спокойно, без заносчивости, то тем самым вы обеспечиваете себе спокойное отступление с достоинством.

Помните: нет ничего красивее в споре, как спокойно в случае необходимости признать полную или частичную правоту противника. Этим вы завоевываете уважение окружающих. Этим вы как бы призываете к уступчивости и своего противника, заставляете его смягчить крайности своей позиции.

Конечно, признавать правоту противника можно только тогда, когда дело касается не ваших общих убеждений, не ваших нравственных принципов (они всегда должны быть самыми высокими).

Человек не должен быть флюгером, не должен уступать оппоненту только для того, чтобы ему понравиться, или, боже сохрани, из трусости, из карьерных соображений и т. д.

Но уступить с достоинством в вопросе, который не заставляет вас отказаться от своих общих убеждений (надеюсь, высоких), или с достоинством принять свою победу, не злорадствуя над побежденным в споре, не торжествуя, не оскорбляя самолюбия оппонента, — как это красиво!

Одно из самых больших интеллектуальных удовольствий — следить за спором, который ведется умелыми и умными спорщиками.

Нет ничего более глупого в споре, чем спорить без аргументации. Помните у Гоголя разговор двух дам в «Мертвых душах»?

«— Милая, это пестро!

— Ах нет, не пестро!

— Ах, пестро!»

Когда у спорящего нет аргументов, появляются просто «мнения».

Письмо восемнадцатое
Искусство ошибаться

Я не люблю смотреть телевизионные передачи. Но были программы, которые я смотрел всегда: танцы на льду. Потом я устал от них и смотреть перестал — перестал смотреть систематически, смотрю только эпизодически. Больше всего мне нравится, когда те, кого считают слабыми или кто еще не вошел в обоймы «признанных», выступают удачно. Удача начинающих или удача неудачливых приносит гораздо более удовлетворения, чем удача удачников.

Но дело не в этом. Больше всего меня восхищает, как «конькобежец» (так в старину называли спортсменов на льду) выправляет свои ошибки во время танца. Упал и встает, быстро вступая снова в танец, и ведет этот танец так, точно падения и не было. Это искусство, огромное искусство.

Но ведь в жизни ошибок бывает гораздо больше, чем на ледяном поле. И надо уметь выходить из ошибок: исправлять их немедленно и... красиво. Да, именно красиво.

Когда человек упорствует в своей ошибке или чересчур переживает, думает, что жизнь кончилась, «все погибло», — это досадно и для него, и для окружающих. Окружающие испытывают неловкость не от самой ошибки, а от того, какое неумение проявляет ошибшийся в ее исправлении.

Признаться в своей ошибке перед самим собой (не обязательно делать это публично: тогда это либо стыдно, либо рисовка) не всегда легко, нужен опыт. Нужен опыт, чтобы после совершенной ошибки как можно скорее и как можно легче включиться в работу, продолжить ее. И окружающим не надо понуждать человека к признанию ошибки, надо побуждать к ее исправлению; реагируя так, как реагируют зрители на соревнованиях, иногда даже награждая упавшего и легко исправившего свою ошибку радостными аплодисментами при первом же удобном случае.

Письмо девятнадцатое

Как говорить?

Неряшливость в одежде — это прежде всего неуважение к окружающим вас людям, да и неуважение к самому себе. Дело не в том, чтобы быть одетым щегольски. В щегольской одежде есть, может быть, преувеличенное представление о собственной элегантности, и по большей части щеголь стоит на грани смешного. Надо быть одетым чисто и опрятно, в том стиле, который больше всего вам идет, и в зависимости от возраста. Спортивная одежда не сделает старика спортсменом, если он не занимается спортом. «Профессорская» шляпа и черный строгий костюм невозможны на пляже или в лесу за сбором грибов.

А как расценивать отношение к языку, которым мы говорим? Язык в еще большей мере, чем одежда, свидетельствует о вкусе человека, о его отношении к окружающему миру, к самому себе.

Есть разного рода неряшливости в языке человека.

Если человек родился и живет вдали от города и говорит на своем диалекте, в этом никакой неряшливости нет. Не знаю, как другим, но мне эти местные диалекты, если они строго выдержаны, нравятся. Нравится их напевность, нравятся местные слова, местные выражения. Диалекты часто бывают неиссякаемым источником обогащения русского литературного языка. Как-то в беседе со мной писатель Федор Александрович Абрамов сказал: «С Русского Севера вывозили гранит для строительства Петербурга и вывозили слово — слово в каменных блоках былин, причитаний, лирических песен... „Исправить“ язык былин — перевести его на нормы русского литературного языка — это попросту испортить былины».

Иное дело, если человек долго живет в городе, знает нормы литературного языка, а сохраняет формы и слова своей деревни. Это может быть оттого, что он считает их красивыми и гордится ими. Это меня не коробит. Пусть он и окает, и сохраняет свою привычную напевность. В этом я вижу гордость за свою родину — свое село. Это не плохо, и человека это не унижает. Это так же красиво, как забытая сейчас косоворотка, но только на человеке, который ее носил с детства, привык к ней. Если же он надел ее, чтобы покрасоваться в ней, показать, что он «истинно деревенский», то это и смешно и цинично: «Глядите, каков я: плевать я хотел на то, что живу в городе. Хочу быть непохожим на всех вас!»

Бравирование грубостью в языке, как и бравирование грубостью в манерах, неряшеством в одежде, — распространеннейшее явление, и оно в основном свидетельствует о психологической незащищенности человека, о его слабости, а вовсе не о силе. Говорящий стремится грубой шуткой, резким выражением, иронией, циничностью подавить в себе чувство страха, боязни, иногда просто опасения. Грубыми прозвищами учителей именно слабые волей ученики хотят показать, что они их не боятся. Это происходит полусознательно. Я уж не говорю о том, что это признак невоспитанности, неинтеллигентности, а иногда и жестокости. Но та же самая подоплека лежит в основе любых грубых, циничных, бесшабашно иронических выражений по отношению к тем явлениям повседневной жизни, которые чем-либо травмируют говорящего. Этим грубо говорящие люди как бы хотят показать, что они выше тех явлений, которых на самом деле они боятся. В основе любых жаргонных, циничных выражений и ругани лежит слабость. «Плюющиеся словами» люди потому и демонстрируют свое презрение к травмирующим их явлениям в жизни, что они их беспокоят, мучат, волнуют, что они чувствуют себя слабыми, не защищенными против них.

По-настоящему сильный и здоровый, уравновешенный человек не будет без нужды говорить громко, не будет ругаться и употреблять жаргонных слов. Ведь он уверен, что его слово и так весомо[1].

Наш язык — это важнейшая часть нашего общего поведения в жизни. И по тому, как человек говорит, мы сразу и легко можем судить о том, с кем мы имеем дело: мы можем определить степень интеллигентности человека, степень его психологической уравновешенности, степень его возможной «закомплексованности» (есть такое печальное явление в психологии некоторых слабых людей, но объяснять его сейчас я не имею возможности — это большой и особый вопрос).

Учиться хорошей, спокойной, интеллигентной речи надо долго и внимательно — прислушиваясь, запоминая, замечая, читая и изучая. Но хоть и трудно — это надо, надо. Наша речь — важнейшая часть не только нашего поведения (как я уже сказал), но и нашей личности, наших души, ума, нашей способности не поддаваться влияниям среды, если она «затягивает».

Письмо двадцатое
Как выступать?

Общественные устные выступления обычны теперь в нашей жизни. Каждому надо уметь выступать на собраниях, а может быть, с лекциями и докладами.

---

[1] С вопросом о психологии языковой грубости вы можете ознакомиться в моей работе «Арготические слова профессиональной речи» — в кн.: Развитие грамматики и лексики современного русского языка. М., 1964. С. 311–359.

Тысячи книг написаны во все века об искусстве ораторов и лекторов. Не стоит здесь повторять все, что известно об ораторском искусстве. Скажу лишь одно, самое простое: чтобы выступление было интересным, выступающему самому должно быть интересно выступать. Ему должно быть интересно изложить свою точку зрения, убедить в ней, материал лекции должен быть для него самого привлекательным, в какой-то мере удивительным. Выступающий сам должен быть заинтересован в предмете своего выступления и суметь передать этот интерес слушателям — заставить их почувствовать заинтересованность выступающего. Только тогда его будет интересно слушать.

И еще: в выступлении не должно быть нескольких равноправных мыслей, идей. Во всяком выступлении должна быть одна доминирующая идея, одна мысль, которой подчиняются другие. Тогда выступление не только заинтересует, но и запомнится.

А по существу, всегда выступайте с добрых позиций. Даже выступление против какой-либо идеи, мысли стремитесь построить как поддержку того положительного, что есть в возражениях спорящего с вами. Общественное выступление всегда должно быть с общественных позиций. Тогда оно встретит сочувствие.

Письмо двадцать первое

Как писать?

Каждый человек должен писать так же хорошо, как и говорить. Речь, письменная или устная, характеризует его в большей мере, чем даже его внешность или умение себя держать. В языке сказывается интеллигентность человека, его умение точно и правильно мыслить, его уважение к другим, его «опрятность» в широком смысле этого слова.

Сейчас речь пойдет только о письменном языке, и по преимуществу о том виде письменного языка, к которому я сам больше привык, то есть о языке научной работы (литературоведческой в основном) и о языке журнальных статей для широкого читателя.

Прежде всего одно общее замечание. Чтобы научиться ездить на велосипеде, надо *ездить* на велосипеде. Чтобы научиться писать, надо *писать*! Нельзя обставить себя хорошими рекомендациями, как писать, и сразу начать писать правильно и хорошо: ничего не выйдет. Поэтому пишите письма друзьям, ведите дневник, пишите воспоминания (их можно и нужно писать как можно раньше — не худо еще в юные годы — о своем детстве, например).

У нас часто говорят о том, что научные работы и учебники пишутся сухим языком, изобилуют канцелярскими оборотами. Особенно в этом отношении «достается» работам по литературоведению и истории. И по большей части эти упреки справедливы. Справедливы, но не очень конкретны. Надо писать хорошо и не надо плохо! Этого никто не отрицает, и вряд ли найдутся люди, которые бы выступили с противоположной точкой зрения. Но вот что такое «хороший язык» и как приобрести навыки писать хорошо — об этом у нас пишут редко.

В самом деле, «хорошего языка» как такового не существует. Хороший язык — это не каллиграфия, которую можно применить по любому поводу. Хороший язык математической работы, хороший язык литературоведческой статьи или хороший язык повести — это различные хорошие языки.

Часто говорят так: «Язык его статьи хороший, образный», и даже от классных работ в школе требуют образности языка. Между тем образность языка не всегда достоинство научного языка.

Язык художественной литературы образен, но, с точки зрения ученого, неточен. Наука требует однозначности, в художественном же языке первостепенное значение имеет обратное — многозначность. Возьмем строки Есенина: «В залихватском степном разгоне колокольчик хохочет до слез». Перед нами образ, очень богатый содержанием, но неоднозначный. Что это — веселый звон колокольчика? Конечно, не только это. Крайне важно, что в строках этих упоминаются и слезы, хотя при поверхностном чтении можно и не придать им особого значения, приняв в целом все выражение за обычный фразеологизм: хохотать очень сильно. Образ уточняет свое значение благодаря контексту и становится полностью понятным только в конце стихотворения: «Потому что над всем, что было, колокольчик хохочет до слез». Здесь вступает в силу тема иронии судьбы — судьбы, смеющейся над преходящими явлениями человеческой жизни.

Художественный образ как бы постепенно «разгадывается» читателем. Писатель делает читателя соучастником своего творчества. Эта постепенность самораскрытия художественного образа и соучастие читателя в творческом процессе — очень существенная сторона художественного произведения. От этого зависит не только то эстетическое наслаждение, которое мы получаем при чтении художественного произведения, но и его убедительность. Автор как бы заставляет читателя самого приходить к нужному выводу. Он делает читателя, повторяю, своим соучастником в творчестве.

То же можно сказать и о такой разновидности художественного творчества, как шутка. Шутка незаменима, например, в споре. Заставить рассмеяться аудиторию — это значит наполовину убедить ее в своей правоте. Художественный образ и шутка заставляют читателя или слушателя разделить с их автором ход его мыслей.

Французская поговорка гласит: «Важно, чтобы смеющиеся были на твоей стороне». Тот, с кем смеются, — победитель в споре.

Шутка важна в трудных положениях: ею восстанавливается душевное равновесие. Суворов шуткой подбадривал своих солдат.

Поэтому там, где необходимо не только логическое убеждение, но и эмоциональное, художественный образ и шутка очень важны. Они важны в научно-популярной работе и в ораторских выступлениях. Всякий лектор знает, как важно восстановить ослабевшее внимание аудитории шуткой. Шутка даже в большей степени, чем художественный образ, требует активного соучастия, она заставляет слушателей не только пассивно слушать, но и активно «домысливать» остро́ту.

Но в научной работе образность и остроты допустимы только в качестве некоего дивертисмента. По природе своей научный язык резко отличен от языка художественной литературы. Он требует точности выражения, максимальной краткости, строгой логичности, отрицает всякие «домысливания».

В научном языке не должны «чувствоваться чернила»: он должен быть легким. Язык научной работы должен быть «незаметен». Если читатель прочтет научную работу и не обратит внимания на то, хорошо или плохо она написана, — значит она написана хорошо. Хороший портной шьет костюм так, что мы его носим, «не замечая». Самое большое достоинство научного изложения (тут уж я говорю вообще об изложении, а не только о языке) — логичность и последовательность переходов от мысли к мысли. Умение развивать мысль — это не только логичность, но и ясность изложения.

Очень важно, чтобы ученый «чувствовал» своего читателя, точно знал, к кому он обращается.

Надо всегда конкретно представлять себе или воображать читателя будущей работы и как бы записывать свою беседу с ним. Пусть этот воображаемый читатель будет скептик, заядлый спорщик, человек, не склонный принимать на веру что бы то ни было. В строго научной работе этот мысленный образ читателя должен быть высок — воображаемый читатель должен быть специалистом в излагаемой области. В научно-популярных работах этот воображаемый читатель должен быть немного непонятлив (но в меру: своего читателя не следует «обижать»). Беседуя с таким воображаемым читателем, записывайте все, что вы ему говорите. Чем ближе ваш письменный язык к языку устному, тем лучше, тем он свободнее, разнообразнее, естественнее по интонации. Специфические для письменной речи обороты утяжеляют язык. Они не нужны. Однако устный язык имеет и большие недостатки: он не всегда точен, он неэкономен, в нем часты повторения. Значит, записав свою речь к воображаемому читателю, надо затем ее максимально сократить, исправить, освободить от неточностей, от чрезмерно вольных, «разговорных» выражений. Научная работа «подожмется», станет компактной, точной, но сохранит интонации живой речи, а главное — в ней будет чувствоваться адресат, воображаемый собеседник автора.

Обогащение и легкость письменного языка часто идут от разговорного языка. Из разговорного языка можно заимствовать отдельные слова и целые выражения. Но надо помнить, что разговорные выражения настолько стилистически сильны и заметны в письменном языке, что в точном научном языке их нельзя повторять на близком расстоянии друг от друга.

* * *

В науке очень важно найти нужное обозначение для обнаруженного явления — термин. Очень часто это значит закрепить сделанное наблюдение или обобщение, сделать его заметным в науке, ввести его в науку, привлечь к нему внимание.

Если вы хотите, чтобы ваше наблюдение вошло в науку, — окрестите его, дайте ему имя, название. Вводя в науку свое детище, предоставьте его обществу ученых, а для этого назовите его и ничто не оставляйте безымянным. Но не делайте это слишком часто. Некоторые новые работы по лингвистике или литературоведению перенасыщены новой терминологией. В деле своей жизни ученому достаточно создать всего два-три новых термина для значительных явлений, им открытых.

Обычный путь создания нового обозначения, нового термина — привлечение метафоры. Метафорой будет и заимствование слова из какой-то соседней области науки.

Разумеется, ни одна метафора и ни один образ в силу своей первоначальной многозначности не могут быть совершенно точными, не могут полностью выражать явление. Поэтому в первый момент новый термин всегда кажется немного неудачным. Лишь тогда, когда за метафорой, образом закрепится одно точное значение, исследователи к нему «привыкнут», образ, лежащий в основе нового термина, потеряет свою остроту, — термин войдет в употребление и даже, может статься, будет казаться удачным.

Точное научное значение «прорастает» сквозь образ. Сперва в новом научном термине образ как бы заслоняет собой точное значение, затем точное значение начинает заслонять образ. Точным должно быть само наблюдение ученого, ярко отграниченным и специфическим само явление, которое обозначается новым термином, — тогда точным станет и термин.

В тех редких случаях, когда ученый может или даже должен прибегнуть к метафоре, к образу, необходимо следить за их «материальным» значением. У одного высокообразованного литературоведа XIX века мы читаем такую фразу: «Данте одной ногой прочно стоял в Средневековье, а другой приветствовал зарю Возрождения...» Остроумнейший и наблюдательнейший историк В. О. Ключевский так пародировал эту фразу в своем «Курсе лекций по русской истории»: «Царь Алексей Михайлович принял в преобразовательном движении позу... одной ногой он еще крепко упирался в родную православную старину, а другую уже занес было за ее черту, да так и остался в этом нерешительном переходном положении»[1].

Здесь образ пародирован. Пародия оправдана тем, что в обоих случаях речь идет о величайших переходных этапах: одной — в истории Западной Европы, другой — в истории России. Но царь Алексей Михайлович не Данте, и над ним стоило посмеяться.

---

[1] *Ключевский В. О.* Сочинения. Т. 3. Курс русской истории. Ч. 3. М., 1957. С. 320.

Однако у того же В. О. Ключевского мы можем встретить и неудачные выражения, неудачные образы: «Этому взгляду... критик не мог придать цельного выражения, высказывая его по частям, осколками». «Осколками» нельзя высказывать что-либо. Но если стремиться сохранить образ «осколков», то фразу легко было бы исправить так: «Его мысли были чисты и ясны как стекло, но высказывал он их неполно — как бы осколками». Надо всегда следить за уместностью и осмысленностью образа. Советский историк Б. Д. Греков писал в своей работе о Новгороде: «В воскресный день на Волхове больше парусов, чем телег на базаре...» И это осмыслено тем, что речь в контексте идет именно о торговле.

Нельзя писать просто «красиво». Надо писать точно и осмысленно, оправданно прибегая к образам.

Великий мастер русского языка историк В. О. Ключевский умел не размазывать свою мысль, давая ее иногда лишь намеком, прибегая к своего рода стилистическому лукавству, которое действовало иногда сильнее, чем самый яркий образ. Сравните такие его фразы: «В университете при Академии наук (речь идет о XVIII веке. — *Д. Л.*) лекций не читали, но студентов секли» — или о времени Петра: «Казнокрадство и взяточничество достигли размеров, небывалых прежде, разве только после...» О стихотворстве царя Алексея Михайловича он же пишет: «Сохранились несколько написанных им строк, которые могли казаться автору стихами».

Ключевский был и мастером антитез. Вот некоторые примеры: «Личная свобода становилась обязательной и поддерживалась кнутом» — это об эпохе Петра I. Или о воображаемом предке Евгения Онегина: «Он (этот „предок“. — *Д. Л.*) старался стать своим между чужими и только становился чужим между своими». В последнем случае перед нами крестообразная антитеза, которой Ключевский также владел превосходно. Вот пример одной его такой крестообразной антитезы, имеющей непосредственное отношение к нашей теме: «Легкое дело — тяжело писать и говорить, но легко писать и говорить — тяжелое дело».

Говоря о научных терминах, мы должны вспомнить и об особой роли терминов в исторической науке, когда для научного понятия берется старое слово или целое выражение. Архаизмы, инкрустации в свои работы целых выражений, цитат вполне законны у историков, так как старые явления жизни лучше всего выражаются в старом же языке. Но опять-таки — не следует этим злоупотреблять.

Хорошо, когда образ постепенно развертывается и имеет многие отражения в описываемом явлении, то есть когда образ соприкасается с описываемым явлением многими сторонами. Но когда он просто повторяется (даже не всегда прямо) — это плохо. У Ключевского в одном месте говорится о том, что кривая половецкая сабля была занесена над Русью, а немного дальше — о том, что кривой ятаган был занесен над Европой. Не совсем точный и удачный образ становится совершенно невозможным от его повторения, хотя бы и варьированного.

Цветистые выражения имеют склонность вновь и вновь всплывать в разных статьях и работах отдельных авторов. Так, у искусствоведов часто повторяются такие выражения, как «звонкий цвет», «приглушенный колорит» и прочая «музыкальность». В последнее время в искусствоведческой критике в моду вошло прилагательное «упругий»: «упругая форма», «упругая линия», «упругая композиция», и даже «упругий цвет». Все это, конечно, от бедности языка, а не оттого, что слово «упругий» чем-то замечательно.

Главное — надо стремиться к тому, чтобы фраза была сразу понята правильно. Для этого большое значение имеет расстановка слов и краткость самой фразы. Например, на странице 79 моей работы «Человек в литературе Древней Руси» (2-е изд., 1970) напечатано: «Вот почему Стефан Пермский называется Епифанием Премудрым „мужественным храбром“...» Фраза двусмысленная. Иная расстановка слов сразу бы ее исправила: «Вот почему Стефан Пермский называется „мужественным храбром“ Епифанием Премудрым...» Или еще лучше так: «Вот почему Епифаний Премудрый называет Стефана Пермского „мужественным храбром“...»

Внимание читающего должно быть сосредоточено на мысли автора, а не на разгадке того, что автор хотел сказать. Поэтому чем проще, тем лучше. Не следует бояться повторений одного и того же слова, одного и того же оборота. Стилистическое требование не повторять рядом одного и того же слова часто неверно. Это требование не может быть правилом для всех случаев. Язык должен быть, разумеется, богат, и поэтому для разных явлений и понятий надо употреблять разные слова. Употребление одного и того же слова в разном значении может создать путаницу. Этого делать не следует. Однако если говорится об одном и том же явлении, слово употребляется в одном и том же значении, вовсе не надо его менять. Конечно, бывают сложные случаи, которые нельзя предусмотреть. Бывает, что одно и то же понятие (а следовательно, и одно и то же слово) употребляется от бедности самой мысли. Тогда, разумеется, если нельзя усложнить мысль, то надо прийти на помощь мысли стилистически, разнообразя словами тупо вертящуюся мысль. Лучше всего помогать мысли самой мыслью, а не вуалировать словом скудоумие.

О ритмичности и легкости языка. Люди, читая, мысленно произносят текст. Надо, чтобы он произносился легко. И в этом случае основное — в расстановке слов, в построении фразы. Не следует злоупотреблять придаточными предложениями. Стремитесь писать короткими фразами, заботясь о том, чтобы переходы от фразы к фразе были легкими. Имя существительное (пусть и повторенное) лучше, чем местоимение. Избегайте выражений «в последнем случае», «как выше сказано» и прочее.

Бойтесь пустого красноречия! Язык научной работы должен быть легким, незаметным, красивости в нем недопустимы, а красота его — в чувстве меры.

А в целом следует помнить: нет мысли вне ее выражения в языке и поиски слова — это, в сущности, поиски мысли. Неточности языка происходят прежде всего от неточности мысли. Поэтому ученому, инженеру, экономисту — человеку любой профессии следует заботиться, когда пишешь, прежде всего о точности мысли. Строгое соответствие мысли языку и дает легкость стиля. Язык должен быть прост (я говорю сейчас об обычном и научном языке — не о языке художественной литературы).

Легкость языка бывает ложная: например, «бойкость пера». «Бойкое перо» — не обязательно хороший язык. Надо воспитывать в себе вкус к языку. Дурной вкус губит даже талантливых авторов.

Письмо двадцать второе

Любите читать!

Каждый человек обязан (я подчеркиваю — обязан) заботиться о своем интеллектуальном развитии. Это его обязанность перед обществом, в котором он живет, и перед самим собой.

Основной (но, разумеется, не единственный) способ интеллектуального развития — чтение.

Чтение не должно быть случайным. Это огромный расход времени, а время — величайшая ценность, которую нельзя тратить на пустяки. Читать следует по программе, разумеется не следуя ей жестко, отходя от нее там, где появляются дополнительные для читающего интересы. Однако при всех отступлениях от первоначальной программы необходимо составить для себя новую, учитывающую появившиеся новые интересы.

Чтение, для того чтобы оно было эффективным, должно интересовать читающего. Интерес к чтению вообще или по определенным отраслям культуры необходимо развивать в себе. Интерес может быть в значительной мере результатом самовоспитания.

Составлять для себя программы чтения не так уж просто, и это нужно делать, советуясь со знающими людьми, с существующими справочными пособиями разного типа.

Опасность чтения — это развитие (сознательное или бессознательное) в себе склонности к «диагональному» просмотру текстов или к различного вида скоростным методам чтения.

«Скоростное чтение» создает видимость знаний. Его можно допускать лишь в некоторых видах профессий. Остерегайтесь привычки к «скоростному чтению», оно ведет к ослаблению внимания.

Замечали ли вы, какое большое впечатление производят те произведения литературы, которые читаются в спокойной обстановке, например на отдыхе или при какой-нибудь не очень сложной и не отвлекающей внимания болезни?

Литература дает нам колоссальный, обширнейший и глубочайший опыт жизни. Она делает человека интеллигентным, развивает в нем не только чувство красоты, но и понимание — понимание жизни, всех ее сложностей, служит проводником в другие эпохи и к другим народам, раскрывает перед вами сердца людей. Одним словом, делает вас мудрыми. Но все это дается только тогда, когда вы читаете, вникая во все мелочи. Ибо самое главное часто кроется именно в мелочах. А такое чтение возможно только тогда, когда вы читаете с удовольствием, не потому, что то или иное произведение надо прочесть (по школьной ли программе или по велению моды и тщеславия), а потому, что оно вам нравится — вы почувствовали, что автору есть что сказать, есть чем с вами поделиться и он умеет это сделать. Если первый раз прочли произведение невнимательно — читайте еще раз, в третий раз. У человека должны быть любимые произведения, к которым он обращается неоднократно, которые знает в деталях, о которых может напомнить в подходящей обстановке окружающим и этим-то поднять настроение, то разрядить обстановку (когда накапливается раздражение друг против друга), то посмешить, то просто выразить свое отношение к происшедшему с вами или с кем-либо другим. «Бескорыстному» чтению научил меня в школе мой учитель литературы. Я учился в годы, когда учителя часто вынуждены были отсутствовать на уроках — то они рыли окопы под Ленинградом, то должны были помочь какой-либо фабрике, то просто болели. Леонид Владимирович (так звали моего учителя литературы) часто приходил в класс, когда другой учитель отсутствовал, непринужденно садился на учительский столик и, вынимая из портфеля книжки, предлагал нам что-нибудь почитать. Мы знали уже, как он умел прочесть, как он умел объяснить прочитанное, посмеяться вместе с нами, восхититься чем-то, удивиться искусству писателя и порадоваться предстоящему. Так мы прослушали многие места из «Войны и мира», «Капитанской дочки», несколько рассказов Мопассана, былину о Соловье Будимировиче, другую былину о Добрыне Никитиче, повесть о Горе-Злосчастии, басни Крылова, оды Державина и многое-многое другое. Я до сих пор люблю то, что слушал тогда в детстве. А дома отец и мать любили читать вечерами. Читали для себя, а некоторые понравившиеся места читали и для нас. Читали Лескова, Мамина-Сибиряка, исторические романы — все, что нравилось им и что постепенно начинало нравиться и нам.

«Незаинтересованное», но интересное чтение — вот что заставляет любить литературу и что расширяет кругозор человека.

Умейте читать не только для школьных ответов и не только потому, что ту или иную вещь читают сейчас все — она модная. Умейте читать с интересом и не торопясь.

Почему телевизор частично вытесняет сейчас книгу? Да потому, что телевизор заставляет вас не торопясь просмотреть какую-то передачу, сесть поудобнее, чтобы вам ничего не мешало, он вас отвлекает от забот, он вам диктует — как смотреть и что смотреть. Но постарайтесь выбирать книгу по своему вкусу, отвлекитесь на время от всего на свете тоже, сядьте с книгой поудобнее, и вы поймете, что есть много книг, без которых нельзя жить, которые важнее и интереснее, чем многие передачи. Я не говорю: перестаньте смотреть телевизор. Но я говорю: смотрите с выбором. Тратьте свое время на то, что достойно этой траты. Читайте же больше и читайте с величайшим выбором. Определите сами свой выбор, сообразуясь с тем, какую роль приобрела выбранная вами книга в истории человеческой культуры, чтобы стать классикой. Это значит, что в ней что-то существенное есть. А может быть, это существенное для культуры человечества окажется существенным и для вас?

Классическое произведение — то, которое выдержало испытание временем. С ним вы не потеряете своего времени. Но классика не может ответить на все вопросы сегодняшнего дня. Поэтому надо читать и современную литературу. Не бросайтесь только на каждую модную книгу. Не будьте суетны. Суетность заставляет человека безрассудно тратить самый большой и самый драгоценный капитал, каким он обладает, — свое время.

Письмо двадцать третье

О личных библиотеках

Сегодня личные библиотеки в очень многих домах. Но мне могут сказать, что вот книги не всегда попадают к тем, кому они нужны. Иногда служат украшением: приобретаются из-за красивых переплетов и т. д. Но и это не так страшно. Книга всегда найдет того, кому она нужна. Например, покупает книгу человек, который украшает ими свою столовую. Но ведь у него могут быть и сын, и племянники. Мы помним, как начинали люди интересоваться литературой — через библиотеки, которые они находили у своего отца или у своих родственников. Так что книга когда-нибудь найдет своего читателя.

Что касается личной библиотеки, то, думаю, к этому вопросу надо подходить очень ответственно. И не только потому, что личную библиотеку считают визитной карточкой хозяина. Если человек покупает книги только для престижа, то напрасно это делает. В первой же беседе он выдаст себя.

Станет ясным, что сам он книг не читал, а если и читал, то не понял.

Свою библиотеку не надо делать слишком большой, не надо заполнять ее книгами «одноразового чтения». Такие книги надо брать в библиотеке. Дома должны быть книги повторного чтения, классики (и притом любимые), а преимущественно — справочники, словари, библиография. Они могут иногда заменить целую библиотеку. Обязательно ведите собственную библиографию и на карточках отмечайте, что в этой книге кажется вам важным и нужным.

Повторяю: если книга вам нужна для однократного чтения, ее приобретать не следует. И искусство составления личных библиотек состоит в том, чтобы воздерживаться от приобретения таких книг.

Письмо двадцать четвертое

Будем счастливыми

(Ответ на письмо школьника)

Дорогой Сережа! Ты совершенно прав, любя старые здания, старые вещи — все то, что сопутствовало человеку в прошлом и сопутствует ему в его теперешней жизни. Все это не только вошло в сознание человека, но само как бы что-то восприняло от людей. Казалось бы, вещи материальны, а они стали частью нашей духовной культуры, слились с нашим внутренним миром, который условно можно было бы назвать нашей душой. Ведь мы говорим: «от всей души», или «мне это нужно для души», или «сделано с душой». Вот так! Все, что сделано с душой, идет от души, нужно нам для души, — это и есть «духовная культура». Чем больше человек окружен этой духовной культурой, погружен в нее, тем он счастливее, тем ему интереснее жить, жизнь приобретает для него содержательность. А в чисто формальном отношении к работе, к учению, к товарищам и знакомым, к музыке, к искусству нет этой духовной культуры. Это и есть бездуховность — жизнь механизма, ничего не чувствующего, неспособного любить, жертвовать собой, иметь нравственные и эстетические идеалы.

Давайте будем людьми счастливыми, то есть имеющими привязанности, любящими глубоко и серьезно что-то значительное, умеющими жертвовать собой ради любимого дела и любимых людей. Люди, не имеющие всего этого, — несчастные, живущие скучной жизнью, растворяющие себя в пустом приобретательстве или мелких, низменных «скоропортящихся» наслаждениях.

Письмо двадцать пятое

По велению совести

Самое хорошее поведение — то, которое определяется не внешними рекомендациями, а душевной необходимостью. Душевная же необходимость, пожалуй, особенно хороша, когда безотчетна. Поступать правильно надо не думая, не размышляя долго. Безотчетная душевная потребность поступать хорошо, делать людям добро — самое ценное в человеке.

Но душевная потребность эта не всегда присуща человеку от рождения. Она воспитывается в человеке, и воспитывается в основном им же самим — его решимостью жить по правде, по-доброму.

Мы учимся ездить на велосипеде и сперва следуем определенным несложным советам друзей: поворачивать руль в ту сторону, в которую падаешь. А вскоре ездим, не думая уже ни о каких правилах, и ездим хорошо и свободно всю жизнь.

В своих «письмах» я тоже рекомендую несложные правила «ездить на велосипеде» — жить честно, по правде. Но это необходимо только для начала. Жить же нужно интуитивно «по велению совести», не задумываясь находить всегда правильные решения, не заглядывая в книжки. Жить гораздо сложнее, чем ездить на велосипеде. Поэтому и советов приходится давать больше.

Но вот на что обратите внимание. Когда вы только учитесь ездить на велосипеде, когда думаете, куда повернуть, вы затрачиваете множество усилий. А когда научились и не думаете — вы почти неутомимы. И вот мой совет: научитесь не задумываясь, сразу находить правильные решения. Жить будет легко.

Поэтому мои «Письма о добром» должны быть вам нужны только для начала. А потом живите по-доброму, не думая о «правилах», которые содержатся в «письмах». «Правила» только для начала пути. Стремитесь ходить путями добра так же просто и безотчетно, как вы ходите вообще. Тропинки и дороги нашего прекрасного сада, который зовется окружающим миром, так легки, так удобны, встречи на них так интересны, если только «исходные данные» выбраны вами правильно.

Итак, прочтя, отложите мои «письма» в сторону и сами находите для себя правильные решения, и стремитесь, чтобы все решения шли прямо от сердца.

А я помашу вам вслед...

Письмо двадцать шестое

Учитесь учиться!

Мы вступаем в век, в котором образование, знания, профессиональные навыки будут играть определяющую роль в судьбе человека. Без знаний, кстати сказать, все усложняющихся, просто нельзя будет работать, приносить пользу. Ибо физический труд возьмут на себя машины, роботы. Даже вычисления будут делаться компьютерами, так же как чертежи, расчеты, отчеты, планирование и т. д. Человек будет вносить новые идеи, думать над тем, над чем не сможет думать машина. А для этого все больше нужна будет общая интеллигентность человека, его способность создавать новое и, конечно, нравственная ответственность, которую никак не сможет нести машина. Этика, простая в предшествующие века, бесконечно усложнится в век науки. Это ясно.

Значит, на человека ляжет тяжелейшая и сложнейшая задача — быть не просто человеком, а человеком науки, человеком, нравственно отвечающим за все, что происходит в век машин и роботов. Общее образование может создать человека будущего, человека творческого, созидателя всего нового и нравственно отвечающего за все, что будет создаваться.

Учение — вот что сейчас нужно молодому человеку с самого малого возраста. Учиться нужно всегда. До конца жизни не только учили, но и учились все крупнейшие ученые. Перестанешь учиться — не сможешь и учить. Ибо знания все растут и усложняются. Нужно при этом помнить, что самое благоприятное время для учения — молодость. Именно в молодости — в детстве, в отрочестве, в юности — ум человека наиболее восприимчив. Восприимчив к изучению языков (что крайне важно), к математике, к усвоению просто знаний и развитию эстетическому, стоящему рядом с развитием нравственным и отчасти его стимулирующим.

Умейте не терять времени на пустяки, на «отдых», который иногда утомляет больше, чем самая тяжелая работа, не заполняйте свой светлый разум мутными потоками глупой и бесцельной «информации». Берегите себя для учения, для приобретения знаний и навыков, которые только в молодости вы освоите легко и быстро.

И вот тут я слышу тяжкий вздох молодого человека: какую же скучную жизнь вы предлагаете нашей молодежи! Только учиться. А где же отдых, развлечения? Что же нам, и не радоваться?

Да нет же. Приобретение навыков и знаний — это тот же спорт. Учение тяжело, когда мы не умеем найти в нем радость. Надо любить учиться и формы отдыха и развлечений выбирать умные, способные также чему-то научить, развить в нас какие-то способности, которые понадобятся в жизни.

А если не нравится учиться? Быть того не может. Значит, вы просто не открыли той радости, которую приносит ребенку, юноше, девушке приобретение знаний и навыков.

Посмотрите на маленького ребенка — с каким удовольствием он начинает учиться ходить, говорить, копаться в различных механизмах (у мальчиков), нянчить кукол (у девочек). Постарайтесь продолжить эту радость освоения нового. Это во многом зависит именно от вас самих. Не зарекайтесь: не люблю учиться! А вы попробуйте любить все предметы, какие проходите в школе. Если другим людям они нравились, то почему вам они не могут не понравиться? Читайте стоящие книги, а не просто чтиво. Изучайте историю и литературу. И то и другое должен хорошо знать интеллигентный человек. Именно они дают человеку нравственный и эстетический кругозор, делают окружающий мир большим, интересным, излучающим опыт и радость. Если вам что-то не нравится в каком-либо предмете — напрягитесь и постарайтесь найти в нем источник радости, радости приобретения нового.

Учитесь любить учиться!

Письмо двадцать седьмое

Четвертое измерение

Память и знание прошлого наполняют мир, делают его интересным, значительным, одухотворенным. Если вы не видите за окружающим вас миром его прошлого, он для вас пуст. Вам скучно, вам тоскливо, и вы в конечном счете одиноки, ибо и товарищи для вас — товарищи по-настоящему, когда вас связывает с ними какое-то общее прошлое: окончили ли школу, институт либо работали вместе, а старики помнят с особенной нежностью тех, с кем воевали, пережили какие-то трудности.

Пусть дома, мимо которых мы ходим, пусть города и села, в которых мы живем, пусть даже завод, на котором мы работаем, или корабли, на которых мы плаваем, будут для нас живыми, то есть имеющими прошлое! Жизнь — это не одномоментность существования.

Будем знать историю — историю всего, что нас окружает, в большом и малом масштабах. Это ведь четвертое, очень важное, измерение мира.

Но мы должны не только знать историю всего, что нас окружает, начиная с нашей семьи, продолжая селом или городом и кончая страной и миром, но и хранить эту историю, эту безмерную глубину окружающего.

Обратите внимание: дети и молодые люди особенно любят обычаи, традиционные празднества. Ибо они осваивают мир, осваивают его в традиции, в истории. Будем же активнее защищать все то, что делает нашу жизнь осмысленной, богатой и одухотворенной.

Письмо двадцать восьмое

Быть вместе

Меня часто спрашивают: почему в быту совершенно исчезают русские игры — лапта, горелки, городки или рюхи?

Сложный вопрос. Исчезают не только русские игры, исчезают игры вообще. Они заменяются танцами или тем, что называется танцами. А между тем игры очень важны в воспитательном отношении. Игра — будь это лапта, волейбол, горелки или еще какая-нибудь — воспитывает социальность, она воспитывает умение держаться вместе, играть вместе, ощущать партнера, ощущать противника. Это очень важная воспитательная вещь — игра. Игры должны быть возрождены в нашей жизни. Я не вижу, чтобы играли, скажем, в крокет. А крокет — важная игра, потому что в крокет играют и взрослые и дети, это общение взрослых и детей. Это важно. Дома заняты тем, что смотрят телевизор. Вот тут телевизор оказывается серьезным конкурентом. А раньше играли в цифровое лото, играли дети, играли взрослые, и это служило общению взрослых и детей, это был один из моментов, очень важный в воспитательном отношении. Но не только лото — существовали разные игры, в которых принимала участие вся семья.

Так же, как, скажем, вся семья на Севере где-нибудь принимала участие в пении хоровых народных песен. Это важный момент, потому что хор — он не только доставляет эстетическое удовольствие, он нравственно организует семью, нравственно организует общество, собравшееся где-то в деревне, в зимнюю пору, при вьюге снежной. Поют — люди общаются друг с другом, они вступают в контакт. А как мало у нас сейчас контактов между людьми! Они очень важны, непосредственные контакты, контакты интуитивные какие-то, которые вот в играх, в хоровом пении, в музыке организовывались. Потому на эту сторону нашего быта, на то, что уходят из нашего быта игры, надо обратить внимание педагогическим организациям. И не сделать ли уроки физкультуры в наших школах игровыми? Это давало бы одновременно и физическое развитие, и нравственное и объединяло бы класс.

Письмо двадцать девятое

Путешествуйте!

Одна из самых больших ценностей жизни — поездки. При этом остерегайтесь делить поездки на интересные и неинтересные, а места, которые посетили, на значительные и незначительные. Даже степени значительности посещенных вами мест старайтесь не устанавливать. Делите поездки на те, к которым вы подготовились, и те, к которым не подготовились или подготовились плохо. Любой город, любая страна, любое место, к поездке в которые вы не подготовились, — неинтересны и скучны. И наоборот, если вы знаете историю места, оно становится в десять раз интереснее.

Что значит подготовиться к поездке в незнакомый город — город, в котором вы еще не бывали? Это значит изучить его историю, знать его планировку, хотя бы по туристическим схемам, отметить на карте заранее все места, которые нужно посетить, и примерные маршруты, чтобы не терять времени.

Не упускайте случая находить интересное даже там, где вам кажется неинтересно. На земле нет неинтересных мест — есть только неинтересующиеся люди, люди, не умеющие находить интересное, внутренне скучные.

Мне всегда неприятны люди, которые, посещая новые для них места, со скучающим видом говорят своим спутникам: «А вот я был в Париже... так там...» Надо уметь погружаться в атмосферу того места, куда вас забросила судьба, и всюду уметь находить свое, характерное. Умение это, конечно, дается не одним абстрактным желанием, но и знаниями. И особенно важны знания, приобретенные еще до поездки.

Всегда интересны впечатления художников. Читайте записки и воспоминания художников об их поездках! Не знаю почему, но все художники удивительно хорошо пишут. Чудесные писатели — Коровин, Бенуа, Добужинский, Грабарь...

Как они умели смотреть и видеть, а затем запечатлевать увиденное не только в живописи, но и в своих записках!

М. В. Добужинский пишет в своих воспоминаниях, какое огромное впечатление на него в молодости произвели Мюнхен, Венеция и Париж, впервые им посещенные. В Россию ему пришлось вернуться внезапно (за границей неожиданно умер маленький сын Добужинских, которого они решили похоронить в родном Вильнюсе). И вот после Мюнхена, Парижа и Венеции он оказывается среди маленьких литовских кладбищ. И вот что он пишет:

«Мы с женой часто ездили в коляске по шоссе, или через лес в сторону Немана, или вдоль полей, и я видел снова печальный и милый литовский пейзаж: песчаные поля, и, как зеленые оазисы, среди них романтические кладбища со щетиной высоких крестов и сосен, и серое осеннее небо, с медленно летящей одинокой вороной.

Эти кладбища, резные литовские кресты, леса на горизонте и бедное местечко Олиту, где стоял красный старый деревянный костел, я знал и любил еще до Мюнхена, но теперь — после всего, что я видел за границей, — этот уголок показался мне своеобразным чрезвычайно.

Мы побывали в Вильно — и снова мой любимый город меня очаровал. И в будущем Вильно с его восхитительным, изящным барокко — после каждого моего путешествия за границу, когда проездом в Петербург я туда заезжал, — всегда выдерживал экзамен в сравнении».

Вот это настоящий результат по-настоящему интеллигентного человека от его поездок и путешествий: для внутренне богатого человека весь окружающий мир неисчерпаемо богат.

И второе: поездки воспитывают оседлость, оседлость нравственную, любовь к родному.

Когда доведется бывать в новом городе, смотреть знаменитые произведения искусства или знаменитые пейзажи, не поддавайтесь тому, что о них слышали, читали, о чем вам «прожужжали уши». Многое из того, что вы прочитали, поможет понять красоту и ценность увиденного, но может отчасти и помешать собственному, индивидуально вашему впечатлению. Цените свое, но цените искренне и не старайтесь противоречить общему мнению во что бы то ни стало (такое тоже часто встречается у самолюбивых людей).

Приведу пример из собственных впечатлений (хотите — примите эти впечатления, хотите — нет). Я старый петербуржец. Я родился в Петербурге, и там же родились мои родители, прародители. С XVIII века предки мои жили в Петербурге.

Мне с детства постоянно внушали, как красива Нева. Как торжествен центр Невы, как торжествен на Неве ход ладожского льда, какую пышность придает городу игла Петропавловской крепости, как красив традиционный полуденный, ровно в 12 часов, выстрел из пушки Петропавловской крепости.

Что центр Невы в самом ее широком месте красив — спору нет. Но почему-то этот центр навевает на меня тоску. Это одно из самых печальных и тоскливых мест, которые я видел в своем городе, особенно когда от Зимней канавки смотришь на Петропавловскую крепость. Сердце сжимается тоской...

Может быть, я с детства слышал об узниках крепости и особенное впечатление на меня произвела в детстве ужасная легенда о княжне Таракановой, затопленной в своей камере ворвавшимся наводнением? Не знаю. И красивейший в мире весенний ледоход так ассоциируется во мне с темой бренности всего существующего.

А как хороши в Петербурге более интимные места — особенно каналы! Что может быть красивее удивительных уголков, открывающихся, когда гуляешь по Мойке (например, у последней квартиры Пушкина), по каналу Грибоедова (особенно у мостика с грифонами), по Крюкову каналу (вспомните о колокольне, построенной Чевакинским у «Николы Морского»), по Фонтанке. Одно из красивейших мест в Петербурге — Новая Голландия, и особенно ворота в ней Деламота (хочется сказать «врата»), впускающие в себя канал, по которому подвозили товары на склады. Я особенно люблю канал Грибоедова, где в строгой планировке улиц он делает извив, напоминающий латинскую букву S: посмотришь вперед — канал с чудесным мостом через него. Посмотришь назад — опять тот же канал. Канал вносит оживление в казенный порядок улиц, и не случайно Достоевский сделал эти улицы местом действия своего романа «Преступление и наказание». Рассуждения Раскольникова мнимо упорядочивают жизнь, а она на самом деле течет по своим законам. Вода в канале течет, как течет жизнь. Канал, или «канава», как ее называет Достоевский, «размыл» строгую и жестоко казенную планировку улиц. Пройдите из конца в конец канал Грибоедова, Мойку, канал Круштейна... А в Москве пройдите весь старый Арбат, Сивцев Вражек, улицу Кропоткина.

Город наводит на размышления. На размышления наводит Орел — в той его части, где происходило действие «Дворянского гнезда» Тургенева, или река Орлик, на которой жил герой прекрасного произведения Н. С. Лескова — «Несмертельный Голован». А замечательнейшие бульвары по берегам волжских городов — Ульяновска, Ярославля, Костромы,

Нижнего Новгорода... Разве не заставляют они нас думать вместе с Островским, Горьким, Гончаровым?!

Путешествия многое нам открывают, о многом заставляют думать, мечтать.

Письмо тридцатое

Нравственные вершины и отношение к ним

Вот о чем хотелось бы сказать. В «Заметках о русском» и в «Диалогах о дне вчерашнем, сегодняшнем и завтрашнем» я уже обращал внимание на некоторые черты русского характера, на которые в последнее время как-то не принято обращать внимание: на доброту, открытость, терпимость, отсутствие национального чванства и проч. Читатель вправе спросить: а куда ж девались в «Заметках» отрицательные черты русского человека? Разве русским свойственны одни только положительные черты, а другие народы их лишены? На последний вопрос читатель при желании найдет ответ в самих «Заметках»: я говорю в них не только о русском народе. А что касается первого вопроса — о русских недостатках, — то я вовсе не считаю русский народ их лишенным: напротив, их у него много, но... Можем ли мы характеризовать народ по его «недостаткам» — не лучшим его представителям? Ведь когда пишется история искусств, в нее включаются только высшие достижения, лучшие произведения. По произведениям посредственным или плохим нельзя построить историю живописи или литературы. Если мы хотим получить представление о каком-либо городе, мы ознакомимся прежде всего с его лучшими зданиями, площадями, памятниками, улицами, лучшими видами, «городскими ландшафтами». Мы же подходим к представлениям о народе: народ как создание искусства. Такова моя позиция в «Заметках» в подходе к любому из народов.

О каждом народе следует судить по тем нравственным вершинам и по тем идеалам, которыми он живет. Быть благожелательным к любому народу, самому малочисленному! Эта позиция самая верная, самая благородная. Вообще говоря, любая недоброжелательность всегда воздвигает стену непонимания.

Благожелательность, напротив, открывает пути правильного познания.

Самолет не падает на землю не потому, что он крыльями «опирается на воздух», а потому, что он подсасывается кверху, к небу... В народе самое главное — его идеалы.

Письмо тридцать первое

Круг «нравственной оседлости»

Как воспитывать в себе и в других «нравственную оседлость» — привязанность к своей семье, к своему дому, селу, городу, стране?

Я думаю, что это — дело не только школы, но и семьи.

Привязанность к семье и дому создается не нарочно, не лекциями и наставлениями, а прежде всего той атмосферой, которая царит в семье. Если в семье есть общие интересы, общие развлечения, общий отдых, то и это очень много. Ну а если дома изредка рассматривают семейные альбомы, ухаживают за могилами родных, рассказывают о том, как жили их прабабушки и прадедушки, то это вдвойне много. Почти у каждого жителя города кто-то из предков приехал из далекого или близкого села, и село это тоже должно оставаться родным. Хоть изредка, но в него нужно наезжать всей семьей, всем вместе, заботиться о сохранении в нем памяти прошлого и радоваться успехам настоящего. А если и нет родного села или родных сел, то совместные поездки по стране запечатлеваются в памяти гораздо больше, чем индивидуальные. Видеть, слушать, запоминать, и все это с любовью к людям, — как это важно! Замечать доброе совсем не так просто. Нельзя ценить людей только за их ум и интеллигентность: цените их за доброту, за их труд, за то, что они представители своего круга — односельчане или соученики, одногорожане или просто в чем-то «свои», «особенные».

Круг нравственной оседлости очень широк.

На одном я бы хотел остановиться особенно: на нашем отношении к могилам и кладбищам.

Очень часто градостроителей-архитекторов раздражает наличие кладбища в черте города. Они стремятся его уничтожить, превратить в сад, а между тем кладбище — это элемент города, своеобразная и очень ценная часть городской архитектуры.

Могилы делались с любовью. Надгробные памятники воплощали в себе признательность к покойному, стремление увековечить его память. Поэтому они так разнообразны, индивидуальны и всегда по-своему любопытны. Читая забытые имена, иногда разыскивая похороненных здесь известных людей, своих родных или просто знакомых, посетители в какой-то мере учатся «мудрости жизни». Многие кладбища по-своему поэтичны. Поэтому роль одиноких могил или кладбищ в воспитании «нравственной оседлости» очень велика.

Письмо тридцать второе

Понимать искусство

Итак, жизнь — самая большая ценность, какой обладает человек. Если сравнить жизнь с драгоценным дворцом со многими залами, которые тянутся бесконечными анфиладами, которые все щедро разнообразны и все не похожи друг на друга, то самый большой зал в этом дворце, настоящий «тронный зал», — это зал, в котором царствует искусство. Это зал удивительных волшебств. И первое волшебство, которое он совершает, происходит не только с самим обладателем дворца, но и со всеми в него приглашенными на торжество.

Это зал бесконечных празднеств, которые делают всю жизнь человека интереснее, торжественнее, веселее, значительнее... Я не знаю, какими эпитетами еще выразить свой восторг перед искусством, перед его произведениями, перед той ролью, которую оно играет в жизни человечества. И самая большая ценность, которой награждает человека искусство, — это ценность доброты. Награжденный даром понимать искусство человек становится нравственно лучше, а следовательно, и счастливее. Да, счастливее! Ибо награжденный через искусство даром доброго понимания мира, окружающих его людей, прошлого и далекого человек легче дружит с другими людьми, с другими культурами, с другими национальностями, ему легче жить.

Е. А. Маймин в своей книге для учащихся старших классов «Искусство мыслит образами»[1] пишет: «Открытия, которые мы делаем с помощью искусства, не только живые и впечатляющие, но и добрые открытия. Знание действительности, приходящее через искусство, есть знание, согретое человеческим чувством, сочувствием. Это свойство искусства и делает его общественным явлением неизмеримого нравственного значения. Гоголь писал о театре: „Это такая кафедра, с которой можно много сказать миру добра“. Источником доброго является всякое подлинное искусство. Оно в самой основе своей нравственно именно потому, что вызывает в читателе, в зрителе — во всяком, кто его воспринимает, — сопереживание и сочувствие к людям, ко всему человечеству. Лев Толстой говорил об „объединяющем начале“ искусства и придавал этому его качеству первостепенное значение. Благодаря своей образной форме искусство наилучшим способом приобщает человека к человечеству: заставляет с бóльшим вниманием и пониманием относиться к чужой боли, к чужой радости. Оно делает эту чужую боль и радость в значительной мере своими... Искусство в самом глубоком смысле этого слова человечно. Оно идет от человека и ведет к человеку — к самому живому, доброму, к самому лучшему в нем. Оно

---

[1] *Маймин Е. А.* Искусство мыслит образами. М., 1977. С. 13–14.

служит единению человеческих душ». Хорошо, очень хорошо сказано! И ряд мыслей здесь звучат как прекрасные афоризмы.

Богатства, которые дает человеку понимание произведений искусства, невозможно отнять у человека, и они всюду, их надо только увидеть.

А зло в человеке всегда связано с непониманием другого человека, с мучительным чувством зависти, с еще более мучительным чувством недоброжелательности, с недовольством своим положением в обществе, с вечной, снедающей человека злобой, разочарованием в жизни. Злой человек казнит себя своею злобою. Он погружает в тьму прежде всего самого себя.

Искусство освещает и одновременно освящает жизнь человека. И снова повторяю: оно делает его добрее, а следовательно, счастливее.

Но понимать произведения искусства далеко не просто. Этому надо учиться — учиться долго, всю жизнь. Ибо остановки в расширении своего понимания искусства не может быть. Может быть только отступление назад — в тьму непонимания. Ведь искусство сталкивает нас все время с новыми и новыми явлениями, и в этом громадная щедрость искусства. Открылись нам во дворце одни двери, за ними черед открытия другим.

Как же научиться понимать искусство? Как совершенствовать в себе это понимание? Какими качествами нужно для этого обладать?

Я не берусь давать рецепты. Я ничего не хочу утверждать категорически. Но то качество, которое мне все же представляется наиболее важным в настоящем понимании искусства, — это искренность, честность, открытость к восприятию искусства.

Пониманию искусства следует учиться прежде всего у самого себя — у своей искренности.

Часто говорят про кого-нибудь: у него врожденный вкус. Вовсе нет! Если вы приглядитесь к тем людям, о которых можно сказать, что они обладают вкусом, то заметите одну общую черту: они честны и искренни в своей восприимчивости. Я никогда не замечал, чтобы вкус передавался по наследству. Вкус, я думаю, не входит в число свойств, которые передаются генами. Хотя семья воспитывает вкус и от семьи, ее интеллигентности многое зависит.

Не следует подходить к произведению искусства предвзято, исходя из устоявшегося «мнения», из моды, из взглядов своих друзей или отталкиваясь от взглядов недругов. С произведением искусства надо уметь оставаться «один на один».

Если в своем понимании произведений искусства вы станете следовать моде, мнению других, стремлению казаться изысканным и утонченным, вы заглушите в себе радость, которую дает жизнь искусству, а искусство — жизни.

Притворившись понимающим то, чего вы не понимаете, вы обманули не других, а самого себя. Вы пытаетесь убедить и самого себя, что что-то поняли, а радость, которую дает искусство, непосредственна, как и всякая радость.

Нравится — так и говорите себе и другим, что нравится. Только не навязывайте своего понимания или, еще того хуже, непонимания другим. Не считайте, что вы обладаете абсолютным вкусом, как и абсолютным знанием. Первое невозможно в искусстве, второе невозможно в науке. Уважайте в себе и в других свое отношение к искусству и помните мудрое правило: о вкусах не спорят.

Значит ли это, что надо полностью замкнуться в себе и удовлетвориться собой, своим отношением к тем или иным произведениям искусства? «Мне это нравится, а это не нравится» — и на этом точка. Ни в коем случае!

В своем отношении к произведениям искусства не следует быть успокоенным, следует стремиться к тому, чтобы понять то, чего не понимаешь, и углубить свое понимание того, что уже частично понял. А понимание произведения искусства всегда неполное. Ибо настоящее произведение искусства «неистощимо» в своих богатствах.

Не следует, как я уже сказал, исходить из мнения других, но к мнению других надо прислушиваться, считаться с ним. Если это мнение других о произведении искусства отрицательное, оно по большей части не очень интересно. Интереснее другое: если многими высказывается положительный взгляд. Если какого-то художника, какую-то художественную школу понимают тысячи, то было бы самонадеянным утверждать, что все ошибаются, а правы только вы.

Конечно, о вкусах не спорят, но вкус развивают — в себе и в других. Можно стремиться понять то, что понимают другие, особенно если этих других много. Не могут же многие и многие быть просто обманщиками, если они утверждают, что что-то им нравится, если живописец или композитор, поэт или скульптор пользуются огромным и даже мировым признанием. Впрочем, бывает мода и бывает ничем не оправданное непризнание нового или чужого, зараженность даже ненавистью к «чужому», к слишком сложному и т. д.

Весь вопрос только в том, что нельзя понять сразу сложное, не поняв ранее более простое. Во всяком понимании — научном или художественном — нельзя перескакивать через ступени. К пониманию классической музыки надо быть подготовленным знанием основ музыкального искусства. То же в живописи или в поэзии. Нельзя овладеть высшей математикой, не зная элементарной.

Искренность в отношении к искусству — это первое условие его понимания, но первое условие — еще не все. Для понимания искусства нужны еще знания. Фактические сведения по истории искусства, по истории памятника и биографические сведения о его создателе помогают эстетическому восприятию искусства, оставляя его свободным. Они не принуждают читателя, зрителя или слушателя к какой-то определенной оценке или определенному отношению к произведению искусства, но, как бы «комментируя» его, облегчают понимание.

Фактические сведения нужны прежде всего для того, чтобы восприятие произведения искусства совершалось в исторической перспективе, было пронизано историзмом, ибо эстетическое отношение к памятнику всегда и историческое. Если перед нами памятник современный, то и современность есть определенный момент в истории, и мы должны знать, что памятник создан в наши дни. Если мы знаем, что памятник создан в Древнем Египте, это создает к нему историческое отношение, помогает его восприятию. А для более острого восприятия древнеегипетского искусства потребуется знание еще и того, в какую эпоху истории Древнего Египта создан тот или иной памятник.

Знания раскрывают нам двери, но войти в них мы должны сами. И особенно хочется подчеркнуть значение деталей. Иногда мелочь позволяет нам проникнуть в главное. Как важно знать, для чего писалась или рисовалась та или иная вещь!

Как-то в Эрмитаже была выставка работавшего в России в конце XVIII — начале XIX века декоратора и строителя садов Павловска Пьетро Гонзаго. Его рисунки — главным образом на архитектурные сюжеты — поразительны по красоте построения перспективы. Он даже щеголяет своим мастерством, подчеркивая все линии, горизонтальные в натуре, но в рисунках сходящиеся на горизонте — как это и полагается при построении перспективы. Сколько у него этих горизонтальных в натуре линий! Карнизы, крыши.

И всюду горизонтальные линии сделаны чуть жирнее, чем следует, а некоторые линии выходят за пределы «необходимости», за пределы тех, что в натуре.

Но вот еще одна удивительная вещь: точка зрения на все эти чудные перспективы у Гонзаго всегда выбрана как бы снизу. Почему? Ведь зритель-то держит рисунок прямо перед собой. Да потому, что это все эскизы театрального декоратора, рисунки декоратора, а в театре зрительный зал (во всяком случае, места для наиболее «важных» посетителей) внизу, и Гонзаго рассчитывает свои композиции на зрителя, сидящего в партере.

Это надо знать.

Всегда, чтобы понимать произведения искусства, надо знать условия творчества, цели творчества, личность художника и эпоху. Искусство нельзя «поймать голыми руками». Зритель, слушатель, читатель должны быть «вооружены» — вооружены знаниями, сведениями. Вот почему такое большое значение имеют вступительные статьи, комментарии и вообще работы по искусству, литературе, музыке.

Вооружайтесь знаниями! Недаром говорится: знание — это сила. Но это не только сила в науке, это сила в искусстве. Искусство недоступно бессильному.

Оружие знания — мирное оружие.

Если до конца понять народное искусство и не смотреть на него как на «примитивное», то оно может служить исходной точкой для понимания всякого искусства — как некоей радости, самостоятельной ценности, независимости от различных, мешающих восприятию искусства требований (вроде требования безусловной «похожести» в первую очередь). Народное творчество учит понимать условность искусства.

Почему это так? Почему все-таки именно народное искусство служит этим исходным и наилучшим учителем? Потому, что в народном искусстве воплотился опыт тысячелетий. Деление людей на «культурных» и «некультурных» часто вызвано крайним самомнением и собственной переоценкой «горожан». Крестьяне имеют свою сложную культуру, которая выражается не только в изумительном фольклоре (возьмите хотя бы глубокую по своему содержанию традиционную русскую крестьянскую песню), не только в народном искусстве и народном деревянном зодчестве на Севере, но и в сложном быте, сложных крестьянских правилах вежливости, прекрасном русском свадебном обряде, обряде приема гостей, общей семейной крестьянской трапезе, сложных трудовых обычаях и трудовых празднествах.

Обычаи создаются не зря. Они тоже результат многовекового отбора по их целесообразности, а искусство народа — отбора по красоте. Это не значит, что традиционные формы всегда наилучшие и всегда нужно им следовать. Надо стремиться к новому, к художественным открытиям (традиционные формы тоже были в свое время открытиями), но новое должно создаваться с учетом прежнего, традиционного, как итог, а не как отмена старого и накопленного.

* * *

Народное искусство многое дает для понимания скульптуры. Чувство материала — его весомости, плотности, красоты формы — отчетливо видно в деревянной деревенской посуде: в резных деревянных солоницах, в деревянных ковшах-скопарях, которые ставились на праздничный деревенский стол. И. Я. Богуславская пишет в своей книге «Северные сокровища»[1] о ковшах-скопарях и солоницах, делавшихся в форме утицы: «Образ плывущей, величаво-спокойной, горделивой птицы украшал стол, овевал застолье поэзией народных преданий. Многими поколениями мастеров создавалась совершенная форма этих предметов, совместившая скульптурный пластический образ с удобной вместительной чашей. Плавные очертания, волнообразные линии силуэта словно вобрали в себя медленный ритм движения воды. Так реальный прообраз одухотворил бытовую вещь, придал убедительную выразительность условной форме. Еще в древности она утвердилась как национальный тип русской посуды».

Форма народных произведений искусства — это форма, художественно отточенная временем. Такой же отточенностью обладают и коньки на крышах деревенских северных изб. Недаром этих «коней» сделал символом одного из своих замечательных произведений советский писатель, наш современник, Федор Абрамов («Кони»).

Что такое эти «кони»? На крыши деревенских изб, чтобы придавить концы кровельных досок, придать им устойчивость, клалось огромное тяжелое бревно. Бревно это имело одним из концов целый комель[2], из которого топором высекалась

---

[1] *Богуславская И. Я.* Северные сокровища. Архангельск, 1980. С. 10–11.

[2] *Ко́мель* — прилегающая к корню массивная часть дерева.

голова и могучая грудь коня. Конь этот выступал над фронтоном и был как бы символом семейной жизни в избе. И какой чудесной формой обладал этот конь! В нем одновременно ощущалась мощь материала, из которого он сделан, — многолетнего, медленно растущего дерева, — и величие коня, его власти не только над домом, но и над окружающим пространством. Знаменитый английский скульптор Генри Мур словно учился своей пластической силе у этих русских коней. Г. Мур рассекал свои могучие полулежащие фигуры на части. Зачем? Этим он подчеркивал их монументальность, их силу, их тяжесть. И то же происходило с деревянными конями северных русских изб. В бревне образовывались глубокие трещины. Трещины бывали еще и до того, как к бревну прикоснется топор, но это не смущало северных скульпторов. Они привыкли к этому «рассечению материала». Ибо без трещин не обходились и бревна изб, и деревянная скульптура балясин. Так народная скульптура учит понимать сложнейшие эстетические принципы современной скульптуры.

Народное искусство не только учит, но и является основой многих современных художественных произведений.

В ранний период своего творчества Марк Шагал шел от народного искусства Белоруссии: от его красочных принципов и приемов композиции, от жизнерадостного содержания этих композиций, в которых радость выражается в полете человека, домики кажутся игрушками и мечта соединяется с действительностью. В его яркой и пестрой живописи преобладают любимые народом цветовые оттенки красного, ярко-голубого, а кони и коровы смотрят на зрителя грустными человеческими глазами. Даже долгая жизнь на Западе не смогла оторвать его искусство от этих народных белорусских истоков.

Пониманию многих сложнейших произведений живописи и скульптуры учат глиняные игрушки Вятки или северная плотницкая деревянная игрушка.

Знаменитый французский архитектор Корбюзье многие из своих архитектурных приемов, по собственному признанию, заимствовал в формах народной архитектуры города Охрида: в частности, именно оттуда он почерпнул приемы независимой постановки этажей. Верхний этаж поставлен чуть боком к нижнему, чтобы из его окон открывался отличный вид на улицу, горы или озеро.

Иногда точка зрения, с которой подходят к произведению искусства, бывает явно недостаточна. Вот обычная «недостаточность»: портрет рассматривают только так: «похож» он или «не похож» на оригинал. Если «не похож» — это вообще не портрет, хотя это, может быть, прекрасное произведение искусства. А если просто «похож»? Достаточно ли этого? Ведь искать похожести лучше всего в художественной фотографии. Тут не только похожесть, но и документ: все морщинки и прыщики на месте.

Что же нужно в портрете, чтобы он был произведением искусства, кроме простой похожести? Во-первых, сама похожесть может быть разной глубины проникновения в духовную суть человека. Это знают и хорошие фотографы, стремящиеся ухватить подходящий момент для съемки, чтобы не было в лице напряженности, связанной обычно с ожиданием съемки, чтобы выражение лица было характерным, чтобы положение тела было свободным и индивидуальным, свойственным данному человеку. От такой «внутренней похожести» зависит, станет ли портрет или фотография произведением искусства. Но дело еще и в другой красоте: в красоте цвета, линий, композиции. Если вы привыкли отождествлять красоту портрета с красотой того, кто изображен на нем, и думаете, что не может быть особой, живописной или графической красоты портрета, независимости от красоты изображаемого лица, — вы еще не можете понимать портретной живописи.

То, что было сказано о портретной живописи, еще в большей мере относится к пейзажной. Это тоже «портреты», только портреты природы. И здесь нужна похожесть, но в еще большей мере нужна красота живописи, умение понять и отобразить «душу» данного места, «гений местности». Но можно живописцу изображать природу и с сильными «поправками» — не ту, что есть, но ту, которую хочется изобразить по тем или иным серьезным основаниям. Впрочем, если художник ставит себе целью не просто создать картину, а изобразить определенное место в природе или в городе, дает на своей картине определенные признаки определенного же места, — отсутствие сходства становится крупным недостатком.

Ну а если художник поставил себе целью изобразить не просто пейзаж, а только краски весны: молодую зелень березы, цвет березовой коры, весенний цвет неба — и все это расположил произвольно — так, чтобы красота этих весенних красок выявилась с наибольшей полнотой? Надо терпимо отнестись и к такому опыту и не предъявлять художнику тех требований, которые он не стремился удовлетворить.

Ну а если пойдем дальше и представим себе художника, который будет стремиться выразить что-то свое только путем сочетания красок, композицией или линиями, не стремясь к похожести на что-либо вообще? Просто выразить какое-то настроение, какое-то свое понимание мира. Прежде чем отмахнуться от такого рода опытов, необходимо внимательно подумать. Не все, чего мы не понимаем с первого взгляда, следует отметать и отвергать. Слишком много мы могли бы наделать ошибок. Ведь и серьезную, классическую музыку нельзя понять, не занимаясь музыкой.

Чтобы понимать серьезную живопись, надо учиться.

Письмо тридцать третье

О человеческом в искусстве

В предыдущем письме я сказал: обращайте внимание на детали. Теперь я хочу сказать о тех деталях, которые особенно следует, как мне кажется, ценить сами по себе. Это детали, мелочи, свидетельствующие о простых человеческих чувствах, о человечности. Они могут быть и без людей — в пейзаже, в жизни животных, но чаще всего в отношениях между людьми.

Древнерусские иконы очень «каноничны». Это традиционное искусство. И тем ценнее в них все, что отступает от каноничности, что дает выход человеческому отношению художника к изображаемому. В одной иконе «Рождества Христова», где действие происходит в пещере для животных, изображена маленькая овечка, которая лижет шейку другой овце — побольше. Может быть, это дочь ласкается к матери? Эта деталь совсем не предусмотрена строгими иконографическими нормами композиции «Рождества», поэтому она кажется особенно трогательной. Среди очень «официального» — вдруг такая милая деталь...

В стенописях XVII века московской церкви в Никитниках вдруг среди трафаретного пейзажа изображена молоденькая березка, да такая «русская», трогательная, что сразу веришь, что художник умел ценить русскую природу.

Сохранились автобиографические произведения монахов Рильского монастыря в Болгарии. Одна такая автобиография XIX века рассказывает жизнь монаха, собиравшего пожертвования на монастырь. И он бывал в очень бедственных положениях: иногда перед ним закрывались двери домов, его не пускали ночевать, часто ему нечего было есть (из пожертвованных на монастырь денег себе он ничего не брал) и т. д. И вот он восклицает в одном месте своих записок: «О, монастырь мой, монастырь, как там тепло и сытно!» Заканчивается рассказ этого монаха трафаретным проклятием тому, кто испортит книгу, исказит текст и прочее. Но дальше он пишет: «Если я это пишу, то не подумайте обо мне плохо, что я злой и дурной!» Правда трогательно? Примите во внимание, что «проклятия» эти неряшливому читателю и невнимательному переписчику были обычным трафаретом, так заканчивались многие рукописи.

А вот глубоко человеческое чувство из замечательной переписки Аввакума с боярыней Ф. П. Морозовой — той самой, что изображена на картине Сурикова, находящейся в Третьяковской галерее.

Аввакум в письме к боярыне Морозовой, написанном в превыспренних и витиеватых выражениях, под конец утешает ее в смерти любимого малолетнего сына: «И тебе уже неково четками стегать и не на ково поглядеть, как на лошадке поедет, и по головке неково погладить, — помнишь ли, как бывало». А в конце пишет ей еще: «И тово, полно: побоярила, надобе попасть в небесное боярство».

Та же боярыня Морозова пишет протопопу Аввакуму: «За умножение грехов моих отовсюду великая буря на душу мою, а я грешница нетерпелива». В чем же она «нетерпелива»? Заботится она о том, чтобы старшему сыну найти «супружницу» хорошую. Три достоинства нужны, по ее мнению, для этой «супружницы»: чтобы она была «благочестива и нищелюбива и страннопримимица». И далее спрашивает: «Где мне взять — из добрыя ли породы, или из обышныя? Которыя породою полутче девицы, те похуже, а те девицы лутче, которыя породою похуже». Ведь наблюдение это говорит об уме боярыни, об отсутствии у нее боярской спеси.

Принято было думать, что в Древней Руси якобы плохо понимали красоту природы. Основывалось это мнение на том, что в древнерусских произведениях редки подробные описания природы, нет пейзажей, какие есть в новой литературе. Но вот что пишет митрополит Даниил в XVI веке: «И аща хощеши прохладитися (то есть отдохнуть от работы. — *Д. Л.*) — изыди на преддверие храмина твоея (твоего дома. — *Д. Л.*) и виждь небо, солнце, луну, звезды, облака, ови высоци, ови же нижайше, и в сих прохлажайся».

Я не привожу примеры из произведений общеизвестных, признанных высокохудожественными. Сколько этих трогательных человеческих эпизодов в «Войне и мире», особенно во всем том, что связано с семьей Ростовых, или в «Капитанской дочке» Пушкина, да в любом художественном произведении! Не за них ли мы любим Диккенса, «Записки охотника»

Тургенева, чудесную «Траву-мураву» Федора Абрамова или «Мастера и Маргариту» Булгакова?!

Человечность всегда была одним из важнейших явлений литературы — большой и маленькой. Стоит искать эти проявления простых человеческих чувств и забот. Они драгоценны. А особенно драгоценны они, когда их находишь в переписке, в воспоминаниях, в документах. Есть, например, ряд документов, свидетельствующих о том, как простые крестьяне уклонялись под разными предлогами от участия в строительстве острога в Пустозерске, где узником должен был быть Аввакум. И притом решительно все, единодушно! Их увертки, почти детские, выказывают в них простых и добрых людей.

Письмо тридцать четвертое

О русской природе

У природы есть своя культура. Хаос — вовсе не естественное состояние природы. Напротив, хаос (если только он вообще существует) — состояние природы противоестественное.

В чем же выражается культура природы? Будем говорить о живой природе. Прежде всего она живет обществом, сообществом. Существуют «растительные ассоциации»: деревья живут не вперемешку, а известные породы совмещаются с другими, но далеко не со всеми. Сосны, например, имеют соседями определенные лишайники, мхи, грибы, кусты и т. д. Это знает каждый грибник. Известные правила поведения свойственны не только животным, но и растениям. Деревья тянутся к солнцу по-разному — иногда шапками, чтобы не мешать друг другу, а иногда раскидисто, чтобы прикрывать и беречь другую породу деревьев, начинающую подрастать под их покровом. Под покровом ольхи растет сосна. Сосна вырастает, и тогда отмирает сделавшая свое дело ольха. Я наблюдал этот многолетний процесс под Ленинградом, в Токсове, где во время Первой мировой войны были вырублены все сосны и сосновые леса сменились зарослями ольхи, которая затем прилелеяла под своими ветвями молоденькие сосенки. Теперь там снова сосны.

Природа по-своему «социальна». «Социальность» ее еще и в том, что она может жить рядом с человеком, соседствовать с ним, если тот, в свою очередь, социален и интеллектуален сам, бережет ее, не наносит ей непоправимого ущерба, не вырубает лесов до конца, не засоряет рек...

Русский крестьянин своим многовековым трудом создавал красоту русской природы. Он пахал землю и тем задавал ей определенные габариты. Он клал меру своей пашне, проходя по ней с плугом. Рубежи в русской природе соразмерны труду человека и его лошади, его способности пройти с лошадью за сохой или плугом, прежде чем повернуть назад, а потом снова вперед. Приглаживая землю, человек убирал в ней все резкие грани, бугры, камни. Русская природа мягкая, она ухожена крестьянином по-своему. Хождения крестьянина за плугом, сохой, бороной не только создавали «полосыньки» ржи, но ровняли границы леса, формировали его опушки, создавали плавные переходы от леса к полю, от поля к реке.

Поэзия преобразования природы трудом пахаря хорошо передана А. Кольцовым в «Песне пахаря», начинающейся понуканием сивки:

> Ну! тащися, сивка,
> Пашней, десятиной,
> Выбелим железо
> О сырую землю.

Русский пейзаж в основном создавался усилиями двух великих культур: культуры человека, смягчавшего резкости природы, и культуры природы, в свою очередь смягчавшей все нарушения равновесия, которые невольно привносил в нее человек. Ландшафт создавался, с одной стороны, природой, готовой освоить и прикрыть все, что так или иначе нарушил человек, и с другой — человеком, мягчившим землю своим трудом и смягчавшим пейзаж. Обе культуры как бы поправляли друг друга и создавали ее человечность и приволье.

Природа Восточно-Европейской равнины кроткая, без высоких гор, но и не бессильно плоская, с сетью рек, готовых быть «путями сообщения», и с небом, не заслоненным густыми лесами, с покатыми холмами и бесконечными, плавно обтекающими все возвышенности дорогами.

И с какою тщательностью гладил человек холмы, спуски и подъемы! Здесь опыт пахаря создавал эстетику параллельных линий — линий, идущих в унисон друг с другом и с природой, точно голоса в древнерусских песнопениях. Пахарь укладывал борозду к борозде — как причесывал, как укладывал волосок к волоску. Так кладется в избе бревно к бревну, плаха к плахе, в изгороди — жердь к жерди, а сами избы выстраиваются в ритмичный ряд над рекой или вдоль дороги — как стадо, вышедшее на водопой.

Поэтому отношения природы и человека — это отношения двух культур, каждая из которых по-своему «социальна», общежительна, обладает своими «правилами поведения». И их встреча строится на своеобразных нравственных основаниях. Обе культуры — плод исторического развития, причем развитие человеческой культуры совершается под воздействием природы издавна (с тех пор как существует человечество), а развитие природы с ее многомиллионнолетним существованием — сравнительно недавно и не всюду под воздействием человеческой культуры. Одна (культура природы) может существовать без другой (человеческой), а другая (человеческая) не может. Но все же в течение многих минувших веков между природой и человеком существовало равновесие. Казалось бы, оно должно было оставлять обе части равными. Но нет, равновесие всюду свое и всюду на какой-то своей, особой основе, со своею осью. На севере в России было больше «природы», а чем дальше на юг и ближе к степи, тем больше «человека».

Тот, кто бывал в Кижах, видел, вероятно, как вдоль всего острова тянется, точно хребет гигантского животного, каменная гряда. Около этого хребта бежит дорога. Хребет образовывался столетиями. Крестьяне освобождали свои поля от камней — валунов и булыжников — и сваливали их здесь, у дороги. Образовался ухоженный рельеф большого острова. Весь дух этого рельефа пронизан ощущением многовековья. И недаром жила здесь из поколения в поколение семья сказителей Рябининых, от которых записано множество былин.

Пейзаж России на всем ее богатырском пространстве как бы пульсирует, он то разряжается и становится более «природным», то сгущается в деревнях, погостах и городах, становится более «человеческим».

В деревне и в городе продолжается тот же ритм параллельных линий, который начинается с пашни. Борозда к борозде, бревно к бревну, улица к улице. Крупные ритмические деления сочетаются с мелкими, дробными. Одно плавно переходит к другому.

Старый русский город не противостоит природе. Он идет к природе через пригород. «Пригород» — это слово, как будто нарочно созданное, чтобы соединить представление о городе и природе. Пригород — при городе, но он и при природе. Пригород — это деревня с деревьями, с деревянными полудеревенскими домами. Сотни лет назад он прильнул огородами и садами к стенам города, к валу и рву, он прильнул и к окружающим полям и лесам, отобрав от них немного деревьев, немного огородов, немного воды в свои пруды и колодцы. И все это в приливах и отливах скрытых и явных ритмов — грядок, улиц, домов, бревнышек, плах мостовых и мостиков.

Для русских природа всегда была свободой, волей, привольем. Прислушайтесь к языку: погулять на воле, выйти на волю. Воля — это отсутствие забот о завтрашнем дне, это беспечность, блаженная погруженность в настоящее.

Вспомните у Кольцова:

> Ах ты, степь моя,
> Степь привольная,
> Широко ты, степь,
> Пораскинулась,
> К морю Черному
> Понадвинулась!

У Кольцова тот же восторг перед огромностью приволья.

Широкое пространство всегда владело сердцами русских. Оно выливалось в понятия и представления, которых нет в других языках. Чем, например, отличается воля от свободы? Тем, что воля вольная — это свобода, соединенная с простором, с ничем не прегражденным пространством. А понятие тоски, напротив, соединено с понятием тесноты, лишения человека пространства. Притеснять человека — это лишать его пространства в прямом и переносном смысле этого слова.

Воля вольная! Ощущали эту волю даже бурлаки, которые шли по бечеве, упряженные в лямку, как лошади, а иногда и вместе с лошадьми. Шли по бечеве, узкой прибрежной тропой, а кругом была для них воля. Труд подневольный, а природа кругом вольная. И природа нужна была человеку большая, открытая, с огромным кругозором. Поэтому так любимо в народной песне полюшко-поле. Воля — это большие пространства, по которым можно идти и идти, брести, плыть по течению больших рек и на большие расстояния, дышать вольным воздухом, воздухом открытых мест, широко вдыхать грудью ветер, чувствовать над головой небо, иметь возможность двигаться в разные стороны — как вздумается.

Что такое воля вольная, хорошо определено в русских лирических песнях, особенно разбойничьих, которые, впрочем, создавались и пелись вовсе не разбойниками, а тоскующими по вольной волюшке и лучшей доле крестьянами. В этих разбойничьих песнях крестьянин мечтал о беспечности и отплате своим обидчикам.

Русское понятие храбрости — это удаль, а удаль — это храбрость в широком движении. Это храбрость, умноженная на простор для выявления этой храбрости. Нельзя быть удалым, храбро отсиживаясь в укрепленном месте. Слово «удаль» очень трудно переводится на иностранные языки. Храбрость неподвижная еще в первой половине XIX века была непонятна. Грибоедов смеется над Скалозубом, вкладывая в его уста такой ответ на вопрос Фамусова, за что у него «в петличке орденок»: «За третье августа; засели мы в траншею: Ему дан с бантом, мне на шею». Смешно, как это можно «засесть», да еще в «траншею», где уж вовсе не пошевельнешься, и получить за это боевую награду?

Да и в корне слова «подвиг» тоже как бы «застряло» движение: «по-двиг», то есть то, что сделано движением, побуждено желанием сдвинуть с места что-то неподвижное.

Помню в детстве русскую пляску на волжском пароходе компании «Кавказ и Меркурий». Плясал грузчик (звали их крючниками). Он плясал, выкидывая в разные стороны руки, ноги, и в азарте сорвал с головы шапку, далеко кинув ее в столпившихся зрителей, и кричал: «Порвусь! Порвусь! Ой, порвусь!» Он стремился занять своим телом как можно больше места.

Русская лирическая протяжная песнь — в ней также есть тоска по простору. И поется она лучше всего вне дома, на воле, в поле.

Колокольный звон должен был быть слышен как можно дальше. И когда вешали на колокольню новый колокол, нарочно посылали людей послушать, за сколько верст его слышно.

Быстрая езда — это тоже стремление к простору.

Но то же особое отношение к простору и пространству видно и в былинах. Микула Селянинович идет за плугом из конца в конец поля. Вольге приходится его три дня нагонять на молодых бухарских жеребчиках.

Услыхали они в чистом поли пахаря,
Пахаря-пахарюшка.
Они по день ехали в чистом поли,
Пахаря не наехали,
И по дру́гой день ехали с утра до вечера.
Пахаря не наехали,
И по третий день ехали с утра до вечера,
Пахаря и наехали.

Ощущение пространства есть и в зачинах к былинам, описывающих русскую природу, есть и в желаниях богатырей, Вольги например:

Похотелось Вольги́-то много мудрости:
Щукой-рыбою ходить Вольги́ во синих морях,
Птицею-соколом летать Вольги́ под облака,
Волком рыскать во чисты́х полях.

Или в зачине былины «Про Соловья Будимировича»:

Высота ли, высота поднебесная,
Глубота, глубота акнян-море,
Широко раздолье по всей земли,
Глубоки омуты днепровския...

Даже описание теремов, которые строит «дружина хоро́брая» Соловья Будимировича в саду у Забавы Путятичны, содержит этот же восторг перед огромностью природы.

Хорошо в теремах изукрашено:
На небе солнце — в тереме солнце;
На небе месяц — в тереме месяц;
На небе звезды — в тереме звезды;
На небе заря — в тереме заря
И вся красота поднебесная.

Восторг перед просторами присутствует уже и в древней русской литературе — в Начальной летописи, в «Слове о полку Игореве», в «Слове о погибели Русской земли», в «Житии Александра Невского», да почти в каждом произведении древнейшего периода XI–XIII веков. Всюду события либо охватывают огромные пространства, как в «Слове о полку Игореве», либо происходят среди огромных пространств с откликами в далеких странах, как в «Житии Александра Невского». Издавна русская культура считала волю и простор величайшим эстетическим и этическим благом для человека.

Письмо тридцать пятое

О русской пейзажной живописи

В русской пейзажной живописи очень много произведений, посвященных временам года: осень, весна, зима — любимые темы русской пейзажной живописи на протяжении всего XIX века и позднее. И главное, в ней не неизменные элементы природы, а чаще всего временны́е: осень ранняя или поздняя, вешние воды, тающий снег, дождь, гроза, зимнее солнце, выглянувшее на мгновение из-за тяжелых зимних облаков, и т. п. В русской природе нет вечных, не меняющихся в разные времена года крупных объектов вроде гор, вечнозеленых деревьев. Все в русской природе непостоянно по окраске и состоянию. Деревья — то с голыми ветвями, создающими своеобразную «графику зимы», то с листвой яркой, весенней, живописной. Разнообразнейший по оттенкам и степени насыщенности цветом осенний лес. Разные состояния воды, принимающей на себя окраску неба и окружающих берегов, меняющейся под действием сильного или слабого ветра (картина «Сиверко» Остроухова), дорожные лужи, различная окраска самого воздуха, туман, роса, иней, снег — сухой и мокрый. Вечный маскарад, вечный праздник красок и линий, вечное движение — в пределах года или суток.

Все эти изменения есть, конечно, и в других странах, но в России они как бы наиболее заметны благодаря русской живописи, начиная с Венецианова и Мартынова. В России на большей части территории континентальный климат, и этот континентальный климат создает особенно суровую зиму и особенно жаркое лето, длинную, переливающуюся всеми оттенками красок весну, в которой каждая неделя приносит с собой что-то новое, затяжную осень, в которой есть и ее самое начало с необыкновенной прозрачностью воздуха, воспетое Тютчевым, и особой тишиной, свойственной только августу, и поздняя осень, которую так любил Пушкин.

Но в России, в отличие от юга, особенно где-нибудь на берегах Белого моря или Белого озера, необыкновенно длинные вечера с закатным солнцем, которое создает на воле переливы красок, меняющиеся буквально в пятиминутные промежутки времени, целый «балет красок», и замечательные — длинные-длинные — восходы солнца. Бывают моменты (особенно весной), когда солнце «играет», точно его гранил опытный гранильщик. Белые ночи и «черные», темные дни в декабре создают не только многообразную гамму красок, но и чрезвычайно богатую палитру эмоциональную. И русская поэзия откликается на все это многообразие.

Интересно, что русские художники, оказываясь за границей, искали в своих пейзажах эти перемены времени года, времени дня, эти «атмосферические» явления. Таков был, например, великолепный пейзажист, остававшийся русским во всех своих пейзажах Италии именно благодаря этой своей чуткости ко всем изменениям в «воздухе», — Сильвестр Щедрин.

Характерная особенность русского пейзажа есть уже у Венецианова. Она есть и в ранней весне Васильева. Она мажорно сказалась в творчестве Левитана. Это непостоянство и зыбкость времени — черта, как бы соединяющая людей России с ее пейзажами.

Но не стоит увлекаться. Национальные черты нельзя преувеличивать, делать их исключительными. Национальные особенности — это только некоторые акценты, а не качества, отсутствующие у других. Национальные особенности сближают людей, заинтересовывают людей других национальностей, а не изымают людей из национального окружения других народов, не замыкают народы в себе. Народы — это не окруженные стенами сообщества, а гармонично согласованные между собой ассоциации.

Поэтому если я говорю о том, что свойственно русскому пейзажу или русской поэзии, то эти же свойства, но, правда, в какой-то иной степени, свойственны и другим странам и народам. Национальные черты народа существуют не только в себе и для себя, а и для других. Они выясняются только при взгляде со стороны и в сравнении, поэтому должны быть понятны для других народов, они в какой-то другой аранжировке должны существовать и у иных.

Если я говорю сейчас о том, что русский художник особенно чуток к изменениям годовым, суточным, к атмосферным условиям и прочему, то сразу же на память приходит великий французский художник Клод Моне, писавший Лондонский мост в тумане, или Руанский собор, или один и тот же стог сена при разной погоде и в разное время дня. Эти «русские» черты Моне отнюдь не «отменяют» сделанных мною наблюдений, они лишь говорят, что русские черты в какой-то мере являются чертами общечеловеческими.

Письмо тридцать шестое

Природа других стран

Я уже давно чувствую, что пора ответить на вопрос: а разве у других народов нет такого же чувства природы, нет союза с природой? Есть, разумеется! И я пишу не для того, чтобы доказывать превосходство русской природы над природой других народов. Но у каждого народа как бы свой союз с природой.

Для того чтобы провести сравнение разных созданных совместными усилиями людей и стихий ландшафтов, надо, как мне кажется, побывать на Кавказе, в Средней Азии, а также в Испании, Италии, Англии, Шотландии, Норвегии, Болгарии, Турции, Японии, Египте. По фотографиям и по пейзажной живописи судить о природе нельзя.

Из всех перечисленных мною краев и стран я смогу поверхностно судить только о Кавказе и еще об Англии, Шотландии, Болгарии. И в каждой из этих стран свои, своеобразные взаимоотношения природы и человека — всегда трогательные, всегда волнующие, свидетельствующие о чем-то очень духовно высоком в человеке, вернее, в народе.

Сельскохозяйственный труд, как и в России, формировал собой природу Англии. Но природа эта создавалась не столько земледелием, сколько овцеводством. Поэтому в ней так мало кустов и такие хорошие газоны. Скот «выщипывал» пейзаж, делал его легкообозримым: под пологом деревьев не было кустов и было далеко видно. Англичане сажают деревья по дорогам и дорожкам, а между ними оставляют луга и лужайки. Не случайно скот был непременной принадлежностью пейзажных парков и английской пейзажной живописи. Это заметили и в России. И даже в русских царских пейзажных садах, вкус к которым был принесен в Россию из Англии, ставились молочни и фермы, паслись коровы и овцы.

Англичане любят парки почти без кустов, любят оголенные берега рек и озер, где граница воды и земли создает четкие и плавные линии, «уединенные дубы» или группы старых деревьев, боскеты (небольшие рощи), стоящие среди лужаек, как гигантские букеты.

В пейзажах Шотландии, в Хайленде, которые многие считают красивейшими, поражает необыкновенная лаконичность лирического чувства. Это почти обнаженная поэзия. И не случайно там родилась одна из лучших мировых поэзий — английская «озерная школа». Горы, поднявшие на свои мощные склоны луга, пастбища, овец, а вслед за ними и людей, внушают какое-то особое доверие. И люди доверили себя и свой скот горным полям, оставили скот без хлева и укрытия. В горах пасутся коровы с необыкновенно теплой и густой шерстью, привыкшие к ночному холоду и горной подоблачной сырости, овцы, дающие лучшую в мире шерсть и умеющие ночевать, сбившись в гурты, ходят люди, которые носят простые килты (шерстяные платки, обернутые вокруг бедер), чтобы их было удобно распрямить и высушить перед кострами, и пледы, которые не менее удобно сушить перед кострами и кутаться в них в сырые ночи. Поля перегорожены хайками — изгородями из камней. Их строили терпеливые руки. Шотландцы не хотели строить их из материала иного, чем родные горы. Поэтому каменные хайки — такая же часть природы, как и наши северные изгороди из жердей. Только ритм в них иной.

В Болгарии в характере взаимоотношения природы и человека есть одна удивительная черта: черта их взаимообращенности друг к другу, взаимооткрытости. Эта черта еще слабо выражена в первой столице Болгарии — Плиске. В основе названия города Плиска лежит тот же корень, что и в основе имени одного из старейших городов России — Пскова (в древности это «Плесков» — «побратим» именем с Плиской). Оба города расположены на ровном, п л о с к о м месте, отчего и получили свои имена. В останках великолепного дворца в Плиске, его стен, дорог Плиски и мостовых лежат большие каменные блоки. Своею монументальностью, тяжестью эти каменные блоки как бы утверждают могучие горизонтали окружающего пространства.

Кочевники протоболгары, переходя от кочевого образа жизни к оседлому, не могли еще расстаться с плоскими степями, где удобно пасти коней и скот, поэтому основали свою первую столицу не в легко обороняемых горах, а среди пастбищ. Чтобы утвердить свою новую оседлость, они выстроили свой первый город из огромных блоков крепчайшего камня, подчеркнув тем самым на веки веков свою предлежащую неподвижность, свою новую прикрепленность к земле.

Вторая столица Болгарии — Преслав расположен иначе: в огромной чаше окружающих гор. В центре чашевидной долины — знаменитая Круглая церковь. Окружающие горы любуются Преславом с его центром — Круглой церковью, а Преслав любуется могучей оградой окружающих его лесистых гор.

Еще своеобразнее и сильнее эта взаимообращенность природы и человека в третьей столице Болгарии — Велико-Тырнове. Велико-Тырново своими основными районами расположен на высоких холмах, таковы два важнейших — Ца́ревец с неприступной крепостью и Трапе́зица с многочисленными церквами и монастырями. А между холмами сложными петлями вьется река Янтра, повторяющая в своих водах дрожащую красоту города. А над всем этим сложным взаимоотношением гор, города и реки высятся еще более высокие горы. Одну из них тырновцы окрестили названием «Момина крепость» — Девичья крепость — крепость, которую могли бы защитить и девушки, настолько она сама по себе неприступна. Гора как город, город как горы... Горы и города слиты в единство до неразличимости, как бы живут вместе. Даже сравнительно новые, «возрожденческие» города Болгарии такие же. Один из них — Копривщица.

Копривщица — город «первой пушки». Здесь началось освободительное восстание против многовекового османского ига. Восстание это было поддержано самой природой, окружающими Копривщицу горами и темными лесами. И посмотрите, в каком союзе живут здесь до сих пор город, лес и горы. В центре города среди двухэтажных типично болгарских домов живут темные, могучие, необыкновенно высокие лесные ели. Это лес вошел в город. А из каждого дома видны горные луга со стадами овец: видна окружающая город местность; именно из каждого (разумеется, старого, ибо современные архитекторы этого не понимают) дома. Дело в том, что болгары изобрели удивительные дома. Этажи в этих домах поставлены свободно друг к другу, и второй, жилой этаж повернут всегда так, чтобы из его окон открывалась перспектива улицы и был вид на окружающую город природу: в горных — на горы, в приморских — на море. С высоким художественным смыслом повторяется в домах, оградах и воротах плавная линия — «кобылица» (коромысло), как бы вторящая линии болгарских гор.

Может быть, потому, что самый замечательный болгарский архитектор XIX века Колю Фичето нигде не учился, он так по-своему и так по-народному, по-болгарски понимал архитектуру. Архитектура для него была продолжением природы и быта людей. Арки его мостов не только описывают вместе со своим отражением в воде идеальные эллипсы, овалы, круги, но и с удивительной плавностью переходят в своды устоев моста, а колонны его других строений не столько «несут» над собой своды, сколько просто и дружелюбно их «дорисовывают».

Сколько вообще тишины и спокойствия в любой архитектуре мира, как мало в народной архитектуре модного сейчас «брутализма» и урбанистической агрессивности!

Обратимся к природе Закавказья.

В Грузии человек ищет защиты у мощных гор, иногда тянется за ними (в башнях Сванетии), иногда противостоит горным вертикалям горизонталями своих жилищ. Но самое главное — в Грузии природа так огромна, что она уже не в простом союзе с человеком, она мощно ему покровительствует, обнимает его, вдыхает в него богатырский дух.

О Грузии писали многие. Не буду перечислять великих русских поэтов XIX века и поэтов нашего столетия, писавших о Грузии, о ее природе и людях, о ее обычаях и истории, о ее культуре и искусстве. Грузию любили и любят. Чтобы представить себе отношения природы и человека в Грузии, приведу одно стихотворение Н. Заболоцкого. Да не посетует на меня читатель за то, что я процитирую это стихотворение полностью. Резать стихи — все равно что резать картину, а перечесть стихи Н. Заболоцкого — всегда большое удовольствие.

НОЧЬ В ПАСАНАУРИ

Сияла ночь, играя на пандури,
Луна плыла в убежище любви,
И снова мне в садах Пасанаури
На двух Арагвах пели соловьи.

С Крестового спустившись перевала,
Где в мае снег и каменистый лед,
Я так устал, что не желал нимало
Ни соловьев, ни песен, ни красот.

Под звуки соловьиного напева
Я взял фонарь, разделся догола,
И вот река, как бешеная дева,
Мое большое тело обняла.

И я лежал, схватившись за каменья,
И надо мной, сверкая, выл поток.
И камни шевелились в исступленье
И бормотали, прыгая у ног.

И я смотрел на бледный свет огарка,
Который колебался вдалеке,
И с берега огромная овчарка
Величественно двигалась к реке.

И вышел я на берег, словно воин,
Холодный, чистый, сильный и земной,
И гордый пес, как божество, спокоен,
Узнав меня, улегся предо мной.

И в эту ночь в садах Пасанаури,
Изведав холод первобытных струй,
Я принял в сердце первый звук пандури,
Как в отрочестве — первый поцелуй.

Природа Грузии и в самом деле мощно принимает человека и делает его сильным, величественным и рыцарственным.

Впечатления от природы Армении заставляют меня несколько подробнее сказать и о ее пейзажах. Многовековая культура Армении победила даже горы. «Хоровод веков... — пишет Андрей Белый в „Ветре с Кавказа“, — впаяны древности в почву; и камни природные — передряхлели скульптуру; и статуи, треснувши, в землю уйдя, поднимают кусты; не поймешь, что ты видишь: природу ль, культуру ль? Вдали голо-розовый, желто-белесый и гранный хребетик сквозным колоритом приподнят над Гегаркуником, Севан отделяющим; почвы там храмами выперты, храмы — куски цельных скал».

Не могу удержаться, чтобы не привести из той же книги отрывок, где Белый описывает свои первые впечатления от Армении, полученные им ранним утром из окна вагона:

«Армения!

Верх полусумерки рвет; расстояние сложилось оттенками угрюмо-синих, сереющих, бирюзоватых ущелий под бледною звездочкой: в дымке слабеющей зелень; но чиркнул под небо кривым лезвием исцарапанный верх, как воткнувшийся нож; и полезла гребенкой обрывин земля, снизу синяя, в диких разрывинах; будто удары ножей, вылезающих из перетресканных камневоротов — в центр неба; мир зазубрин над страшным растаском свисающих глыб, где нет линий без бешенства!»

Что это не мимолетное впечатление Белого, показывает тот факт, что на него откликнулся и сам гениальный армянский живописец Мартирос Сарьян, а что может быть авторитетнее именно такого отклика художника! В своем письме Белому, вызванном впечатлением от очерка «Армения», Сарьян пишет, что он хранит воспоминание о тех днях, когда они вместе «разъезжали или расхаживали по этой обожженно-обнаженной нагорной стране, любуясь громоздящимися камнями голубовато-фиолетового цвета, ставшими на дыбы в виде высочайших вершин Арарата и Арагаца».

Я не смею поправлять Сарьяна, и все-таки порой мне кажется, что пейзаж Восточной Армении суровее, чем на картинах Сарьяна. Безлесые горы, изборожденные дождями, ручьями и полосами виноградников, горы, с которых скатывались камни, густые плотные краски: это природа, точно впитавшая в себя народную кровь. Выше я писал, что для русской природы, очеловеченной крестьянином, очень характерен ритм вспаханной земли, ритм изгородей и бревенчатых стен. Ритм характерен и для пейзажей Армении, но в Армении он другой. Огромное впечатление оставляет картина Сарьяна «Земля» (1969). Она вся состоит из полос, но полос ярких, волнистых — совсем других, чем ритм, созданный человеком в России.

Этот же волнообразный ритм схвачен и в картинах замечательнейшего армянского художника Минаса Аветисяна. В его картине «Родители» (1962) отец и мать изображены на фоне армянского пейзажа. Поразительно, что ритм армянской природы как бы повторяется в душевном ритме людей. Даже горы в картине «Родители» стали волнами трудового ритма.

Трудовые ритмы Армении удивительно разнообразны, как разнообразен и труд ее народа. В картине Сарьяна «Полуденная тишина» (1924) на землю как бы наложены квадраты возделанных полей, словно расстелены разноцветные ковры для просушки. Ритмы гор и полей сочетаются и противостоят друг другу.

Свободен и легок ритм в картине Кождояна «Араратская долина». Горы в ней — волны, полосы долины — только легкая морская зыбь.

О богатстве природы Армении свидетельствует и то, что в живописи она отражена удивительно разнообразно. Один и тот же художник видел ее по-разному. И вместе с тем мы всегда скажем: это Армения,

Страна москательных пожаров
И мертвых гончарных равнин...

Раз уж пришли на память эти строки О. Мандельштама, то невозможно не вспомнить и стихи Валерия Брюсова, обращенные к армянам:

Да! Вы поставлены на грани
Двух разных спорящих миров.
И в глубине родных преданий
Вам слышны отзвуки веков.

Все бури, все волненья мира,
Летя, касались вас крылом. —
И гром глухой походов Кира,
И Александра бранный гром...

Как это хорошо — величие народа в прикосновенности к мировым событиям! В этой страдальческой причастности, а не в мещанском благополучии дух армянского народа:

Гранился он, как твердь алмаза,
В себе все отсветы храня:
И краски нежных роз Шираза,
И блеск Гомерова огня...

Даже бедный пастушеский посох у подножия Арарата становится похож на скипетр царя:

Внизу, на поле каменистом,
Овец ведет пастух седой,
И длинный посох, в свете мглистом,
Похож на скипетр вековой.

И в том же ключе говорит об армянской природе Николай Тихонов:

> В ладонях гор, расколотых
> Стозвучным ломом времени,
> Как яблоко из золота,
> Красуется Армения...

Золотое яблоко, то есть царский знак — «держава», и скипетр вручены русскими поэтами многострадальной и своею значительностью счастливой Армении. Это ли не царский подарок?

Из приведенных примеров ясно следующее: пейзаж страны — это такой же элемент национальной культуры, как и все прочее. Не хранить родную природу — это то же, что не хранить родную культуру. Она — выражение души народа.

Письмо тридцать седьмое

Ансамбли памятников искусства

Каждая страна — это ансамбль искусств. Грандиозным ансамблем культур или памятников культуры является наша страна. Ее города, сколь бы они ни были различны, не обособлены друг от друга. Москва и Петербург не просто не похожи друг на друга — они контрастируют друг другу и, следовательно, взаимодействуют. Не случайно они связаны железной дорогой столь прямой, что, проехав в поезде ночь без поворотов и только с одной остановкой и попадая на вокзал в Москве или Петербурге, вы видите почти то же вокзальное здание, которое вас провожало вечером; фасады Московского вокзала в Петербурге и Ленинградского в Москве одинаковые. Но одинаковость вокзалов подчеркивает резкое несходство городов, несходство не простое, а дополняющее друг друга.

Даже предметы искусства в музеях не просто хранятся, а составляют некоторые культурные ансамбли, связанные с историей городов и страны в целом. Состав музеев далеко не случаен, хотя в истории их собраний и немало отдельных случайностей. Недаром, например, в музеях Петербурга так много голландской живописи (это Петр I), а также французской (это петербургское дворянство XVIII и начала XIX века).

А посмотрите в других городах. В Новгороде стоит посмотреть иконы. Это третий по величине и ценности центр древнерусской живописи.

В Костроме, Нижнем Новгороде и Ярославле следует смотреть русскую живопись XVIII и XIX веков (это центры русской дворянской культуры), а в Ярославле еще и «волжскую» XVII века, которая представлена здесь так, как нигде.

Но если вы возьмете всю нашу страну, вы удивитесь разнообразию и своеобразию городов и хранящейся в них культуры: в музеях и частных собраниях, да и просто на улицах, ведь почти каждый старый дом — драгоценность. Одни дома и целые города до́роги своей деревянной резьбой (Томск, Вологда), другие — удивительной планировкой, набережными, бульварами (Кострома, Ярославль), третьи — каменными особняками, четвертые — затейливыми церквами.

Но многое их объединяет. Одна из самых типичных черт русских городов — их расположение на высоком берегу реки. Город виден издалека и как бы втянут в движение реки: Великий Устюг, волжские города, города по Оке. Есть такие города и на Украине: Киев, Новгород-Северский, Путивль. Это традиции Древней Руси — Руси, от которой пошли Россия, Украина, Белоруссия, а потом и Сибирь с Тобольском и Красноярском...

Город на высоком берегу в вечном движении. Он «проплывает» мимо реки. И это тоже присущее Руси ощущение родных просторов.

В стране существует единство народа, природы и культуры.

Сохранить разнообразие наших городов и сел, сохранить в них историческую память, их общее национально-историческое своеобразие — одна из важнейших задач наших градостроителей. Вся страна — это грандиозный культурный ансамбль. Он должен быть сохранен в своем поразительном богатстве. Воспитывает не только историческая память в своем городе и в своем селе — воспитывает человека его страна в ее целом. Сейчас люди живут не только в своем «пункте», но во всей стране и не своим веком только, но всеми столетиями своей истории.

Письмо тридцать восьмое

Сады и парки

Взаимодействие человека с природой, с ландшафтом не всегда длится столетиями и тысячелетиями и не всегда носит «природно-бессознательный» характер. След в природе остается не только от сельского труда человека, и труд его не только формируется природой: иногда человек сознательно стремится преобразовать окружающий его ландшафт, сооружая сады и парки.

Сады и парки создают своего рода «идеальное» взаимодействие человека и природы, «идеальное» для каждого этапа человеческой истории, для каждого творца садово-паркового произведения.

И здесь мне хотелось бы сказать несколько слов об искусстве садов и парков, которое не всегда до конца понималось в своей основе его истолкователями, специалистами (теоретиками и практиками садоводства).

Садово-парковое искусство — наиболее захватывающее и наиболее воздействующее на человека из всех искусств. Такое утверждение кажется на первый взгляд странным. С ним как будто бы трудно согласиться. Почему, в самом деле, садово-парковое искусство должно быть более действенным, чем поэзия, литература в целом, театр, живопись и т. д.? Но подумайте беспристрастно и вспомните собственные впечатления от посещения наиболее дорогих нам всем исторических парков, пусть даже и запущенных.

Вы идете в парк, чтобы отдохнуть — без сопротивления отдаться впечатлениям, подышать чистым воздухом с его ароматом весны или осени, цветов и трав. Парк окружает вас со всех сторон. Вы и парк обращены друг к другу, парк открывает вам всё новые виды: поляны, боскеты, аллеи, перспективы, — и вы, гуляя, только облегчаете парку его показ самого себя. Вас окружает тишина, и в тишине с особой остротой возникает шум весенней листвы вдали или шуршание опавших осенних листьев под ногами или слышится пение птиц или легкий треск сучка вблизи, какие-то звуки настигают вас издали и создают особое ощущение пространства и простора. Все чувства ваши раскрыты для восприятия впечатлений, и смена этих впечатлений создает особую симфонию — красок, объемов, звучаний и даже ощущений, которые приносит вам воздух, ветер, туман, роса...

Но при чем тут человек? — спросят меня. Ведь это то, что приносит вам природа, то, что вы можете воспринять, и даже с большей силой, в лесу, в горах, на берегу моря, а не только в парке.

Нет, сады и парки — это тот важный рубеж, на котором объединяются человек и природа. Сады и парки одинаково важны — и в городе и за пределами города. Не случайно так много чудеснейших парков в родном нашем Подмосковье. Нет ничего более захватывающего, увлекающего, волнующего, чем вносить человеческое в природу, а природу торжественно, «за руку» вводить в человеческое общество: смотрите, любуйтесь, радуйтесь.

И чем более дика природа, тем острее и глубже ее сообщество с человеком. Вот почему такое огромное впечатление производят Крымский парк в Алупке, устраивавшийся Воронцовым, и выборгский парк Мон репо́ («Мое отдохновение») в типично русском имении баронов Николаи. В Алупке над парком громоздятся и «показывают себя» горы, а под парком бьются о гигантские камни волны Черного моря. В парке Мон репо на голых красных гранитных скалах растут сосны, открываются бесконечные виды на шхеры с их плывущими в водной голубизне островами. Но и в том и другом парке при всей грандиозности природы всюду видна разумная рука человека, и уютные дворцы хозяев приветливо венчают окружающую первозданную дикость ландшафта.

Не случайно и Петр каналами подводил море к своим загородным парковым дворцам — в Петергофе, Стрельне, Ораниенбауме. Каналы соединяли дворцы и парки с морем не только водой, но и воздухом — открывавшейся на море перспективой — и вводили морскую воду в окружение деревьев и любимых Петром душистых цветов.

Есть и еще одна сфера, которую человеку дарит по преимуществу парк или даже только парк. Это сфера исторического времени, сфера воспоминаний и поэтических ассоциаций.

Исторические воспоминания и поэтические ассоциации — это и есть то, что больше всего очеловечивает природу в парках и садах, что составляет их суть и особенность. Парки ценны не только тем, что в них есть, но и тем, что в них было. Временна́я перспектива, которая открывается в них, не менее важна, чем перспектива зрительная. «Воспоминания в Царском Селе» — так назвал Пушкин лучшее из наиболее ранних своих стихотворений.

Отношение к прошлому может быть двух родов: как к некоторому зрелищу, театру, представлению, декорации и как к документу. Первое отношение стремится воспроизвести прошлое, возродить его зрительный образ. Второе стремится сохранить прошлое хотя бы в его частичных остатках. Для первого в садово-парковом искусстве важно воссоздать внешний, зрительный образ парка или сада таким, каким его видели в тот или иной момент его жизни. Для второго важно ощутить свидетельство времени, важна документальность. Первое говорит: таким он выглядел; второе свидетельствует: это тот самый, он был, может быть, не таким, но это подлинно тот, это те липы, те садовые строения, те самые скульптуры. Второе отношение терпимее к первому, чем первое ко второму. Первое отношение к прошлому требует вырубить в аллее старые деревья и насадить новые: так аллея выглядела.

Второе отношение сложнее: сохранить все старые деревья, продлить им жизнь и подсадить к ним на места погибших молодые. Две-три старые дуплистые липы среди сотни молодых будут свидетельствовать: это та самая аллея — вот они, старожилы. А о молодых деревьях не надо заботиться: они растут быстро, и скоро аллея приобретет прежний вид.

Но в двух отношениях к прошлому есть и еще одно существенное различие. Первое будет требовать: важна одна эпоха — эпоха создания парка, или его расцвета, или чем-либо знаменательная. Второе скажет: пусть живут все эпохи, так или иначе знаменательные, ценна вся жизнь парка целиком, ценны воспоминания о различных эпохах и о различных поэтах, воспевших эти места, — и от реставрации потребует не восстановления, а сохранения. Первое отношение к паркам и садам открыл в России Александр Бенуа с его эстетским культом времени императрицы Елизаветы Петровны и ее Екатерининского парка в Царском Селе. С ним поэтически полемизировала Ахматова, для которой в Царском был важен Пушкин, а не Елизавета: «*Здесь* лежала *его* треуголка и растрепанный том Парни́».

Да, вы поняли меня правильно: я на стороне второго отношения к памятникам прошлого. И не только потому, что второе отношение шире, терпимее и осторожнее, менее самоуверенно и оставляет больше природе, заставляя уважительно отступать внимательного человека, но и потому еще, что оно требует от человека большего воображения, большей творческой активности. Восприятие памятника искусства только тогда полноценно, когда оно мысленно воссоздает, творит вместе с творцом, наполнено историческими ассоциациями.

Первое отношение к прошлому создает, в общем-то, учебные пособия, учебные макеты: смотрите и знайте! Второе отношение к прошлому требует правды, аналитической способности: надо отделить возраст от объекта, надо вообразить, как тут было, надо в некоторой степени исследовать. Это — второе — отношение требует большей интеллектуальной дисциплины, бóльших знаний от самого зрителя: смотрите и воображайте. И это интеллектуальное отношение к памятникам прошлого рано или поздно возникает вновь и вновь. Нельзя убить подлинное прошлое и заменить его театрализованным, даже если театрализованные реконструкции уничтожили все документы, но место осталось: здесь, на этом месте, на этой почве, в этом географическом пункте, было оно — что-то памятное.

Театральность проникает и в реставрацию памятников архитектуры. Подлинность теряется среди предположительно восстановленного. Реставраторы доверяют случайным свидетельствам, если эти свидетельства позволяют восстановить этот памятник архитектуры таким, каким он мог бы быть особенно интересным. Так восстановлена в Новгороде Евфимиевская часовня: получился маленький храмик на столпе — нечто совершенно чуждое древнему Новгороду.

Сколько памятников было погублено реставраторами в XIX веке вследствие привнесения в них элементов эстетики нового времени! Реставраторы добивались симметрии там, где она была чужда самому духу стиля — романскому или готическому, — пытались заменить живую линию геометрически правильной, высчитанной математически, и т. п. Так «засушены» и Кельнский собор, и Нотр-Дам в Париже, и аббатство Сен-Дени. «Засушены», законсервированы были целые города в Германии — особенно в период идеализации немецкого прошлого.

Все это я пишу не зря. Отношение к прошлому формирует собственный национальный облик. Ибо каждый человек — носитель прошлого и носитель национального характера. Человек — часть общества и часть его истории.

Но ни один принцип не может проводиться бездумно и механически. В пушкинских местах Псковской области — в селе Михайловском, Тригорском, Петровском — частичная театрализация необходима. Исчезнувшие дома и избы были там органическими элементами пейзажа. Без дома Осиповых-Вульф в Тригорском нет Тригорского. И восстановление этого дома, как и домов в Михайловском и Петровском, не уничтожает подлинности. Рубить пришлось лишь кусты и молодые деревья, а не старые. Культура прошлого и настоящего — тоже сад и парк. Недаром «золотой век», «золотое детство» человечества — средневековый рай — всегда ассоциировались с садом. Сад — это идеальная культура, культура, в которой облагороженная природа идеально слита с добрым в ней человеком.

Не случайно Достоевский мечтал превратить самые многолюдные места Петербурга в сад: соединить Юсуповский сад на Садовой улице с Михайловским у Михайловского замка, где он учился, засадить Марсово поле и соединить его с Летним садом, протянуть полосу садов через самый бойкий торговый центр и там, где жили старуха-процентщица и Родион Раскольников, создать своего рода рай на земле. Для Достоевского было два полюса на земле — Петербург у Сенной и природа в духе пейзажей французского художника XVII века Клода Лоррена, изображающих золотой век, — Лоррена, которого он очень любил за райскую идеальность изображаемой жизни.

Заметили ли вы, что самый светлый эпизод «Идиота» Достоевского — свидание князя Мышкина и Аглаи — совершается в Павловском парке утром? Это свидание нигде в ином месте и не могло произойти. Именно для этого свидания нужен Достоевскому Павловск. Вся эта сцена как бы вплетена в приветливый пейзаж Павловска.

Самый счастливый момент в жизни Обломова — его объяснение в любви — также совершается в саду.

В «Капитанской дочке» у Пушкина радостное завершение хлопот Маши Мироновой также происходит именно в «лорреновской» части Екатерининского парка. Именно там, а не в дворцовых помещениях оно только и могло совершиться.

Письмо тридцать девятое

Природа России и Пушкин

Клод Лоррен? А при чем тут, спросите, русский характер и русская природа?

Потерпите немного — и все нити сойдутся снова.

У нас примитивно представляют себе историю садово-паркового искусства: регулярный парк, пейзажный парк; второй тип парка резко сменяет собой первый где-то в 70-х годах XVIII века в связи с идеями Руссо, а в допетровской Руси были якобы только утилитарные сады: выращивали в них плоды, овощи и ягоды. Вот и все! На самом же деле история садово-паркового искусства гораздо сложнее.

В «Слове о погибели Русской земли» XIII века в числе наиболее значительных красот, которыми была дивно удивлена Русь, упоминаются и монастырские сады. Монастырские сады на Руси в основном были такими же, как на Западе. Они располагались внутри монастырской ограды и изображали собой земной рай, а монастырская ограда — ограду райскую. В райском саду должны были быть и райские деревья — яблони или виноградные лозы (в разное время порода «райского древа познания добра и зла» понималась по-разному), в них должно было быть все прекрасно для глаза, для слуха (пение птиц, журчание воды, эхо), для обоняния (запахи цветов и душистых трав), для вкуса (редкостные плоды). В них должно было быть изобилие всего и великое разнообразие, символизирующее разнообразие и богатство мира. Сады имели свою семантику, свое значение. Вне монастырей существовали священные рощи, частично сохранившиеся еще от языческих времен, но освященные и «христианизированные» каким-нибудь явлением в них иконы или другим церковным чудом.

Мы имеем очень мало сведений о русских садах до XVII века, но ясно одно: «райские сады» были не только в монастырях, но и в княжеских загородных селах. Были сады в кремлях и у горожан — при всей тесноте городской застройки. Те многочисленные материалы о русских садах XVII века, которые опубликовал в XIX веке, но не сумел искусствоведчески осмыслить историк И. Забелин, отчетливо свидетельствуют, что к нам в Москву с середины XVII века проник в садоводство стиль голландского барокко.

Сады в Московском Кремле делались на разных уровнях, террасами, как того требовал голландский вкус, огораживались стенами, украшались беседками и теремами. В садах устраивались пруды в гигантских свинцовых ваннах, также на разных уровнях. В прудах плавали потешные флотилии, в ящиках разводились редкостные растения (в частности, астраханский виноград), в гигантских шелковых клетках пели соловьи и перепелки (пение последних ценилось наравне с соловьиным), росли там душистые травы и цветы, в частности излюбленные голландские тюльпаны (цена на луковицы которых особенно возросла именно в середине XVII века), пытались держать попугаев и т. д. и т. п.

Баро́чные сады Москвы отличались от ренессансных своим ироническим характером. Их, как и голландские сады, стремились обставлять живописными картинами с обманными перспективными видами (trompe-l'oeil), местами для уединения и т. д.

Все это впоследствии Петр стал устраивать и в Петербурге. Разве что прибавились в петровских садах скульптуры, которых в Москве боялись из «идеологических» соображений: их принимали за идолов. Да прибавились еще эрмитажи — разных типов и различного назначения.

Такие же «иронические сады» с уклоном к рококо стали строиться в Царском Селе. Перед садовым фасадом Екатерининского дворца был разбит Голландский сад, и это свое название — Голландский — сад сохранял еще в начале XX века. Это было не только название сада, но и определение его типа. Это был сад уединения и разнообразия, сад голландского барокко, а затем и рококо с его склонностью к веселой шутке и уединению, но не философскому, а любовному. Вскоре Голландский сад, сад рококо, был окружен обширным предромантическим парком, в котором «садовая идеология» вновь обрела серьезность, где значительная доля принадлежала уже воспоминаниям — героическим, историческим и чисто личным, где получила свое право на существование чувствительность (sensibility of gardens) и была реабилитирована изгнанная из садов барокко или пародированная в них серьезная медитативность (склонность к размышлениям).

Если мы обратимся от этого кратчайшего экскурса в область русского садово-паркового искусства к лицейской лирике Пушкина, то мы найдем в ней всю семантику садов рококо и периода предромантизма. Пушкин в своих лицейских стихах культивирует тему своего «иронического монашества» («Знай, Наталья! — я... монах!»), садового уединения — любовного и с товарищами. Лицей для Пушкина был своего рода монастырем, а его комната — кельей. Это чуть-чуть всерьез и чуть-чуть с оттенком иронии. Сам Пушкин в своих лицейских стихах выступает как нарушитель монашеского устава (пирушки и любовные утехи). Эти темы — дань рококо. Но есть и дань предромантическим паркам — его знаменитые стихи «Воспоминания в Царском Селе», где «воспоминания» — это памятники русским победам и где встречаются оссианические[1] мотивы (скалы, мхи, «седые валы», которых на самом деле на Большом озере в Царском и не бывало).

Открытие русской природы произошло у Пушкина в Михайловском. Михайловское и Тригорское — это места, где Пушкин открыл русский простой пейзаж. Вот почему Михайловское и Тригорское святы для каждого русского человека.

Природа Пушкинских Гор служит как бы комментарием к многим стихам Пушкина, к отдельным главам «Евгения Онегина», освящена встречами Пушкина — с его друзьями, знакомыми, с Ариной Родионовной, с крестьянами. Воспоминания о Пушкине живут здесь в каждом уголке. Пушкин и природа этих мест в дружном единстве творили новую поэзию, новое отношение к миру, к человеку. Хранить природу Михайловского и Тригорского мы должны со всеми деревьями, лесами, озерами и рекой Соротью с особым вниманием,

---

[1] *Оссиан* — легендарный воин и бард кельтов, якобы живший, по преданию, в III в.

ибо здесь, повторяю, совершилось поэтическое открытие русской природы.

Пушкин в своем поэтическом отношении к природе прошел путь от Голландского сада в стиле рококо и Екатерининского парка в стиле предромантизма до чисто русского ландшафта Михайловского и Тригорского, не окруженного никакими садовыми стенами и по-русски обжитого, ухоженного, «обласканного» псковичами со времен княгини Ольги, а то и раньше, то есть за целую тысячу лет. И не случайно, что именно в обстановке этой русской «исторической» природы (а история есть главное слагаемое русской природы) родились исторические произведения Пушкина — и прежде всего «Борис Годунов».

Хочу привести одну большую и исторически пространную аналогию. Вблизи дворца всегда существовали более или менее обширные регулярные сады. Архитектура связывалась с природой через архитектурную же часть сада. Так было и во времена, когда пришла мода на романтические пейзажные сады. Так было при Павле и в дворянских усадьбах XIX века, в частности в знаменитых подмосковных. Чем дальше от дворца, тем больше естественной природы. Даже в эпоху Ренессанса в Италии за пределами ренессансных архитектурных садов существовала природная часть владений хозяина для прогулок — природа римской Кампании. Чем длиннее становились маршруты человека для гуляний, чем дальше он уходил от своего дома, тем больше для него открывалась природа его страны, тем шире и ближе к дому — природная, пейзажная часть его парков. Пушкин открыл природу сперва в царскосельских парках вблизи дворца и Лицея, но дальше он вышел за пределы «ухоженной природы». Из регулярного лицейского сада он перешел в его парковую часть, а затем в русскую деревню. Таков пейзажный маршрут пушкинской поэзии. От сада к парку и от парка к деревенской русской природе. Соответственно нарастало и национальное видение им природы, и социальное. Он увидел, что природа красива, но — вовсе не идиллия.

Стихотворение «Деревня» (1819) ясно делится на две части. В первой Пушкин описывает русскую природу Михайловского в духе своих лицейских стихов, подчеркивая отдых, уединение, «праздность вольную, подругу размышленья», а во второй ужасается социальной несправедливости, которая царит здесь и «в уединенье величавом»:

> Но мысль ужасная здесь душу омрачает:
> Среди цветущих нив и гор
> Друг человечества печально замечает
> Везде невежества убийственный позор.
> Не видя слез, не внемля стона,
> На пагубу людей избранное судьбой,
> Здесь барство дикое, без чувства, без закона,
> Присвоило себе насильственной лозой
> И труд, и собственность, и время земледельца...

Пушкин, идя от природы России, постепенно открыл для себя русскую действительность.

Изменить что-либо в Михайловском и Тригорском, да и вообще в пушкинских местах бывшей Псковской губернии (новое слово «Псковщина» к этим местам не идет совсем) нельзя, так же как и во всяком дорогом нашему сердцу памятном предмете. Даже и драгоценная оправа здесь не годится, так как пушкинские места — это только центр той обширной части русской природы, которую мы зовем Россией.

Письмо сороковое

О памяти

Память — одно из важнейших свойств бытия, любого бытия: материального, духовного, человеческого...

Лист бумаги. Сожмите его и расправьте. На нем останутся складки, и если вы сожмете его вторично — часть складок ляжет по прежним складкам: бумага «обладает памятью»...

Памятью обладают отдельные растения, камень, на котором остаются следы его происхождения и движения в ледниковый период, стекло, вода и т. д.

На памяти древесины основана точнейшая специальная археологическая дисциплина, произведшая переворот в археологических исследованиях, — там, где находят древесину, — дендрохронология («дендрон» по-гречески «дерево»; дендрохронология — наука определять время дерева).

Сложнейшими формами родовой памяти обладают птицы, позволяющие новым поколениям птиц совершать перелеты в нужном направлении к нужному месту. В объяснении этих перелетов недостаточно изучать только «навигационные приемы и способы», которыми пользуются птицы. Важнее всего память, заставляющая их искать зимовья и летовья — всегда одни и те же.

А что говорить о «генетической памяти» — памяти, заложенной в веках, памяти, переходящей от одного поколения живых существ к следующим!

При этом память вовсе не механична. Это важнейший творческий процесс: именно процесс и именно творческий. Запоминается то, что нужно; путем памяти накапливается добрый опыт, образуется традиция, создаются бытовые навыки, семейные навыки, трудовые навыки, общественные институты...

Память противостоит уничтожающей силе времени.

Это свойство памяти чрезвычайно важно.

Принято примитивно делить время на прошедшее, настоящее и будущее. Но благодаря памяти прошедшее входит в настоящее, а будущее как бы предугадывается настоящим, соединенным с прошедшим.

Память — преодоление времени, преодоление смерти.

В этом величайшее нравственное значение памяти. «Беспамятный» — это прежде всего человек неблагодарный, безответственный, а следовательно, и неспособный на добрые, бескорыстные поступки.

Безответственность рождается отсутствием сознания того, что ничто не проходит бесследно. Человек, совершающий недобрый поступок, думает, что поступок этот не сохранится в памяти его личной и в памяти окружающих. Он сам, очевидно, не привык беречь память о прошлом, испытывать чувство благодарности к предкам, к их труду, их заботам и поэтому думает, что и о нем все будет позабыто.

Совесть — это в основном память, к которой присоединяется моральная оценка совершенного. Но если совершенное не сохраняется в памяти, то не может быть и оценки. Без памяти нет совести.

Вот почему так важно воспитываться в моральном климате памяти: памяти семейной, памяти народной, памяти культурной. Семейные фотографии — это одно из важнейших «наглядных пособий» морального воспитания детей, да и взрослых. Уважение к труду наших предков, к их трудовым традициям, к их орудиям труда, к их обычаям, к их песням и развлечениям. Все это дорого нам. Да и просто уважение к могилам предков. Вспомните у Пушкина:

Два чувства дивно близки нам —
В них обретает сердце пищу —
Любовь к родному пепелищу,
Любовь к отеческим гробам.
Животворящая святыня!
Земля была б без них мертва.

Поэзия Пушкина мудра. Каждое слово в его стихах требует раздумий. Наше сознание не сразу может свыкнуться с мыслью о том, что земля была бы мертва без любви к отеческим гробам, без любви к родному пепелищу. Два символа смерти, и вдруг — «животворящая святыня»! Слишком часто мы остаемся равнодушными или даже почти враждебными к исчезающим кладбищам и пепелищам — двум источникам наших не слишком мудрых мрачных дум и поверхностно тяжелых настроений. Подобно тому как личная память человека формирует его совесть, его совестливое отношение к его личным предкам и близким — родным и друзьям, старым друзьям, то есть наиболее верным, с которыми его связывают общие воспоминания, — так историческая память народа формирует нравственный климат, в котором живет народ. Вероятно, можно было бы подумать, не строить ли нравственность на чем-либо другом: полностью игнорировать прошлое с его порой ошибками и тяжелыми воспоминаниями и быть устремленным целиком в будущее, строить это будущее на «разумных основаниях» самих по себе, забыть о прошлом с его темными и светлыми сторонами.

Это не только не нужно, но и невозможно. Память о прошлом прежде всего «светла» (пушкинское выражение), поэтична. Она воспитывает эстетически.

Человеческая культура в целом не только обладает памятью, но это память по преимуществу. Культура человечества — это активная память человечества, активно же введенная в современность.

В истории каждый культурный подъем был в той или иной мере связан с обращением к прошлому. Сколько раз человечество, например, обращалось к античности? По крайней мере больших, эпохальных обращений было четыре: при Карле Великом, при династии Палеологов в Византии, в эпоху Ренессанса и вновь в конце XVIII — начале XIX века. А сколько было «малых» обращений культуры к античности! В те же Средние века, долгое время считавшиеся «темными» (англичане до сих пор говорят о Средневековье — «dark age»). Каждое обращение к прошлому было «революционным», то есть оно обогащало современность, и каждое обращение по-своему понимало это прошлое, брало из прошлого нужное ей для движения вперед. Это я говорю об обращении к античности, а что давало для каждого народа обращение к его собственному национальному прошлому? Если оно не было продиктовано национализмом, узким стремлением отгородиться от других народов и их культурного опыта, оно было плодотворным, ибо обогащало, разнообразило, расширяло культуру народа, его эстетическую восприимчивость. Ведь каждое обращение к старому в новых условиях было всегда новым.

Каролингский Ренессанс в VI–VII веках не был похож на Ренессанс XV века, Ренессанс итальянский не похож на североевропейский. Обращение к культурному наследию античности в конце XVIII — начале XIX века, возникшее под влиянием открытий в Помпеях и трудов Винкельмана, отличается от нашего понимания античности и т. д.

Знала несколько обращений к Древней Руси и послепетровская Россия. Были разные стороны в этом обращении. Открытие художественных достоинств русской архитектуры и иконы в начале XX века было в основном лишено узкого национализма и очень плодотворно для нового искусства.

Хотелось бы мне продемонстрировать эстетическую и нравственную роль памяти на примере поэзии Пушкина.

У Пушкина Память в поэзии играет огромную роль. Поэтическая роль воспоминаний прослеживается с детских, юношеских стихотворений Пушкина, из которых важнейшее — «Воспоминания в Царском Селе», но в дальнейшем роль воспоминаний очень велика не только в лирике Пушкина, но и в поэме «Евгений Онегин».

Когда Пушкину необходимо внесение лирического начала, он часто прибегает к воспоминаниям. Как известно, Пушкина не было в Петербурге в наводнение 1824 года, но все же в «Медном всаднике» наводнение окрашено воспоминанием:

«Была ужасная пора, об ней свежо воспоминанье...»

Свои исторические произведения Пушкин также окрашивает долей личной, родовой памяти. Вспомните: в «Борисе Годунове» действует его предок Пушкин, в «Арапе Петра Великого» — тоже предок, Ганнибал.

Память — основа совести и нравственности, память — основа культуры, «накоплений» культуры, память — одна из основ поэзии — эстетического понимания культурных ценностей. Хранить память, беречь память — это наш нравственный долг перед самими собой и перед потомками. Память — наше богатство.

Письмо сорок первое

Память культуры

Мы заботимся о своем здоровье и здоровье других, следим за правильным питанием, за тем, чтобы воздух и вода оставались чистыми, незагрязненными. Загрязнение среды делает человека больным, угрожает его жизни, грозит гибелью всему человечеству. Всем известны те гигантские усилия, которые предпринимаются нашим государством, отдельными странами, учеными, общественными деятелями, чтобы спасти от загрязнения воздух, водоемы, моря, реки, леса, чтобы сохранить животный мир нашей планеты, спасти становища перелетных птиц, лежбища морских животных. Человечество тратит миллиарды и миллиарды не только на то, чтобы не задохнуться, не погибнуть, но чтобы сохранить также ту окружающую нас природу, которая дает человеку возможность эстетического и нравственного отдыха. Целительная сила окружающей природы хорошо известна.

Наука, которая занимается охраной и восстановлением окружающей природы, называется экологией. И экология уже преподается в университетах.

Но экология не должна замыкаться только задачами сохранения окружающей нас биологической среды. Человек живет не только в природной среде, но и в среде, созданной культурой его предков и им самим. Сохранение культурной среды — задача не менее важная, чем сохранение окружающей природы. Если природа необходима человеку для его биологической жизни, то культурная среда не менее необходима для его духовной, нравственной жизни, для его «духовной оседлости», для его привязанности к родным местам, следования заветам предков, для его нравственной самодисциплины и социальности. Между тем вопрос нравственной экологии не поставлен. Изучаются отдельные виды культуры и остатки культурного прошлого, вопросы реставрации памятников и их сохранения, но не изучается нравственное значение и влияние на человека всей культурной среды в ее целом, ее воздействующая сила.

А ведь факт воспитательного воздействия на человека окружающей культурной среды не подлежит ни малейшему сомнению.

За примерами ходить недалеко. После войны в Ленинград вернулось не более 20 процентов его довоенного населения, а тем не менее вновь приехавшие в Ленинград быстро приобрели те четкие «ленинградские» черты поведения, которыми по праву гордятся жители нашего города. Человек воспитывается в окружающей его культурной среде незаметно для себя. Его воспитывает история, прошлое. Прошлое открывает ему окно в мир, и не только окно, но и двери, даже ворота — триумфальные ворота. Жить там, где жили поэты и прозаики великой русской литературы, жить там, где жили великие критики и философы, ежедневно впитывать впечатления, которые так или иначе получили отражение в великих произведениях русской литературы, посещать квартиры-музеи — значит постепенно обогащаться духовно.

Улицы, площади, каналы, отдельные дома, парки напоминают, напоминают, напоминают... Ненавязчиво и ненастойчиво входят впечатления прошлого в духовный мир человека, и человек с открытой душой входит в прошлое. Он учится уважению к предкам и помнит о том, что, в свою очередь, нужно будет для его потомков. Прошлое и будущее становятся своими для человека. Он начинает учиться ответственности — нравственной ответственности перед людьми прошлого и одновременно перед людьми будущего, которым прошлое будет не менее важно, чем нам, а может быть, с общим подъемом культуры и умножением духовных запросов, даже и важнее. Забота о прошлом есть одновременно и забота о будущем...

Любить свою семью, свои впечатления детства, свой дом, свою школу, свое село, свой город, свою страну, свою культуру и язык, весь земной шар необходимо, совершенно необходимо для нравственной оседлости человека. Человек — это не степное растение перекати-поле, которое осенний ветер гонит по степи.

Если человек не любит хотя бы изредка смотреть на старые фотографии своих родителей, не ценит память о них, оставленную в саду, который они возделывали, в вещах, которые им принадлежали, — значит он не любит их. Если человек не любит старые дома, старые улицы, пусть даже и плохонькие, —

значит у него нет любви к своему городу. Если человек равнодушен к памятникам истории своей страны — значит он равнодушен к своей стране.

Итак, в экологии есть два раздела: экология биологическая и экология культурная, или нравственная. Убить человека биологически может несоблюдение законов первой, убить человека нравственно может несоблюдение законов второй. Да и нет между ними пропасти. Где точная граница между природой и культурой? Разве нет в среднерусской природе присутствия человеческого труда?

Не здание даже нужно человеку, а здание в определенном месте. Поэтому и хранить их, памятник и ландшафт, нужно вместе, а не раздельно. Хранить строение в ландшафте, чтобы то и другое хранить в душе. Человек — существо нравственно оседлое, даже если он был кочевником: ведь и кочевал он по определенным местам. Для кочевника тоже существовала «оседлость» в просторах его привольных кочевий. Только безнравственный человек — не оседлый и способен убивать оседлость в других.

Есть большое различие между экологией природы и экологией культуры. Это различие не только велико — оно принципиально существенно.

До известных пределов утраты в природе восстановимы. Можно очистить загрязненные реки и моря; можно восстановить леса, поголовье животных и пр. Конечно, сели нс пейдена известная грань, если не уничтожена та или иная порода животных целиком, если не погиб тот или иной сорт растений. Удалось же восстановить зубров и на Кавказе, и в Беловежской пуще, даже поселить их в Бескидах, то есть там даже, где их раньше и не было. Природа при этом сама помогает человеку, ибо она «живая». Она обладает способностью к самоочищению, к восстановлению нарушенного человеком равновесия. Она залечивает раны, нанесенные ей извне: пожарами, или вырубками, или ядовитой пылью, газами, сточными водами...

Совсем иначе с памятниками культуры. Их утраты невосстановимы, ибо памятники культуры всегда индивидуальны, всегда связаны с определенной эпохой в прошлом, с определенными мастерами. Каждый памятник разрушается навечно, искажается навечно, ранится навечно. И он совершенно беззащитен, он не восстановит самого себя.

Можно создать макеты разрушенных зданий, как это было, например, в Варшаве, но нельзя восстановить здание как «документ», как «свидетеля» эпохи своего создания. Всякий заново отстроенный памятник старины будет лишен документальности. Это будет только «видимость». От умерших остаются только портреты. Но портреты не говорят, они не живут. В известных обстоятельствах «новоделы» имеют смысл, и со временем они сами становятся «документами» эпохи, той эпохи, когда они были созданы. Старое Место или улица Новый Свет в Варшаве навсегда останутся документами патриотизма польского народа в послевоенные годы.

«Запас» памятников культуры, «запас» культурной среды крайне ограничен в мире, и он истощается со всей прогрессирующей скоростью. Техника, которая сама является продуктом культуры, служит иногда в большей мере умерщвлению культуры, чем продлению жизни культуры. Бульдозеры, экскаваторы, строительные краны, управляемые людьми бездумными, неосведомленными, могут нанести вред тому, что в земле еще не открыто, и тому, что на земле, уже служившее людям. Даже сами реставраторы, работающие иногда согласно своим собственным, недостаточно проверенным теориям или современным нам представлениям о красоте, становятся в большей мере разрушителями памятников прошлого, чем их охранителями. Уничтожают памятники и градостроители, особенно если они не имеют четких и полных исторических знаний.

На земле становится тесно для памятников культуры не потому, что земли мало, а потому, что строителей притягивают к себе старые места, обжитые, а потому и кажущиеся особенно красивыми и заманчивыми для градостроительства.

Градостроителям, как никому иному, нужны знания в области экологии культуры. Поэтому краеведение должно развиваться, оно должно распространяться и преподаваться, чтобы на его основе решать местные экологические проблемы. Первое время после 1917 года краеведение переживало бурный расцвет, но позднее ослабло. Многие краеведческие музеи были закрыты. Однако сейчас интерес к краеведению вспыхнул с особой силой. Краеведение воспитывает любовь к родному краю и дает те знания, без которых невозможно сохранение памятников культуры на местах.

Мы не должны возлагать полную ответственность за небрежение к прошлому на других или просто надеяться, что сохранением культуры прошлого занимаются специальные государственные и общественные организации и «это их дело», не наше. Мы сами должны быть интеллигентны, культурны, воспитанны, понимать красоту и быть добрыми — именно добрыми и благодарными нашим предкам, создававшим для нас и наших потомков всю ту красоту, которую не кто-либо другой, а именно мы не умеем порой опознать, принять в свой нравственный мир, хранить и деятельно защищать.

Каждый человек обязан знать, среди какой красоты и каких нравственных ценностей он живет. Он не должен быть самоуверен и нагл в отвержении культуры прошлого без разбора и «суда». Каждый обязан принимать посильное участие в сохранении культуры.

Ответственны за все мы с вами, а не кто-то другой, и в наших силах не быть равнодушными к нашему прошлому. Оно наше, в нашем общем владении.

Письмо сорок второе

Уметь заметить красоту наших городов и сел

Наблюдая красоту, мы всегда как-то воссоздаем идеальный образ произведения. Античные статуи часто доходят до нас в изуродованном временем виде, но мы умеем увидеть в них тот идеальный образ, который когда-то был в них вложен творцом.

Но и зритель, слушатель, читатель — тоже всегда творец. Восприятие художественного произведения — всегда сотворчество.

Зритель не просто смотрит картину — он ее познает, догадывается, проникает в суть замысла художника. Слушателю музыкального произведения всегда «легче» слушать его во второй и третий раз, чтобы иметь возможность предугадывать развитие музыкального замысла композитора.

Если нет единого творца — как, например, в фольклоре, — все равно существует некий идеальный образ, который воплощался в коллективном произведении многими творцами.

Самое трудное — заметить этот идеальный образ в облике города и села. Если нет этого идеального образа в какой-либо местности, то нет и красоты. Иногда образ города воплощался многими столетиями, впитывая в себя и национальные идеалы красоты, и понимание строителями особенностей местности, которые могут быть художественно связаны с воздвигаемыми сооружениями. В городе сказывается и то, как осознается роль и значение города. В городе и селе воплощаются черты характера, эстетических воззрений их строителей. Один архитектор может быть агрессивен, может стремиться занять собственным произведением лучшее место, сделать его наиболее заметным, «громким», помпезным. Другой архитектор может быть более социален, с уважением относиться к окружающей застройке и природе. Третий архитектор может оказаться «многоречив», даже болтлив, стремясь вложить в свое произведение как можно больше. Четвертый архитектор будет социален, скромен, будет стремиться согласовывать свою постройку с традицией местности, обычаями и привычками жителей, будет добиваться уютности, приветливости своих творений... Конечно, и пышность, и традиционность, и уют, и приветливость в каждом случае свои, особые, поэтому-то и «идеальных образов» городов много. Хуже всего, если архитектор, строя новое здание, не сумел уловить «образа красоты» окружающей местности, если он черпает свои архитектурные идеи из иностранных архитектурных журналов, механически пересаживает в свой город здания «красивые вообще». Тогда получается город без образа, то есть безо́бразный... и даже безобра́зный.

В России и на Украине, как известно, почти все реки имеют один берег крутой, другой — низкий. Города строились в древности по большей части на одном берегу широких рек — крутом. Река и гора защищали город. Вместе с тем река была важным путем сообщения. Так построен Киев на крутом берегу Днепра, по которому проходил важнейший европейский путь с севера Европы на юг — путь «из варяг в греки». Река «проплывала» мимо города. Город царил над движущейся рекой, и из его центра были видны заливные луга и леса до горизонта... Так расположен не только Киев, но и Ярославль над Волгой, Владимир над Клязьмой, Новгород-Северский над Десной, Путивль над Сеймом и многие-многие древние города.

Совсем по-особому целое тысячелетие строился Новгород Великий. Он строился по берегам Волхова — берегам низким. В этом его отличие от большинства других русских городов. В древнерусских городах было тесно, но из города были всегда видны столь любимые в Древней Руси широкие просторы. Это ощущение широкого пространства вокруг своих жилищ было характерно и для древнего Новгорода, хотя стоял он на низких берегах Волхова, а не на крутом берегу.

Новгород стоит у полноводных истоков Волхова, широко и мощно вытекающих из Ильменя. Из центра города было хорошо видно Ильмень-озеро. В новгородской повести XVI века «Видение пономаря Тарасия» описывается, как Тарасий забирается на верх Хутынского собора и видит оттуда озеро, как бы стоящее над городом, готовое пролиться и затопить Новгород. Перед Великой Отечественной войной, пока еще цел был собор, я проверял это ощущение: оно действительно очень острое и могло повести к созданию легенды о том, что Ильмень грозил собой потопить город. Но Ильмень виден не только с кровли Хутынского собора, но и прямо из центра города — от ворот Детинца, выходящих на Волхов. В былине о Садко поется, как Садко становится в Новгороде «под башню проезжую», кланяется Ильменю и передает поклон от Волги-реки «славному Ильмень-озеру».

Следовательно, вид на Ильмень из Детинца не только замечался древними новгородцами, но и ценился. Он «включен» в былину.

Ученые обратили внимание на «Закон градский», известный на Руси начиная с XIII века по крайней мере. Этот «Закон градский» восходит еще к античному градостроительному законодательству, включающему четыре статьи: «О виде на местность, который представляется из дома», «Относительно видов на сады», «Относительно общественных памятников», «О виде на горы и море».

«Согласно этому закону, — писала исследователь Г. В. Алферова, — каждый живущий в городе может не допустить строительства на соседнем участке, если новый дом нарушит взаимосвязи наличных жилых сооружений с природой, морем, садами, общественными постройками и памятниками. Византийский закон апопсии („вид, открывающийся от здания") ярко отразился в русском архитектурном законодательстве „Кормчих книг"...» В первую очередь внимание закона обращено на взаимосвязь построек города друг с другом и с природой. Иначе говоря, закон апопсии поставлен во главу угла не только в византийском законодательстве, но и в русском.

Русское законодательство начинается с философского рассуждения о том, что каждый новый дом в городе влияет на облик города в целом. «Новое дело творит некто, когда хочет или разрушить, или изменить прежний вид». Поэтому новое строительство или перестройка существующих ветхих домов должны производиться с разрешения местных властей города и согласовываться с соседями: в § 4 закона запрещается лицу, обновляющему старый, ветхий двор, изменять его первоначальный вид, так как если будет надстроен или расширен старый дом, то он может отнять свет и лишить вида («прозора») соседей.

Особенное внимание в русском градостроительном законодательстве обращается на открывающиеся из домов и города виды на природу.

Связь Новгорода с окружающими землями не ограничивалась только видами — она была живой и реальной. Концы Новгорода, его районы, подчиняли себе окружающую местность административно. Прямо от пяти концов (районов) Новгорода веером расходились на огромное пространство, подчиненное Новгороду, новгородские пятины — области. Новгород со всех сторон был окружен полями, по горизонту вокруг Новгорода шел «хоровод церквей», которые частично сохранились еще и по сей день. Один из наиболее ценных памятников древнерусского градостроительного искусства — это существующее еще и сейчас и примыкающее к Торговой стороне Новгорода Красное (то есть красивое) поле. По горизонту этого поля, как ожерелье, виднелись на равных расстояниях друг от друга церкви: Георгиевский собор Юрьева монастыря, церковь Благовещения на Городце, Нередица, Андрей на Ситке, Кириллов монастырь, Ковалево, Волотово, Хутынь. Ни одно строение, ни одно дерево не мешало видеть этот роскошный венец, которым окружил себя Новгород по горизонту, создавая незабываемый образ освоенной, обжитой страны — простора и уюта одновременно.

Долг современных градостроителей перед русской культурой — не разрушать этот идеальный строй Новгорода, а поддерживать его и творчески развивать. Новые центры старых городов должны строиться вне старых, а старые должны поддерживаться в своих наиболее ценных градостроительных принципах. Эти градостроительные принципы были, и их не следует разрушать. Архитекторы, строящие в старых городах, должны знать историю «своих» городов и чувствовать их красоту.

Как будет прекрасно, когда в Орле — в этом «городе русской литературы», городе Тургенева, Лескова, Бунина, Фета,

Леонида Андреева и многих-многих других русских писателей — устроится заповедная зона и бережно сохранятся чудные маленькие дома с садами, мощенные булыжником улицы. Как были бы счастливы люди будущих веков увидеть собственными глазами живую «эпоху великого русского реализма», погулять в ней, явно представить себе места действия произведений!

А как все-таки строить, если строить нужно рядом со старыми зданиями? Единого метода не может быть предложено, но, во всяком случае, новые здания не должны заслонять собой старые исторические памятники, как это случилось в Новгороде (церковь Климента на Иворове улице и церковь Дмитрия Солунского на Славкове улице) и в Пскове (церковь Сергия с Залужья против гостиницы «Октябрьская» или громадное здание кинотеатра вплотную к кремлю). Невозможна также никакая стилизация. Стилизуя, мы убиваем старые памятники, мы делаем их трудно отличимыми от новых, а иногда невольно пародируем подлинную красоту.

Если необходимо строить среди старых домов, то новый дом должен быть «социален», он должен сохранять вид современного здания, но не конкурировать со старой застройкой ни по высоте, ни по своим прочим архитектурным модулям. Должен сохраняться тот же ритм окон, этажей, должна быть согласована окраска.

Есть, впрочем, случаи необходимости «достройки» ансамблей. Так, например, на мой взгляд, удачно закончена застройка Росси на площади Искусств в Петербурге домом на Инженерной улице, выдержанным в тех же архитектурных формах, что и вся площадь. В данном случае перед нами не стилизация, ибо дом в точности совпадает с другими домами площади. Есть смысл в Петербурге так же точно закончить и другую площадь, начатую, но не завершенную Росси, — площадь Ломоносова. В дом Росси на площади Ломоносова «врезан» доходный дом XIX века.

Вообще же следует сказать, что петербургские дома второй половины XIX века, которые принято бранить за безвкусие, обладают той особенностью, что не так уж резко контрастируют с домами великих архитекторов. Архитектура второй половины XIX века, при всех ее недостатках, социальна. Взгляните на Невский проспект: дома второй половины XIX века не портят его, хотя их и очень много на участке от Фонтанки до Московского вокзала. Но попробуйте заменить их новыми домами в современном стиле, и весь Невский проспект, на всем его протяжении, будет безнадежно испорчен. То же, впрочем, случится, если эту «неинтересную» часть Невского стилизовать под ту, что лучше сохраняет старую застройку XVIII и первой половины XIX века — от Адмиралтейства до Фонтанки. В Ярославле непременно надо сохранять рядовые дома XIX века, иначе получится, что Древняя Русь и Россия XVIII и XIX веков окажутся представленными главным образом церквами. Однако между настоящим и прошлым должны существовать связующие элементы, чтобы город во всей своей исторической данности воспринимался как единое целое. Необходимы архитектурные переходы. Ими обычно и служит рядовая застройка.

Культурное прошлое нашей страны должно быть понято не в своих частях, а в своем целом. Необходимо не только сохранять отдельные здания или отдельные пейзажи и ландшафты, но сохранять самый характер и природный ландшафт. А это значит, что новое строительство должно меньше противостоять старому, чтобы оно с ним гармонировало, чтобы сохранялись бытовые навыки народа (это ведь тоже «культура») в своих наилучших проявлениях. Чувство плеча, чувство ансамбля и чувство эстетических идеалов народа — вот чем должен обладать и градостроитель, и в особенности строитель сел. Архитектура должна быть социальной.

Письмо сорок третье

Еще о памятниках прошлого

Позволю себе начать это письмо с некоторых впечатлений.

Вот одно из них. В сентябре 1978 года я был на Бородинском поле вместе с замечательнейшим энтузиастом своего дела — реставратором Николаем Ивановичем Ивановым. Обращали ли вы внимание на то, какие преданные своему делу люди встречаются именно среди реставраторов и музейных работников? Они лелеют вещи, и вещи платят им за это любовью. Вещи, памятники дарят своим хранителям любовь к себе, привязанность, благородную преданность культуре, а затем вкус и понимание искусства, понимание прошлого, проникновенное влечение к людям, их создавшим. Настоящая любовь к людям ли, к памятникам ли никогда не остается без ответа. Потому-то люди находят друг друга, а ухоженная людьми земля находит любящих ее людей и сама отвечает им тем же.

Именно такой, внутренне богатый, человек и был со мной на Бородинском поле. Пятнадцать лет Николай Иванович не уходил в отпуск: он не может отдыхать вне Бородинского поля. Он живет несколькими днями Бородинской битвы и днями, которые предшествовали битве. Поле Бородина имеет колоссальное воспитательное значение.

Я ненавижу войну. Я перенес ленинградскую блокаду, обстрелы мирных жителей фашистами с позиций на Дудергофских высотах. Я был очевидцем героизма, с каким защищали наши люди свою Родину, с какой непостижимой стойкостью сопротивлялись врагу. Может быть, поэтому Бородинская битва, всегда поражавшая меня своей нравственной силой, обрела для меня новый смысл. Русские солдаты отбили на батарее Раевского восемь ожесточеннейших атак, следовавших одна за другой с неслыханным упорством.

Под конец солдаты обеих армий сражались в полной тьме, на ощупь. Нравственная сила русских была удесятерена необходимостью защитить Москву. И мы с Николаем Ивановичем обнажили головы перед памятниками героям, воздвигнутыми на Бородинском поле благодарными потомками...

В юности я приехал впервые в Москву и нечаянно набрел на церковь Успения на Покровке (1696–1699). Я ничего не знал о ней раньше. Встреча с ней меня ошеломила. Передо мной вздымалось застывшее облако бело-красных кружев. Не было «архитектурных масс». Ее легкость была такова, что вся она казалась воплощением неведомой идеи, мечтой о чем-то неслыханно прекрасном. Ее нельзя себе представить по сохранившимся фотографиям и рисункам, ее надо было видеть в окружении низких обыденных зданий. Я жил под впечатлением этой встречи и позже стал заниматься древнерусской культурой именно под влиянием толчка, полученного мной тогда. По инициативе А. В. Луначарского соседний с ней переулок был назван по фамилии ее строителя, крепостного крестьянина, — Потаповским. Но вот пришли люди и снесли церковь. Теперь на этом месте пустырь...

Кто же эти люди, уничтожающие живое прошлое — прошлое, которое является и нашим настоящим, ибо культура не умирает? Иногда это сами архитекторы — из тех, которым очень хочется поставить свое «творение» на выигрышном месте и лень подумать о другом. Иногда же это совсем случайные люди, а в этом уже виноваты мы все. Мы должны подумать о том, чтобы подобное не повторилось. Памятники культуры принадлежат народу, и не одному только нашему поколению. Мы несем за них ответственность перед нашими потомками. С нас будет большой спрос и через сто, и через двести лет.

Исторические города населяют не только те, кто в них сейчас живет. Их населяют великие люди прошлого, память о которых не может умереть. В каналах Петербурга отразились Пушкин и Достоевский с персонажами его «Белых ночей».

Историческую атмосферу наших городов нельзя зафиксировать никакими фотографиями, репродукциями и макетами. Эту атмосферу можно выявить, подчеркнуть реконструкциями, но можно и легко уничтожить — уничтожить бесследно. Она невосстановима. Надо хранить наше прошлое: оно имеет самое действенное воспитательное значение. Оно воспитывает чувство ответственности перед Родиной. Вот что мне рассказал петрозаводский архитектор В. П. Орфинский, автор многих книг по народной архитектуре Карелии. 25 мая 1971 года в Медвежьегорском районе сгорела уникальная часовня начала XVII века в деревне Пелкула — памятник архитектуры государственного значения. И никто даже не стал выяснять обстоятельства дела.

В 1975 году сгорел еще один памятник архитектуры государственного значения — Вознесенская церковь в деревне Типиницы Медвежьегорского района — один из интереснейших шатровых храмов Русского Севера. Причина — молния, но истинная первопричина — безответственность и халатность: высотные шатровые столпы Вознесенской церкви и сблокированной с ней колокольни не имели элементарной грозозащиты.

Упал шатер Рождественской церкви XVIII века в селе Бестужево Устьянского района Архангельской области — ценнейший памятник шатрового зодчества, последний элемент ансамбля, очень точно поставленного в излучине реки Устьи. Причина — полнейшая безнадзорность.

А вот факт по Белоруссии. В селе Достоево, откуда происходили предки Достоевского, была небольшая церковь XVIII века. Она не состояла на государственной охране, но она была очень типичной для белорусской сельской архитектуры XVIII века. Архитектор Т. В. Габрусь с другими специалистами делали обмеры этой церкви. Как только архитекторы уехали, местные власти, чтобы избавиться от ответственности, боясь, что памятник включат в разряд охраняемых, приказали снести церковь бульдозерами. От нее остались только обмеры и фотографии. Произошло это в 1976 году.

Таких фактов можно было бы собрать множество. Что же делать, чтобы они не повторялись? Прежде всего о них не следует забывать, делать вид, что их не было. Недостаточно и запрещений, инструкций и досок с указанием: «Охраняется государством». Надо, чтобы факты хулиганского или безответственного отношения к культурному наследию неукоснительно разбирались в судах и виновных строго наказывали. Но и этого мало. Совершенно необходимо уже в средней школе изучать краеведение, заниматься в кружках по истории и природе своего края. И наконец, самое главное — в программах по преподаванию истории в средней школе необходимо предусмотреть уроки по местной истории.

Любовь к своей Родине — это не нечто отвлеченное; это — и любовь к своему городу, к своей местности, к памятникам ее культуры, гордость своей историей. Вот почему преподавание истории в школе должно быть конкретным — на памятниках истории, культуры, героического прошлого.

К патриотизму нельзя только призывать, его нужно заботливо воспитывать — воспитывать любовь к родным местам, воспитывать духовную оседлость. А для всего этого необходимо развивать науку — экологию культуры. Не только природная среда, но и культурная среда, среда памятников культуры и ее воздействие на человека должны подвергаться тщательному научному изучению.

Не будет корней в родной местности, в родной стране — будет много людей, похожих на степное растение перекати-поле.

Письмо сорок четвертое

Об искусстве слова и филологии

До сих пор я говорил о красоте природы, красоте городов и сел, садов и парков, о красоте зримых памятников искусства. Но искусство слова — самое сложное, требующее от человека наибольшей внутренней культуры, филологических знаний и филологического опыта.

В задачу этого письма не входит рассмотрение того, что такое филология. Это нельзя сделать ни простым определением, ни коротким описанием. Перевести это греческое по происхождению слово можно так — «любовь к слову». Но в действительности филология — шире. В разное время под филологией понимались разные области культуры: именно культуры, а не только науки. Поэтому ответ на вопрос о том, что такое филология, может быть дан только путем детального, кропотливого исторического исследования этого понятия, начиная с эпохи Ренессанса по крайней мере, когда филология заняла очень существенное место в культуре гуманистов (возникла она значительно раньше).

Сейчас время от времени вопрос о необходимости «возвращения к филологии» поднимается вновь и вновь.

Существует представление о том, что науки, развиваясь, дифференцируются. Кажется поэтому, что разделение филологии на ряд наук, из которых главнейшие лингвистика и литературоведение, — дело неизбежное и, в сущности, хорошее. Это глубокое заблуждение.

Количество наук действительно возрастает, но появление новых идет не только за счет их дифференциации и «специализации», но и за счет возникновения связующих дисциплин. Сливаются физика и химия, образуя ряд промежуточных дисциплин, с соседними и несоседними науками вступает в связь математика, происходит «математизация» многих наук. И замечательно: продвижение наших знаний о мире происходит именно в промежутках между «традиционными» науками.

Роль филологии — именно связующая, а поэтому и особенно важная. Она связывает историческое источниковедение с языкознанием и литературоведением. Она придает широкий аспект изучению истории текста. Она соединяет литературоведение и языкознание в области изучения стиля произведения — наиболее сложной области литературоведения. По самой своей сути филология антиформалистична, ибо учит правильно понимать смысл текста, будь то исторический источник или художественный памятник. Она требует глубоких знаний не только по истории языков, но и знаний реалий той или иной эпохи, эстетических представлений своего времени, истории идей и т. п.

Приведу примеры того, как важно филологическое понимание значения слов. Новое значение возникает из сочетания слов, а иногда и из их простого повторения. Вот несколько строк из стихотворения «В гостях» хорошего русского поэта, и притом простого, доступного, — Н. Рубцова:

И все торчит.
В дверях торчит сосед,
Торчат за ним разбуженные тетки,
Торчат слова,
Торчит бутылка водки,
Торчит в окне бессмысленный рассвет!
Опять стекло оконное в дожде,
Опять туманом тянет и ознобом...

Если бы не было в этой строфе двух последних строк, то и повторения «торчит», «торчат» не были бы полны смысла. Но объяснить эту магию слов может только филолог...

Дело в том, что литература — это не только искусство слова, это искусство преодоления слова, приобретения словом особой «легкости» от того, в какие сочетания входят слова. Над всеми смыслами отдельных слов в тексте, над текстом витает еще некий сверхсмысл, который и превращает текст из простой знаковой системы в систему художественную. Сочетания слов — а только они рождают в тексте ассоциации — выявляют в слове необходимые оттенки смысла, создают эмоциональность текста. Подобно тому как в танце преодолевается тяжесть человеческого тела, в живописи преодолевается однозначность цвета благодаря сочетаниям цветов, в литературе преодолеваются обычные, из словаря, значения слова. Слово в сочетаниях приобретает такие оттенки, которых не найдешь в самых лучших исторических словарях русского языка.

Поэзия и хорошая проза ассоциативны по своей природе. И филология толкует не только значения слов, а и художественное значение всего текста. Совершенно ясно, что нельзя заниматься литературой, не будучи хоть немного лингвистом, нельзя быть текстологом, не вдаваясь в потаенный смысл текста, всего текста, а не только отдельных слов текста.

Слова в поэзии означают больше, чем они называют, «знаками» чего они являются. Эти слова всегда наличествуют в поэзии — тогда ли, когда они входят в метафору, в символ или сами ими являются, тогда ли, когда они связаны с реалиями, требующими от читателей некоторых знаний, тогда ли, когда они сопряжены с историческими ассоциациями.

Исследователь творчества поэта О. Мандельштама приводит следующий пример из его стихотворения о театре Расина:

...Я не услышу обращенный к рампе
Двойною рифмой оперенный стих... —

и пишет по поводу этих двух строк: «Для правильной работы ассоциаций читатель здесь должен знать о парной рифмовке александрийского стиха, о том, что актеры классического театра произносили свои монологи, обращаясь не к партнеру, а к публике, в зал („к рампе")».

Для большинства современных читателей и даже поклонников поэзии О. Мандельштама эти две строчки из его поэзии оставались бы совершенно непонятными, если бы на помощь ему не приходил филолог — именно филолог, ибо сообщить читателю одновременно сведения об александрийском стихе и о манере актерской игры на классической сцене может только филолог. Филология — это высшая форма гуманитарного образования, форма, соединительная для всех гуманитарных наук.

Можно было бы на десятках примеров показать, как страдает историческое источниковедение тогда, когда историки превратно толкуют тексты, обнаруживают свое незнание не только истории языка, но и истории культуры. Следовательно, филология нужна и им.

Поэтому не дóлжно представлять себе, что филология связана по преимуществу с лингвистическим пониманием текста. Понимание текста есть понимание всей стоящей за текстом жизни соответствующей эпохи. Поэтому филология есть связь всех связей. Она нужна текстологам, источниковедам, историкам литературы и историкам науки, она нужна историкам искусства, ибо в основе каждого из искусств, в самых его «глубинных глубинах» лежат слово и связь слов. Она нужна всем, кто пользуется языком, словом. Слово связано с любыми формами бытия, с любым познанием бытия: слово, а еще точнее, сочетания слов. Отсюда ясно, что филология лежит в основе не только науки, но и всей человеческой культуры. Знание и творчество оформляются через слово, и через преодоление косности слова рождается культура.

Чем шире круг эпох, круг национальных культур, которые входят ныне в сферу образованности, тем нужнее филология. Когда-то филология была ограничена главным образом знанием классической древности, теперь она охватывает все страны и все времена. Тем нужнее она сейчас, тем она «труднее», и тем реже можно найти сейчас настоящего филолога. Однако каждый интеллигентный человек должен быть хотя бы немного филологом. Этого требует культура.

Культура человечества движется вперед не путем перемещения в «пространстве времени», а путем накопления ценностей. Ценности не сменяют друг друга, новые не уничтожают старые (если «старые» действительно настоящие), а, присоединяясь к старым, увеличивают их значимость для сегодняшнего дня. Поэтому ноша культурных ценностей — ноша особого рода. Она не утяжеляет наш шаг вперед, а облегчает. Чем бóльшими ценностями мы овладели, тем более изощренным и острым становится наше восприятие иных культур — культур, удаленных от нас во времени и в пространстве. Каждая из культур прошлого или иной страны становится для интеллигентного человека «своей культурой» — своей глубоко личной и своей в национальном аспекте, ибо познание своего сопряжено с познанием чужого. Преодоление всяческих расстояний — это не только задача современной техники и точных наук, но и задача филологии в широком смысле этого слова. При этом филология в равной степени преодолевает расстояние в пространстве и во времени (изучая словесную культуру прошлого). Филология сближает человечество и разные человеческие культуры не путем стирания различий в культурах, а путем осознания этих различий; не путем уничтожения индивидуальности культур, а на основе выявления этих различий, их научного осознания, на основе уважения и терпимости к «индивидуальности» культур. Она воскрешает старое для нового. Филология — наука глубоко личная и глубоко национальная, нужная для отдельной личности и нужная для развития национальных культур. Она оправдывает свое название («филология» — любовь к слову), так как в основе своей опирается на любовь к словесной культуре всех языков, на полную терпимость, уважение и интерес ко всем словесным культурам.

Вы можете спросить меня: что же, я призываю всех быть филологами, стать всем специалистами в области гуманитарных наук? Быть специалистами, профессионалами-гуманитариями я не призываю. Разумеется, нужны все профессии, и эти профессии должны быть равномерно и целесообразно распределены в обществе. Но... каждый специалист, каждый инженер, врач, каждая медицинская сестра, каждый плотник или токарь, шофер или грузчик, крановщик и тракторист должны обладать культурным кругозором. Не должно быть слепых к красоте, глухих к слову и настоящей музыке, черствых к добру, беспамятных к прошлому. А для всего этого нужны знания, нужна интеллигентность, дающаяся гуманитарными науками. Читайте художественную литературу и понимайте ее, читайте книги по истории и любите прошлое человечества, читайте книги о путешествиях, мемуары, читайте литературу по искусству, посещайте музеи, путешествуйте со смыслом и будьте душевно богаты.

Да, будьте и филологами, то есть «любителями слова», ибо слово стоит в начале культуры и завершает ее, выражает ее.

Письмо сорок пятое

Космический эрмитаж

Когда-то, примерно десятка три лет назад, мне пришел в голову такой образ: Земля — наш крошечный дом, летящий в безмерно большом пространстве. Потом я обнаружил, что этот образ одновременно пришел независимо от меня в голову десяткам публицистов. Он настолько очевиден, что уже рождается избитым, шаблонным, хотя от этого и не теряет своей силы и убедительности.

Дом наш! Но ведь Земля — дом миллиардов и миллиардов людей, живших до нас! Это беззащитно летящий в колоссальном пространстве музей, собрание сотен тысяч музеев, сотен тысяч произведений гениев (ах, если бы примерно сосчитать, сколько было на земле только одних всеми признанных гениев!). И не только произведений гениев! Сколько обычаев, милых традиций. Сколько всего накоплено, сохранено. Сколько возможностей. Земля вся засыпана бриллиантами, а под ними сколько алмазов, которые еще ждут, что их огранят, сделают бриллиантами. Это нечто невообразимое по ценности.

И самое главное: второй другой жизни во Вселенной нет! Это можно легко доказать математически. Нужно было сойтись миллионам условий, чтобы создать человеческую культуру.

И что там перед этой невероятной ценностью все наши национальные амбиции, ссоры, месть личная и государственная («ответные акции»)!

Эрмитаж, несущийся в космическом пространстве!

Письмо сорок шестое

О религии

Религия — это не просто то или иное философское учение, мировоззрение. Многие думают так: «Я признаю существование Бога — значит, я верующий, религиозный». Или так: «Я признаю никейский Символ веры — следовательно, я православный». Нет, быть верующим — значит выполнять определенные требования вероучения, вести определенный образ жизни, в согласии с другими верующими и жизнью Церкви. В религиозном духе воспитываются с детства. Жить в соответствии со своей религией стремятся всей семьей. Привыкнуть к религиозной жизни уже взрослому трудно, хотя и возможно. Также важно, что определенные народы связаны с определенными же религиями: русские — с православием (и староверы, и «нововеры»), поляки — с католицизмом, многие восточные народы — с исламом или буддизмом.

Не сковывает ли это свободу людей в выборе религии, свободу вообще? Нет, так как отказаться от религии легче, чем войти в большую семью верующих. Перейти из одной религии в другую легче, чем стать неверующему религиозным. Воспитывая детей в заветах определенной религии или вероучения, мы делаем их более свободными в выборе веры, чем тогда, когда даем им безрелигиозное воспитание, ибо отсутствие чего-то всегда обедняет человека, а от богатства легче отказаться, чем его приобрести. Религия же — именно богатство. Религия обогащает представление о мире, позволяет верующему ощутить значительность всего происходящего, осмысливает жизнь человека, объединяет людей в выполнении определенных религиозных обычаев, обрядов, таинств, составляет самую убедительную основу нравственности.

Без религии всегда остается соблазн эгоизма, соблазн замкнутости в своих личных интересах.

Письмо сорок седьмое

Путями доброты

Вот и последнее письмо. Мне жаль, писем могло бы быть и больше, но пора подвести итоги.

Читатель заметил, как постепенно усложнялись темы писем. Мы шли с читателем, поднимаясь по лестнице. Иначе и быть не могло: зачем тогда и писать, если оставаться на том же уровне, не восходя постепенно по ступеням опыта — опыта нравственного и эстетического. Жизнь требует усложнений.

Возможно, у читателя создалось представление об авторе писем как о высокомерном человеке, пытающемся учить всех и всему. Это не так. В письмах я не только «учил», но и учился. Я смог учить именно потому, что одновременно учился: учился у своего опыта, который пытался обобщить. Многое мне приходило на ум и по мере того, как я писал. Я не только излагал свой опыт — я и осмыслял свой опыт. Мои письма наставительные, но, наставляя, я «наставлялся» сам. Мы поднимались с читателем вместе по ступеням опыта, не моего только опыта, но опыта многих людей. Писать письма мне помогали сами читатели — они со мной беседовали неслышно.

Что же самое главное в жизни? Главным может быть у каждого что-то свое собственное, неповторимое. Но все же главное должно быть у каждого человека. Жизнь не должна рассыпаться на мелочи, растворяться в каждодневных заботах.

И еще, самое существенное: главное, каким бы оно ни было индивидуальным у каждого человека, должно быть добрым и значительным.

Человек должен уметь не просто подниматься, но подниматься над самим собой, над своими личными повседневными заботами и думать о смысле своей жизни — оглядывать прошлое и заглядывать в будущее.

Если жить только для себя, своими мелкими заботами о собственном благополучии, то от прожитого не останется и следа. Если же жить для других, то другие сберегут то, чему служил, чему отдавал силы.

Заметил ли читатель, что все дурное и мелкое в жизни быстро забывается? Людьми еще владеет досада на дурного и эгоистичного человека, на сделанное им плохое, но самого человека уже не помнят, он стерся в памяти. Люди, ни о ком не заботящиеся, как бы выпадают из памяти. А люди, служившие другим, служившие по-умному, имевшие в жизни добрую и значительную цель, запоминаются надолго. Помнят их слова, поступки, их облик, их шутки, а иногда чудачества. О них рассказывают. Гораздо реже и, разумеется, с недобрым чувством говорят о злых.

В жизни надо иметь свое предназначение — служение какому-то делу. Пусть дело это будет маленьким, оно станет большим, если будешь ему верен.

В жизни ценнее всего доброта, и при этом доброта умная, целенаправленная. Умная доброта — самое ценное в человеке, самое к нему располагающее и самое в конечном счете верное по пути к личному счастью.

Счастья достигает тот, кто стремится сделать счастливыми других и способен хоть на время забыть о своих интересах, о себе. Это «неразменный рубль».

Знать это, помнить об этом всегда и следовать путями доброты — очень и очень важно. Поверьте мне!

Лихачев Д.

Д65 Мысли о жизни. Письма о добром / Дмитрий Лихачев. — М. : КоЛибри; Азбука-Аттикус, 2014. — 576 с. + вкл. (32 с.).

ISBN 978-5-389-06680-9

Имя академика Дмитрия Сергеевича Лихачева, одного из крупнейших ученых-гуманитариев, давно стало символом научного и духовного просвещения, мудрости и порядочности. Это имя известно на всех континентах; многие университеты мира присуждали Лихачеву звание почетного доктора. Принц Уэльский Чарльз, вспоминая свои встречи со знаменитым академиком, писал, что свою любовь к России он во многом вынес из разговоров с Лихачевым, русским интеллигентом, которого ему привычнее называть «духовным аристократом».

УДК 821.161.1
ББК 84(2Рос-Рус)6-44

Литературно-художественное издание

ДМИТРИЙ ЛИХАЧЕВ

МЫСЛИ О ЖИЗНИ.
ПИСЬМА О ДОБРОМ

Художественный редактор Илья Кучма
Технический редактор Татьяна Тихомирова
Компьютерная верстка Владимира Сергеева
Корректоры Елена Терскова, Елена Шнитникова,
Валентина Гончар, Анна Быстрова

Подписано в печать 25.02.2014. Формат издания 60 × 90 1/16.
Печать офсетная. Тираж 3000 экз. Усл. печ. л. 38 (включая вклейки).
Заказ № 8184/14.

ООО «Издательская Группа „Азбука-Аттикус“» —
обладатель товарного знака „Издательство КоЛибри“
119991, г. Москва, 5-й Донской проезд, д. 15, стр. 4

Филиал ООО «Издательская Группа „Азбука-Аттикус“»
в Санкт-Петербурге
191123, г. Санкт-Петербург, наб. Робеспьера, д. 12, лит. А

ЧП «Издательство „Махаон-Украина“»
04073, г. Киев, Московский пр., д. 6 (2-й этаж)

в ООО «ИПК Парето-Принт».
170546, Тверская область, Промышленная зона Боровлево-1,
комплекс № 3А.
www.pareto-print.ru